От издателей

В первой части настоящей книги изложена древнейшая («библейская») история народа до конца персидского владычества (332 г. до христианской эры). Вторая часть содержит древнюю и отчасти средневековую историю евреев на Востоке, от начала греческого владычества в Иудее до упадка вавилонского центра (332 г. до хр. эры — 1040 г. хр. эры). Третья часть охватывает средневековую и новую историю евреев в Европе.

В правописании еврейских собственных имен автор придерживался общеупотребительного в России еврейского произношения, там, где это было возможно без резких отступлений от привычных способов транскрипции. При этом неупотребляемые в тексте книги формы правописания, если они заметно рознятся от употребляемых, помещаются в скобках при первом упоминании данного имени.

ЧАСТЬ I

ДРЕВНЕЙШАЯ (БИБЛЕЙСКАЯ) ИСТОРИЯ

Глава I

Рассказы о родоначальниках (патриархах) еврейского народа

1. Древний Восток и семиты. В отдаленные времена, около четырех тысяч лет тому назад, в странах Азии, примыкающих к Средиземному морю, господствовали народности, которые по своему происхождению и языку принадлежали к расе семитов. Из обширных степей Аравии племена семитов переселялись в соседнюю Месопотамию (Междуречье), расположенную между реками Евфратом и Тигром. В преданиях народов Месопотамия считалась «колыбелью рода человеческого», ибо там зародились первые большие государства Востока: Вавилония и Ассирия. Там семиты так распространились, что с течением времени с ними смешалась большая часть туземного населения; семитский язык сделался разговорным языком вавилонян и ассирийцев; многие цари в обоих государствах были из рода семитов.

Из Месопотамии племена семитов проникали в страны, расположенные ближе к берегу Средиземного моря. Одни утвердились в Араме, или Сирии, другие — в Ханаане, или Палестине. Некоторые кочевые семитские племена уходили еще дальше, на африканское побережье Средиземного моря, и проникали в Египет — третье великое государство Древнего Востока. В Нижнем и Среднем Египте семиты, под именем гиксов, приобрели даже господство над туземцами, продолжавшееся несколько столетий (около 1600 — 2000 г. до христианской эры).

Кроме семитов оседлых, сделавшихся постоянными жителями в различных странах, оставались еще семиты кочевые, которые занимались скотоводством, или пастушеством, вне городов, жили в палатках и шатрах и переходили с места на место. В то время как оседлые семиты смешивались с другими племенами, кочевые жили особняком и сохраняли в большей чистоте тип (физический и духовный облик) своей расы. К этим чистым семитам принадлежало племя евреев. Предки еврейского племени раньше жили в Вавилонии, затем переселились на север — в Арам, а потом перекочевали в Ханаан. В Ханаане этим переселенцам дали название «евреи» («ибрим», «хабири»), что означало «заречные», пришедшие с того берега, с берега Евфрата. Во главе евреев, переселившихся в Ханаан, стоял старейший в их роде — Авраам. Авраам считается родоначальником, или «патриархом», еврейского племени.

У всех семитских народов существовали древние предания о том, как был создан мир, как появились на земле люди и как потом из них образовались различные племена. У вавилонян, ассирийцев, арамейцев, ханаанейцев и евреев были первоначально одинаковые предания или сказания о происхождении мира и людей. Но с течением времени каждый народ изменял эти сказания по-своему, сообразно своим религиозным верованиям и обстоятельствам своей жизни. В особенности подвергались они изменениям среди тех евреев из потомков Авраама, которые впоследствии дошли до религии единобожия и отделились от родственных азиатских народов, оставшихся поклонниками многобожия, или язычества. Народные предания о первобытных временах сохранились в еврейских священных книгах — в Библии.

2. Происхождение мира и людей. В «Книге Бытия», первой из древнейших священных книг еврейского народа, рассказано о том, как появились люди на земле, как из людей составились народы и как из них выделился народ еврейский.

Бог сотворил небо, землю и все, что на них находится, в шесть дней. Земля была сначала пустынна и покрыта мраком (хаосом). Тогда Бог сказал: *«Да будет свет!»* — и появился свет. Это было в первый день творения. Во второй день образовались воздушное пространство и свод небесный. В третий день отделилась вода от суши; вода скопилась в морях, озерах и реках, а на суше показались травы, деревья и другие растения. В четвертый день показались светила на своде небесном; большое светило, солнце, стало освещать землю днем, а меньшие светила, луна и звезды, освещали землю ночью. В пятый день появились первые живые существа: рыбы в воде и крылатые птицы в воздухе; Бог благословил их, сказав: *«плодитесь и множитесь!»*. В шестой день появились разные виды животных на суше. Тогда же было создано и высшее существо — человек. Бог сотворил человека из праха земного, вдохнул в него живую душу, дал ему силу и разум, чтобы он мог властвовать над всеми земными тварями. Первый человек был назван Адамом, в знак того, что он создан из земли (по-еврейски земля — адама). Таким образом, Бог в шесть дней сотворил весь мир, всю природу — одушевленную и неодушевленную. В седьмой день Бог (как говорится в Библии) *«отдыхал от трудов»*. Поэтому седьмой день недели — суббота — является до сих пор у евреев днем отдыха и покоя.

Создав первого человека, Бог поселил его в Эдеме, прекрасной местности на Востоке, орошаемой четырьмя реками (Месопотамия). Здесь жил Адам в саду, где росли великолепные плодовые деревья. Посреди сада росли два дерева, из которых одно называлось «деревом жизни», а другое — «деревом познания». Бог сказал Адаму: *«Ты можешь есть плоды от всех деревьев, но плодов от дерева познания ты не должен есть»*.

Счастливо и беззаботно жил Адам в саду Эдема, но он был одинок. Тогда Бог сказал: *«Не хорошо человеку жить одному; надо создать ему помощника»*. Однажды, когда Адам крепко спал, Бог отнял от его тела один бок (ребро), закрыл обнаженное место мясом и кожей, а из отнятого бока сотворил женщину. И привел Бог эту женщину к Адаму. Увидев ее, Адам сказал: *«Это ведь кость от моих костей и плоть (мясо) от моей плоти»*. Первая женщина получила имя Ева (Хава), что означало «жизнь» (мать живущего). И стали Адам и Ева жить вместе в саду Эдема. Они жили счастливо, как дети, ходили нагими, без одежды, и не стыдились своей наготы.

Но счастье первых людей скоро кончилось. Коварный змей стал уговаривать Еву вкусить плодов от дерева познания, к которым Бог запретил прикасаться. Змей уверял, что если люди отведают плодов от дерева познания, то они все в мире познают и, подобно Богу, будут понимать и добро и зло. Ева не могла сдержать свое любопытство, сорвала несколько красивых плодов с запретного дерева и съела; затем она дала Адаму — и он тоже поел. И вот у обоих как бы открылись глаза, и стали они понимать то, чего раньше не понимали. Они впервые заметили свою наготу и поспешили сшить себе пояса из фиговых листьев. Боясь наказания за совершенный грех, Адам и Ева спрятались среди деревьев сада. Но тут Адам услышал голос Бога, зовущий: *«Где ты?»*. Адам ответил: *«Я устыдился своей наготы и поэтому спрятался»*. И Бог спросил: *«Кто же сказал тебе, что ты наг? Не вкусил ли ты от плодов дерева, которые Я запретил тебе есть?».* Адам сознался, что поел плодов, данных ему женой. Ева оправдывалась тем, что ее уговорил змей. Тогда Бог проклял змея, а Еве сказал: *«Я умножу твои печали; в болезни будешь рождать детей, а муж твой будет властвовать над тобою».* Адаму же Бог сказал: *«Пусть будет проклята земля из-за тебя. С горестью будешь питаться на ней во все дни жизни твоей. В поте лица твоего будешь есть хлеб, пока не возвратишься в землю, из которой ты взят, потому что ты прах и в прах обратишься».* — Люди, таким образом, были обречены за первый грех на труд и страдания. Бог не хотел оставить Адама и Еву в Эдеме. Он изгнал их из сада Эдема, и они принуждены были жить трудом своих рук, обрабатывая землю.

3. Потомство Адама. У Адама и Евы родились два сына. Старшего звали Каином, а младшего Авелем (Гевель). Каин занимался земледелием, а Авель был пастухом. Однажды оба брата принесли жертву Богу; Каин принес в дар Богу горсть плодов своей земли, а Авель — лучших овец своего стада. Богу поведение младшего брата более понравилось, чем поведение старшего, и поэтому Он обратил внимание на дар Авеля, а на дар Каина не посмотрел. Это очень огорчило Каина; он почувствовал зависть к своему брату. Однажды, когда братья были в поле одни, Каин набросился на Авеля и убил его. Тогда преступный Каин услышал голос Бога: где брат твой Авель? — *«Не знаю, —* отвечал Каин, — *разве я обязан сторожить брата моего?»* Но Бог, знавший все, сказал ему: *«Что ты наделал? Ведь кровь брата твоего взывает ко Мне из земли. Отныне ты проклят. Земля не даст тебе больше своих плодов. Ты будешь скитаться по свету и не будешь знать покоя».* Каин почувствовал раскаяние и сказал: *«Велик мой грех, и нельзя простить* *его. Ты теперь изгоняешь меня из моей страны, я должен скитаться повсюду, — и вот всякий, кто встретит меня, может меня убить».* Тогда Бог наложил особый знак на Каина, чтобы никто при встрече не трогал его.

В рассказе о Каине и Авеле представлена борьба между оседлым землепашцем и кочевником-пастухом. Потомки Каина привыкали все более к оседлой жизни в селах и городах. Из сыновей Ламеха, потомка Каина, один изобрел игру на арфе и свирели, а другой изобрел искусство ковать сосуды из меди и железа. — Кроме Каина и Авеля, у Адама был еще третий сын Шет (Сиф). От него также произошел ряд поколений. Род человеческий постепенно размножался; но еще не было правильного общежития людей. В отношениях между людьми не было правды и справедливости, а господствовала грубая сила. Сильный угнетал и обижал слабого; нравы людей были дикие, первобытные.

4. Потоп. Видя негодность первобытного рода человеческого, Бог решил истребить его, чтобы очистить на земле место для новой, лучшей породы людей. В то время жили люди из десятого поколения после Адама. Среди них был только один праведник, по имени Ной (Ноах). Бог открыл Ною, что Он намерен истребить всех обитателей земли потопом или наводнением, и дал ему совет, как спастись. *«Сделай себе, — сказал Бог Ною, — большой деревянный ковчег (корабль), раздели его внутри на клетки и поместись в нем со своим семейством. Помести там также по одной паре от каждой породы животных. Затем приготовь запасы пищи для прокормления себя, своего семейства, и всех животных в ковчеге».* Ной исполнил все это.

Вслед за тем начался страшный потоп. В течение сорока дней и сорока ночей шли беспрерывные дожди. Земля покрылась водою на значительной высоте, а ковчег Ноя поднялся и плавал на поверхности воды. Все живое на земле погибло от этого потопа. Уцелели только обитатели ковчега. Затем дожди прекратились, вода стала убавляться, и ковчег остановился на высоких горах Арарата. Ной открыл окно своего ковчега и выпустил оттуда сначала ворона, а потом голубя. Птицы улетели и прилетели назад, так как им негде было остановиться, пока на земле стояла еще вода. Однажды, когда выпущенный на волю голубь не возвратился больше в ковчег, Ной понял, что наводнение прекратилось и показалась суша. Он вышел из ковчега вместе со своим семейством и вывел оттуда уцелевших животных. По выходе из ковчега, он построил жертвенник и принес на нем в жертву Богу некоторых животных, в знак благодарности за спасение от потопа. Богу понравилось благочестие Ноя. Он обещал Ною, что больше уже не будет посылать на землю потоп за грехи людей. Бог указал на радугу, которая иногда появляется в облаках после дождя, как на знак своего примирения с людьми. Бог благословил Ноя и его детей и сказал им: «*Плодитесь и множитесь и наполняйте землю. Пусть подчиняются вам все звери земные, птицы небесные и рыбы морские; вы можете употреблять их мясо в пищу наравне со всякой зеленью и травами. Не проливайте только крови человеческой, ибо человек создан по образу и подобию Божию*».

5. Разделение народов. У Ноя было три сына: Сем (Шем или Сим), Хам и Яфет. Вместе с отцом они спаслись от потопа в ковчеге; после потопа Ной и его дети начали возделывать землю и насаждать виноградники. С течением времени у сыновей Ноя родились дети и внуки, и род людской снова стал размножаться. Постепенно образовались многочисленные семейства; близко родственные семейства соединялись в роды или племена. Сначала эти племена жили между собой дружно, как одна большая семья, и говорили все на одном языке. Главным местопребыванием их была равнина в земле Шинеар, в Вавилонии.

Однажды — рассказывает предание — жители этой равнины задумали смелое дело. Они стали строить город, а посреди него хотели соорудить из кирпичей высокую башню, вершина которой достигла бы неба. «Этим, — говорили они, — мы воздвигнем себе памятник, чтобы не рассеяться нам по всей земле». Но Бог расстроил их безумный замысел. Он «смешал языки» всех этих людей, то есть заставил их говорить на разных языках, так что один перестал понимать речь другого. Тогда люди принуждены были прекратить свою постройку и разошлись в разные стороны. Город, который они начали строить, был назван потом Бабель или Вавилон.

Из Вавилонии люди расселились по разным странам и стали жить отдельными племенами; каждое племя говорило на своем языке. Согласно еврейским преданиям, все эти племена разветвились от трех названных сыновей Ноя. От Сема произошли народы, жившие в западной Азии и названные, по имени своегс предка, семитами; таковы ассирийцы, эламиты, арамейцы, евреи, арабы. От Хама произошли египтяне, кушиты, туранцы и другие азиатские и африканские племена. От Яфета произошли предки европейских народов.

6. Родоначальник еврейского племени — Авраам. Переселение в Ханаан.

Из общего рода (расы) семитов племя евреев выделилось следующим образом. Один из потомков Сема, по имени Терах (Фарра), жил в вавилонском городе Уре со своими сыновьями, внуками и другими родственниками. Когда Тераху стало неудобно жить в Вавилонии, он взял всех своих детей и родных и переселился с ними к северу — в Харан, в страну арамейцев. Здесь умер вскоре престарелый Терах, и род его разделился: семья его сына Нахора осталась в Араме и слилась с племенем арамейцев; другой же сын Тераха, Авраам, взял свою жену Сару, племянника Лота и других родичей и переселился с ними в соседний Ханаан (Палестина). Переселенцев здесь прозвали «евреями», то есть «заречными», пришедшими с берега дальней реки, и это имя осталось за их потомством.

Родоначальник еврейского племени Авраам верил в единого Бога (Элогим), творца неба и земли. Предание рассказывает, что сам Бог велел Аврааму идти в Ханаан, сказав ему: *«Иди из твоей родной земли и из дома отца твоего в ту землю, которую укажу тебе, ибо там от тебя произойдет великий народ».*

Еврейские переселенцы занимались в Ханаане скотоводством, или пастушеством. Они кочевали по стране, раскидывая свои шатры то в одном, то в другом месте. Когда всему племени становилось тесно в одном месте, оно разделялось на части, которые селились в разных местах. Так отделилась от семьи Авраама семья его племянника Лота. Обе эти семьи имели много шатров для людей и большие стада овец. Часто между пастухами Авраама и пастухами Лота происходили споры из-за пастбища. Тогда Авраам сказал Лоту: *«Нам тесно жить вместе, поэтому разойдемся в разные стороны».* Лот так и сделал: он удалился со своими людьми и стадами к берегам Мертвого моря, где находился город Содом. Авраам же раскинул свои шатры близ города Хеврона, у дубравы Мамре. Здесь он заключил союз с местными князьями аморейского племени и жил мирно, в качестве старейшины (патриарха) маленького племени кочевников-евреев.

7. Подвиги Авраама и гибель Содома. Мирная жизнь Авраама нарушалась иногда бедствиями и тревогами. Однажды в Ханаане наступил голод: не было хлеба для людей и корма для скота. Это заставило Авраама переселиться на время в соседние области Египта. Здесь семейству Авраама угрожала большая опасность. Египетский царь (фараон) вздумал отнять у Авраама его красивую жену Сару — и уже взял ее в свой дворец. Но скоро царь и его домашние заболели от проказы: у них на теле появились нарывы и язвы. Царь увидел в этом наказание Божие за похищение чужой жены. Он отослал Сару к ее мужу и велел им уйти из Египта. Авраам и его семья возвратились в Ханаан.

Вскоре племени Авраама пришлось вести войну против властителей Азии — вавилонян. Цари Содома и еще четырех ханаанских городов на берегу Мертвого моря были подвластны могущественным царям Элама и Вавилонии. Однажды ханаанские цари возмутились и решили не подчиняться больше иноземцам. Тогда цари эламский и вавилонский вторгнулись с войском в Ханаан, разорили жителей Содома и соседних городов. Победители захватили много добычи и забрали также в плен племянника Авраама, Лота, жившего в Содоме. Узнав об этом, Авраам взял с собою отряд в несколько сот человек и погнался за эламитами и вавилонянами. Авраам настиг их у Дамаска, в Араме, освободил Лота и других пленных и отнял добычу, которую вавилоняне награбили в Содоме. Обрадованный содомский царь предложил Аврааму, как победителю, взять себе всю возвращенную добычу; но бескорыстный Авраам сказал: *«Клянусь, что не возьму ни одной нитки и ни одного башмачного ремешка, кроме того, что ушло на прокормление моих воинов».* Эта победа Авраама, его честность и бескорыстие прославили его имя во всем Ханаане.

Но недолго суждено было существовать Содому и соседним городам, которые избавились, благодаря Аврааму, от иноземного ига. В этих городах люди были очень порочны и злы, предавались насилиям, грабежу и разврату. Бог открыл Аврааму, что грешных жителей Содома и окрестных городов скоро постигнет страшное бедствие. Авраам стал умолять Бога пощадить содомитов, среди которых, может быть, найдутся и честные люди. И Бог ему сказал: *«Я пощадил бы жителей Содома, если бы там нашлось хоть пятьдесят праведников»*. Авраам упросил Бога пощадить город, если даже там найдется только десять праведных людей; но и десяти праведников не оказалось в преступном городе. Авраам предупредил Лота о предстоящей гибели Содома, и Лот поспешил выбраться из этого города с семейством. Тогда полились с неба потоки серы и пламени на Содом, Амору и окрестные города. Города сгорели, люди погибли, и весь край превратился в мрачную пустыню. (Эта пустыня доныне окаймляет берега Соленого озера, или Мертвого моря.) Лот удалился со своим семейством в горы. У его дочерей родились два сына: Моав и Бен-Амми. Эти сыновья были родоначальниками двух племен: моавитов и аммонитов, которые в позднейшее время образовали особые царства на востоке от Иордана.

8. Исмаил и Исаак. Авраам и его жена Сара были уже очень стары, а детей у них еще не было. По восточному обычаю, Авраам имел еще одну жену из своих рабынь, египтянку Агарь. Агарь родила ему сына, по имени Исмаил. Но не этому сыну, рожденному от рабыни, суждено было сделаться наследником Авраама и патриархом еврейского племени. Когда Аврааму было уже почти сто лет, Бог возвестил ему, что скоро родится у него от Сары сын. Авраам удивился и подумал: разве у столетнего старца могут родиться дети, а девяностолетняя Сара разве может родить? Смеялась и Сара, когда однажды в их шатер зашли три таинственных странника и предсказали ей, что она через год будет держать на руках своего родного сына. Но предсказание исполнилось. Через год Сара родила сына, которому дали имя Ицхак, или Исаак. На восьмой день от рождения на теле младенца был сделан особый знак. Такой же знак сделали себе раньше, по велению Бога, Авраам и все мужские члены его рода, в память вечного союза между Богом и еврейским племенем. С тех пор этот обряд, называемый «обрезанием», совершается у евреев над всеми новорожденными мальчиками.

В детстве Исаак любил играть с побочным братом своим, Исмаилом. Саре не нравилось, что ее сын и сын рабыни воспитываются как равные наследники Авраама; она потребовала от мужа, чтобы он удалил из своего дома Исмаила и его мать Агарь. Жалко было Аврааму обидеть Исмаила, но он должен был исполнить просьбу Сары. Он велел Агари уйти из его дома с Исмаилом и дал ей на дорогу хлеба и мех (кожаный) с водою. Агарь ушла с сыном в пустыню, но скоро заблудилась там. Вода из меха вышла и им нечего было пить. Тогда Агарь оставила своего мальчика под кустом, сказав себе: не хочу видеть, как мое дитя умрет от жажды! Сама же села поодаль и громко заплакала. И услышала она голос посланника Божия: «Что с тобою, Агарь? Не бойся: Бог услышал голос твоего мальчика. Подними своего сына и веди его за руку, ибо от него произойдет великий народ». Тут Агарь подняла глаза и увидела колодец с водой; она пошла, наполнила мех водою и напоила своего сына. Исмаил остался жив в пустыне. Он сделался ловким наездником и стрелком. Дети и потомки Исмаила кочевали в Аравийской пустыне, к югу от Палестины. Исмаил поныне считается родоначальником арабов.

9. Испытание Авраама. В это время Авраам переселился из Хеврона в город Герар, на юго-западной окраине Палестины. Живя здесь среди язычников, он все-таки оставался верен единому Богу. Однажды Бог захотел испытать Авраама и сказал ему: «*Возьми своего любимого сына Исаака и принеси Мне его в жертву на горе Мория*». Тяжело было Аврааму исполнить это повеление Божие, но ослушаться он не смел. Он встал рано утром, оседлал своего осла, взял с собою Исаака и отправился в указанное место. Исаак думал, что отец принесет в жертву овцу или барана. Когда Авраам приготовил уже все для жертвоприношения, Исаак спросил его: вот тут и дрова, и огонь, а где же овца для жертвы? Авраам молча взял своего сына, связал его, положил на жертвенник поверх дров и уже простер руку к ножу, — но в эту минуту он услышал голос с неба: «*Авраам, не простирай руки к мальчику и не делай ему ничего. Теперь Я знаю, как сильно ты почитаешь Меня, если ты не пожалел ради Меня даже своего единственного сына*». Авраам поднял глаза и увидел невдалеке барана, запутавшегося своими рогами в кустах. Обрадованный отец снял сына с жертвенника и, вместо него, принес в жертву барана. Бог не хотел человеческих жертв, какие приносились в то время языческими жителями Ханаана в честь идолов. Он желал только испытать своего любимого Авраама — и убедился, что еврейский патриарх предан Ему всей душой и готов пожертвовать всем, лишь бы исполнить волю Божию.

10. Женитьба Исаака. Сара, жена Авраама, умерла, когда ей было 127 лет. Авраам горячо оплакивал свою жену и похоронил ее близ Хеврона, в пещере Махпела, на участке земли, купленном у племени хитейцев. После этого престарелый патриарх стал думать о выборе жены для Исаака. Он призвал своего верного раба и домоправителя Элиезера и сказал ему: поклянись мне, что не возьмешь сыну моему жены из дочерей ханаанских, среди которых мы живем, а пойдешь на родину мою и там выберешь жену для сына моего. Элиезер взял десять верблюдов, наложил на них много всякого добра и пошел в Арам, или Месопотамию. Через некоторое время он подъехал к городу, где жили родственники Авраама со стороны брата его Нахора (2).

За городом, у колодца, Элиезер остановился со своими верблюдами. День уже клонился к закату, и приближался час, когда городские девушки выходили к колодцу за водою. Элиезер, ожидая выхода девушек, решил про себя так: если я попрошу у одной из них напиться и она напоит не только меня, но также моих верблюдов, — то я буду знать, что ее Бог назначил в жены Исааку. Вдруг пред ним появилась молодая девушка, с кувшином на плече. Она сошла к колодцу, наполнила кувшин и опять пошла вверх. Элиезер побежал навстречу ей и сказал: дай мне напиться из твоего кувшина. Девушка быстро спустила кувшин с плеча, дала Элиезеру напиться и сказала: теперь стану черпать и для твоих верблюдов, чтобы они напились. И, спустившись снова к колодцу, она начерпала воды для верблюдов. С умилением смотрел верный слуга на эту добрую девушку. Когда она напоила всех верблюдов, он взял золотую серьгу и два кольца, подал девушке и сказал ей: чья ты дочь, скажи мне, и есть в доме твоего отца место, чтобы нам переночевать? Девушка отвечала, что она — Ревекка, дочь Бетуила и внучка Нахора, и что в их доме есть место для ночлега и достаточно корму для скота.

После этого она побежала домой и рассказала своей матери обо всем случившемся. Тогда брат Ревекки, Лаван, вышел навстречу к Элиезеру и привел его в дом своих родителей. Тронутый этим гостеприимством, Элиезер рассказал родителям и брату Ревекки о цели своего приезда и объявил, что сам Бог, по-видимому, судил Ревекке быть женою ее родственника Исаака. Бетуил и Лаван отвечали: вот Ревекка перед тобою, возьми ее, и пусть она будет женою сына господина твоего. Элиезер вынул серебряные и золотые вещи и одежды и дал невесте, ее матери и брату. На другое утро родители благословили Ревекку и отпустили ее с Элиезером в Ханаан. Подъезжая к месту, где стояли шатры Авраама, Элиезер и Ревекка встретили в поле Исаака. Узнав, кто это, Ревекка взяла покрывало и покрыла лицо. Потом Исаак ввел Ревекку в шатер своих родителей, она стала его женою, и он полюбил ее.

Авраам после этого прожил еще некоторое время и умер в глубокой старости, имея 175 лет от роду. Его похоронили подле Сары, в пещере Махпела близ Хеврона.

11. Исаак и его сыновья. После смерти Авраама, Исаак сделался старейшиной, или «патриархом», еврейского племени. Он также жил на юге Ханаана и занимался не только скотоводством, но и земледелием. От своей жены Ревекки Исаак имел двух сыновей-близнецов. Первого звали Исавом, а второго Яковом. Когда мальчики подросли, стало заметно, что они отличаются друг от друга своими наклонностями. Исав любил охотиться на зверей и был «человек степной», а Яков любил мирную пастушескую жизнь и был «человек шатра».

Однажды Исав возвращался с охоты, усталый и голодный. Увидев у Якова похлебку из чечевицы, он попросил поесть. Яков сказал: уступи мне за это свое старшинство (Исав считался старшим братом, а старший должен был по смерти отца сделаться начальником семьи). Исав ответил: я умираю с голоду, на что мне старшинство? Яков накормил брата, а Исав и не пожалел о том, что продал свое право старшинства за чечевичную похлебку. Но Исаак как будто не заметил этого и продолжал обращаться с Исавом, как со старшим сыном. Исав приносил с охоты свежую дичь, изготовлял из нее кушанья и подносил отцу. Он был любимцем Исаака, между тем как скромный Яков был любимцем своей матери, Ревекки.

Когда Исаак состарился и почти ослеп, он призвал однажды Исава и сказал ему: *«Сын мой, вот я уже очень стар и, может быть, скоро умру; возьми же оружие свое, иди в поле, налови мне дичи и приготовь из нее мое любимое кушанье; тогда я тебя благословлю перед смертью».* Ревекка слышала эти слова Исаака, и ей стало жаль, что благословение родительское достанется Исаву, а не ее любимцу, Якову. Она рассказала об этом Якову и посоветовала ему хитростью получить у отца благословение раньше брата. По совету матери, Яков тотчас принес из стада пару козлят, из мяса которых Ревекка изготовила любимое кушанье старика. Затем она одела Якова в охотничье платье Исава, наложила ему на руки и на шею шкуры козлят и велела ему отнести к отцу изготовленное кушанье. Пришел Яков к отцу и сказал: *«Вот я — Исав, твой старший сын; я сделал, что ты повелел мне; теперь покушай и благослови меня».* Слепой Исаак ощупал сына и с удивлением сказал: голос твой похож на голос Якова, а руки твои косматые, как у Исава. Старик, однако, поверил, что перед ним стоит Исав, и благословил сына так: *«Пусть даст тебе Бог изобилие хлеба и вина, пусть служат тебе народы, и будешь ты господином над братьями твоими».*

Как только Яков вышел, возвратился с охоты Исав, приготовил кушанье из дичи и принес отцу. Исаак испугался и спросил: кто же прежде был здесь и принял от меня благословение? Исав понял, что его опередил брат, и в отчаянии воскликнул: *«Отец мой, неужели у тебя только одно благословение? Благослови и меня».* И отвечал Исаак: *«Я уже Якова благо-*

словил, чтобы он был господином над братьями своими; тебе же я пожелаю, чтобы ты защищался мечом своим, и если власть брата будет тебе тяжела, то ты силою сбросишь с себя его иго». С тех пор Исав возненавидел брата Якова. «Он раньше выманил у меня старшинство, а потом и назначенное мне благословение», — жаловался Исав. Он задумал убить Якова, как только отец умрет. Узнав о замысле Исава, Ревекка призвала Якова и сказала: «Беги к своему брату Лавану, в Харан, и поживи у него, пока не утихнет гнев брата твоего». Исаак тоже советовал Якову идти в Месопотамию, к Лавану, и там найти себе жену среди родных. Яков послушался и отправился в далекий путь.

12. Яков в Месопотамии. Долго шел Яков из Ханаана в Месопотамию. В одном месте Ханаана, когда наступила ночь, странник лег спать, положив камень под голову. И видел он чудный сон: стоит лестница, вершина которой упирается в небо, и ангелы Божии идут по ней вниз и вверх. И послышался ему голос Бога: «Я с тобою и буду охранять тебя всюду, а затем возвращу тебя на родину». Проснулся Яков, ободренный вещим сновидением. Он поставил камень, на котором спал, в виде памятника, чтобы после возвращения на родину построить на этом святом месте храм, или «дом Божий». В позднейшее время на этом месте образовался израильский город, носивший имя Бетэль (дом Божий).

После долгих скитаний Яков подошел к одному полю. Посреди поля стоял колодец, вокруг которого расположились пастухи со стадами овец. То было поле близ Харана. Пастухи рассказали Якову, что они знают дядю его, Лавана. В это время на поле пришла Рахиль, младшая дочь Лавана, чтобы напоить своих овец. Колодец был прикрыт большим камнем, и юной пастушке трудно было снять камень. Яков, узнав от пастухов, кто эта девушка, приблизился к колодцу, отвалил камень и напоил овец Рахили. Затем Яков сказал Рахили, что он ее двоюродный брат, поцеловал ее и от волнения заплакал. Рахиль побежала домой, и вскоре явился ее отец. Лаван радушно встретил племянника и ввел его в свой дом. И стал Яков жить в доме Лавана.

У Лавана, кроме Рахили, была еще старшая дочь, Лея. У Леи были слабые глаза; Рахиль же была очень красива. Яков полюбил Рахиль и сказал Лавану: «Я буду тебе служить семь лет, если ты дашь мне в жены младшую дочь, Рахиль». Лаван согласился. И Яков прослужил у дяди семь лет, пас его стада днем и сторожил ночью; он охотно работал за любимую девушку, и семь лет труда пробежали для него, как несколько дней. Но Лаван обманул своего племянника. По прошествии семи лет он вместо Рахили дал Якову в жены ее старшую сестру, Лею. Когда Яков стал жаловаться на этот обман, Лаван сказал ему: «У нас не принято выдавать замуж младшую сестру раньше старшей; послужи у меня еще семь лет — и я отдам тебе также и Рахиль». Яков продолжал служить и, таким образом, получил двух жен. Нелюбимой жене Лее Бог послал много детей; у нее родилось шесть сыновей (Рувим, Симон, Леви, Иуда, Исахар, Зевулон) и одна дочь (Дина). Рахили же Бог не дал детей, и это ее очень огорчало. Только спустя долгое время она родила сына, Иосифа. По восточному обычаю, Яков имел еще детей от своих двух рабынь — Бильги и Зильпы; первая родила двух сыновей: Дана и Нафтали, а вторая — также двух: Гада и Ашера.

Когда у Якова сделалась большая семья, он объявил Лавану, что хочет возвратиться на родину, в Ханаан. Лаван не хотел отпустить Якова, который был хорошим скотоводом и приумножил стада своего хозя ина; он упрашивал племянника остаться, обещая ему разные выгоды. Лаван подарил Якову часть своих стад, и через несколько лет у Якова появилось множество овец, коз, верблюдов, а также много рабов и рабынь. Так как Лаван все еще не отпускал его, то Яков ушел от дяди тайком со своими женами, детьми, рабами и стадами. Беглецы уже перешли реку, как вдруг их настиг Лаван со своими людьми. Он стал упрекать племянника за тайный побег; но Яков ему отвечал, что уже двадцать лет верно прослужил ему, а теперь хочет возвратиться с семейством и честно нажитым добром на родину. После долгих споров дядя и племянник расстались. Они сложили холм из камней за рекою Иордан для обозначения границы между их землями и поклялись, что они впредь друг друга не будут трогать. Затем Лаван вернулся в Месопотамию, а Яков направился в Ханаан.

13. Яков и его дети в Ханаане. Возвращаясь на родину, Яков вспомнил, что ему предстоит встреча с братом Исавом, от которого он некогда бежал. Желая помириться с братом, Яков выслал впереди вестников к Исаву, жившему на горе Сенр, и просил его о примирении. Но вестники скоро вернулись сказав, что Исав уже идет навстречу брату и с ним четыре человека. Яков очень испугался и стал горячо молиться о спасении. Затем он разделил всех своих людей и свои стада на два отряда. Впереди были поставлены рабы и рабыни со стадами, назначенными в подарок Исаву; а позади находились жены и дети Якова с остальным обозом. Когда Исав приблизился, Яков выступил вперед и поклонился ему до земли семь раз. Исав был тронут покорностью брата, обнял и поцеловал его, и оба заплакали. Прежняя вражда была забыта. Исав сначала отказывался принять от брата подарки, но Яков упросил его, и он взял. Затем братья расстались. Исав возвратился в Сеир и сделался родоначальником воинственного племени эдомитов (идумеев), жившего на юге Ханаана. Яков же раскинул свои шатры временно близ города Сихема, в средней части Ханаана.

Здесь случилось одно печальное происшествие. Сын сихемского князя, по имени тоже Сихем, похитил дочь Якова, Дину, в то время, когда она вышла гулять. Сихем хотел на ней жениться, но Яков не мог отдать свою дочь за инородца, и молодой князь держал Дину в своем доме насильно. Тогда мужественные сыновья Якова, Симон и Леви, вооружили своих людей и напали на жителей города внезапно. Они убили сихемского князя и его сына, а свою сестру освободили и увели.

После этого окрестные ханаанские племена стали враждебно относиться к племени Якова. Яков и вся семья его принуждены были перекочевать на юг, к месту, где потом стоял город Бетэль. В этом месте, где Яков некогда почивал, убегая от Исава, он теперь построил жертвенник Богу. Он велел своим родным уничтожить все изображения ложных богов, которые они привезли с собою из Месопотамии, из дома язычника Лавана. Тут же, по преданию, Бог вторично явился Якову и велел ему впредь называться новым именем Израиль (в этом слове есть частица божественного имени Эль). Подвигаясь далее к Хеврону, где еще жил престарелый Исаак, Яков остановился недалеко от города Бетлехема (Вифлеем). Здесь Рахиль родила второго сына, которому дала имя Вениамин, и умерла от родов. Яков похоронил свою любимую жену посреди дороги и поставил на ее могиле памятник. Затем он пришел к своему отцу Исааку в Хеврон и жил там. Исаак вскоре умер, дожив до 180 лет. Как он, так и Ревекка были похоронены в пещере Махпела, близ Хеврона, в семейной гробнице Авраама. Старейшиной и начальником племени сделался Яков.

14. Иосиф и его братья. Из всех двенадцати сыновей Якова самым любимым у него был Иосиф, сын Рахили. Иосиф был очень красив. Отец отличил его от старших братьев и подарил ему разноцветную рубашку. Братья завидовали Иосифу и не любили его, он же своими неосторожными речами и поступками усиливал их зависть. Однажды Иосиф видел сон и рассказал своим братьям: *«Видел я во сне, что мы все вяжем снопы в поле; и вот мой сноп поднялся и стал, а ваши снопы стали кругом и поклонились моему».* Братья рассердились и сказали ему: не думаешь ли ты когда-нибудь господствовать над нами? И они еще больше возненавидели Иосифа. В другой раз Иосиф рассказал отцу и братьям, что ему приснилось, будто солнце, луна и одиннадцать звезд поклоняются ему. Отец побранил Иосифа и сказал: неужели я, мать твоя и одиннадцать братьев твоих придем поклониться тебе до земли?

Однажды, когда братья пасли стада в Сихеме, Яков послал Иосифа туда, чтобы посмотреть, здоровы ли они и цел ли скот. Завидев Иосифа издали, братья сказали: *«Вот идет этот сновидец: убьем его и бросим в какую-нибудь яму, а дома скажем, что хищный зверь съел его; тогда посмотрим, что выйдет из его снов».* Услышал это Рувим, старший сын Якова, и стал уговаривать братьев, что нехорошо убивать Иосифа, а лучше бросить его живым в ров, находящийся в степи. Рувим говорил это, с целью спасти Иосифа и потом отвести к отцу. Как только Иосиф подошел, братья сняли с него разноцветную рубашку и бросили его в ров, а сами сели кушать. В это время проходил мимо торговый караван исмаилитов (арабов) с верблюдами, нагруженными товаром. По совету Иегуды, братья продали Иосифа исмаилитам в рабство за двадцать серебряных монет. Исмаилиты взяли юношу с собой и увезли его. — Рувима при этом не было. Когда он вернулся и увидел, что Иосифа нет во рву, он в отчаянии воскликнул: мальчика нет, куда же я теперь пойду? А братья взяли рубашку Иосифа, обмакнули ее в кровь козленка и принесли Якову, говоря: вот мы это нашли; узнай, не рубашка ли это Иосифа? Яков узнал рубашку и воскликнул: да, это рубашка моего сына; хищный зверь съел его, растерзан мой Иосиф! Несчастный отец разорвал в отчаянии свою одежду и много дней плакал о своем погибшем сыне. Его пробовали утешать, но он говорил: я не утешусь, а сойду с печалью к моему сыну в могилу.

15. Иосиф в Египте. А Иосифа исмаилиты увезли в Египет (Мицраим — по-еврейски) и продали его в рабство. Купил его египтянин Потифар, начальник телохранителей египетского царя — Фараона. Честный и способный Иосиф очень понравился своему господину. Он недолго служил в качестве простого раба; скоро он был назначен правителем дома Потифара и стал заведовать его хозяйством. Хорошо жилось бы Иосифу в доме египетского начальника, но тут случилось несчастье. Жене Потифара понравилась красивая наружность молодого человека, и она стала уговаривать Иосифа, чтобы он сделался ее мужем; но благородный Иосиф отказывался сделать что-нибудь нечестное против своего доброго хозяина. Однажды, когда жена Потифара очень приставала к Иосифу, Иосиф, не желая ее дольше слушать, выбежал из дому; при этом он оставил в руках хозяйки свой плащ, за который она его схватила. Тогда рассерженная хозяйка подняла крик, собрала своих людей и ложно объявила, что раб-еврей хотел ее обидеть Услышал это Потифар, поверил ложному рассказу жены и велел бросить Иосифа в тюрьму.

Долго сидел Иосиф в тюрьме, но и здесь он удивлял всех своим умом и благородством. Начальник тюрьмы назначил его старшим над всеми заключенными. В числе заключенных были два служителя дворца Фараона, провинившиеся в чем-то: главный царский виночерпий (поставщик вин во дворце) и главный пекарь. Однажды им обоим приснились тревожные сны, и они обратились за истолкованием этих снов к Иосифу. Иосиф выслушал сны, предсказал виночерпию скорое освобождение из тюрьмы, а пекарю — скорую казнь. Предсказания Иосифа сбылись.

Через два года после этого сам Фараон видел странный сон. Ему снилось, будто из реки вышли семь красивых и тучных коров и паслись на лугу; за ними вышли из реки семь коров худых и тощих, и эти худые коровы съели тучных. Еще снилось Фараону, будто семь полных колосьев в поле были съедены семью колосьями тощими. Царь проснулся в сильной тревоге, призвал своих жрецов и кудесников, но и те не могли объяснить ему значение этих снов. Тогда виночерпий, некогда сидевший в тюрьме, рассказал Фараону, что в заключении сидит еврей Иосиф, который умеет верно толковать сны. Царь велел немедленно привести Иосифа во дворец. Выслушав сны Фараона, Иосиф сказал: *«Семь коров тучных и семь колосьев полных означают семь лет урожая, а семь коров и колосьев тощих означают семь лет голода. Сначала в земле Египетской будет ряд урожайных годов, и будет великое изобилие в хлебе; но за ними последует семь лет неурожая, и будет великий голод в стране. Бог во сне открыл это Фараону для того, чтобы он вовремя предупредил несчастье. Пусть Фараон назначит людей, которые в урожайные годы собирали бы лишний хлеб в амбарах, и тогда народ в неурожайные годы будет кормиться этими запасами и не будет голодать».* Это мудрое толкование очень понравилось Фараону. *«Теперь,* — сказал он Иосифу, — *я знаю, что нет человека мудрее тебя. Отныне ты будешь управлять моим домом, и твоего слова будет слушаться весь народ мой».* Фараон дал Иосифу свой перстень, возложил на него золотую цепь и велел везти его по городу в царской колеснице; при проезде нового сановника по улицам все низко кланялись ему.

Таким образом Иосиф из несчастного узника превратился в правителя, занимавшего в Египте второе место после царя. После этого он женился на дочери одного сановного египетского жреца. Эта жена по имени Аснат родила Иосифу двух сыновей: Менашу (Манасса) и Эфраима. Когда вскоре, согласно предсказанию Иосифа, наступили урожайные годы, он собрал громадные запасы хлеба; а позже, в неурожайные годы, раздавал эти запасы голодающему народу. В Египте было так много хлеба в царских амбарах, что даже из других стран приезжали туда покупать хлеб.

16. Братья Иосифа в Египте. В это время был сильный голод и в Ханаане. Яков узнал, что в Египте есть много хлебных запасов, и послал туда своих сыновей, чтобы закупить там хлеб. В путь отправились десять сыновей Якова; только самый младший, Вениамин, остался при отце. Сыновья Якова прибыли в Египет и явились к Иосифу, который заведовал продажею хлеба. Иосиф узнал своих братьев, но они его не узнали; им и в голову не приходило, что этот гордый правитель Египта есть их пропавший брат. Иосиф притворился, будто не узнал своих братьев, и стал их строго допрашивать: откуда они и для чего пришли. Братья рассказали, что один брат у них пропал, а другой остался при отце, и что приехали они из Ханаана за хлебом. Иосиф сделал вид, что не доверяет их словам, и сказал: *«Нет, вы — соглядатаи (шпионы), вы пришли, чтобы высмотреть слабые места нашей страны».* Напрасно братья уверяли, что у них нет никаких дурных намерений; Иосиф говорил им: *«Если вы чес-*

тные люди, то привезите и вашего младшего брата (Вениамина) сюда, а до тех пор один из вас останется у меня в виде залога». Братья переглянулись между собою и говорили друг другу: «Вот мы наказаны теперь за то, что когда-то сделали нашему брату Иосифу; мы видели тогда его мучения, слышали, как он нас умолял, но не пожалели его и продали в рабство». Так говорили они между собою, не подозревая, что Иосиф, которого они считали египтянином, понимает их речь. А Иосиф, слыша их слова, отошел в сторону и тихо заплакал. Затем он велел наполнить мешки братьев хлебом и вложить туда обратно деньги, которые они привезли для уплаты за хлеб. Одного из братьев, Симона, он задержал у себя в качестве заложника, а прочих отпустил домой.

Приехали братья в Ханаан и рассказали Якову обо всем случившемся. Яков с горечью сказал: «Вы меня совсем погубите; Иосифа нет, Симона вы оставили в Египте, а теперь хотите взять туда и Вениамина; не отпущу я его». Но когда купленный хлеб вышел, и нужно было снова ехать в Египет, Яков вынужден был отпустить туда Вениамина вместе с прочими братьями. Старец благословил уезжавших детей и молил Бога, чтобы в чужой стране с ними не случилась беда.

17. Переселение Якова в Египет. После вторичного прибытия сыновей Якова в Египет, Иосиф не мог уже скрывать от них свое происхождение; он открылся им, сказав: «Я — брат ваш Иосиф, которого вы продали в Египет». Братья так испугались, что ничего не могли ответить; но Иосиф успокоил их, говоря: «Не огорчайтесь, что продали меня, ибо сам Бог послал меня сюда для сохранения вашей жизни; Он сделал меня наставником Фараона и владыкою всей земли Египетской. Теперь идите скорее к моему отцу и привезите его сюда со всеми его людьми и стадами;

вы будете все жить здесь возле меня». Сказав это, Иосиф обнял и поцеловал своих братьев, и все они громко плакали от радости. Когда Фараон услышал, что прибыли братья Иосифа, он велел дать им коней и большие колесницы, чтобы они перевезли в Египет Якова, его людей и все его имущество.

Когда братья возвратились в Ханаан к отцу и сказали ему, что Иосиф еще жив, старик сначала не поверил им; но потом, увидев присланные Иосифом колесницы, он воскликнул: *«Довольно для меня! Еще сын мой Иосиф жив; пойду, увижу его прежде, чем умру».* Вскоре Яков двинулся из Ханаана со своими детьми и их женами, с внуками, слугами, стадами и всем имуществом, и направился в Египет. Трогательна была встреча Иосифа с отцом. По совету Иосифа и с согласия Фараона, Яков со всем своим родом поселился в лучшей части египетской земли, в области Гошен. Здесь были хорошие пастбища для скота, и еврейские переселенцы могли по-прежнему заниматься скотоводством. Они жили отдельно от египтян, которым были чужды по языку и образу жизни.

Когда Яков прибыл в Египет, ему было сто тридцать лет от роду; он прожил еще семнадцать лет. Пред смертью он благословил всех своих сыновей, а также детей Иосифа, Эфраима и Менашу. Когда Яков умер, Иосиф и братья отвезли его тело в Ханаан и похоронили в гробнице Авраама и Исаака, близ Хеврона, а затем вернулись в Египет. Иосиф дожил здесь до ста десяти лет и перед смертью завещал родным, чтобы со временем перевезли его прах на родину, в Ханаан. По египетскому обычаю тело Иосифа бальзамировали, чтобы оно долго сохранилось, и положили в гроб, который был помещен в одной из египетских гробниц.

18. Исторические выводы. О происхождении евреев из среды семитов, живших в глубокой древности в Вавилонии, свидетельствует поразительное сходство между еврейскими и вавилонскими преданиями о временах первобытных. Раскопки, произведенные современными учеными на местах бывших государств Ассирии и Вавилонии, обнаружили в земле множество глиняных плит и памятников, на которых начертаны ассиро-вавилонские предания, на языке, сходном с еврейским. В этих надписях, сделанных три-четыре тысячи лет тому назад, рассказывается о сотворении мира, первых людях, всемирном потопе и разделении народов почти так же, как в библейских книгах. И по вавилонской мифологии сначала небо и земля сливались в безграничном хаосе, а потом боги разделили их и сотворили мир в течение семи дней. Ассиро-вавилонское предание о потопе рассказывает то же, что еврейское; только вместо Ноя там спасается на корабле царь Хасисадра (Ксисутра), предупрежденный Богом Белом о готовящемся несчастье. Еврейскому рассказу о Вавилонской башне и разделении языков соответствует вавилонское предание о том, как люди-великаны возмутились против богов и соорудили очень высокую башню с целью взобраться на небо, и как боги опрокинули эту башню на головы ее строителей. Остатки гигантской башни еще существовали в древности в Борсиппе, в окрестностях города Вавилона.

Связь еврейского племени с Вавилонией указывается Библией прямо в рассказе о переселении семитского рода Тераха из Ура Вавилонского в Арам. В Араме остается часть этого рода (группа Нахора и Лавана), которая смешивается с арамейцами; другая же часть, под предводительством Авраама, уходит в Ханаан и на время утверждается там, под именем «евреев».

В Ханаане само еврейское племя разветвляется на несколько отдельных отраслей. Сначала из него выделяются две мелкие народности: моавиты и аммониты, обитатели восточной области за рекой Иордан (рассказ об отделении семьи Лота от семьи его дяди Авраама и о сыновьях Лота: Моаве и Бен-Амми). Затем в пустыне, окаймляющей юг Ханаана, появляются две кочевые арабские народности, родственные евреям: исмаилиты и мидианиты (по преданию, потомки побочных сыновей Авраама — Исмаила и Мидина). Юговосточную оконечность Ханаана занимает племя эдомитов, или исавитов (потомки Исава, внука Авраама, в библейских сказаниях). Все эти родственные евреям народности постепенно смешиваются с древними туземцами Ханаана и теряют чистоту своей расы. Чистота расового типа и племенных нравов сохраняется только в том племени, которое происходит прямо от Авраама, через его сына Исаака и внука Якова. Это племя живет патриархально, как одна большая семья, под главенством старшего в роде (патриарха). Оно ведет на юге Ханаана, близ Хеврона, мирную пастушескую или земледельческую жизнь. Иногда это племя вследствие неурожая или других причин перекочевывает в соседние «филистимские» владения, или в Египет; но и среди чужих племен оно хранит обычаи отцов и свой простой родовой быт. С окружающими ханаанскими народами евреи заключают союзные договоры, а иногда помогают им в войнах против иноземцев.

Старейшины, или патриархи, еврейского племени верили, по преданию, в единого Бога, Творца неба и земли (Элогим). Они строили в различных местах жертвенники во имя Бога, на которых в торжественных случаях приносились жертвы из мелкого скота. В отличие от соседних племен, евреи не имели у себя вещественных изображений Бога. Иногда только встречаются у них домашние идолы, заимствованные у родственных племен. Так, жена Якова Рахиль, уезжая из дома своего отца, арамейца Лавана, похитила у него несколько маленьких домашних идолов (терафим), вероятно, в надежде, что они ее будут охранять в пути. Высокие религиозные верования евреев были в ту эпоху в состоянии слабого зародыша. Но в лучших людях уже зрела идея единобожия; было заметно, что религия евреев не будет похожа на прочие религии Востока.

После продолжительного пребывания в южном Ханаане евреи из рода Якова или Израиля начинают переселяться в близкие области Египта, отделенные от Ханаана пустыней. Сначала туда переселяется род Иосифа (рассказ о Иосифе и его братьях), а позже — и другие «сыны Израиля», т. е. роды израильские. С тех пор наступает новый период в истории еврейского народа.

Глава II

Израильтяне в Египтѣ

19. Жизнь в Египте. Много лет прошло с тех пор, как род патриарха Якова, или Израиля, переселился из Ханаана в соседний Египет. Этот еврейский народ, состоящий сначала из десятка или двух десятков семейств, с течением времени размножился и превратился в многочисленное племя. Люди этого племени стали называться «сынами Израиля» или израильтянами (Бен-Израиль), в отличие от прочих родственных племен, которые вели свое происхождение от Авраама и Исаака, но не от Якова, или Израиля.

Израильтяне жили в восточной египетской области Гошен, орошаемой притоком реки Нила. Здесь они имели обширные пастбища для своих стад и могли свободно кочевать по стране. Однако постепенно многие из них привыкли к оседлой жизни, стали жить в домах вместо шатров, заниматься земледелием и ремеслами. Израильтяне все более размножались. При переселении в Египет в семьях двенадцати сыновей Якова было, по преданию, около семидесяти человек. Эти семьи с течением времен разрослись в роды или «колена», насчитывавшие своих людей тысячами. Каждое колено называлось по имени того из сыновей Якова, от которого оно произошло. Старшим было колено Рувимово, занимавшееся пастушеством и в Египте. Наиболее многочисленным было колено Иосифово, которое распадалось на два рода: Эфраимов и Менашиин (по именам двух сыновей Иосифа). Затем шли колена: Симоново, Левиино, Иудино, Исахарово, Зевулоново, Даново, Ашерово, Гадово, Нафталиново и Вениаминово. Каждое из этих колен имело своих старейшин и начальников, но верховного начальника над всеми не было. Тем не менее связь родственных колен между собою не прерывалась. Их соединяли одинаковые религиозные верования и воспоминания о происхождении от общих предков — Авраама, Исаака и Якова-Израиля.

Израильтяне не смешивались с египтянами; но быт и нравы египтян все-таки оказывали на них большое влияние. Египтяне являлись в древнейшее время самым образованным народом в мире. У них были многолюдные и богатые города, роскошные храмы для поклонения богам, жрецы, знакомые с науками, воины, совершавшие дальние походы. Египетские цари, или фараоны, воздвигали, руками тысяч рабов, громадные дворцы, пирамиды и гробницы. Египтянам уже тогда известны были многие искусства, такие как строительное дело, орошение полей, умение писать. Израильтяне усвоили от них некоторые полезные искусства и ремесла; иные даже подражали египетским обычаям и порядкам. Но полного сближения между этими двумя народами не было и не могло быть; напротив, между ними существовала постоянная вражда. Египетская религия, с ее грубым поклонением идолам в образе животных, внушала отвращение тем израильтянам, которые сохранили веру в единого Бога. Египтяне же с презрением смотрели на чуждое им еврейское племя, отличавшееся от них своим образом жизни и религией. Чем более размножались израильтяне, тем вражднее относились к ним египтяне. Фараоны и их чиновники стали угнетать израильтян, как пришельцев, а потом начали обращаться с ними, как с покоренным племенем, как господа с рабами.

20. Египетское рабство. Рождение Моисея.

Спустя долгое время после смерти Иосифа, в Египте появился новый царь, или Фараон, который не любил евреев. Он сказал своему народу: *«Вот племя израильское размножается и может стать сильнее нас. Если случится у нас война с другим государством, то израильтяне могут соединиться с нашими врагами».* Чтобы племя израильское не усиливалось, решено было обратить его в рабство. Фараоны стали принуждать израильтян к тяжким работам в пользу государства. Их заставляли копать землю, строить города, дворцы и памятники для царей, приготовлять глину и кирпич для этих построек. Были назначены особые надзиратели, которые строго следили за исполнением всех этих принудительных работ. Таким образом были выстроены для Фараона два города: Питом и Рамсес. Но как ни притесняли израильтян, они все-таки продолжали размножаться, к великой досаде египтян. Тогда египетский царь отдал приказ, чтобы всех новорожденных израильских мальчиков топили в реке, а в живых оставляли только девочек. Этот приказ исполнялся с беспощадной строгостью. Израильскому народу грозило полное истребление.

В это бедственное время у одного человека из колена Левиина, Амрама, родился сын. Мать три месяца прятала новорожденного, чтобы египтяне не смогли его найти и утопить; но, наконец, нельзя уже было дольше скрывать его. Тогда мать взяла корзину, положила туда младенца и спрятала ее в густых тростниках на берегу реки (Нила). Сестра младенца, Мириам, остановилась вдали, чтобы наблюдать, что с ним

будет. В это время дочь Фараона пошла к реке купаться, в сопровождении своих прислужниц. Увидев в тростниках корзину, она велела ее открыть. В корзине лежал крошечный мальчик и плакал. Дочь Фараона сжалилась над малюткой и сказала: это, должно быть, из еврейских детей. Тут подошла к царской дочери стоявшая в отдалении Мириам и спросила: не сходить ли мне, чтобы позвать какую-либо кормилицу из евреек? Получив позволение, она пошла и скоро привела свою мать. Дочь Фараона сказала пришедшей женщине: возьми этого младенца и вскорми его для меня, а я дам тебе плату. Мать с радостью взяла младенца и стала его кормить. Когда мальчик вырос, его привели к дочери Фараона, и она воспитывала его у себя, как своего сына. Ему дали имя Моисей (Моше), что значит: *«вынутый из воды»*.

21. Юность Моисея и его бегство в пустыню. Хотя Моисей рос свободно, под покровительством царской семьи, он все-таки не забывал о рабстве и страданиях своих единоплеменников. С чувством горечи и возмущения видел он, как его братьев порабощают, принуждают к тяжелым работам и оскорбляют на каждом шагу. Однажды юный Моисей вышел посмотреть на работы израильтян и увидел, что египтянин бьет одного из рабочих. Это возмутило Моисея. Видя, что никого кругом нет, он убил обидчика-египтянина и зарыл его труп в песке. Но вскоре Фараон узнал об этом и хотел наказать Моисея. Тогда Моисей убежал из Египта в пустыню, что возле Красного моря, между Египтом и Ханааном.

В пустыне Моисей дошел до того места, где кочевало пастушеское, родственное евреям, племя мидианитов. Тут остановился он у одного колодца и увидел, как туда подошли семь девушек-пастушек и стали наполнять водою корыта, чтобы напоить своих овец. То были дочери мидианского жреца Иитро (Иофор). Не успели девушки сделать свою работу, как прибежали пастухи и отогнали их от колодца. Моисей поспешил на помощь к обиженным пастушкам и напоил их овец. Девушки вернулись домой и рассказали отцу, что какой-то странник из Египта защитил их сегодня от грубых пастухов. Мидианский жрец пригласил Моисея в свой дом и скоро подружился с ним. Моисею понравилось жить среди этих простых людей. Он женился на дочери Иитро, Ципоре, и сделался членом этой мирной пастушеской семьи. Однако и тут не переставал он думать о рабстве своих братьев в Египте и о том, как освободить их.

Однажды Моисей пас стадо своего тестя и зашел далеко в пустыню. Он подошел к горе Хорив (Синай), и здесь явилось ему дивное видение. Он увидел густой терновый куст, который был охвачен пламенем и горел, но все-таки не сгорал. И услышал он голос из огня: «Не подходи сюда; сними обувь твою с ног, ибо ты стоишь на священном месте. Я — Бог отца твоего, Бог Авраама, Исаака и Якова. Я увидел страдания моего народа в Египте и услышал стоны его, и вот Я хочу избавить его от неволи египетской и ввести его в землю хорошую и обширную, где текут молоко и мед, в землю Ханаанскую. А теперь иди: Я пошлю тебя к Фараону, и ты выведешь Мой народ из Египта». Моисей с трепетом и благоговением слушал эти слова, а затем робко возразил: «Что я значу, чтобы идти к Фараону и освободить израильтян? А если я приду к израильтянам и скажу им, что Бог отцов наших послал меня, они, ведь, спросят: как имя Ему? Что же я отвечу им?» Бог сказал: «Я — тот, который был и будет (вечно сущий). Скажи сынам Израиля: Иегова (Вечный, Сущий), Бог наших предков, послал меня к вам. Собери старейшин израильских и возвести им, что Я освобожу свой народ от египетского рабства; царю же египетскому скажи, что еврейский Бог требует, чтобы он отпустил израильтян в пустыню для служения своему Богу». Моисей снова робко заметил, что он не речист и что ему трудно будет объясняться с Фараоном. Но Бог обещал Моисею свою помощь и повелел ему действовать вместе с Ароном, его старшим братом. Взволнованный всем услышанным, Моисей возвратился в дом своего тестя, забрал свою жену и детей и отправился из селений мидианских обратно в Египет.

22. Борьба Моисея за освобождение. Моисей встретился со своим братом Ароном в пути, и оба они принялись за дело освобождения своего народа. Прибыв в Египет, они передали израильтянам весть о скором избавлении от рабства. Невольники, изнуренные тяжкими работами, сильно обрадовались. Затем Моисей и Арон явились к Фараону и объявили ему волю еврейского Бога Иеговы, чтобы он отпустил израильтян в пустыню для служения этому Богу. Но Фараон гневно отвечал: «*Кто такой Иегова, чтобы я слушал его? Не знаю я Иеговы и израильтян не отпущу. Зачем вы, Моисей и Арон, отвлекаете народ от работы? Ступайте на свою работу!*». После этого Фараон приказал египетским начальникам, чтобы они задавали израильтянам еще более тяжелые работы. Раньше рабочим давали готовую солому, которую они смешивали с глиною для выделки кирпича. Теперь же их заставляли собирать на полях солому и требовали, чтобы они ежедневно изготовляли такое же количество кирпичей, как прежде. Для наблюдения за работами египетские надзиратели брали себе в помощь надсмотрщиков из среды самих израильтян. И когда рабочие не успевали делать требуемого количества кирпичей, то египтяне били поставленных над ними израильских надсмотрщиков. Встретив Моисея и Арона, эти надсмотрщики упрекали их в том, что своим вмешательством они возбудили гнев Фараона и еще более ухудшили положение израильтян.

Тогда Моисей по внушению Бога решил устрашить жестокого египетского царя. Нужно было доказать язычнику Фараону, что Бог израильский всемогущ, что Он может освободить Свой народ от рабства чудесным путем и жестоко покарать поработителей. И вот Моисей объявил Фараону, что если он не отпустит израильтян, то Бог пошлет на Египет разные «казни» (несчастия, бедствия). Царь не послушался — и угрозы посланника Божия сбылись. Сначала вся вода в реке (Нил) стала красная, как кровь, и египтяне не могли ее пить; рыба в реке вымерла, и воздух от этого сильно испортился. Через некоторое время во всей стране, на суше и в воде, появились в огромном количестве лягушки; они завелись и в домах и не давали людям жить. Фараон испугался, призвал Моисея и Арона и сказал: *«Молите Бога, чтобы Он удалил лягушек от меня и народа моего, тогда я отпущу израильтян».* Но когда просьба эта была исполнена и лягушки исчезли, Фараон снова не захотел отпустить израильтян на волю. Тогда Бог послал на Египет новую казнь: вся страна покрылась мелкими насекомыми, которые кусали людей и животных. Жрецы сказали Фараону: тут видна рука Бога. Но царь все-таки упорствовал. Вслед за тем в стране появилась прожорливая саранча, истребившая все посевы на полях; открылась чума, от которой падал скот; пошел сильный град, который поломал деревья и побил множество скота и людей; египтян постигла проказа, от которой кожа их покрылась язвами и нарывами; наконец, в земле египетской настала такая густая тьма, что три дня люди не видели друг друга и не вставали со своих мест.

По преданию, все эти несчастия чудесным образом постигали только египтян, а не израильтян. После каждой казни, устрашенный Фараон призывал Моисея и просил его молить Бога об удалении беды, обещая отпустить израильских рабов. Но как только беда проходила, царь отказывался исполнять обещания. После девятой казни — трехдневной тьмы, царь уже согласился отпустить израильтян в пустыню, но требовал, чтобы стада их остались в Египте. Моисей гордо отвечал ему: скоро ты нас всех отпустишь и даже сам дашь нам скот для жертвоприношения нашему Богу. И действительно, когда Бог послал на Египет десятую, и последнюю, казнь, от которой умерли все первенцы (старшие сыновья) египтян, в том числе и первенец Фараона, — тогда жестокое сердце царя смягчилось. Он в полночь призвал Моисея и Арона и умолял их поскорее увести израильтян из Египта. Египтяне торопили евреев, говоря: уходите, а то мы все помрем! Таким образом израильтяне, после долгого рабства, сразу получили свободу.

23. **Исход из Египта.** Израильтяне поспешно собрались в путь. В одно весеннее утро, в 15-й день месяца Нисана, из Египта вышли все израильтяне, в количестве шестисот тысяч человек. К ним присоединилась и толпа «разноплеменных людей». Моисей шел во главе освобожденных. Израильтяне так поспешно вышли из Египта, что даже не успели испечь себе хлеба на дорогу; они взяли свое тесто, которое еще не успело скиснуть, и спекли наскоро пресные лепешки В память этого установился потом у евреев обычай — в течение семидневного праздника Пасхи употреблять в пищу, вместо обыкновенного квашеного хлеба, пресные лепешки («маца», «мацот»).

Выступив из пределов Египта, израильтяне направились к пустыне, лежавшей на пути в Ханаан. Несколько дней и ночей шли они по пустыне. Предание рассказывает, что днем впереди путников двигался столб облачный, указывавший им дорогу, а ночью им освещал путь столб огненный. Если бы они дальше шли по этому пути, то скоро бы достигли границ родной земли; но Моисей не решился идти прямым путем, боясь, чтобы жители южной окраины Ханаана не выступили сразу с оружием против израильтян, еще не подготовленных к войне. Поэтому вождь израильский повернул назад и остановился с народом близ пролива Красного моря, на границе Египта, где стоял храм египетского идола Баал-Цефона (Тифона), божества пустыни.

Между тем египтяне успели похоронить своих первенцев, умерших во время чумы, и раскаялись в том, что отпустили своих рабов-израильтян. Фараон узнал, что израильтяне повернули к морю и подумал, что они блуждают и что бог Тифон преградил им дорогу в пустыне. И вот царь египетский взял многочисленное войско, с копьями и боевыми колесницами, и погнался за израильтянами, чтобы заставить их возвратиться в Египет. Египтяне настигли израильтян у морского пролива. Израильтяне, увидев неприятельское войско, испугались, а многие из них стали роптать на Моисея, говоря: *«Зачем ты нас вывел из Египта? Разве там нет могил, что ты нас взял сюда, чтобы погубить в пустыне?».* Но Моисей ободрил малодушных. *«Не бойтесь,* — говорил он. — *Вы сегодня же увидите чудесную помощь Божью. Ныне вы в последний раз видите египтян!».* И действительно, в природе совершилось что-то необыкновенное. Сильный восточный ветер отогнал в сторону воду в узком проливе Красного моря, так что дно пролива в одном месте почти обнажилось. Израильтяне быстро прошли по этому дну, как по суше. Когда же египтяне бросились за ними туда, то вода снова хлынула сбоку в свое прежнее ложе и мгновенно затопила все египетское войско с его колесницами и конями.

Велика была радость израильтян, когда они окончательно избавились от своих врагов. На берегу Красного моря освобожденный народ пел песни победы, прославляя Бога и его посланника Моисея. Сестра Моисея, Мириам, взяла тимпан в руки и запела песню, а за нею вышли женщины с тимпанами, пели и плясали. Песня начиналась словами: *«Пойте Иегове, ибо Он возвеличился: коня со всадником Он бросил в море!»* Народ ликовал при мысли, что он освободился от многолетнего рабства и идет в землю своих предков — в Ханаан.

24. Исторические выводы. Израильтяне прожили в Египте, по библейскому преданию, 430 лет. Научные исследования по истории Востока еще не установили в точности, когда именно израильтяне поселились в Египте и когда совершился исход их из этой страны. Однако эти исследования дают возможность установить в общих чертах связь между историей еврейского народа и историей Египта в ту отдаленную эпоху.

В Египте часто сменялись на престоле царские династии. Царскую власть захватывали то один, то другой из египетских полководцев или иноземных завоевателей и в течение некоторого времени удерживали ее в своем роде (династии). Во время 17-й династии, приблизительно за 2000 лет до христианской эры, значительная часть Египта была покорена кочевыми семитами пустыни, которых египетские надписи называют шасу (кочевники, бедуины), а позднейшие греческие писатели — гиксами. Гиксы в течение трех или четырех столетий владычествовали в Египте, утвердив там свою «династию пастухов». При одном из царей этой семитской династии израильтяне, по-видимому, переселились в Египет. Тогда и жил тот Фараон, который, по библейскому преданию, сделал еврея Иосифа своим соправителем и дозволил его родичам-израильтянам переселиться из Ханаана в египетскую область Гошен. В Гошене израильтяне жили в качестве мирных пастухов и отчасти земледельцев, пока не пришел конец владычеству гиксов в Египте. Около 1600 года иноземная династия пастухов была свергнута, и в Египте снова утвердилась могущественная национальная династия фараонов (Фиванская, или 18-я). Ненависть коренного населения к своим бывшим угнетателям, гиксам, распространилась теперь на всех семитов-пастухов, и в особенности на живших в Гошене израильтян. И вот их обратили в рабство. Цари из новой династии, для которых миллионы рабов строили города, роскошные храмы, памятники и пирамиды, привлекали к этим принудительным работам и живших в Гошене израильтян. Среди них и был тот «новый царь», который, по преданию, не любил евреев и велел их поработить.

Из построенных израильтянами в Египте двух городов, Питома и Рамзеса, второй носит имя фараонов 19-й династии, Рамзесов I и II. При фараоне Рамзесе II (ок. 1300 года), прославившемся своими великими завоеваниями и постройками, израильтяне испытывали всю горечь египетского рабства. Только при его преемнике Менефте I, когда могущество Египта стало падать вследствие возмущения рабов внутри страны и набегов кочевых племен из пустыни, — порабощенные израильтяне могли избавиться от своих угнетателей. Они окончательно покинули Египет и ушли в соседние пустыни, где кочевали родственные им семитские племена. Таким образом, исход евреев из Египта совершился, по вычислениям египтологов, около 1250 года до христианской эры, т. е. около 3250 лет до нашего времени.

Героем освобождения израильского народа является величайший из его сынов — Моисей. Он принадлежит к жреческому роду Леви, который, по-видимому, ближе стоял к египтянам, чем прочие израильские роды. Порабощение израильтян пробуждает в Моисее чувство религиозного и национального возмущения. Он покидает страну рабства и долго живет в соседней пустыне, близ горы Синай, или Хорива. Здесь обитали родственные евреям кениты, отрасль племени мидианитов. Моисей женится на дочери жреца этого племени. Есть предположение, что кениты по своим верованиям стояли близко к израильскому единобожию, почитали Иегову как своего племенного Бога и служили Ему на «священной горе» Синае. Таким образом, Моисей в лице кенитов приобрел себе союзников в примыкавшей к Египту пустыне. Ободренный этим, он возвращается в Египет, поднимает дух своего порабощенного народа и, пользуясь временною слабостью египетского правительства, выводит своих соплеменников из Египта в пустыню. Освобожденные рабы направляются к кочевьям дружественного им племени кенитов, где среди пустыни возвышалась священная гора Синай.

Глава III

Израильтяне в пустыне

25. От Красного моря до Синая. Моисей повел израильтян от Красного моря в пустыню Шур. Путники сильно страдали в песчаной пустыне от недостатка воды. В одном месте они нашли воду, но ее нельзя было пить, ибо она была горька. Народ стал роптать на Моисея. Моисей бросил в воду кусок какого-то особого дерева, и вода сделалась сладкою. После этого израильтяне нашли в пустыне оазис (место, покрытое растительностью), под названием Элим, где были источники воды и росли пальмы.

Оттуда они пришли в пустыню Син, где почувствовали недостаток в пище. Народ стал жаловаться на Моисея и Арона, говоря: *«В Египте мы сидели за котлом с мясом и ели хлеба досыта, а теперь вы нас вывели в пустыню, чтобы уморить всех голодом».* На другое утро израильтяне встали и увидели вокруг стана на поверхности земли что-то белое, в виде смолистых крупинок[1]. *«Вот хлеб, который послал вам*

---

[1] В некоторых местах Аравийской пустыни с кустарников иногда каплет на землю сладкая, как мед, смола, которую арабы собирают и едят.

Бог, — сказал Моисей народу. — *Вы будете его собирать каждое утро по одной мере на душу, а в шестой день недели будете собирать его в двойном количестве, чтобы иметь запас и на субботу».* Израильтяне стали собирать белые крупы и назвали их манною. Из этой манны они пекли себе сладкие лепешки и варили похлебку. Манна появлялась каждое утро, а к полудню таяла от лучей солнца и исчезала. Она питала израильтян во все время их странствования в пустыне.

Вскоре израильтяне прибыли в гористую местность Рефидим. Здесь напало на них бродившее по пустыне дикое племя амалекитов. Моисей выслал против амалекитов отряд израильтян, под предводительством своего ученика и помощника Иошуа бен-Нуна (Иисус Навин). Молодой полководец отразил набег разбойников пустыни, и успокоенные израильтяне двинулись дальше.

Через некоторое время они прибыли в пустыню Синай (Синайский полуостров). Они расположились станом близ священной горы Хорив, названной по имени пустыни также Синаем, где некогда Бог открылся Моисею в горящем кусте. Вокруг этой горы жило племя мидианитов, среди которых израильский вождь провел свою юность. Узнав о прибытии своего зятя Моисея, мидианский жрец Иитро пришел к нему. Иитро обрадовался, когда ему рассказали, как избавились израильтяне от египетского рабства. Живя в стане израильском, он заметил, что Моисей с утра до вечера занят управлением народа и разбором судебных дел, и сказал ему: *«Ты не хорошо делаешь, что управляешь народом один; ведь ты так измучишь и себя, и народ. Советую тебе выбрать из народа честных и разумных людей и назначить их начальниками, кого над тысячею человек, кого над сотнею, кого над десятком. Они будут управлять народом и разбирать все его споры, а к тебе будут обращаться только в*

особенно важных случаях». Моисею понравился этот
разумный совет, и он сделал, как говорил ему тесть.

26. Синайское откровение. Прошло два месяца после исхода из Египта. Израильтяне были свободны и
шли в Ханаан, чтобы там зажить как самостоятельный
народ. Но прежде чем вступить в собственную землю,
отдельные роды, или «колена», израильские должны
были объединиться посредством одинаковых законов
и правил общежития. До сих пор израильтяне сохранили первоначальную веру в единого Бога и соблюдали некоторые обычаи, унаследованные от древних патриархов. Но ясных понятий о Боге и об истинной вере
они не имели: не было у них также определенных
законов общежития и правил нравственности. Живя
долго в Египте, иные усвоили там языческие обычаи.
Нужно было, поэтому, показать израильтянам, в чем
их истинная вера и по каким законам им следует жить.
Это великое событие произошло у Синая.

Когда израильтяне раскинули свои шатры близ этой
горы, Моисей созвал их и сказал от имени Бога: *«Вы
видели, что Иегова сделал египтянам. Он понес вас
на орлиных крыльях и принес вас к Себе. Если вы
будете слушаться Бога и соблюдать Его заповеди,
то будете для него самым дорогим из всех народов
на земле. Вы будете царством священников и народом святым».* Выслушав эти слова, весь народ воскликнул: все, что сказал Бог, мы исполним! После
этого Моисей приказал израильтянам омыться и очи-
ститься в течение двух дней, чтобы приготовиться к
великому зрелищу. На третий день утром Моисей вывел израильтян из стана и расставил их длинною цепью
у подножия горы Синая, запретив им подниматься
выше на гору. С раннего утра гора была окутана густыми облаками; там грохотали громы и сверкали молнии. Вершина Синая поминутно вспыхивала; она как

будто вся была в огне и облаках дыма. На эту вершину взошел Моисей. Среди рокота громов и сверканий молний, с вершины Синая раздался могучий голос, и народ услышал следующие слова, в которых заключались великие заповеди еврейского вероучения:

1. *Я — Иегова, Бог твой, который вывел тебя из земли Египетской, из дома рабства.*
2. *Пусть не будет у тебя других богов, кроме Меня; не делай себе никаких кумиров или изображений того, что на небе, на земле или в воде, и не поклоняйся им.*
3. *Не произноси имени Иеговы, Бога твоего, для неправды.*
4. *Соблюдай день субботний: шесть дней работай, а в седьмой день отдыхай — ты и дети твои, и слуги, и живущие с тобой инородцы, и скот твой.*
5. *Уважай своего отца и свою мать, дабы продлились дни твои на земле, которую Иегова дает тебе.*
6. *Не убивай.*
7. *Не будь распутным.*
8. *Не кради.*
9. *Не свидетельствуй ложно против другого человека.*
10. *Не желай ничего, что принадлежит другому человеку: ни дома его, ни жены, ни слуги, ни вола, ни осла его.*

Народ, стоявший у подножия Синая, с трепетом слушал эти высокие заповеди веры, добра и справедливости, а затем удалился. Моисей же оставался на Синае еще сорок дней и сорок ночей. В течение этого времени Бог передал ему еще много законов, указывающих, как должен жить и вести себя каждый израильтянин в семье и в обществе. Чтобы увековечить учение, полученное на Синае, Моисей начертал главные десять заповедей на двух каменных скрижалях (плитах), которые должны были храниться среди евреев как святыня. Все остальные законы были впоследствии записаны в книге, названной «Книгою Союза» («Сефер га-брит»).

27. Золотой телец. Но не весь израильский народ понимал великие истины, возвещенные с высоты Синая. Среди израильтян было много темных людей, которые вынесли из Египта ложные верования и наклонность к идолослужению. Эти люди хотели, чтобы Бог израильский, подобно языческим богам, представлялся в виде идола, который можно видеть глазами и осязать руками. Видя, что Моисей долго не возвращается с Синая, они потребовали от Арона, чтобы он им изготовил изображение Бога в виде тельца, по образцу египетского идола — быка Аписа. Арон вынужден был исполнить требования простого народа. Израильтяне принесли к Арону свои золотые украшения. Он переплавил все это золото и отлил из него истукан в образе тельца. Народ стал плясать вокруг золотого тельца и восклицать: вот бог наш, который вывел нас из земли Египетской! Пред идолом был построен жертвенник, на котором приносились жертвы из домашнего скота. Тут же народ устраивал веселые пиры и попойки.

Между тем Моисей, после сорокадневного пребывания на священной горе, возвращался в стан израильский, держа в руках две скрижали с вырезанными на них десятью заповедями. Еще издали услышал он гул множества голосов. Вступив в стан и увидев, как народ пляшет вокруг золотого тельца, он страшно разгневался. Он нес народу с Синая учение истинного Бога, и вдруг увидел этот народ пляшущим вокруг идола! В гневе Моисей бросил на землю находившиеся в его руках каменные скрижали и разбил их вдребезги. Затем он схватил истукан золотого тельца и бросил его в огонь. После этого Моисей кликнул клич: *«Кто за Бога — ко мне!»*. Пришли все израильтяне из родственного Моисею колена Леви (левиты), не осквернившие себя поклонением идолу. Вооруженные левиты бросились на толпу поклонников золотого тельца и многих убили.

Долгое время гневался Моисей на израильтян за совершенное ими преступление; но впоследствии, заметив, что народ раскаялся, он смягчился и стал просить Бога о прощении. По внушению Бога Моисей изготовил новые скрижали и вырезал на них десять заповедей Синайских. У подножия Синая был воздвигнут новый жертвенник из двенадцати больших, необтесанных камней, по числу двенадцати колен израильских. Когда Моисей вторично сходил с Синая с новыми скрижалями, лицо его было окружено лучистым сиянием. Израильтяне почувствовали уважение к своему великому вождю и уверовали, что через него говорит Бог.

28. Скиния собрания и стан израильский. Когда израильтяне жили в пустыне Синайской, Моисей велел им построить переносный шатер (палатку), который бы служил храмом Божиим для странствующего народа. С радостью взялись израильтяне за эту работу. Всякий, кто сколько мог, приносил что-либо из строительного материала: дерево, металлы, различные ткани и звериные шкуры. За работами по постройке наблюдали два человека, которые в Египте научились строительному искусству: Бецалел и Агалиав. Вскоре шатер был готов. В глубине его стоял ковчег, украшенный сверху крылатыми фигурами «херувимов»; в ковчеге хранилась величайшая святыня народа — каменные плиты с десятью заповедями. Шатер был окружен двором, а посреди двора стоял алтарь для жертвоприношений. Вся эта постройка называлась скинией собрания («огел моэд»; скиния — шатер). Арон и его сыновья были назначены священниками в этом храме, а многие левиты состояли там прислужниками. Для священнослужителей была установлена особая одежда.

Скиния собрания стояла в середине израильского стана. Этот стан был устроен в виде военного лагеря, так как израильтяне готовились завоевать Ханаан. Моисей обязал всех здоровых мужчин, начиная с двадцатилетнего возраста, исполнять военную службу. Только левиты, состоявшие при храме, освобождались от воинской повинности. Всех колен, кроме левитов, было двенадцать (так как род Иосифа делился на два колена — Эфраима и Менаши). Они размещались вокруг скинии в походных палатках. Ближе всего к скинии стояли палатки колена Левиина, к которому принадлежали Моисей, Арон и все храмовые служители. Вокруг колена Левиина располагались остальные двенадцать колен, по три с каждой стороны; каждые три колена составляли особый отряд, имевший свое знамя. Каждое колено имело своего начальника. Когда нужно было выступать в путь, священники трубили в рога — и все отряды начинали двигаться в том же порядке, в каком стояли: левиты, неся на руках скинию и священный ковчег, шли в середине, а вокруг них — четыре отряда со знаменами. К израильтянам присоединился в походах отряд мидианитов, или кенитов, под предводительством Ховава, брата жены Моисея. Ховав хорошо знал все дороги в пустыне и был полезен для израильтян, как опытный проводник.

29. Соглядатаи. Восстание Кораха. Около года прожили израильтяне в Синайской пустыне. Отпраздновав вторую Пасху после исхода из Египта, они весною двинулись дальше, к Ханаану. После нескольких переходов они прибыли в Кадеш; это был «оазис», или покрытое растительностью место среди пустыни, недалеко от границ южного Ханаана. Приближалось время вступления в родную землю. Расположившись лагерем в Кадеше, израильтяне избрали из своей среды двенадцать человек, по одному из каждого колена, и послали их вперед в Ханаан, чтобы осмотреть землю и узнать, каковы там почва, растительность и население. В числе этих разведчиков, или «соглядатаев», были: полководец Иошуа бен-Нун из колена Эфраимова и Калев бен-Иефуне из колена Иудина. Соглядатаи прошли всю землю Ханаанскую, от юга до севера, и осмотрели ее. Близ Хеврона они срезали некоторые древесные плоды и виноградные кисти, редкие по своей величине, и взяли с собою, чтобы показать израильтянам.

Через сорок дней возвратились соглядатаи в стан израильский, в Кадеш, и рассказали следующее: *«Мы обошли всю землю Ханаанскую. В ней действительно отличная почва — и вот плоды ее; но народ, живущий там, очень силен, да и города у него укрепленные и большие. Мы видели там людей-великанов, в сравнении с которыми мы казались мухами».* К этому рассказу послы, кроме Калева и Иошуа, прибавили, что нет надежды завоевать Ханаан. Слова разведчиков сильно опечалили израильтян; многие плакали, а малодушные люди, не отвыкшие от рабства, кричали, что надо возвратиться назад в Египет. Двое из послов, Иошуа и Калев, пробовали успокоить народ. *«Если Бог будет милостив к нам, — говорили они, — то Он введет нас в эту землю и отдаст нам ее, хотя на ней и живут сильные люди. Не бойтесь их!».* Но возбужденная толпа не слушала двух смелых послов и даже хотела побить их камнями.

Все это глубоко огорчило народного вождя Моисея. Он понял, наконец, что с такими людьми, которых долгое египетское рабство приучило к трусости, нельзя завоевать Ханаан, и что нужно ждать, пока подрастет новое поколение, воспитанное на свободе. Он объявил израильтянам, что они будут кочевать по пустыне еще сорок лет, до тех пор, пока не вымрет все старшее поколение, вышедшее из Египта, и окрепнет молодое поколение, более мужественное и способное к смелым завоеваниям; эти новые люди вступят в Ханаан. Затем Моисей приказал продолжать путь по обширной пустыне, вдоль Красного моря. Услышав это, народ сильно огорчился. Некоторые смельчаки не послушались Моисея и, отделившись от стана, пошли прямо к горам, по направлению к Ханаану. Но тут с гор сбежали дикие амалекиты и рассеяли их.

После этого большинство израильтян покорилось воле Моисея; но в некоторой части народа еще таилось недовольство против неограниченной власти великого вождя. Это недовольство выразилось в восстании Кораха (Корей). Двести пятьдесят именитых людей, под предводительством левита Кораха и рувимитов Датана и Авирама, восстали против Моисея и Арона. *«Довольно вам властвовать!* — кричали восставшие. — *Все общество наше свято; отчего же вы ставите себя выше всего народа Божия?»*. Они упрекали Моисея в том, что он вывел израильтян из Египта, а в Ханаан не привел, что он заставляет всех погибать в пустыне. Народ толпился вокруг шатров мятежников, и восстание грозило разрастись. Тогда Моисей именем Бога приказал народу отойти от шатров людей, тяжко согрешивших. И как только народ отошел, совершилось чудо: в том месте, где стояли Корах и его люди, земля обвалилась — и в образовавшуюся пропасть провалились все мятежники, их шатры и все их имущество. Многие израильтяне, которые сочувствовали восставшим, погибли от чумы.

30. Жизнь в Кадеше. После возвращения соглядатаев евреи жили в пустыне еще около сорока лет. Они вели частью оседлую жизнь в оазисе Кадеш, частью кочевали в соседних степях, близ южного Ханаана. Жили они в шатрах, занимались скотоводством и немного земледелием. (В память об этой жизни в пустыне, у евреев позже вошло в обычай устраивать шатры, или «кущи», в осенний праздник Сукот, продолжающийся семь дней.) В течение этого времени мало-помалу вымирали старики, вышедшие из Египта, и подрастало молодое поколение, которое Моисей воспитывал в духе истинного богопочитания и свободы. Моисей действовал не один. Он имел при себе совет из семидесяти старейшин, которые помогали ему в деле управления народом. Арон исполнял обязанности первосвященника, а левиты служили при «скинии собрания» и помогали Моисею в его духовной и учительской деятельности.

Когда срок, назначенный Моисеем для скитаний по пустыне, подходил к концу, израильтяне стали приближаться к границам Ханаана. На этих границах, с юга и востока, жили воинственные племена эдомитов, моавитов и амореев. Моисей сначала пробовал просьбами склонить царей этих племен пропустить израильтян в Ханаан. Он отправил к эдомскому царю посольство и поручил сказать следующее: *«Так говорит твой брат Израиль: позволь нам пройти через землю твою; мы не пойдем ни по полям, ни по виноградникам, и не будем пить воды из колодцев твоих, а пойдем большою дорогою, пока не выйдем из пределов твоих».* На эту дружескую просьбу эдомский царь ответил отказом. Тогда израильтяне сделали новый обход по пустыне. По дороге, на горе Ор, умер Арон, и место первосвященника занял сын его Элеазар. Еще раньше этого, в Кадеше, умерла Мириам, сестра Моисея.

31. Завоевание Занорданской области. Миновав землю эдомитов, израильтяне остановились на юго-востоке Ханаана, близ страны Моав. Значительная часть этой страны была перед тем завоевана могущественным аморейским царем Сихоном. Владения амореев простирались вдоль всего восточного берега Иордана. Моисей отправил послов к Сихону с просьбою пропустить израильтян через эту землю. Сихон не согласился и вышел против Моисея с многочисленным войском. Израильтяне сражались храбро и нанесли амореям страшное поражение. Они ворвались внутрь страны и заняли главный город ее Хешбон. Ободренные этой победой, израильтяне двинулись дальше к северу, в страну тучных пастбищ — Башан. Здесь выступил против них царь башанский Ог, потомок древних великанов. Но израильтяне разбили Ога и весь его народ и завладели плодородным Башаном. Таким образом, израильский народ стал уже твердою ногою в восточной, заиорданской области Ханаана.

Так как израильтяне расположились на границах земли Моавитской, то царь Моава Балак боялся, чтобы они не захватили и его владений. По приказу Балака старейшины моавские отправились в Месопотамию и привели оттуда чародея Билеама (Валаам). Балак сказал Билеаму: «*Вот народ вышел из Египта и занял все пространство земли по соседству со мною, а воевать с ним мы не можем, ибо он сильнее нас. Иди же и прокляни этот народ, — и тогда мы, может быть, победим его и прогоним из этих земель. Ведь я знаю, что тот, кого ты благословляешь, счастлив, а тот, кого проклинаешь, делается несчастным*». Билеам согласился на просьбу Балака, но Бог во сне внушил чародею действовать совершенно иначе. Когда царь моавский повел его на вершину горы, откуда виден был стан израильский, Билеам воскликнул: «*Могу ли я проклинать того, кого Бог не проклял, и гневаться на того, на кого Бог не гневается?*». В другой раз Билеам был так очарован видом стана израильтян, что не мог удержаться от восклицания: *«Как хороши шатры твои, Яков, и жилища твои, Израиль!»*. Напрасно Балак ожидал проклятий против израильтян: Билеам только благословлял их и предсказывал им великую будущность. Моавский царь рассердился на чародея, и Билеам удалился. Таким образом, замыслы моавитов против израильтян не осуществились.

32. Раздел Заиорданья. Смерть Моисея. Когда Заиорданская страна была завоевана, народ израильский готовился перейти реку Иордан и покорить западный Ханаан. Тут к Моисею явились люди из пастушеских колен Рувима и Гада и сказали: *«Покоренная нами земля очень удобна для пастбищ, а у нас много скота. Отдай нам эту землю во владение и не перевози нас через Иордан»*. Моисей стал упрекать просителей за то, что они не хотят участвовать вместе с остальными коленами в дальнейшем завоевании Ханаана, а желают отделиться от народа и спокойно жить на завоеванной части земли. Но рувимиты и гадиты отвечали, что они вовсе не думают отделяться от всего народа. *«Мы, —* говорили они, *— построим себе здесь только хлевы для овец и жилища для наших жен и детей. Сами же мы вооружимся и пойдем на войну впереди всех израильтян; мы не возвратимся в дома наши, пока весь народ не вступит во владения свои на той стороне Иордана»*. После такого обещания Моисей велел отдать в удел коленам Рувимову и Гадову земли аморейскую и башанскую, на востоке Иордана. К этим двум коленам присоединилась еще половина колена Менаши, которая заняла часть аморейских владений, известную под именем Гилеада.

Таким образом, два с половиною колена заняли восточную, заиорданскую часть Ханаана. Предстояло перейти Иордан, завоевать внутренний Ханаан и разделить его между остальными коленами. Но это дело не суждено было совершить Моисею. Великий освободитель и вождь Израиля уже чувствовал приближение смерти и знал, что ему не придется ввести народ внутрь Ханаана. Перед своей смертью он часто собирал израильтян и поучал их, как жить в новом государстве по законам свободы и справедливости. Своего помощника Иошуа Моисей назначил вождем израильского народа. Наконец печальный час разлуки настал. Моисей предсказал народу его будущность и благословил каждое колено в отдельности. Затем он поднялся на Нево, вершину моавитского хребта гор Писга (Фасги). С этой вершины Моисей видел большую часть Ханаана; он долго стоял здесь и скорбел о том, что ему не дано вступить в будущее израильское государство.

Вскоре Моисей умер, имея от роду 120 лет, и был похоронен в равнине моавитской; место его погребения осталось неизвестным для потомства. Израильтяне оплакивали в течение тридцати дней смерть своего великого вождя. *«Не было более у израильтян такого пророка, как Моисей»*, — говорит Библия. Моисей был и освободителем, и духовным руководителем своей нации. Он превратил толпу рабов в народ и своим вдохновенным учением сделал этот народ «избранным», великим.

33. Исторические выводы. Между исходом из «страны рабства» — Египта и вступлением в «обетованную землю» Ханаанскую прошло, по преданию, несколько десятилетий, в течение которых израильтяне странствовали по пустыне. Жизнь их в пустыне состоит из двух моментов: из кратковременного пребывания в окрестностях Синая и более продолжительного пребывания в оазисе Кадеш, близ Эдома и южных границ Ханаана.

К Синаю израильтяне шли прямо из Египта, под влиянием сильного подъема национального духа, вызванного освобождением от рабства. Освобожденный народ чувствовал потребность в объединении всех своих членов в общество, управляемое законами. Полный надежд и светлых стремлений, он следовал за своим вождем Моисеем. Внезапная перемена обстановки должна была произвести свое действие на выходцев из Египта. После плодородных берегов Нила, они очутились в мрачной, безводной пустыне, где как грозные великаны возвышались обнаженные скалы, вершины которых уходили в облака. Здесь как бы терялась граница между землей и небом, между жизнью и смертью; здесь витал дух Творца мира. Если еще недавно, в Египте, народ испытывал тяжелый гнев людской, то здесь, среди простора безлюдной пустыни, он чувствовал над собою иную, высшую власть — власть единого и вечного Существа, Бога. У подножия «горы Божией» (har ha'Elohim) — Синая, народ услышал те бессмертные заповеди, которые сделались краеугольными камнями иудаизма.

Тут начался переход от смутной естественной религии патриархов к ясной общественной религии Моисея. Бог является владыкою не только природы, но и человеческой жизни; Он не только Бог вселенной, но и в частности Бог израильской нации, имеющий определенное имя — Иагве или Иегова. «Я — Иегова, Бог твой, который вывел тебя из земли Египетской, из дома рабства» (1-я заповедь), — в этих словах выражена народная сущность Моисеевой религии. Вслед затем определяются свойства Бога: Он един и бестелесен, не должно быть многобожия и идолопоклонства (2-я заповедь). Субботний покой предписывается как средство поддерживать в народе телесное здоровье и свободу духа (4-я заповедь). Почитание родителей выставляется главным устоем семейной и *общественной жизни, ибо сила народа — в крепкой связи между старым и молодым поколениями* (5). *Запрещение лжи, смертоубийства, воровства, распутства и жадности* (3 и 6—10) — является основой нравственности общества. То были вечные истины, которые еврейский народ открыл всему роду человеческому.

Во время пребывания в Кадеше народ приучался к правильной общественной жизни. Моисей, по преданию, управлял израильтянами при помощи совета старейшин; он назначал начальников над отдельными группами, поручая им надзор за порядком и разбирательство обыкновенных судебных споров. Здесь именно могли выработаться и применяться на деле некоторые из тех общественных законов, которые изложены в «Книге Союза» (Сефер га-брит, т. е. главы 21—23 книги «Исход»), составляющей первоначальное зерно Моисеева законодательства. Человеколюбие, сострадание к слабому и бедному и строгое отношение к нарушителям чужих прав — вот главные черты этих законов. Все люди равны перед Богом: мужчина и женщина, богатый и бедный, господин и слуга. Вот несколько примеров: *«Если ты купишь еврейского раба, то пусть шесть лет прослужит у тебя, а на седьмой год отпусти его на свободу даром; если у него есть жена, то отпусти с ним и жену».* *«Вдову и сироту не притесняйте... Если одолжишь деньги бедному под залог его верхнего платья, то каждый день к заходу солнца возвращай ему платье, ибо он должен им прикрываться ночью».* *«Не суди неправедно бедного; не бери подкупа. Не притесняй пришельца, ибо сами вы были пришельцами в земле Египетской».*

В Кадеше заложены были и основы богослужения древнего Израиля. Народною святынею был «ковчег союза», т. е. ящик, где хранились каменные плиты («скрижали») с десятью Синайскими заповедями. Во время стоянок в пустыне ковчег находился в «шатре собрания». Во время войн в восточном Ханаане левиты с ковчегом шли впереди израильтян, в знак того, что сам Иегова предводительствует своим народом. При этом раздавались клики: *«Восстань Иегова, и пусть рассеются враги Твои!»*. Воодушевленные присутствием святыни в их среде, израильские воины сражались мужественно и одерживали те блестящие победы, которые открыли им доступ в область восточного Ханаана. То были священные религиозные войны, «войны Иеговы» (Milchamoth Iahwe), как сказано в Библии.

Глава IV

Завоевание Ханаана (Около XIII в. до хр. эры)

34. Страна и ее жители. Земля, которую израильтяне должны были завоевать после смерти Моисея, носила различные имена. У евреев она первоначально называлась Ханааном, а впоследствии — Землей Израильской (Эрец-Исраиль). Позднейшие греки и римляне называли ее Палестиною, а христианские народы — Святой землей. Эта страна лежала на крайнем западе Азии, на пути между великими государствами: Ассирией и Вавилонией в Азии и Египтом в Северной Африке. По своей форме она представляет продолговатую полосу, прилегающую с западной стороны к Средиземному морю, с востока и юга — к Аравийской пустыне, а с севера — к Сирии, или Араму.

На северной границе Ханаана возвышаются два больших горных хребта, вершины которых покрыты вечным снегом: Ливанон (Ливан) и Хермон (Антиливан). Воды, стекающие с этих высот, собираются в ручьи и образуют главную реку Ханаана — Иордан. Река Иордан тянется прямою лентою с севера на юг, проходит через два озера: Мером и Кинерет (Генисарет), и впадает на юге в Мертвое море, или Соленое озеро. Иордан делит всю страну на две части: восточную (Заиорданье, Гилеад) и западную (собственно Ханаан). Первая славилась в древности своими лугами и пастбищами, вторая — плодородною почвой, на которой произрастали хлеб, виноград, древесные плоды, маслины.

По обеим сторонам Иордана тянутся, с севера на юг, отроги двух горных хребтов — Ливанона и Хермона. Эти отроги образуют на востоке Гилеадские горы, а на западе — множество горных цепей, известных в Библии под именами: Нафталимские, Эфраимские и Иудейские горы. К Нафталимской цепи гор примыкают знаменитые горы Тавор и Кармель. Между ними расположена прекрасная равнина Изреель (Эздрелон). К ней примыкают с юга Эфраимские горы, из которых особенно известна гора Гаризим, близ города Сихема. К морскому побережью эта цепь гор понижается и переходит в равнину Сарон. Еще южнее, от Иерусалима до Хеврона, тянутся Иудейские горы со своими вершинами Ционом и Масличной горой.

Природа и климат Ханаана очень разнообразны. С горных вершин дуют свежие ветры, воздух большую часть года чист и прозрачен, но на низменности в летние месяцы господствует тропическая жара. Вода Кинеретского озера сладка и изобилует рыбою; на берегах этого озера растут виноград, финиковые и другие плодовые деревья. В Мертвом же озере вода насыщена солью и другими минеральными солями; рыба не может жить в этой воде; берега озера представляют собою мрачную пустыню, изредка только прерываемую плодородными оазисами (Энгеди). Мелкие реки и озера высыхают в жаркое время года, но в дождливое время наполняются водой и, заливая берега, делают почву плодородной. Немногие страны земного шара соединяли в себе такие красоты природы, такое разнообразие климата и растительности, как Ханаан, или

Земля Израильская. Все эти особенности должны были действовать на характер и духовную жизнь еврейских завоевателей страны. Климат, занимающий среднее место между умеренным и жарким, располагал к физическому труду, но природа своими красотами давала обильную пищу для религиозного и поэтического чувства. Она не изнеживала жителей, как в других странах Востока, но и не позволяла им грубеть от чрезмерного физического труда.

В ту отдаленную эпоху, когда израильтяне приступили к завоеванию Ханаана, эта страна имела на своих границах ряд небольших, но сильных народностей. Воинственные хитейцы обитали на северо-западной границе, между Ливанскими горами и Средиземным морем; позже они уступили место промышленным финикийцам. На северо-востоке жили арамейцы, близкие израильтянам по расе и языку. Такие же родственные племена жили на востоке и на юге — аммониты, моавиты и эдомиты. На юго-западной оконечности Ханаана кочевали дикие амалекиты, а выше, у морского берега, поселились филистимляне, воинственные соседи израильтян.

Внутренний Ханаан, к западу от Иордана, состоял из многих мелких царств, где жили различные племена, известные под общим именем ханаанейцев. Каждое царство состояло по большей части из одного города с прилегающими к нему полями и пастбищами. Между этими царствами не существовало постоянного союза для обороны страны на случай нашествия неприятеля; напротив, мелкие царьки обыкновенно враждовали друг с другом. Поэтому, когда разнесся слух, что из Египта идет через пустыню многочисленный израильский народ, который успел уже покорить за Иорданом сильные царства Сихона и Ога, — жители внутреннего Ханаана крайне встревожились. Они не были подготовлены к такому грозному нашествию —

и должны были уступить большую часть своей страны, после долгих и кровопролитных войн, соединенным силам израильтян, считавших эту землю наследием своих предков.

35. Переход через Иордан; взятие Иерихона. После смерти Моисея новый вождь израильского народа Иошуа бен-Нун (Иисус Навин) двинулся к Иордану во главе всех колен израильских. Прежде чем перейти реку, он послал разведчиков на ту сторону ее, в город Иерихон и окрестности. Возвратившись, разведчики рассказали, что жители Иерихона и окрестностей уже наслышаны о победах израильтян в Заиорданье и находятся в большом страхе. Тогда Иошуа переправился с народом через Иордан, в том месте, где река была мелководна. Впереди шли священники с ковчегом Иеговы, а за ними вошли в реку все израильтяне и перешли ее в брод. После этого народ расположился лагерем на западной стороне Иордана, в городе Гилгале, близ Иерихона. Это было весною, в тот месяц Нисан, в который евреи вышли из Египта. Народ отпраздновал Пасху в Гилгале.

Оттуда войско израильское пошло к Иерихону. Город был сильно укреплен, и его трудно было взять приступом. В течение шести дней израильские воины правильными рядами двигались вокруг городских стен, причем впереди везли священный ковчег, а священники трубили в рога. На седьмой день, во время такого обхода, при сильных трубных звуках и победных кликах осаждавших, часть крепостной стены Иерихона обвалилась — и войско израильское ворвалось в город. Победители перебили всех жителей Иерихона, сожгли их дома и уничтожили имущество; только золото, серебро и металлические сосуды были оставлены для передвижного храма израильтян — «скинии собрания».

Услышав о том, что израильтяне готовятся истребить всех жителей Ханаана, жители Гивеона и окрестных городов применили хитрость. Они явились в лагерь израильский в ветхих, изорванных одеждах и сказали: *«Мы пришли из далекой страны, и, услышав о победах ваших, желаем заключить с вами союз».* Иошуа и старейшины поверили пришельцам, что они не из Ханаана, и поклялись оставить их в живых. Но скоро обнаружилось, что эти пришельцы — жители соседних городов, из племени хивейцев. Израильтяне взяли эти города, но жителей не трогали, чтобы не нарушить своей клятвы. Однако, в наказание за обман, Иошуа обратил гивеонитов в рабов и приказал им рубить дрова и носить воду для израильтян.

36. Завоевание южного и северного Ханаана. Между тем цари пяти городов южного Ханаана (Иерусалима, Хеврона, Ярмута, Лахиша и Эглона), услышав, что соседний город Гивеон добровольно подчинился израильтянам, заключили между собой союз и пошли войной против гивеонитов. Последние обратились за помощью к Иошуа, который находился в своем лагере, в Гилгале. Израильский полководец быстро двинул свое войско против союзных царей, напал на них внезапно и, близ Гивеона, нанес им сильное поражение. Израильтяне долго гнались за убегавшим неприятелем. В народной песне рассказывается, что Иошуа, желая окончить сражение до наступления вечера, воскликнул: *«Стой, солнце, над Гивеоном, и ты, луна, над долиною Аялона!».* И *«...солнце остановилось и не спешило к закату, пока народ израильский мстил своим врагам».* Когда же ханаанейцы бежали по скату горы, пошел крупный град и побил тех, которые уцелели от меча. Союзных царей захватили в плен и повесили по приказанию Иошуа. Их земли, находившиеся в южной, гористой части Ханаана, были заняты израильтянами.

Весть об этих победах дошла до царей северного Ханаана, из которых самым сильным был Явин, царь Хацора. Чтобы защитить свою страну от грозных завоевателей, Явин заключил союз с соседними царями. Союзники собрали громадное ополчение, со множеством коней и боевых колесниц, и расположились станом при озере Мером. Но все эти полчища не устрашили храброго израильского полководца. Иошуа выступил с отборным войском против союзников, нанес им страшное поражение и преследовал бегущих до морского берега; коням неприятеля израильтяне перерезали жилы, а боевые колесницы сожгли. Победители разрушили и сожгли столицу Явина, Хацор, а в других городах перебили жителей и взяли огромную добычу. Таким образом израильтяне, после многолетних войн, покорили большую часть Ханаана, от Ливанских гор на севере до Мертвого моря на юге. Однако многие укрепленные города внутри страны, особенно на севере, не были заняты израильтянами.

37. Раздел Ханаана. Когда большая часть земли была завоевана, настало время разделить ее между коленами израильскими. Колена Рувимово, Гадово и половина Менашиина получили уже свои уделы при Моисее на восточной стороне Иордана, в богатой пастбищами области Башана и Гилеада. Осталось поэтому разделить весь западный Ханаан между остальными девятью с половиною коленами. Самые большие уделы достались здесь двум сильнейшим коленам: Эфраимову и Иудину. Эфраимиты, к роду которых принадлежал и вождь израильский Иошуа, заняли всю среднюю полосу Ханаана, между Иорданом и Средиземным морем, с главным городом Сихемом в центре. К северо-западу от них, до подошвы Кармеля, утвердилось оставшееся полуколено Менашиино. Удел колена Иудина занимал южную часть страны, от Иерусалима. (Сам Иерусалим с горою Ционом остался во владении ханаанского племени иевусеев до времени царя Давида.) В уделе Иудином был отведен особый участок для малочисленного колена Симонова, а именно каменистая полоса земли на юго-западной оконечности Ханаана, на границе пустыни, где кочевали амалекиты.

Между владениями иудеев и эфраимитов приютились два колена: Вениаминово и Даново. Вениамиты заняли область, впервые завоеванную израильтянами после перехода через Иордан, с городами Гилгалом и Иерихоном; даниты же поселились к западу от них, ближе к филистимскому берегу Средиземного моря, где находится приморский город Яффа. Северную часть Ханаана заселили четыре колена. Исахариты, занимавшиеся земледелием, получили плодородную равнину Изреель с горами Гильбоа и Тавором. Зевулониты жили ближе к морскому побережью Финикии и переняли от финикийцев склонность к торговле. Севернее их, также вдоль финикийской морской полосы, тянулись владения ашеритов. Колено Нафталимово занимало северо-восточный угол Ханаана, область озер Мерома и Генисарета. Только колено Левино, состоявшее из сословия священников и ученых, не получило особого земельного надела. Левитам отдали на жительство сорок восемь городов, разбросанных во владениях различных колен. Как служители Божии и духовные наставники, левиты должны были жить по всей стране.

Когда ханаанская земля была разделена на участки между всеми коленами израильскими, вождь народа, Иошуа, поселился во владениях родного колена — Эфраимова. Это колено, по своей многочисленности, получило первенство над всеми остальными. В участке Эфраимовом находилась и главная святыня народа — переносная скиния с ковчегом Иеговы, сопровождавшая израильтян во всех походах. После завоевания и разделения Ханаана она была перенесена в город Шило или Силом, находившийся в уделе эфраимитов. Здесь долгое время стояла скиния с ковчегом и алтарем для жертвоприношения; здесь священники и левиты совершали богослужение, и в Силом стекались богомольцы из всех частей Ханаана. В Силоме имел постоянное местопребывание первосвященник израильский. При Иошуа первосвященниками были сын и внук Арона: Элеазар и Пинхас.

Когда Иошуа состарился, он созвал священников и старейшин всех колен израильских в город Сихем. Престарелый вождь напомнил собранию о великих событиях прошлого, о патриархах, о египетском рабстве, исходе из Египта и странствиях по пустыне. *«Теперь,* — говорил он, — *Бог дал вам землю, над которою вы не трудились, и города, которые не вы строили, и вы живете в них; он дал вам виноградные и масличные сады, которые не вами насажены, и вы едите их плоды. Почитайте же Бога и служите ему чистосердечно; удалите богов, которым служили некогда ваши предки за рекою* (Евфратом) *и в Египте, и служите Богу».* Народ отвечал на эти увещания восклицаниями: *«Мы будем служить Иегове, Богу нашему, и слушаться велений его!».* Иошуа взял большой камень и поставил его под дубом в Сихеме, в память о том, что народ на этом месте дал клятву исполнять заповеди Божии. Вскоре Иошуа умер, имея от роду 110 лет.

38. Научные открытия проливают свет на международное положение Ханаана в эпоху завоевания страны израильтянами. В 1887 г. было найдено при раскопках в Телль-Эль-Амарне, в Египте, множество глиняных плиток с надписями, которые после разбора оказались письмами мелких палестинских князей к египетским фараонам. Из этих писем, относящихся к XV и XIV векам до христианской эры, видно, что в то время ханаанские князья признавали над собою верховную власть египетских фараонов. Князья выражают в письмах свои верноподданнические чувства и часто просят о помощи против враждебных соседей или вторгающихся в страну кочевников. Один из этих князей, Абди-Хиба из Иерусалима, извещает фараона о вторжении в Ханаан кочевого племени хабиров (ḫabiri), угрожающего завоевать страну, и жалуется на отсутствие помощи со стороны Египта (около 1400 г.). Под «хабирами» тут, как видно из всех данных, подразумеваются евреи. В другой египетской надписи, относящейся к позднейшему времени, говорится уже о войне одного фараона против Израиля в Палестине.

В этих памятниках слышатся отголоски того великого переселения народов, которое совершалось в Ханаане между XV и XIII веками до христианской эры. В этот двухвековой промежуток времени власть Египта в Палестине то усиливалась, то ослабевала, а под конец совершенно прекратилась. В Ханаане происходили непрерывные войны между туземными племенами; более крупные племена, как хитейцы (ḫatti) и амореи, о которых упоминается в египетских надписях, стремились утвердить там свое господство над мелкими народами. В то же время в страну вторгались кочевые «хабиры» со стороны пустыни. В группу «хабиров» входили не только израильтяне, но и другие родственные им племена из еврейской отрасли семитов (моавиты, эдомиты). Но постепенно израильтяне выделяются из этой общей группы и совершают дело завоевания самостоятельно. Господствовавшие в Ханаане внутренние раздоры князей облегчили им эту задачу. Завоевание Ханаана происходило медленно. Сначала израильтяне заняли только некоторые части страны; во многих областях они жили вместе с туземцами. Подобно своим соседям, израильтяне разделялись на отдельные мелкие племена, или «колена», которые объединились в народ только в позднейшее время.

Глава V

Время судей
(XII—XI вв. до хр. эры)

39. Исторический обзор. Когда израильтяне вступали в Ханаан, их соединяла общая цель — завоевание страны. Все колена дружно сражались под начальством своего вождя Иошуа и покоряли одну область за другою. Но вот большая часть страны уже завоевана и разделена между коленами, заиорданские пастушеские колена удалились в свои владения, а прочие занялись устройством своих участков. Народный вождь Иошуа умер и не оставил преемника, который объединял бы под своею властью всех израильтян. Народ распался на отдельные части. Область каждого колена становилась как бы отдельным маленьким царством. Этим разъединением еврейского народа пользовались племена, жившие на границах, и те из ханаанских племен, которые не были покорены при Иошуа и остались в своих городах среди израильтян. Пограничные арамейцы, моавиты и аммониты поочередно притесняли израильтян; они нападали то на одно колено, то на другое, покоряли их и брали с них дань. Время от времени в том или другом колене поднимался начальник или старейшина, который собирал под своим предводительством отряды нескольких соседних колен, вступал в борьбу с иноземными притеснителями и освобождал свой народ от тяжкого ига. Такие вожди-герои назывались в мирное время судьями (шофтим). Судья иногда управлял несколькими союзными коленами, но никогда не достигал власти над всем израильским народом. После смерти такого судьи союз управляемых им колен распадался, и разрозненные части народа снова подпадали под иго иноземцев, пока не появлялся новый судья-освободитель.

Так продолжалось около двух столетий. Об этом времени в летописях говорится: *«В те дни не было царя во Израиле; всякий делал то, что ему хотелось».* Не было в израильском народе ни государственного, ни религиозного единства. Вера в единого Бога и нравственные истины Моисеева учения еще не окрепли в сознании народа; а при таком состоянии близкое соседство языческих племен должно было влиять на верования и нравы израильтян. Вопреки древнему запрещению, израильтяне часто вступали в браки с ханаанскими туземцами. Эта совместная жизнь с инородцами приводила к тому, что израильтяне усваивали языческие обряды и обычаи. Они поклонялись не только своему Богу Иегове, но и ханаанским божествам — Ваалам разных мест (Ваалам или Баал означает «господин», «хозяин», бог-покровитель данной местности), воздвигали алтари на вершинах холмов и приносили там жертвы идолам. У них имелись также домашние идолы (терафим), которые считались покровителями семьи. Храм Иеговы в Силоме (Шило) посещался редко, и там собирались лишь немногие благочестивцы.

То была пора ранней юности еврейского народа. Юный народ увлекался теми детскими верованиями, которые были свойственны всем другим народам на заре их жизни. Но, несмотря на эти увлечения, израильтяне не могли совершенно смешаться с окружающими племенами. В памяти израильского народа еще сохранились предания о славном прошлом: о праведных патриархах, об освобождении от египетского рабства, о синайском откровении. Рассказы об этих событиях передавались от отца к сыну и поддерживали дух народа во времена бедствий. Левиты и священники, служившие при святилище в Силоме, являлись хранителями старых религиозных преданий. Наследственное вероучение не исчезло, а хранилось под оболочкой язычества. Этому верованию предстояло еще развиться в позднейшее время.

40. Первые судьи. После смерти Иошуа, народ израильский, утомленный многолетними войнами, желал покоя и мирной жизни. Однако воинственные племена, жившие на границах Ханаана, не позволяли израильтянам предаваться покою, ибо часто совершали набеги на их владения. Сначала в Ханаан вторглись с севера арамейцы (сирийцы) и в течение восьми лет притесняли израильтян. Тогда поднялся начальник колена Иудина Отниель; во главе небольшого отряда он изгнал арамейское охранное войско, оставленное в израильских городах. Ободренные этим, израильтяне стали собираться во множестве под знамена иудейского героя. Отниель двинулся с большим войском в Сирию, разбил арамейцев, умертвил их царя и освободил свой народ от иноземного ига. После этого часть израильтян признала Отниеля «судьей», или правителем.

Но после смерти Отниеля снова наступило безначалие. Многочисленное колено Иудино замкнулось в своей защищенной горной области на юге Ханаана и отделилось от прочих колен. Видя, что между израильтянами нет единства, окружающие народы снова стали беспокоить их. Моавиты из восточной заиорданской области перешли через Иордан, захватили город Иерихон и другие владения колена Вениаминова. Долгое время терпели вениамиты гнет моавитов и платили дань жестокому царю их Эглону. Но, наконец, среди вениамитов появился храбрый воин, судья Эгуд (Аод), и совершил следующий подвиг. Он явился к моавитскому царю Эглону под предлогом передачи подарков от израильтян; оставшись с царем наедине, Эгуд заколол его мечом. После этого Эгуд собрал большое войско, перебил всех моавитов в Иерихоне и изгнал их из прочих израильских владений.

41. Пророчица Дебора. В то время как воинственные южные колена (Иудино и Вениаминово) обезопасили себя от нападений иноземцев, северные колена (Нафтали, Зевулон, Исахар, Ашер) должны были вести борьбу с туземными племенами. Северная часть Ханаана не была целиком покорена при Иошуа, и многие ханаанейцы продолжали жить в своих укрепленных городах, посреди владений израильтян. Эти мелкие туземные народы ненавидели израильтян, отнявших большую часть их земли, и пользовались всяким случаем, чтобы мстить завоевателям. Царь Явин стал во главе туземных племен и в течение многих лет жестоко угнетал израильтян из колен Нафтали и Зевулона. Военачальник его Сисара, имевший большое войско и много железных боевых колесниц, держал в страхе все израильское население. Многие израильтяне из северных колен бежали от гнета врагов в уделы эфраимитов.

В то время на горе Эфраимовой жила мудрая женщина, по имени Дебора. Ее считали пророчицей, то есть человеком вдохновенным, близким к Богу; к ней приходили за советом и разрешением споров. Сидя под пальмой, Дебора поучала и судила народ. Узнав от северных беглецов о притеснениях, которым подвергаются их братья от жестокого Сисары, Дебора стала призывать народ к дружной борьбе с угнетателем. Она призвала к себе воина Барака, из колена Нафтали, и велела ему идти во главе израильского ополчения против военачальника Сисары. Барак сказал ей: *«Если ты пойдешь со мною, то я пойду».* — *«Хорошо, —* ответила Дебора, — *я с тобою пойду, но это твоей славы не увеличит, ибо скажут, что женщина одержала победу на войне».*

Барак собрал десятитысячное войско из колен Нафтали, Зевулона и других и отправился к горе Тавор. Услышав о вооружении израильтян, грозный полководец Сисара собрал всю свою конницу и двинулся к потоку Кишон, близ горы Кармель. Тут произошло решительное сражение. Войско Сисары со своими тяжелыми колесницами не могло свободно действовать в гористой местности, между тем, как легкая израильская пехота наносила ему удар за ударом. Неприятель был совершенно разбит. Сисара пешком бежал и скрылся в шатре Яили, жены одного старейшины из дружественного израильтянам племени кенитов. Яиль приняла Сисара с притворною ласкою, напоила его молоком и посоветовала отдохнуть. Когда Сисара уснул, Яиль взяла острый кол от шатра и молотом вбила его в голову спящему; Сисара умер на месте. Таким образом, северные колена израильтян освободились от тяжкого гнета. Сохранившаяся в Библии «песнь Деборы» рисует в ярких образах настроение народа в этой освободительной войне:

> Встань, о Дебора, запой свою песнь!
> Встань ты, Барак, Авиноамов сын,
> Веди своих пленных из битвы!..
> Вот появился Эфраимов род,
> Вслед за ним — рать Веньямина,
> Шествуют гордо вожди Зевулона,
> Тут и князья Исахара с Деборой,

Тут и народ Исахара с Бараком...
Появились цари, и сразились они,
И сразились цари Ханаана.
С ними кто-то сражался с небес,
С путей своих звезды боролись
                  с Сисарой...
Блаженна Яиль среди женщин шатра!
Воды он просил — подала молока,
Дала ему сливок в почетном ковше.
Руку она протянула к болту,
Правой — работников молот взяла,
Череп ударом разбила ему,
Ранив, пронзила Сисары висок.
Весь изнемогши, к ногам ее пал,
Там, где склонился — и дух испустил.
Через окошко на дорогу
Смотрит, плачет мать Сисары:
Что же медлит колесница,
Что нейдут его повозки?
Молвят умные средь женщин
И сама она вещает:
Ведь они добычу взяли,
Меж собой добычу делят,
Тканей пестрых изобилье,
Ткани шитые для женщин...
Так да гибнут Твои, Иегова, враги,
А любимцы Твои да сияют, как блеск
                        восходящей зари!

42. Гидеон. После нескольких десятилетий спокойной жизни для израильтян снова наступило бедственное время. Кочевые племена, жившие на границах Ханаана, врывались в страну и грабили жителей. Кочевники-мидианиты с востока и полудикие амалекиты с юга «налетали как саранча» на израильские владения. Они вторгались туда во время жатвы хлеба, кочевали по стране на своих верблюдах и раскидывали свои шатры в селениях землепашцев. Везде они истребляли хлеб на полях, уводили скот и разоряли мирных поселян. Израильтяне прятали от этих хищников свое достояние в пещерах и ущельях. Народ совершенно пал духом.

В то время жил в городе Офре (в западном уделе колена Менаши) человек по имени Гидеон, скромный пахарь, отличавшийся мужеством полководца. Когда его старшие братья были убиты мидианитами, в Гидеоне загорелось желание отомстить хищникам и освободить свой народ. Однажды ночью, когда он тайно молотил пшеницу, желая скрыть ее от мидианских грабителей, к нему — гласит предание — явился посланник Божий и сказал: *«Иди и спаси израильтян от рук мидианитов; тебя посылает Бог»*. Гидеон воодушевился и начал с того, что разрушил жертвенник Ваала, принадлежавший его отцу, Иоашу, и построил на этом месте алтарь Иеговы. Жители города Офры, поклонники Ваала, сказали отцу Гидеона: *«Убей своего сына за то, что он разрушил жертвенник нашего Бога»*. Но Иоаш отвечал им: *«Вам ли заступаться за Ваала? Вы ли ему поможете? Если он — бог, то пусть заступится сам за себя и накажет того, кто разрушил его жертвенник»*.

Вслед за тем Гидеон стал призывать народ на защиту родины. На его зов откликнулись тысячи воинов из колен Менаши, Зевулона, Ашера и Нафтали. Полчища мидианитов стояли лагерем в равнине Изреель и опустошали страну. Гидеон решил напасть на них внезапно. Он объявил по своему войску: кто боится и трусит — пусть идет домой! При Гидеоне осталась только отборная дружина из трехсот храбрецов. Ночью эти храбрецы взяли в руки трубы и горящие факелы, спрятанные в кувшинах, напали на спящий неприятельский лагерь, выбросили факелы, затрубили в трубы и закричали: *«Меч за Бога и Гидеона!»*. Разбуженные внезапно мидианиты, перепуганные звуками труб и блеском факелов, бросились бежать. Израильтяне погнались за ними и разбили их. Гидеон разослал гонцов ко всем коленам с приказом ловить бегущих. Сильное эфраимское колено тоже примкнуло к военному движению и захватило в плен мидианских вождей. Не довольствуясь изгнанием неприятеля из земли израильской, Гидеон перешел со своим отрядом через Иордан и проник в мидианские владения. Так он захватил мидианских князей, Зеваха и Цалмуну, и велел казнить их за то, что они некогда убили его братьев.

Эта блестящая победа прославила имя Гидеона в народе. Израильтяне поняли, что они были бы сильны, если бы имели постоянно таких вождей и правителей, как Гидеон. Представители главных колен признали Гидеона своим «судьею». Они уговаривали его принять титул израильского царя для себя и своих наследников. Но скромный вождь отвечал: *«Ни я, ни дети мои не будем управлять вами; Бог — ваш правитель!»*

43. Авимелех. Гидеон умер в глубокой старости, оставив после себя много сыновей от разных жен. Между ними был один сын от рабыни, уроженки города Сихема. Этот сын рабыни, Авимелех, был очень честолюбив и захотел добиться той царской власти, от которой отказался его отец. Для этой цели он, с помощью своих приверженцев, убил всех своих братьев, кроме одного младшего — Иотама, который успел бежать. Жители Сихема признали Авимелеха царем. Узнав об этом, Иотам стал на вершине горы Гаризим и сказал оттуда народу прекрасную притчу, где сравнивал благородство Гидеона, который скромно отказался от царского звания, и алчность Авимелеха, который добился этого звания путем убийств и преступлений:

«Деревья лесные пошли искать себе царя и сказали масличному дереву: царствуй над нами. Отвечала им маслина: неужели я перестану давать свой елей и

пойду возиться с деревьями? И сказали деревья смоковнице: иди ты царствуй над нами. Отвечала смоковница: неужели я перестану давать свою сладость и сочный плод и пойду возиться с деревьями? И сказали деревья виноградной лозе: иди ты царствуй над нами. Отвечала виноградная лоза: не перестану же я давать свой сок, веселящий Бога и людей, чтобы идти возиться с деревьями. И сказали деревья терновнику: царствуй ты над нами. И сказал терновник деревьям: если вы поистине хотите поставить меня над собою царем, то приходите, укройтесь под тенью моею; если же нет, то выйдет огонь из терновника и пожрет кедры ливанские!».

Но недолго царствовал жестокий Авимелех. Через три года жители Сихема, недовольные его дурным управлением, возмутились и изгнали его из города. Началась кровопролитная междоусобная война. Авимелех вступил близ Сихема в битву с восставшими — и одержал над ними победу. Он вошел в родной Сихем, как в завоеванный город, разрушил его и перебил его жителей. Около тысячи мужчин и женщин укрепились в сихемской башне; Авимелех поджег эту башню, и все находившиеся в ней люди погибли в огне. После этого отряды Авимелеха осадили город Тевец, где восставшие против царя жители также укрепились в башне. Тут одна женщина бросила с вершины башни обломок жернова на голову Авимелеха и проломила ему череп. Авимелех призвал своего оруженосца и сказал ему: обнажи свой меч и убей меня, чтобы не сказали, что меня убила женщина. Оруженосец исполнил приказание — Авимелех умер. Так окончилась первая неудачная попытка утвердить царскую власть среди вольных, не привыкших к самодержавию, израильских колен[1].

---

[1] Имя «Авимелех» имеет иносказательное значение: оно означает «отец царя», основатель царской власти.

44. Иефтах (Иеффай). Пастушеские колена, жившие на восточной стороне Иордана, особенно в Гилеаде, имели постоянные столкновения с соседним племенем аммонитов. Это племя, владевшее некогда Гилеадом, смотрело на израильтян как на пришельцев-завоевателей и старалось отнять у них обратно земли, занятые ими еще при царе Сихоне аморейском. Настало время, когда аммониты до того усилились, что не только угнетали гилеадских израильтян, но осмеливались даже переходить за Иордан и нападать на колена внутреннего Ханаана. Тогда старейшины Гилеада собрались и решили воевать с притеснителями. Они выбрали полководцем храброго Иефтаха.

Иефтах был пасынком в семье одного гилеадского жителя. Побочные братья изгнали Иефтаха из отцовского дома и лишили его наследства. Обиженный Иефтах ожесточился, бежал в соседние степи и сделался предводителем шайки разбойников. Когда аммониты стали сильно угнетать израильтян, старейшины гилеадские пришли к Иефтаху и сказали: приди и будь у нас вождем в войне с аммонитами. Иефтах отвечал: *«Не вы ли допустили, чтобы меня изгнали из дома отца моего? Зачем же пришли вы ко мне теперь, когда вы в беде?».*

Однако, когда старейшины стали упрашивать его, он согласился и принял начальство над израильским войском. Прежде всего он отправил к царю аммонитскому послов с требованием удалить свои отряды из области Гилеада. Аммонитский царь отказался исполнить требование, говоря, что эти земли принадлежали аммонитам, прежде чем их заняли израильтяне, вышедшие из Египта. Тогда Иефтах приступил к войне. Он напал с храбрыми отрядами своими на аммонитов и нанес им серьезное поражение. Аммониты были изгнаны из Гилеада и не смели больше беспокоить израильтян. Победитель Иефтах с торжеством вступил в свой родной город, Мицпе-Гилеад, и был признан начальником, или «судьею», своих земляков.

С этим походом связано было в памяти народной одно ужасное, но вместе с тем трогательное предание. Рассказывали, что Иефтах, прежде чем напасть на неприятеля, дал такой обет Богу: *«Если Иегова предаст врагов в мои руки, то по возращении домой я принесу ему в жертву первое, что выйдет ко мне навстречу из моего дома».* Когда же Иефтах после одержанной победы, с торжеством возвращался домой, то первый человек, которого он увидел при вступлении в родной город, была его единственная дочь, прекрасная молодая девушка, весело вышедшая навстречу отцу-победителю с тимпаном в руках. Увидев ее, Иефтах в отчаянии воскликнул: *«О дочь моя, ты сразила меня! Ведь я дал обет Иегове принести в жертву первое, что выйдет из моего дома навстречу мне, и не могу отречься от своего слова!».* Девушка отвечала: *«Отец мой, если ты дал обет Иегове, то делай со мною, как обещал, после того как Иегова через тебя отомстил врагам твоим, аммонитам. Только об одном прошу тебя: отпусти меня на два месяца, я взойду на горы и там буду оплакивать свою девичью жизнь вместе с подругами моими».* Иефтах исполнил эту просьбу, и его дочь в течение двух месяцев жила в горах и прощалась там с своей молодой жизнью. Потом она возвратилась к отцу, и он «совершил над нею обет, который произнес». С тех пор вошло в обычай, что молодые девицы израильские ходили в горы оплакивать дочь Иефтаха четыре дня в году.

45. Самсон-богатырь. Новый грозный враг стал теснить израильтян: то были филистимляне, поселившиеся на юго-западной окраине Ханаана, в близких к морю городах Газе, Аскалоне и других. Жившее по соседству с ними колено Даново много терпело от набегов этого воинственного племени, не имея сил воевать с ним. Сохранились предания только об одном израильском богатыре, который лично мстил врагам за свой порабощенный народ. То был Самсон (Шимшон) из колена Данова. По воле набожных родителей, Самсон был объявлен в детстве «назареем», то есть посвященным Богу, и в знак этого не стриг своих волос. С юных лет он стал обнаруживать необыкновенную силу. Выбрав себе невесту среди филистимлянок, Самсон однажды пошел в тот город, где она жила. По дороге он встретил молодого льва, который хотел броситься на него; но Самсон мгновенно схватил льва и разорвал его руками, как козленка.

Вскоре он дал почувствовать свою силу врагам своего народа. В Аскалоне Самсон убил однажды тридцать филистимлян. В другой раз он поймал триста лисиц, привязал к их хвостам горящие факелы и пустил лисиц на филистимские поля во время жатвы; весь хлеб на полях сгорел; Самсон скрылся в горах. Раздраженные филистимляне напали на владения соседнего колена Иудина и потребовали, чтобы им выдали Самсона. Иудеи испугались и сказали Самсону: *«Что ты нам наделал? Разве ты не знаешь, что филистимляне господствуют над нами? Вот мы тебя свяжем и отдадим в их руки».* Самсону связали руки крепкими веревками и вывели из ущелья, где он скрывался. Но когда подошли филистимляне, чтобы взять его, он напряг свои силы, разорвал связывавшие его веревки и убежал. Не имея при себе оружия, он по дороге поднял челюсть мертвого осла и убивал ею насмерть встречавшихся филистимлян. Вскоре Самсон ночевал в филистимском городе Газе. Жители узнали об этом, заперли городские ворота и решили рано утром поймать богатыря. Но Самсон, встав в полночь и видя, что ворота заперты, сорвал ворота вместе со столбами и запорами и отнес их на плечах на вершину горы.

Богатырские подвиги Самсона доставили ему славу среди израильтян. Некоторые колена избрали его своим судьею. Филистимляне же искали случая погубить его. Они узнали, что Самсон любит одну женщину-филистимлянку, по имени Далила. И вот пришли филистимские князья к этой женщине и сказали: *«Выведай у Самсона, в чем великая сила его и чем можно усмирить его; мы дадим тебе за это по тысяче сто сиклей серебра»*. Далила стала упрашивать Самсона, чтобы он открыл ей тайну своей силы. После многих просьб Самсон рассказал ей, что с малых лет он не стриг своих волос, и если остригут его длинные волосы, то он потеряет свою силу. Далила передала это князьям филистимским, а сама усыпила Самсона и остригла ему длинные волосы. После этого богатырская сила покинула Самсона. Филистимляне схватили Самсона, выкололи ему глаза и, заковав его в цепи, посадили в темницу города Газы, где заставляли его молоть зерна на жерновах.

Долго сидел израильский герой в темнице, но с течением времени волосы его отросли и сила стала к нему возвращаться. Однажды князья филистимские устроили большой праздник в храме своего племенного бога Дагона; они велели привести слепого Самсона, чтобы он позабавил их и собравшийся народ. Самсона привели в храм Дагона, который был наполнен народом. Забавляя филистимлян, слепец тихо молил Бога: *«Вспомни меня, Боже, и дай мне силу хоть в последний раз, чтобы я мог отомстить врагам своим!»*. И вся прежняя сила вернулась к Самсону. Он уперся могучими руками в два средние столба, поддерживавшие кровлю храма, и воскликнул: пусть умрет душа моя вместе с филистимлянами! Столбы поколебались — и все здание рухнуло, задавив насмерть тысячи филистимлян, а также самого Самсона. Тело героя было взято его родными и похоронено в семейной гробнице, в области данитов.

46. Быт и нравы израильтян во времена судей мало отличались от нравов и обычаев прочих ханаанских народов. Одна часть израильского народа занималась земледелием, другая — скотоводством; промышленность и торговля еще не были распространены. Повсюду израильтяне приходили в соприкосновение с другими племенами, жившими как в самом Ханаане, так и на его границах, и перенимали их привычки и даже формы богослужения. Простонародье еврейское не могло свыкнуться со служением невидимому Богу и часто поклонялось видимому изображению Иеговы. Даже герой Гидеон, разрушивший алтарь Ваала, отлил из золота изображение Иеговы (Эфод) и поставил его в своем доме, а народ ходил поклоняться этому истукану.

Случалось, что и священнослужители Иеговы, левиты, совершали богослужение перед идолами. Один человек из колена Эфраимова, Миха, устроил себе домашний храм, где были поставлены большой серебряный истукан и малые домашние божки (терафим). Для служения в этом храме был приглашен молодой левит. Легковерные люди ходили туда, и самозванный священник предсказывал им их судьбу от имени идола-оракула. В то время часть колена Данова, теснимая филистимлянами, искала себе земли, где бы поселиться. Даниты послали вперед пять разведчиков, чтобы высмотреть одну область на севере. По дороге послы зашли в храм Михи и гадали, будет ли удачен их поход. Оракул предсказал им удачу. Предсказание сбылось, и даниты завоевали город Лаис, близ северной финикийской границы. Тогда даниты похитили идо.. Михи и увезли его как святыню, вместе с состоявшим при нем священником, в свои новые владения, где устроили для этого особый храм. Такие частные храмы находились и у некоторых других колен израильских. Храм Иеговы в Силоме посещался лишь немногими благочестивыми людьми. Оттого не было единства в народе. Связь между коленами ослабела, а нередко между ними происходили даже гибельные раздоры.

Однажды произошла такая страшная междоусобица, от которой едва не погибло целое колено израильское — Вениаминово. В вениамитском городе Гивее остановился на ночлег проезжий левит со своей женой. Некоторые из местных жителей, люди развратные, окружили дом, где ночевал левит, насильно увели его жену и надругались над нею. На другой день левит нашел свою жену мертвой у дверей дома. Он взял нож, разрезал труп на двенадцать кусков и разослал их в города двенадцати колен израильских, дабы все узнали о злодействе, совершенном жителями Гивеи. Израильтяне возмутились и решили наказать виновных. Отряды от всех колен, особенно от Эфраимова, вступили в землю вениамитов и потребовали выдачи гивейских злодеев для наказания их; но вениамиты на это не согласились. Тогда израильтяне поклялись не выдавать своих дочерей замуж за людей из колена Вениаминова и отомстить за пролитую кровь. Завязалась ожесточенная междоусобная война. Сначала вениамиты, благодаря своей ловкости в стрельбе, одержали победу, но, наконец, они не устояли против многочисленного союзного войска израильтян. Тысячи вениамитов были убиты, а города их истреблены огнем.

Собравшись по окончании войны в Бетэле, израильтяне стали жалеть о гибели своих братьев-вениамитов. *«Неужели,* — говорили они, — *из среды Израиля исчезнет целое колено?».* Стали придумывать способы, как устроить оставшихся в живых вениамитов. Многие из них не могли жениться, так как масса девушек вениамитских погибла в войне, а прочие израильтяне не могли нарушить прежнюю клятву и отдавать своих дочерей замуж за людей из провинившегося колена. Тогда старейшины народа сказали вениамитским юношам: *«Вот ежегодно бывает праздник в Силоме. Идите туда и засядьте в винограднике, и когда увидите, что городские девушки выходят плясать в хороводах, то выходите из засады, хватайте себе каждый любую из них и возвращайтесь в свою землю».* Вениамиты так и сделали: они похитили в Силоме девиц, поженились на них и снова устроились семьями в своем уделе. Вышло так, что колено Вениаминово уцелело, а народ сохранил свою клятву, ибо он не отдал своих дочерей за вениамитов, а последние сами их взяли.

47. Священник Элий. Лучшие люди в израильском народе стремились укрепить в нем чистую веру и добрые нравы и предохранить от смешения с язычниками. Таким человеком был Элий (Илий), из священнического рода, состоявший первосвященником при силомском храме. В течение сорока лет Элий управлял израильтянами средней полосы Ханаана, среди которых первое место занимало колено Эфраимово. Заведуя силомским храмом, Элий имел возможность влиять на приходивших туда из разных мест богомольцев. Он внушал израильтянам веру в единого Бога и отвращение к идолопоклонству, а иногда благословлял их на борьбу с иноземными притеснителями, особенно с филистимлянами. Долгое время эта борьба велась довольно успешно, и филистимляне не делали новых завоеваний в израильских владениях. Но когда Элий состарился и должен был передать управление в руки своих сыновей, дела пошли хуже. Сыновья престарелого священника, Хофни и Пинхас, не имели достоинств своего отца. Они не исполняли долга священников по отношению к народу, а старались только собирать побольше приношений от прихожан, предавались удовольствиям и своим образом жизни подавали дурной пример простым людям.

В то время на израильтян обрушилось тяжкое бедствие. Филистимляне усилили свои набеги на эфраимские земли. Соединенные войска нескольких израильских колен выступили против неприятеля, главный лагерь которого находился в Афеке. Старейшины народа посоветовали взять из силомского храма священный «ковчег Иеговы» и нести его впереди израильских воинов, чтобы поднять их дух. Когда ковчег был привезен в израильский лагерь, филистимляне устрашились: они боялись, что святыня Иеговы принесет им гибель. Они собрали все свои силы и сражались отчаянно. Израильское войско потерпело полное поражение, потеряв на поле битвы тридцать тысяч человек. В числе убитых были и сыновья Элия, Хофни и Пинхас. Священный ковчег был захвачен филистимлянами — и это произвело на израильтян особенно тяжелое впечатление. Один израильский воин прибежал с поля сражения в Силом; одежда на нем была изорвана, и весь он был покрыт пылью. В это время престарелый священник Элий сидел близ городских ворот, тревожно дожидаясь известий об исходе сражения. Воин быстро подошел к нему и сказал: *«Разбежались израильтяне, и великое поражение было в народе, и тут же два сына твои, Хофни и Пинхас, умерли, и ковчег Божий взят в плен»*. Пораженный этим внезапным известием, старец упал со стула, на котором сидел, сломал себе при падении затылочную кость и тотчас умер.

Между тем филистимляне, ободренные успехом, продвигались дальше внутрь страны и ворвались в священный город Силом. Они разрушили этот город и его древний храм, существовавший со времен Иошуа. С тех пор эфраимский город Силом перестал быть религиозным центром еврейского народа, и колено Эфраимово потеряло свое прежнее первенство среди других колен. Положение израильтян было очень тяжелое.

Филистимляне притесняли их, держали свои гарнизоны в их городах и не позволяли жителям иметь при себе оружие. В это смутное время, когда израильский народ казался совершенно беспомощным, появился вдохновенный человек, который ободрил своих упавших духом братьев и воодушевил их на подвиг освобождения отечества.

48. Самуил. Еще в те дни, когда первосвященник Элий был жив и находился при силомском храме, туда пришла однажды молодая женщина и горячо о чем-то молилась. Эта женщина, по имени Хана, была женою левита Эльканы из города Рамы. Хана была бездетна и молила Бога, чтобы Он ей даровал сына; она наперед дала обет посвятить будущего сына служению Иегове во храме. Скоро у Ханы родился сын, которому дали имя Самуил. Когда кончился срок грудного кормления ребенка, мать отвезла его в силомский храм и отдала под надзор священника Элия. Свои юные годы Самуил провел в Силоме, исполняя обязанности храмового служителя наравне с другими левитами. Но по своим душевным наклонностям он стоял гораздо выше своих сверстников. Он хорошо знал священные народные предания и древнее «учение Моисеево», и мечтал о том, чтобы весь народ израильский усвоил это высокое учение. Самуилу казалось, что именно он призван обратить своих блуждающих соплеменников на путь истинной веры. Он чувствовал в себе пророческий дух. Не раз в ночной тишине являлись ему чудные видения; из внутренних покоев храма доносился к нему голос Бога, возвещавший, что народу предстоят тяжелые бедствия. Самуил был очевидцем этих народных бедствий. Он видел поражение израильтян в войне с филистимлянами при Афеке, видел плен ковчега, смерть Элия и разгром Силома. После разрушения силомского храма левитская служба Самуила кончилась; но именно тогда началась его более широкая учительская и пророческая деятельность. Он ходил по стране и в своих проповедях призывал народ к объединению. *«Вернитесь всем сердцем к Иегове, —* говорил он, *— удалите от себя чужих богов, служите только нашему Богу, и тогда Он спасет вас от рук филистимлян».* Народ чутко прислушивался к речам Самуила.

После смерти Элия Самуил сделался судьею главных колен израильских. Так как силомский храм был разрушен, то Самуил собирал народ для богослужения в вениамитском городе Мицпе. Услышав, что израильтяне собираются в Мицпе, филистимские князья двинулись туда с большим войском. Израильтяне устрашились, но Самуил своими речами возбуждал их к борьбе с врагами, внушая им веру в Божию помощь. Воодушевленные этой верою, израильтяне выступили из Мицпы, дружно напали на неприятельское войско и разбили его. После этого филистимляне заключили с израильтянами мир и возвратили им захваченные города. Еще раньше возвратили они взятый в битве ковчег Иеговы, который им наделал много бед: с тех пор как ковчег был привезен в землю Филистимскую, там распространились болезни, и жители требовали, чтобы поскорее убрали святыню израильского Бога Иеговы и тем успокоили Его гнев. Таким образом, смуты и войны на время прекратились — и народ под управлением Самуила зажил спокойно.

Самуил жил в своем родном городе Раме, но объезжал и другие города, куда народ собирался на богослужение. После разрушения Силома у израильтян не было общего храма. Священники и левиты рассеялись по всей стране. Внук Элия, Ахитув, спас часть сосудов из Силомской святыни и бежал в город Нов, где устроил временный маленький храм. Ковчег Иеговы, возвращенный филистимлянами, стоял в городке Кириат-Иеарим. Были еще алтари в городах Бетэле, Мицпе и Гилгале. Все эти местности, находившиеся в участке вениамитов или на его границах, Самуил ежегодно посещал: он поучал собиравшийся народ, творил суд и расправу, совершал богослужение и приносил жертвы на алтарях вместе с левитами. Кроме того, Самуил подготовлял молодых людей к роли вероучителей. Эти молодые люди назывались «пророческими учениками» («бне га'невиим»); в своих речах они горячо призывали народ к внутреннему возрождению. Благодаря всей этой деятельности духовных просветителей народа, объединялись постепенно разрозненные израильские колена; они стали сознавать себя частями одной нации.

49. Избрание царя. Когда Самуил состарился, внешние враги снова стали угрожать израильтянам. Филистимляне возобновили свои набеги на западные области. Аммониты стали беспокоить израильтян на восточной стороне Иордана. Тогда в израильском народе созрела мысль, что нужно положить конец безначалию и избрать царя-полководца, который бы предводительствовал народом в войнах против иноземцев.

Старейшины израильские явились к Самуилу в Раму и сказали ему: вот ты состарился, а сыновья твои неспособны к управлению; поставь же над нами царя, чтобы он управлял нами, как это делается у других народов. Престарелый пророк сначала был удивлен этой просьбой. Он свыкся с мыслью, что евреи — народ, избранный Богом, что Бог есть их царь, что они должны во всем отличаться от других народов; а тут они вдруг просят себе царя и хотят сравниться с другими народами! *«Знаете ли вы, — говорил Самуил старейшинам, — какой будет порядок, если над вами будет поставлен царь! Он будет брать ваших сыновей на военную службу и поместит в своей кон-*

нице, *заставит изготовлять оружие и боевые колесницы. Царь возьмет ваших дочерей, чтобы они ему варили, жарили и пекли кушанья. Он заберет ваши лучшие поля, виноградники и сады и раздаст слугам своим. Он будет брать десятую часть ваших овец, а вы сами будете ему рабами. Тогда вы будете вопить из-за царя вашего, которого вы выбрали; но Бог вам не ответит на ваши вопли!»* — Однако все увещания Самуила не подействовали; старейшины стояли на своем: что сейчас нужен царь-полководец, который бы повел израильтян на войну с врагами и успокоил бы страну. Пророк подчинился воле народной. Он стал искать человека, который мог бы сделаться вождем народа в то трудное время. Вскоре такой человек нашелся.

В городе Гивее, в колене Вениаминовом, жила семья земледельца Киша. У Киша был сын по имени Саул, сильный и храбрый человек, проникнутый пламенной любовью к своему народу. Наравне с другими членами семьи Саул пахал землю и пас скот. Однажды у Киша пропали ослицы, и Саул отправился искать их. По дороге он зашел к пророку Самуилу, чтобы спросить, успешны ли будут его поиски. Во время разговора с Саулом пророка свыше озарила мысль, что именно этот земледелец, сильный телом и духом, призван быть царем израильским. *«Не думай о пропавших ослицах,* — сказал он Саулу, — *ибо они уже найдены; да и тебя ждет лучшая доля среди израильского народа».* Пророк помазал голову Саула елеем — в знак того, что он призван царствовать над Израилем — и отпустил его домой. По возвращении в Гивею Саул попал в кружок восторженных молодых пророков, и среди них *«стал другим человеком, и сам начал пророчествовать»* о том, что настала пора освободить народ от иноземного ига.

Вскоре Самуил созвал народное собрание в Мицпе для избрания царя. Выбор пал по жребию на Саула, сына Киша. Стали искать новоизбранного царя — и нашли его спрятавшимся где-то в обозе. Саула вывели к народу, и он оказался целою головою выше всех присутствующих. При его появлении раздались громкие клики: да здравствует царь! Но часть народа не была довольна избранием Саула и говорила: разве такой человек спасет нас? Чтобы весь народ признал его царем, Саул должен был совершить геройский подвиг на пользу отечества. Он отправился с отрядом войск в свой родной город Гивею и здесь готовился к войне с иноземными врагами, которые теснили израильтян со всех сторон.

50. Первая победа. В то время аммониты сильно теснили израильтян на востоке Иордана. Аммонитский царь Нахаш осадил город Явеш в Гилеаде. Жившие там израильтяне готовы были покориться Нахашу и просили, чтобы он заключил с ними союз и не трогал их. Но царь аммонитов презрительно отвечал: *«Я заключу с вами вот какой союз: выколю у каждого из вас правый глаз и наложу позор на израильский народ»*. Встревоженные жители Гилеада отправили послов к своим братьям-израильтянам по ту сторону Иордана и умоляли о помощи. Народ слушал рассказы послов и громко плакал. Саул, возвращаясь с поля, услышал плач народа и спросил о причине его. Когда ему рассказали о положении несчастных гилеадцев, он решил немедленно идти к ним на помощь. Он взял пару телят, разрезал на куски, разослал их во все области израильские и объявил: *«Так будет поступлено со скотом всякого израильтянина, который не пойдет на войну за Саулом и Самуилом»*. Народ заволновался — и в короткое время вокруг Саула собралось многочисленное войско. С этим войском Саул напал внезапно на аммонитов, разбил их и освободил осажденных жителей Явеша.

После этой победы все израильтяне с радостью признали Саула царем. Они торжественно отпраздновали его вступление на престол в городе Гилгале. Здесь Самуил сердечно простился с народом, которым он долго управлял. «Скажите перед Богом и царем, — говорил старец народу, — обижал ли я вас или притеснял во время моего управления, отнял ли я у кого-нибудь его осла или вола, брал ли подкуп?». Народ в один голос воскликнул: нет, ты нас никогда не обижал и не притеснял! Затем Самуил произнес речь, в которой увещевал царя и народ следовать законам Божиим. Престарелый пророк обещал и на будущее время молиться за народ и быть его духовным руководителем.

Глава VI

Царствование Саула
(1067—1055 гг. до хр. эры)

51. Филистимская война. Первые два года своего царствования Саул употребил на то, чтобы составить себе хорошее постоянное войско. Он образовал отряд из трех тысяч отборных воинов; во время войны к этому отряду присоединялось народное ополчение. Начальником войск был сам царь; отдельным отрядом командовал старший сын царя Ионатан, отличавшийся необыкновенною храбростью. Ионатан первый дал повод к решительной войне с филистимлянами, которые все еще угнетали евреев. Филистимляне держали свои войска в вениамитских городах, притесняли жителей и брали с них дань. Молодой Ионатан пламенно желал избавить свой народ от этого гнета. Однажды он ворвался со своими воинами в Гивею и убил там начальника филистимского отряда. Узнали об этом филистимские князья, собрали большое войско, много конницы и боевых колесниц и пошли воевать с израильтянами.

Филистимляне расположились лагерем в Михмасе, а против них, в Гилгале, расположился израильский лагерь. У Саула было очень мало войска. Многие израильтяне, услышав о нашествии филистимлян, разбежались и скрывались в пещерах и ущельях скал. Израильтяне не имели ни сильной конницы, ни боевых колесниц, ни даже оружия в достаточном количестве, ибо филистимляне изгнали из городов израильских всех кузнецов, и негде было сковать или наточить меч и копье. Саул медлил с нападением на врагов, но храбрость Ионатана ускорила решительное сражение. Филистимский лагерь находился на крутой горе, окруженной глубокими рвами. Однажды Ионатан и его оруженосец тихо вскарабкались на этот крутой утес и своими выстрелами из лука произвели замешательство в лагере филистимлян. Последние думали, что за этими смелыми стрелками идет большое войско, и разбежались. Тогда Саул и его воины бросились на бегущих филистимлян и гнали их дальше. Скрывавшиеся в горах израильтяне выходили из своих убежищ и, вооружаясь дубинами и ломами, нападали на отдельные кучки филистимлян и истребляли их. Таким образом израильтяне на время избавились от своего злейшего врага и притеснителя. Страна была свободна, и народ прославлял своего царя-победителя.

Успехи Саула в борьбе с врагами нации упрочили за ним царскую власть. Утвердившись на престоле, Саул устроил свою столицу в родном городе, Гивее Вениамитской, получившем поэтому имя Гивеи Сауловой (Гибеат-Саул). Царский двор в Гивее имел очень простое внешнее устройство. В дни праздников и новолуния при дворе совершались жертвоприношения и к царскому столу приглашались приближенные люди, преимущественно из родичей Саула, вениамитов. Особенно близок был к царю его двоюродный брат Авнер, отличавшийся военными способностями. Авнер был назначен главным начальником всех израильских войск. Саул заботился о строгом соблюдении религиозных законов. Желая искоренить языческое суеверие в народе, он изгнал из страны всех колдунов и гадальщиц. Вскоре, однако, новая война отвлекла царя от внутренних дел государства.

52. Амалекитская война. Пророк Самуил явился к Саулу и велел ему, от имени Бога, идти войною против дикого племени амалекитов, которое кочевало в пустыне, близ южных границ Ханаана, и занималось разбоями. Еще со времен Моисея израильтяне ненавидели это племя, которое грабило их в пустыне, после исхода из Египта. *«Иди и порази амалекитов,* — сказал Самуил царю, — *и истреби все, что у них есть; не пощади ни мужчин, ни женщин, ни вола, ни овцы, ни верблюда, ни осла».* Саул собрал войско и двинулся к южной границе. Израильские войска ворвались в страну амалекитов, перебили там жителей, истребили их стада и имущество. Только царя амалекитского Агага Саул взял живым в плен, да еще часть лучшего скота из неприятельских стад уцелела от истребления. Саул сжалился над Агагом и не хотел убивать его; пожалел он также уцелевший скот и решил его оставить в виде добычи, вопреки приказанию пророка.

Когда в лагерь явился Самуил, Саул сказал ему, что повеление Божие исполнено и что враг разбит. *«Но откуда же доносится ко мне блеяние овец и мычание волов?»* — строго спросил пророк. Царь отвечал, что оставил в живых только Агага, а народ пощадил часть скота, взятого у амалекитов, но что все готовы принести этот скот в жертву Богу. Самуил воскликнул: *«Богу приятнее послушание, чем жертвоприношение. Ты отверг слово Божие, а Бог тебя отверг, и ты не будешь больше царем».* С этими словами пророк отвернулся от царя. Саулу тяжело было выслушать эти упреки и угрозы в присутствии народа. Он сказал Самуилу: *«Я согрешил, но окажи мне хоть*

честь *перед народом; воротись со мною, и я покло-
нюсь Богу».* Самуил вернулся, затем велел привести
хищного амалекитского царя Агага и сказал ему: *«Как
твой меч отнимал у матерей их детей, так пусть и
твоя мать лишится своего сына».* Агагу отрубили голову в Гилгале. После этого Самуил отправился в свой
город Раму, а Саул возвратился в Гивею. Между царем и пророком произошел разрыв, и они больше не
видели друг друга. Самуил решил, что Саул не годит-
ся для управления народом и стал искать человека,
более достойного занять царский престол.

53. Давид при дворе Саула. В области колена Иуди-
на, в городе Бетлехеме (Вифлееме), жил почтенный
старец Ишай (Ессей), у которого было восемь сыновей. Самый младший из них, Давид, был юноша красивый, умный и мужественный. Свои детские годы
Давид провел на лугах, окружавших Бетлехем, где он
пас стада своего отца; здесь он любил петь пастушеские песни и играть на арфе. Познакомившись с ним,
Самуил — говорит предание — своим пророческим
духом угадал, что этот юноша будет впоследствии царем израильским. Пророк прибыл однажды в Бетлехем и предсказал Давиду его будущность, окропив его
при этом священным елеем, как делалось при назна-
чении нового царя. Это происходило тайно, и кроме
семьи Ишая никто не знал о предсказании пророка.

Между тем царь Саул после амалекитской войны
стал сильно грустить. Он понимал гневное слово пророка, сказанное после победы над амалекитами, и боялся, что скоро придет конец его короткому царство-
ванию. Видя грустное настроение царя, приближенные
сказали ему: возьми человека, умеющего играть на
арфе, и когда тебе станет грустно, то он тебя будет
развлекать своей игрой. Царь стал искать хорошего
музыканта и узнал, что Давид из Бетлехема прекрас-

но играет на арфе. Давида тотчас привели в Гивею, в царский дом. Юноша очень понравился Саулу и был назначен оруженосцем царя. Всякий раз, когда Саулом овладевала тоска, Давид брал свою арфу и играл на ней до тех пор, пока царь не становился снова веселым.

Вскоре Давид прославился во всей стране одним смелым подвигом. Филистимляне собрали свои войска и опять готовились к войне с израильтянами. Сорок дней стояли оба войска, филистимское и израильское, около Бетлехема и не начинали сражения. Тогда выступил вперед один воин из филистимского лагеря, человек огромного роста, по имени Голиат (Голиаф), и воскликнул, обращаясь к израильскому войску: *«Выбирайте из своей среды бойца, чтобы он сразился со мною; если я его побью, то вы будете нашими рабами, а если он меня побьет, мы будем вашими рабами».* Услышал об этом царь Саул и кликнул клич по стране: тот израильтянин, который победит великана Голиата, получит в жены царскую дочь и большие богатства. Но вид филистимского великана, вооруженного с ног до головы, внушал всем такой страх, что никто не осмеливался вступить с ним в борьбу. В это время Давид шел с полей Бетлехема в израильский лагерь, чтобы проведать своих братьев. Услышав дерзкие вызовы Голиата, он решил сам выйти на бой с этим великаном. Все смеялись над смелым решением Давида, а Саул сказал ему: как же ты, юноша, пойдешь против богатыря, с детства привыкшего к войне? Но Давид отвечал, что он хочет защитить честь своего народа и надеется на помощь Божию. Тогда Саул дал ему свое царское вооружение: надел ему панцирь на грудь, медный шлем на голову и повесил ему на пояс свой меч. Но Давиду, по непривычке, трудно было действовать в этих тяжелых доспехах. Он снял с себя царское вооружение, взял в руки простую палку и лук для стрельбы, положил пять острых камней в свою пастушью сумку и пошел против филистимского богатыря. Голиат, увидев израильского бойца, рассердился и сказал: разве я собака, что ты идешь на меня с палкою? Но Давид не смутился и быстро шел вперед. Остановившись на некотором расстоянии от Голиата, Давид вынул из сумки небольшой камень и так метко бросил его, что попал великану прямо в лоб. Голиат в своем тяжелом вооружении повалился на землю и не мог подняться. Давид еще стрелял в него из лука, затем подбежал к лежавшему, сорвал с него меч и отрубил ему голову. Увидев своего богатыря мертвым, филистимляне в страхе разбежались. Израильтяне погнались за ними и разбили их. Согласно своему обещанию, Саул выдал замуж за Давида свою младшую дочь Михаль (Мельхола).

54. Борьба Саула с Давидом. Победа над Голиатом доставила Давиду громкую славу. Когда Саул и Давид во главе войска возвращались из похода, израильские женщины выходили навстречу им с пением и пляской и восклицали: *«Саул разбил тысячи филистимлян, а Давид — десятки тысяч».* Саулу стало досадно, что юного царского оруженосца величают больше, чем самого царя. Он боялся, что Давид сделается любимцем народа и отнимет у него престол. С тех пор Саул возненавидел Давида. Однажды царь был очень угрюм, и Давид играл перед ним на арфе, чтобы рассеять его тоску. Вдруг царь в припадке гнева бросил свое копье в Давида и чуть не убил его; Давид быстро отскочил в сторону и тем спасся от смерти. После этого Давид удалился из царского дворца. Саул назначил его начальником над тысячей воинов и посылал его в самые опасные сражения.

В то время как царь ненавидел Давида, благородный царевич Ионафан сильно привязался к юному герою и полюбил его, как родного брата. Ионафан пробовал примирить отца с Давидом, но Саул гневно крикнул сыну: *«Знай, что пока жив Давид — твоя царская власть не обеспечена!»*. Однажды царь велел своим слугам убить Давида в его собственном доме, на рассвете. Узнав об этом, жена Давида Михаль выпустила мужа ночью через окно, а когда на рассвете пришли убийцы, они Давида не нашли. Он бежал в Раму, где жил престарелый пророк Самуил. Сюда тайно пришел к Давиду друг его Ионафан и посоветовал ему идти дальше, чтобы не попасть в руки разгневанного Саула. Друзья на прощание обнялись, поцеловались и долго плакали.

Давид отправился в Нов, «город священников», где был временный храм Иеговы. Первосвященник Ахимелех (внук Элия) принял Давида хорошо и отдал ему меч, отнятый Давидом некогда у Голиата и хранившийся в храме. Оттуда Давид бежал дальше, к филистимской границе, и поселился в пещере близ Адулама. Здесь стали к нему собираться разные недовольные люди, удальцы и искатели приключений, и признали его своим вождем. — Между тем Саулу донесли, что Давид был в Нове и там был хорошо принят священниками. Царь велел привести к себе, в Гивею, Ахимелеха и других новских священников и гневно сказал им: *«Зачем вы дали моему врагу, Давиду, пищу и меч? Зачем благословили человека, восставшего против меня?»*. Ахимелех отвечал, что священники приняли Давида как царского зятя, и ничего не знали о причине его бегства. Но Саул не хотел слушать никаких оправданий. По его приказу царские телохранители убили Ахимелеха, его семью и 58 священников. Спасся только один сын Ахимелеха, Авиатар, который бежал к Давиду.

Давид, во главе вооруженной шайки вольных людей, переходил с места на место. К этой вольной дружине примкнули и прибывшие из Бетлехема родственники Давида, между которыми особенною храбростью отличался сын его сестры, Иоав, будущий полководец. В числе воинов, окружавших Давида, были также иноземцы — филистимляне и хитейцы. Давид не мог оставаться со своими людьми долго в одном месте, так как за ним по пятам гнался отряд Саула. Однажды царский отряд подошел к стоянке Давида. Саул один зашел в темную пещеру, где скрывались Давид и его люди. В темноте царь не заметил их. Воины шепнули Давиду: *«Вот теперь Бог предал твоего врага в твои руки; сделай с ним что хочешь».* Но Давид сказал: *«Не могу поднять руку на царя, избранника Божия».* Он только тихо подошел к Саулу сзади и отрезал у него край верхней одежды, а тот ничего не заметил. Когда царь ушел из пещеры, Давид вышел вслед за ним и, показав ему издали отрезанный край одежды, воскликнул: *«Вот ты, царь, считаешь меня своим врагом, а между тем ты сейчас был в моих руках, и я все-таки тебе ничего худого не сделал. Бог видит мою правоту; пусть Он рассудит нас!».* Саул, тронутый великодушием Давида, заплакал и сказал: *«Твой-ли голос слышу, сын мой, Давид? Ты более прав, чем я, ибо ты мне сделал добро, а я тебе делаю зло. Я знаю, что ты будешь царствовать во Израиле; но поклянись мне, что ты не истребишь моего потомства после моей смерти».* Давид поклялся, и они разошлись. Вскоре, однако, Саул забыл об этой встрече и снова стал преследовать Давида.

55. Гибель Саула. Около этого времени умер престарелый пророк Самуил, покровитель Давида. Давид боялся оставаться в родной Иудее, где за ним гнались воины Саула, и перешел с дружиною из 600 человек в землю филистимскую. Царь (князь) филистимский, Ахиш, принял Давида хорошо. Он думал, что Давид, как враг Саула, будет помогать филистимлянам в войне против израильтян. По просьбе Давида Ахиш отвел ему и дружине его для жительства особый город, Циклаг. Отсюда Давид со своим отрядом делал набеги на амалекитов и другие дикие племена к югу от Ханаана и забирал у них много добычи. Ахишу же он говорил, что делает набеги на иудейские земли. Так продолжалось больше года. Наконец, царь филистимский снова собрал свои войска и выступил в поход против израильтян. В задних рядах своего войска Ахиш поместил Давида с его отрядом. Но филистимские князья и сановники, увидев это, сказали Ахишу: *«Зачем тут эти евреи? Ведь это тот самый Давид, о котором поют в хороводах, что он разбил десятки тысяч филистимлян. Чем же умилостивит он своего господина (Саула), если не нашими головами?»*. Ахиш принужден был отослать Давида с его отрядом обратно в Циклаг, — чему Давид был очень рад.

Услышав, что филистимляне выступили в поход, Саул расположил свое войско в долине Изреель, близ гор Гильбоа. Со страхом ожидал он приближения неприятеля. Мрачные предчувствия волновали царя. Под влиянием тоски Саул сделался суеверным. Он хотел отгадать свое будущее и обратился за этим к одной волшебнице, жившей в Эндоре. Однажды ночью царь переоделся, чтобы его не узнали, пришел в дом волшебницы и попросил ее вызвать из могилы тень умершего пророка Самуила. Тотчас, в таинственном мраке ночи, показался образ старца, в котором царь узнал Самуила. *«Зачем ты встревожил меня?»* — послышался гневный вопрос пророка. Саул упал перед пророком на колени и воскликнул: *«Худо мне. Филистимляне на меня нападают, а Бог отвернулся от меня; скажи мне, что делать?»*. Самуил отвечал: *«Бог действительно покинул тебя за прежнее твое непослушание — и отдал твой престол Давиду. Бог пре-*

даст тебя и израильтян в руки врагов; завтра же ты и твои сыновья будете со мною». Саул задрожал, услышав эти слова, и упал на землю. С трудом уговорила его волшебница съесть что-нибудь и подкрепить свои силы.

На другой день между израильтянами и филистимлянами завязался страшный бой в горах. Филистимляне победили. Тысячи израильских трупов покрыли собою высоты Гильбоа. Ионафан и другие два сына Саула пали в жарком бою. Саул был изранен неприятельскими стрелами. Чувствуя свой конец, он сказал своему оруженосцу: «Обнажи меч и заколи меня, чтобы не пришли эти инородцы и не надругались надо мною». Но оруженосец не осмелился убить своего царя. Тогда Саул сам бросился на свой меч и умер. На следующий день филистимляне нашли труп израильского царя и повесили его на стене города Бетшеана, как знак победы. Когда узнали об этом жители гилеадского города Явеша (которых Саул некогда спас от аммонитов), они послали людей к Бетшеану, чтобы снять со стены тело погибшего царя. Ночью эти послы похитили тело Саула и привезли в Явеш, где оно было предано земле.

Давид узнал о гибели Саула и его сыновей от одного амалекита, прибежавшего с поля сражения в Циклаг. Амалекит думал, что обрадует Давида таким известием, и хвалился даже, что сам убил израильского царя. Но Давид воскликнул: «Как ты смел поднять руку на избранника Божия!» — и приказал убить амалекита. По преданию, Давид в следующей трогательной песне оплакивал смерть царя Саула и своего друга Ионафана:

«Краса твоя, Израиль, лежит пораженная на высотах твоих. Как пали герои! Не возвещайте в Гате, не рассказывайте на улицах Аскалона, чтобы не радовались дочери филистимские, чтобы не ликовали дочери иноплеменников. Горы Гильбоа! Пусть не будет на вас ни росы, ни дождя, ни полей плодоносных, ибо там запятнан щит героев, щит Саула, не намазанный елеем. (А было время, когда) лук Ионафана не останавливался перед кровью убитых, перед луком героев, и меч Саула не возвращался (в ножны) пустым. О, Саул и Ионафан, любимые и дорогие, неразлучные и в жизни, и в смерти! Они носились легче орлов, они были храбрее львов. Вы, дочери Израиля, плачьте о Сауле, который одевал вас в пурпур и тонкие ткани и покрывал ваши одежды золотыми украшениями. Как пали герои в сражении! Как погиб Ионафан на высотах твоих! Больно мне за тебя, брат мой Ионафан! Ты мне был так дорог; твоя любовь была мне дороже любви женщины. О, как пали герои! Как погибло оружие бранное!».

Глава VII

Царствование Давида (1055—1015 гг.)

56. Давид в Иерусалиме; его войны. После смерти Саула народ не сразу признал Давида царем. Когда Давид возвратился из филистимской земли на родину, в город Хеврон, его провозгласили царем только его военная дружина и сородичи из колена Иудина. Прочие же колена израильские, в особенности родственные Саулу вениамиты, признали своим царем законного наследника Саула, его младшего сына Ишбаала (или Ишбошет, Иевосфей). Таким образом израильский народ получил одновременно двух царей: Давида в Хевроне и Ишбаала в заиорданском городе Махнаиме. Несколько лет шла борьба между войсками двух соперничавших царей и полководцами их: Иоавом со стороны Давида и Авнером со стороны Ишбаала. Но, наконец, Авнер был побежден, Ишбаал — человек слабый и ничтожный — был покинут своими приверженцами и затем убит двумя заговорщиками. Весь народ склонился на сторону Давида.

На 30-м году своей жизни Давид сделался царем всех колен израильского народа. Старейшины колен пришли к нему в Хеврон и венчали его на царство.

Народ помнил прежние геройские подвиги Давида в войнах с филистимлянами и надеялся, что новый царь доставит славу и независимость. Эти надежды вскоре исполнились.

Давид прежде всего направил свое оружие против иноплеменников, живших внутри страны. На границе, между коленом Иудиным и Вениаминовым, издавна жило маленькое, но сильное племя иевуситов. Это племя не было покорено евреями при Иошуа, и оно продолжало жить независимо в своем укрепленном городе Иерусалим и окрестностях. Иерусалим находился на горе; в южной части его возвышался холм Цион (Сион), на котором стояла сильная крепость. Давид пошел с дружиной против иевуситов и осадил укрепленный Цион. Иевуситы насмешливо говорили Давиду, что такую сильную крепость сумеют защитить против израильтян даже слепые и хромые. Но дружина Давида смело бросилась вперед и скоро овладела крепостью. Иевуситы были изгнаны из Иерусалима. Давид, выехав из Хеврона, избрал Иерусалим своим постоянным местопребыванием. Он поселился в ционской крепости, названной по его имени «Город Давида» (Ир-Давид), а кругом поселил членов своей дружины. Вскоре пришли из финикийского города Тира плотники и каменщики и построили для Давида царский дворец. Иерусалим стал наполняться жителями и красивыми зданиями, — и с тех пор этот город сделался столицей еврейского государства.

Давид хотел сделать свою столицу и священным городом. Он отправился с толпою народа в селение Кириат-Иеарим и взял оттуда ковчег Иеговы, стоявший там со времени пророка Самуила (48). Ковчег был торжественно, при радостных криках народа, перевезен в «Город Давида» и помещен в особом шатре (скинии), обтянутом драгоценными тканями. При ковчеге был устроен алтарь для жертвоприношения. Священником в новой скинии был назначен Авиатар (сын убитого в Нове Ахимелеха), сопровождавший Давида в его скитаниях и походах.

Весть о том, что Давид укрепился в новой столице, встревожила филистимлян. Они раньше думали, что Давид будет союзником и данником филистимских князей, — а теперь увидели, что он объединяет весь израильский народ для окончательного вытеснения иноземцев из страны Израильской. И вот филистимляне возвратились в область колена Иудина и овладели Бетлехемом, родным городом Давида. Близ этого города выступила против них богатырская Давидова дружина. Израильтяне сражались, как львы, и нанесли неприятелю страшное поражение. О мужестве израильских воинов свидетельствует следующий случай. Во время похода Давиду захотелось пить, а воду можно было достать только из колодца у ворот Бетлехема, где стояла стража филистимлян. Тогда трое богатырей из свиты Давида с опасностью для жизни пробились сквозь филистимский сторожевой отряд, зачерпнули воды и принесли ее Давиду. Но царь сказал: «*Сохрани Бог, чтобы я пил эту воду, которую мои люди достали с опасностью для жизни! Ведь это все равно, что пить их кровь!*» — После нескольких решительных сражений Давид изгнал филистимлян из своих владений; но он не довольствовался этим. Желая окончательно усмирить давнишних врагов израильского народа, он повел свое войско в филистимскую землю и захватил главный город ее Гат с окрестностями. Эта победа прославила доблесть израильских бойцов. С той поры могущество филистимских царей было навсегда уничтожено. Некоторые филистимские земли были подчинены Давиду, и население их платило ему дань.

Обезопасив от неприятельских вторжений юго-западные границы своего царства, Давид обратился про-

тив восточных врагов. Он разбил за Иорданом моавитов и аммонитов. На помощь аммонитам пришли из
Сирии арамейцы, но Давид нанес им серьезное поражение, проник со своим войском в Сирию и покорил
город Дамаск. Во всех этих войнах главным помощником Давида был его племянник и начальник его дружины, храбрый Иоав. Этот полководец-богатырь вел
войну и на юге, близ Мертвого моря, с эдомитами.
Земля эдомская была покорена, и в ней поставлен был
израильский наместник.

57. Внутренняя жизнь. Давид поднял Израильское
государство на высшую ступень могущества. Все соседние народы, которые раньше теснили израильтян,
теперь трепетали перед ними. Имя великого царя израильского прославилось на весь Восток. Чтобы поддерживать это внешнее могущество государства, Давид должен был содержать огромное войско. В военное
время каждое колено обязано было выставлять определенное количество людей, способных носить оружие,
начиная с 20-летнего возраста. Главным начальником
войска был Иоав. В гражданском управлении Давиду
помогали опытные в государственных делах сановники, состоявшие при нем в званиях «советников», «писцов» и «докладчиков». При дворе Давида находились
также два пророка: Гад и Натан.

В домашней своей жизни Давид позволял себе не-
которую роскошь, хотя и не в такой мере, как прочие
восточные цари. Он жил в Иерусалиме в красивом
дворце, построенном финикийскими мастерами, окру-
жал себя телохранителями из иноплеменных наемни-
ков, имел множество поместий, виноградников и стад.
По восточному обычаю, у Давида было несколько жен.
Первая жена его, Михаль, вышла замуж за другого
человека в то время, когда ее отец, царь Саул, преследовал Давида; но после восшествия Давида на пре-

стол, Михаль к нему возвратилась. С течением времени в семье царя прибавилось еще несколько жен. От всех этих жен, кроме бездетной Михали, Давид имел сыновей и дочерей. Старшим его сыном был Амнон; из других сыновей царя особенно известны были Авесалом и Адония. Но ни одному из этих сыновей не суждено было наследовать престол после Давида; наследником сделался сын женщины, попавшей в дом царя по следующему случаю.

Однажды, под вечер, Давид прогуливался по плоской крыше своего дворца и увидел издали купающуюся женщину, необыкновенно красивую. Царь спросил, кто она, и узнал, что это Батшева (Вирсавия), жена хитейца Урии, начальника военного отряда. Батшева так поразила царя своей красотой, что он захотел взять ее себе в жены; но ему мешало то, что она была женою другого. Тогда Давид решился на жестокий поступок. В то время шла кровопролитная война с аммонитами; во главе израильского войска стоял полководец Иоав, и под его начальством служил Урия. И вот Давид послал Иоаву тайный приказ: поставить Урию с его отрядом в самое опасное место сражения и не давать ему подкрепления в случае натиска врагов. Иоав так и сделал. Урия погиб в жарком бою с аммонитами, и Батшева оплакивала своего умершего мужа. Когда кончилось время ее траура, Батшеву привели в царский дворец, и она стала женою Давида.

Этот поступок Давида сильно огорчил его наставника, пророка Натана. Мудрый пророк явился к царю и рассказал ему следующее: *«В одном городе жили рядом два человека, богатый и бедный. У богатого было много овец и телят, а бедный имел только одну маленькую овечку, которая была ему очень дорога; овечка росла в его доме, ела и пила вместе с ним, и он ласкал ее как дочь. Однажды к богачу пришел гость. Богач пожалел заколоть одну из своих овец,* чтобы изготовить обед для своего гостя, а послал к соседу-бедняку, отобрал у него единственную его овечку и ее мясом накормил гостя». Когда Натан кончил свой рассказ, Давид в гневе воскликнул: «Этот жестокий богач, не пожалевший бедного соседа, должен быть наказан смертью, а за отнятую овцу он должен заплатить вчетверо!». Тогда пророк сказал царю: «Ты сам поступил так, как тот богач. Бог дал тебе царскую славу, богатство и много жен, а ты подвел Урию под меч аммонитов и взял себе его единственную жену. За это Бог поднимет на тебя беду из собственной семьи твоей». Давид почувствовал глубокое раскаяние и сказал: да, я согрешил перед Богом! — Вскоре Батшева родила Давиду сына. Младенцу дали имя Соломон (Шеломо), а пророк Натан прозвал его Иедидия, что означало: любимец Бога. Этому младшему сыну Давида предназначено было наследовать престол израильский.

58. Восстание Авесалома. Предсказание пророка, что беда поднимется на Давида из собственной его семьи, исполнилось. У царя было много сыновей и дочерей от разных жен. Старший царевич Амнон, считавший себя наследником престола, был человек страстный и необузданный. Однажды он грубо оскорбил свою побочную сестру (дочь Давида от другой жены), красавицу Тамарь. Обиженная Тамарь пожаловалась своему родному брату, гордому царскому сыну Авесалому, и тот решил отомстить Амнону. Авесалом устроил пир по случаю стрижки овец и пригласил в свой дом всех своих братьев. Во время пира слуги Авесалома, по его приказанию, бросились на Амнона и убили его. Весть об этом потрясла Давида; царь глубоко скорбел об убитом сыне и негодовал против виновника его смерти. Авесалом, боясь гнева отца, бежал из Иерусалима и прожил в чужих краях три года. За это время печаль Давида о смерти Амнона утихла; по просьбе своих приближенных царь простил Авесалома и позволил ему возвратиться в Иерусалим.

Но не на радость отцу возвратился домой опальный царевич. Авесалом был очень честолюбив и мечтал о царской власти. Мужественный, ловкий, красивый, с длинными густыми кудрями, он очень нравился народу. Этой любовью народа Авесалом воспользовался для своих целей. Он задумал восстать против отца и еще при жизни его присвоить себе верховную власть. Для этого он старался внушать народу недовольство против Давида. Престарелый царь не мог справляться со всеми государственными делами и часто не успевал выслушивать всех, которые являлись к нему с жалобами или просьбами. Многие просители уходили от него неудовлетворенными. Встречая таких недовольных просителей, Авесалом говорил им: *«Вот дело ваше справедливое, а царь вас не выслушал; если б я был судьею в стране, то судил бы всех по правде, и все уходили бы от меня довольными».* Мало-помалу Авесалому удалось привлечь на свою сторону множество людей. Он имел приверженцев даже среди царских придворных. На сторону царевича перешел умнейший советник Давида, сановник Ахитофель. Почувствовав свою силу, Авесалом взял с собою двести человек и отправился с ними в Хеврон. Оттуда он разослал во все города разведчиков и дал им приказ: *«Когда вы услышите звуки трубы, то объявите всем, что Авесалом воцарился в Хевроне».* К Авесалому прибыли толпы народа, и восстание все разрасталось.

Давид был поражен, когда услышал о восстании сына. Царь не был подготовлен к этой внутренней войне и боялся, что мятежники внезапно нападут на столицу. Поэтому он решил покинуть Иерусалим и готовиться к войне вдали от места восстания. Давид вышел из Иерусалима со своим семейством, в сопровождении своей отборной дружины из 600 воинов. Видя престарелого царя, покидающего свою столицу, народ громко плакал. Первосвященники Авиатар и Цадок взяли священный ковчег и хотели сопровождать царя, но Давид велел им остаться со святынею в Иерусалиме. *«Если Бог захочет, — сказал царь, — то Он вернет меня сюда, и я снова увижу Его жилище; если же нет, то пусть делает со мной как Ему угодно».* Старый друг и советник царя, мудрый Хушай, также хотел идти с Давидом. Но Давид сказал ему: *«Если пойдешь со мною, то будешь мне только в тягость. Лучше оставайся в Иерусалиме, притворяйся верным слугою Авесалома и расстраивай то, что будет придумывать Ахитофель. Все, что услышишь, передавай первосвященникам Цадоку и Авиатару; они же будут мне через послов доносить обо всем».*

Вскоре после ухода Давида в Иерусалим вступил Авесалом и объявил себя царем. Умный Ахитофель советовал ему немедленно идти с отрядом войска в погоню за Давидом, пока тот не успел еще приготовиться к войне. Хушай узнал об этом опасном совете, явился к Авесалому и, притворившись другом его, убеждал его не следовать совету Ахитофеля. *«Ты знаешь, — говорил он, — что твой отец и его храбрые воины теперь раздражены, как звери лесные, и при первом столкновении твое войско может потерпеть поражение. Лучше подожди, пока к тебе не соберется весь Израиль, от одного конца земли до другого; тогда мы нападем под твоим предводительством на царский отряд и сразу уничтожим его».* Авесалом последовал совету Хушая, не подозревая, что Хушай в душе хочет только дать Давиду время приготовиться к подавлению восстания. Понял это только умный Ахитофель. Предвидя гибель Авесалома, Ахитофель оставил его, пошел в свой дом и удавился.

Пока Авесалом бездействовал в Иерусалиме, Давид успел перейти через Иордан, в город Махнаим, и там собирал свои силы для решительной битвы с мятежниками. Наконец и Авесалом собрал большое войско и пошел за Иордан, против отца. Войско мятежников было многочисленно, но оно действовало необдуманно, между тем как опытные Давидовы полководцы вели дело осторожно и разумно. Решительное сражение произошло в лесу Эфраимовом. Царское войско под начальством Иоава победило и обратило в бегство отряды Авесалома. Сам Авесалом, убегая верхом на муле в чащу леса, въехал под ветви большого дуба, зацепился своими длинными волосами за ветви и, когда мул из-под него ускакал, повис в воздухе. Подошедший Иоав пронзил висящего Авесалома тремя стрелами; тело убитого сняли с дерева и бросили в лесу, в яму, над которою навалили кучу камней. Давид был так опечален страшною смертью Авесалома, что забыл даже о радости победы. Чувство отца взяло верх над разумом царя. Престарелый царь сидел один в своей горнице и шептал в слезах: *«О, сын мой, Авесалом, отчего мне не дано умереть вместо тебя!».*

59. Последние годы Давида. Поднятая Авесаломом междоусобная война продолжалась и после его смерти. Когда в Гилгале собралось большинство восставших, чтобы изъявить покорность Давиду, выступил один вениамит, по имени Шева (Савей), затрубил в рог и воскликнул: *«Нет у нас ничего общего с Давидом! Расходитесь по шатрам своим, израильтяне!».* Большая часть народа снова отделилась от Давида и пошла за Шевою; только Иудино колено осталось на стороне царя и проводило его в Иерусалим. Прибыв в Иерусалим, Давид велел своим полководцам собрать войско, погнаться за Шевою и рассеять его отряды прежде, чем он успеет занять укрепленные города. Царские войска под начальством Иоава пронеслись как буря по всей стране. При их приближении восставшее население покидало Шеву и покорялось Давиду. Только укрепленный город Авель, в северной Дановой области, был занят Шевою и не хотел сдаться. Иоав окружил город осадными орудиями, чтобы разрушить его. Одна из жительниц, умная женщина, взошла на стену крепости и громко сказала Иоаву: *«Неужели ты хочешь погубить целый город во Израиле?».* Иоав отвечал, что не тронет города, если жители добровольно выдадут мятежника Шеву. Жители согласились. Они отрубили Шеве голову и со стены бросили ее Иоаву. Тогда Иоав затрубил в рог, и войско отступило от города. Мятеж, наконец, был подавлен — и страна успокоилась.

Когда в стране стало спокойно, Давид призвал пророка Натана и сказал ему, что хочет построить в Иерусалиме новый большой храм для богослужения, вместо прежней маленькой скинии. Но пророк ему объявил: *«Не тебе строить дом Божий, ибо ты в своей жизни пролил много крови (в войнах), но сын твой Соломон, который унаследует престол после тебя, будет царь мирный, и он-то воздвигнет храм Иегове».* Давид велел собрать строительный материал, серебро и золото, для того чтобы все было готово к сооружению храма при наступлении нового царствования; но ему не суждено было кончить и эти подготовительные работы.

Даже в последние дни своей жизни Давид не имел покоя. Возникли споры за престолонаследие. Царица Батшева настаивала, чтобы преемником Давида был ее сын Соломон; ее поддерживали пророк Натан и некоторые сановники. Но старший после погибшего Авесалома царевич Адония считал себя законным наследником престола. Он жил с царской пышностью и ездил по улицам в роскошной колеснице, перед которой скакали пятьдесят всадников. Ему удалось привлечь на свою сторону самых влиятельных людей: полководца Иоава и священника Авиатара. Однажды, когда ожидали скорой смерти Давида, Адония устроил торжественный прием с жертвоприношением; здесь его приверженцы кричали: да здравствует царь Адония! Встревоженная мать Соломона, царица Батшева, пожаловалась на это Давиду. Тогда, по приказанию Давида, юного Соломона провезли верхом на муле через весь город, в сопровождении духовенства и войска, до потока Гихопа; там священник Цадок окропил его голову священным елеем и, при трубных звуках, провозгласил его царем. В торжественном шествии, при радостных криках народа, Соломон возвратился во дворец и сел на царский престол.

Вскоре престарелый Давид умер, после 40-летнего царствования. Сделавшись царем, Соломон тотчас подавил смуту, вызванную восстанием Адонии. Адония и его главные сторонники, в том числе и полководец Иоав, были казнены по приказанию нового царя. После этого царская власть окончательно утвердилась в руках Соломона.

Глава VIII

Царь Соломон
(1015–977 гг.)

60. Управление Соломона. Соломон вступил на престол молодым, едва достигши 25 лет. Отец оставил ему обширное государство, обеспеченное после многих войн от нападений соседних народов. Нужно было сохранить то, что добыто славными походами Давида, и дать народу возможность предаваться мирным занятиям: земледелию, ремеслам и промышленности. Это было достигнуто при Соломоне. Соломон был не воинственным, а мирным царем (самое имя его Шеломо напоминало слово «шалом»: мир). Он имел все качества, необходимые для правителя и судьи. В народе молодой царь прославился своей мудростью и проницательностью. Он умел угадывать на суде в самых трудных условиях, кто прав и кто виноват.

Следующий случай, как рассказывает предание, доставил ему славу мудрейшего судьи. К царю Соломону пришли на суд две женщины. Одна из них рассказала: *«Я живу с этой женщиною в одном доме. Недавно я родила мальчика, а через три дня и моя соседка родила сына. Однажды ночью умер сын этой женщины, так как она лежала на нем во сне; она тихо встала, взяла у меня с постели моего ребенка, когда я спала, а своего мертвого положила ко мне. Утром встала я, чтобы накормить ребенка, и вижу: лежит мертвый; всмотрелась я в его лицо и заметила, что это совсем не мой сын».* Другая женщина отвечала ей: *«Нет, это неправда: мой сын остался жив, а твой — мертвый».* Сильно спорили перед царем обе женщины: каждая утверждала, что живой мальчик — ее сын, а мертвый принадлежит ее соседке. Трудно было узнать правду. Тогда Соломон прибег к следующей хитрости. Он велел принести меч и, в присутствии обеих женщин, сказал слугам: *«Разрежьте живого мальчика пополам и дайте половину одной женщине и половину другой!».* Услышав это, одна из женщин воскликнула: *«Умоляю тебя, царь, не резать ребенка, а уж лучше отдай его живым моей противнице».* Другая же кричала: *«Пусть не достанется ни мне, ни тебе, режьте!».* Тогда стало ясно, что настоящая мать живого ребенка есть именно та женщина, которая сжалилась над ним и не допустила резать его. Царь сказал: *«Отдайте ей живого ребенка, ибо она его мать!».* Весь народ дивился мудрости Соломона. — Предание говорит, что Соломон превосходил своими знаниями тогдашних мудрецов Востока и даже ученейших египетских жрецов. Он сочинял притчи и песни, «говорил о деревьях, зверях, рыбах, птицах и пресмыкающихся», то есть глубоко изучил все явления природы. В еврейской письменности имя Соломона связано с поучениями житейской мудрости, как имя Давида — с поэтическими псалмами.

Библейский летописец рассказывает, что «во дни Соломона израильтяне жили спокойно, каждый под своим виноградным деревом и своей смоковницей». Соломон не вел войн, подобно Давиду. Окружающие мелкие племена, как эдомиты и аммониты, были подвластны израильскому царю и платили ему дань; с независимыми же соседними государствами Соломон заключал мирные союзы и торговые договоры. Ближайшей соседкой еврейского царства была тогда богатая и промышленная Финикия; с юга к нему примыкал образованный и сильный Египет, а с севера — государства Месопотамии (Арам, Дамаск). С этими государствами Соломон завязал торговые сношения. Израильтяне, как народ земледельческий, вывозили туда произведения земли — хлеб, фрукты, виноград; из Финикии они получали взамен строительный лес из кедровых рощ Ливанона, а из Египта — лошадей и колесницы. Кроме того, израильская земля служила главным торговым путем, по которому шли караваны с товарами из Месопотамии в Египет. По приказанию Соломона были устроены в разных местах удобные стоянки для караванов и склады для товаров. В союзе с финикийцами израильтяне вели и морскую торговлю. Финикийские и израильские мореплаватели отправлялись на кораблях в страну чудес Офир (Индия или южная Аравия) и привозили оттуда драгоценные металлы, слоновую кость, пахучие пряности и предметы роскоши. Таким образом израильтяне стали сближаться с образованными народами Азии и Африки. Соломон вступал даже в родственные сношения с иноземными царями. В числе его жен была дочь могущественного египетского царя (фараона). По примеру других восточных царей, Соломон заботился о богатстве и блеске своей столицы. Город Иерусалим украсился при нем великолепными зданиями, между которыми особенно выделялись храм Иеговы и царский дворец.

61. Сооружение храма. Вскоре после восшествия своего на престол царь Соломон приступил к исполнению дела, завещанного ему отцом, — к сооружению большого храма Иеговы в Иерусалиме. Местом для

храма был избран холм Мория, на северо-восточной стороне Иерусалима. Для этой постройки требовалось громадное количество камня и дерева. Камень был в изобилии в самом Ханаане. Десятки тысяч рабочих, набранных Соломоном из покоренных ханаанских племен, высекали в горах камни и обтесывали их в правильные плиты; другие рабочие возили эти плиты на место постройки. Для доставки нужного леса Соломон вступил в сношения с финикийским царем Хирамом, столица которого Тир славилась своими красивыми зданиями. Хирам согласился давать Соломону кедровые и кипарисные деревья из лесов Ливанона и сплавлять их морем до Яффы, ближайшей к Иерусалиму гавани. 30000 израильтян были взяты на царскую службу, чтобы рубить лес в Ливаноне. Они были разделены на три отряда, по десять тысяч в каждом; отряды чередовались: каждый работал один месяц и отдыхал два месяца. Хирам отправлял срубленный лес в Яффу и в то же время посылал к Соломону искусных тирских каменщиков и плотников. За все эти услуги Соломон давал Хираму ежегодно, пока продолжались работы, известное количество пшеницы, масла и вина. Когда строительный материал был весь приготовлен, приступили к сооружению храма. Храм строился из каменных плит, а стены внутри покрывались кедровыми досками, на которых были вырезаны цветы, пальмовые деревья и херувимы (фигуры с распущенными крыльями); вся эта резьба на стенах была покрыта золотом.

Храм имел два отделения: внутреннее и наружное. Внутреннее отделение находилось в самом отдаленном, заднем покое здания и носило имя «дебир», или «святая святых». В нем стояли два крылатых херувима из позолоченного оливкового дерева; под распростертыми крыльями этих херувимов стоял ковчег Иеговы. Здесь постоянно царил таинственный полумрак. В наружном отделении, названном «святилищем» или палатой («гехаль»), находились кадильницы для курения фимиама, светильник, стол со священными хлебами и другие сосуды, все из чистого золота. Вдоль святилища тянулась красивая галерея с двумя толстыми медными колоннами. К этой галерее примыкал обширный двор, обнесенный стеною. Во дворе находились: большой бронзовый жертвенник, медный бассейн для омывания рук священников, названный вследствие своей громадной величины «медным морем», и прочие приспособления для жертвоприношения.

Все это величественное здание строилось несколько лет; оно было окончено около 1000 года до христианской эры. Затем начались торжества освящения храма. В осенний праздничный месяц Тишри в Иерусалим прибыло множество израильтян из всех областей государства. Священники внесли ковчег Иеговы со скрижалями заповедей в «святая святых» и поставили его там, под распростертыми крыльями золотых херувимов. Клубы дыма от курившегося фимиама окутывали этот покой храма, как бы облаком, и мысль переносилась в первобытное жилище Иеговы, мрачный и величественный Синай. Царь, обратившись лицом к святыне, сказал: *«Иегова решил утвердиться в густом облаке. Вот я построил дом для пребывания Твоего, место для вечного жилища Твоего».* Вслед затем царь и народ перешли в наружные покои храма и во двор, где стоял жертвенник. Здесь все было залито чудным сиянием от покрытых золотом стен и колонн и от блестящих драгоценных сосудов. Священники совершили богослужение с жертвоприношением, а левиты пели хвалебные гимны и играли на арфах. Народ был очарован всем виденным и с благоговением смотрел на свой новый величественный храм. Несколько дней продолжались шумные празднества по случаю освящения храма, а затем народ разошелся и разъехался по домам.

62. Внешний блеск и внутренняя неурядица. Когда окончилось сооружение «дома Божия», начали строить «дом царский». Финикийские мастера построили для Соломона роскошный дворец, на небольшом расстоянии от храма. Царский дворец состоял из нескольких зданий, соединенных между собою. К нему вела аллея, прозванная «Ливанским лесом», так как она состояла из длинного ряда кедровых столбов. Здесь стояла царская стража с мечами и в золотых щитах. В «судебном зале» дворца стоял царский престол из слоновой кости, с золотыми украшениями. Здесь царь решал судебные споры и принимал иноземных послов. По сторонам главного дворца находились два здания: в одном жил сам царь, а в другом — главная царица, дочь египетского фараона, со своей свитой. Кроме храма и дворца появился в Иерусалиме целый ряд красивых зданий, выстроенных богатыми людьми. Столица еврейского государства стала шумным и блестящим городом. Во время ежегодных праздников Пасхи и Кущей в Иерусалим стекались массы израильтян из всех городов, чтобы молиться в храме Божием и приносить там жертвы. Богатые купцы приезжали в Иерусалим для торговли, а знатные иностранцы являлись туда, чтобы осматривать храм и другие достопримечательности израильской столицы.

Однажды в Иерусалим приехала с многочисленной свитой царица Савеи (Шева), государства южной Аравии. Она наслышалась о необыкновенной мудрости Соломона и хотела лично убедиться в верности этих слухов. Царь приветливо принял ее и отвечал на все ее вопросы и загадки. После долгой беседы с Соломоном царица Савская пришла в восторг от его ума и воскликнула: *«Ты гораздо умнее и богаче, чем мне рассказывали. Счастливы подданные твои, которые могут всегда видеть тебя и слышать твою мудрость!».* Она подарила царю много золота, драгоценных камней и благовонных пряностей и, получив от него также роскошные подарки, возвратилась в свою землю.

Однако к концу царствования Соломона оказалось, что в израильском государстве, несмотря на его внешний блеск, не весь народ доволен и счастлив. Дорого стоил народу этот внешний блеск. Немногие купцы и промышленники богатели от развившейся в стране торговли, но вся масса земледельцев жила в бедности. Разоренный принудительными работами для постройки храма и дворцов, трудовой народ еще стонал под бременем постоянных налогов, которые взимались у него в пользу царского двора. Соломон разделил всю страну на 12 округов, из которых каждый должен был в течение одного месяца в году доставлять все съестные припасы, нужные для содержания многочисленной царской семьи и чиновников. Обремененный налогами народ роптал, а расточительность царского двора все увеличивалась. Мудрый Соломон должен был разумнее управлять страной, но он жил с пышностью восточного властелина. У него было много жен-иноплеменниц: египтянок, моавитянок, финикиянок — и на содержание их требовалось очень много денег. Благодаря их влиянию, жившие в Иерусалиме финикийцы и другие иноземцы могли свободно устраивать там алтари для языческих богов. Сам царь иногда присутствовал при идолослужении своих иноземных жен. Это действовало вредно на нравы народа, и можно было опасаться, что в стране распространится прежнее идолопоклонство.

Пророки имели смелость упрекать царя за его дурное поведение и предсказывали скорое распадение его царства. Признаки распадения уже стали заметны. Один из царских чиновников, эфраимит Иеровеам, воспользовался господствовавшим среди эфраимитов недовольством против царя Соломона, чтобы поднять народное восстание. Однажды пророк Ахия из Силома, встретив Иеровеама в поле, сорвал с него плащ и разорвал на двенадцать кусков. Десять кусков пророк возвратил Иеровеаму со словами: «*Возьми эти десять кусков: они означают десять колен израильских, которые отпадут от потомства царя Давида и изберут тебя царем*». Иеревеам, поощренный этим пророчеством, готовился во главе эфраимитов открыто восставать против Соломона. Царь, узнав о намерениях Иеровеама, послал свою стражу с приказом убить его. Тогда Иеровеам бежал в Египет и скрывался там до смерти Соломона.

63. Распадение царства. После почти сорокалетнего царствования Соломон умер. На престол должен был вступить старший сын его Рехавеам (Ровоам). Этот царевич не отличался никакими выдающимися качествами: он не имел ни мужества Давида, ни мудрости Соломона. Верные Давидовой династии колено Иудино и часть Вениаминова готовы были тотчас провозгласить Рехавеама царем, но прочие колена, в особенности эфраимиты, колебались. Скрывавшийся в Египте эфраимит Иеровеам, услышав о смерти Соломона, тотчас возвратился на родину и поддерживал в народе недовольство против династии Давида.

Тогда в эфраимском городе Сихеме собрались старейшины израильские с целью посовещаться о признании нового царя. Туда же прибыл и Рехавеам. Народ, недовольный тяжелыми податями, которыми его обременяли при Соломоне, решил потребовать от нового царя облегчений. Представители народа, с Иеровеамом во главе, явились к Рехавеаму и сказали: «*Твой отец наложил на нас тяжелое бремя; облегчи нам это бремя, и тогда мы тебе будем служить!*». Гордый Рехавеам был оскорблен этим требованием, но обещал через три дня дать ответ. Он созвал своих советников, чтобы узнать их мнение. Старшие советники, состоявшие еще при Соломоне, предлагали Рехавеаму уступить и дать народу требуемые облегчения; младшие же царедворцы, желая угодить гордому и властолюбивому царю, советовали отказать народу во всем. Рехавеам принял последний совет. Когда на третий день к нему явились народные представители, Рехавеам сказал им такие жестокие слова: *«Отец мой наложил на вас тяжкое бремя, а я еще увеличу это бремя; отец мой наказывал вас бичами, а я буду наказывать вас скорпионами»* (бичи с крючками на концах). Этот ответ царя-тирана возмутил эфраимитов. Они закричали: *«Что у нас общего с домом Давида? Расходитесь по своим шатрам, израильтяне!»*. Иеровеам встал во главе возмутившихся. Рехавеам выслал к народу главного сборщика податей, чтобы успокоить недовольных; но толпа забросала камнями ненавистного ей сборщика и убила его. Сам Рехавеам едва спасся; он вскочил в колесницу и бежал в Иерусалим.

После этого десять колен израильских: эфраимиты, все северные и заиорданские колена — провозгласили царем Иеровеама. Только колено Иудино и часть Вениаминова остались верны роду Давида и признали Рехавеама царем. Прибыв в Иерусалим, Рехавеам собрал большое войско из иудеев и вениамитов и решил идти войною против отпавших колен израильских. Но пророк Шемая, «человек Божий», обратился к царю и народу со словами: *«Не ходите войною против братьев ваших, сынов израильских, а возвращайтесь каждый в дом свой, ибо по воле Бога совершилось все это»*. Собравшиеся воины разошлись. — Таким образом, великое государство Давида и Соломона распалось на два отдельных царства; одно, меньшее, называлось Иудейским или Иудеей и имело царя из рода Давида; другое, большее, называлось Эфраимским или Израильским, а также «Десятиколенным», царством и признало первым своим царем эфраимита Иеровеама.

Глава IX

Царства Израильское и Иудейское в первое столетие после смерти Соломона (977—830 гг. до хр. эры)

64. Иеровеам и Рехавеам. После разделения Соломонова государства на две части, единство еврейского народа исчезло. В двух царствах существовали как бы два отдельных народа: израильтяне и иудеи. Северные десять колен, образовавшие большое Израильское царство, все более отдалялись от южных колен, составивших меньшее царство Иудейское (Иудея). Северяне издавна отличались от южан своими нравами и обычаями, а после раскола эти различия стали усиливаться. Прежде различные части народа соединялись двумя связями: династией Давидовой и святым общенародным храмом в Иерусалиме. Первая связь порвалась, когда десять колен отложились от внука Давида и признали царем Иеровеама. Вскоре отложившиеся колена порвали и последнюю связь: отреклись от иерусалимского храма и создали себе особое богослужение.

В то время как Рехавеам, правитель Иудейского царства, жил в Иерусалиме, — Иеровеам, царь десяти отпавших колен, устроил свою столицу в эфраимском городе Сихеме. Но Иеровеам не был спокоен на своем новом престоле. Он боялся, что его подданные, отправляясь на поклонение Богу в иудейский город Иерусалим, перейдут там на сторону законного наследника царской власти, Рехавеама. Поэтому Иеровеам задумал совершенно отвлечь свой народ от иерусалимской святыни. Он хорошо знал, что простой народ любит поклоняться Богу, представленному в видимом образе, и желает иметь свои святые места поблизости, на ближайшем холме или в ближайшей роще. И вот Иеровеам велел отлить из золота два изображения Бога израильского и поставить их в двух городах, которые с древних времен считались священными: один в Бетэле, на юге Израильского царства, а другой — в Дане, на севере. Эти золотые изображения Иеговы имели вид тельцов, и тут Иеровеам, может быть, подражал виденному им в Египте обычаю изображать божество в виде быка (Апис). Иеровеам объявил народу: *«Довольно вам ходить в Иерусалим. Вот изображения того Бога, который вывел израильтян из земли Египетской»*. Большая часть народа с радостью устремилась в новые храмы. Так как левиты, составлявшие духовное сословие, не хотели служить при этих храмах, то Иеровеам назначил туда священников из простых мирян. Иногда, в большие праздники, он сам исполнял обязанности священника при алтаре в Бетэле. Кроме того, он разрешил строить алтари на холмах, как делалось в старину, во времена судей. Таким образом, в царстве десяти колен стали распространяться языческие формы богослужения. Левиты и благочестивые миряне уходили из этого царства в Иерусалим и вступали в число подданных Рехавеама.

Иудейский царь Рехавеам унаследовал недостатки своего отца, но не имел его достоинств. Его царствование было неспокойно. Между ним и Иеровеамом происходили постоянные войны. На пятом году царствования Рехавеама египетский царь Шишак вступил с огромным войском в Иудею, взял несколько укрепленных городов и проник в Иерусалим. Жадный до добычи, Шишак забрал сокровища, находившиеся в иерусалимском храме и в царском дворце, и удалился в свою землю. После этого нашествия Рехавеам царствовал еще 12 лет (умер в 960 г.). Вскоре умер и Иеровеам, царствовавший 22 года (955 г.).

После Иеровеама в Израильском царстве наступило время смут и неурядиц. Одни цари быстро сменялись другими, которые убивали своих предшественников и силой захватывали царскую власть. В течение 25 лет следовали один за другим четыре царя различного происхождения (Надав, Бааша, Эла, Зимри). Страна ослабела от внутренних раздоров. Этим воспользовался иудейский царь Аса, внук Рехавеама, и завоевал в Израильском царстве много городов. После долгих смут израильским царем сделался, наконец, Омри (Амврий), который положил конец беспорядкам и основал свою династию (928 г.).

65. Омри и Ахав. Омри, пятый израильский царь после Иеровеама, построил себе новую столицу, Самарию (Шомрон), недалеко от прежнего столичного города Сихема (927 г.). С тех пор Самария в течение двух столетий была главным городом Израильского царства, которое поэтому иногда называлось Самарийским. Первый самарийский царь Омри заботился прежде всего об упрочении мира и порядка в государстве, расстроенном смутами. Он не воевал с Иудейским царством, подобно своим предшественникам, а, напротив, стремился заключить с ним дружеский союз, с целью общими силами отражать нападение внешних врагов. Этот мир между двумя братскими народами укрепился при ближайших преемниках Омри. В то же время самарийский царь заключил другой союз, имевший важные последствия для еврейского народа. Омри вступил в дружеские сношения с правителями соседнего

Финикийского царства и даже женил своего сына, Ахава, на финикиянке Изевели (Иезавель), дочери тирского царя и жреца. Финикийцы стали свободно селиться в израильских землях, развивали там торговлю
и промышленность; но вместе с тем они принесли туда
свои языческие обычаи и нравы, имевшие вредное влияние на израильтян.

Заручившись дружбой Финикии и Иудеи, Омри обратился против внешних врагов. Он пошел войною
против восточных своих соседей, моавитов, и отнял у
них много городов. (Об этом свидетельствует найденная надпись моавитского царя Меши на каменном памятнике IX в. до христ. эры.) Моавиты покорились и
платили израильскому царю ежегодную дань. Но тогда против израильтян выступил арамейский, или «дамасский» царь, Бенадад. Омри не мог устоять против
сильных арамейцев и принужден был заключить с ними
мир на тяжелых условиях. Торговые караваны арамейцев получили право свободно останавливаться в
Самарии и других израильских городах.

Омри умер через несколько лет после постройки
Самарии. На израильский престол вступил сын его
Ахав (922—901 гг.). При Ахаве Самарийское царство
достигло небывалого внешнего блеска. Ахав поддерживал тесную дружбу с финикийцами и во многом
подражал им. Он построил себе на равнине Изреель
новый роскошный дворец, который был известен в народе под именем «дома из слоновой кости». Обычаи и
нравы богатой Финикии все больше распространялись
в Израильском царстве, а вместе с ними проникали в
народ и языческие верования, противные духу еврейской религии. Этому особенно содействовала жена Ахава, финикиянка Изевель, женщина властолюбивая,
обладавшая сильной волей. Дочь тирского языческого
жреца, царица Изевель всеми силами старалась пере-
садить на израильскую почву идолослужение и легкие

нравы своей родины. Она окружила себя толпою финикийских жрецов и жриц. По ее желанию, Ахав построил большой храм, где совершалось служение перед идолом Ваала, тирского бога солнца. Здесь находилось и священное дерево с алтарем («ашера») в честь богини Астарты. При этом храме состояло несколько сот жрецов. И в Самарии, и в других городах рядом с алтарем Иеговы воздвигались языческие алтари. Темный народ поклонялся и Иегове, и Ваалу, не видя в этом противоречия. Только меньшинство народа оставалось верным чистой религии Иеговы.

Люди благочестивые, верные заповедям Моисеева учения, часто выступали с громовыми проповедями против ложного и безнравственного идолопоклонства. В народе такие проповедники и учители назывались «пророками Иеговы», в отличие от языческих жрецов, называвшихся «пророками Ваала». Царица Изевель жестоко преследовала пророков Иеговы. Она отдала приказ истребить этих защитников старой израильской веры. Многие пророки погибли, другие бежали и скрывались в пещерах и ущельях скал, куда их приверженцы тайно приносили им пищу. Начальник царского дворца, Обадия, скрывал в пещере сто пророков и доставлял им туда хлеб и воду так, чтобы никто при дворе об этом не знал.

66. Пророк Илия. Среди пророков Иеговы, спасшихся от ярости Изевели, был вдохновенный человек по имени Илия (Элиягу, что означает: «мой Бог — Иегова»), уроженец гилеадского города Тишби. Чистая душа Илии возмущалась беззакониями, которые творились кругом. Он то появлялся в Самарии и громко обличал пороки царя и народа, то уходил в пустыню, скрывался от преследований. Илия обращал на себя внимание своим внешним видом и образом жизни: он одевался в грубый власяной плащ, отрастил себе длинные волосы, большей частью не ел мяса и не пил вина, — вообще выказывал отвращение к удобствам и удовольствиям. Многие считали его святым человеком, способным творить чудеса. Рассказывали, что когда Илия скрывался в пустынном месте близ Иордана, то вороны приносили ему пищу ежедневно, утром и вечером. Живя в доме одной бедной вдовы, пророк возвратил к жизни ее умиравшего от тяжкой болезни маленького сына.

Пользуясь славой святого мужа, Илия часто осмеливался говорить резкую правду в лицо самому царю. Первое столкновение между царем и пророком произошло по следующему поводу. Рядом с дворцом Ахава в Изреели, находился прекрасный виноградник тамошнего жителя Навота (Навуфей). Царь желал устроить сад вокруг своего дворца, просил Навота уступить ему этот виноградник, но Навот не хотел отдать дорогое ему наследие отцов. Это так огорчило Ахава, что он слег в постель и перестал есть. Тогда коварная царица Изевель наняла двух ложных свидетелей, которые обвинили Навота в том, будто он ругал Бога и царя. По приговору суда Навот за мнимое преступление был подвергнут смертной казни, а его прекрасный виноградник достался царю. Илия, услышав об этом злодействе, явился к Ахаву и гневно воскликнул: *«Ты убил человека и еще наследуешь его имущество! Так вот что сказал Иегова: на том месте, где псы лизали кровь Навота, они будут лизать кровь твою и твоей семьи»*. Сказав это, пророк удалился. Царь сначала почувствовал раскаяние, но потом забыл о словах Илии.

Вскоре землю Самарийскую постигло несчастье: три года не было дождей, хлеб не созревал на полях, и народ голодал. В это время Илия встретился в дороге с Ахавом. Царь, увидев его, воскликнул: *«Ты ли это, виновник бедствия Израиля?»*. Илия отвечал: *«Не я виновник бедствия Израиля, а ты и семья твоя, потому что вы нарушили заповеди Иеговы и пошли служить Ваалам».* Илия уверил царя, что для прекращения бедствий голода нужно смягчить гнев Иеговы. *«Дозволь мне, —* сказал Илия, — *созвать всех жрецов Ваала на гору Кармель, и я там покажу перед народом, кто истинный Бог: Иегова или Ваал».* Царь исполнил просьбу Илии.

На Кармеле собрались все жрецы Ваала, в числе 450 человек, и большая толпа народа; тут же были Илия и Ахав. Были поставлены два алтаря: один для Ваала, а другой для Иеговы. Илия сказал жрецам Ваала: *«Пусть подадут нам двух тельцов; одного заколите и положите на ваш алтарь, поверх дров, но огня не подкладывайте, а другого я положу на свой алтарь, над дровами, и тоже огня не подложу. Вы призывайте вашего бога, а я буду призывать своего. И вот тот Бог, который ниспошлет огонь на жертву, будет признан истинным Богом».* Жрецы сделали, как сказал Илия. Положив жертву на алтарь, они с утра до полудня кричали: *«Ваал, Ваал, услышь нас!»* — но огонь все не появлялся. Илия дразнил их, говоря: *«Зовите громче вашего бога; может быть, он занят, находится в пути или спит; кричите громче — и он проснется!».* Жрецы стали еще громче кричать, дико плясали вокруг алтаря и разгорячились до того, что стали царапать и резать себе тело до крови, но Ваал оставался глух и нем. Тогда Илия возложил свою жертву на алтарь Иеговы и стал молиться: *«Бог Авраама, Исаака и Якова! Пусть все узнают, что ты — Бог, а я — слуга Твой, и что Твоим именем я все делаю и говорю. Отвечай мне, Боже, отвечай!».* Как только Илия произнес эти слова, на небе показалась грозовая туча, сверкнула молния и сожгла жертву с дровами на алтаре Иеговы. Собравшийся народ, раздраженный против жрецов Ваала, набросился на них и убил их всех.

Между тем гроза усилилась и полил обильный дождь; поля поправились, и хлеб хорошо уродился. После этого царь Ахав готов был помириться с Илиею; но кровожадная царица Изевель, узнав о случившемся, поклялась, что она убьет Илию за то, что он истребил ее жрецов. Илия бежал в Иудею и оттуда в пустыню; он зашел далеко и добрался до священной горы Хорив (Синай).

Поэтическое предание рассказывает, что когда Илия ночевал в пещере у Хорива, он услышал голос Бога: что тебе здесь, Илия? Илия ответил: *«Я усердствовал за тебя, Иегова, ибо сыны израильские оставили завет твой, разрушили твои алтари и били твоих пророков».* Тогда Бог ему сказал: выходи и стань на горе! Илия вышел. Поднялась страшная буря, от которой трещала вся гора, но Иегова не показался пророку в этой буре. Затем раздался гром, показался огонь, — но и в громе и молнии не было Бога. Наконец все стихло, и в воздухе пронеслось тихое веяние. В этом тихом веянии Илия почувствовал приближение Бога. Он понял, что Бог не в кровавой борьбе, а в мирном, спокойном труде.

67. Войны с арамейцами. Последние годы царствования Ахава прошли в войнах с арамейцами. Арамейский царь Бенадад II, столица которого находилась в Дамаске, достиг небывалого могущества: он имел большое войско, множество коней и боевых колесниц, и мелкие окрестные цари платили ему дань. Бенадад захотел подчинить себе Израильское царство. Он пришел туда с огромным войском и осадил столицу Самарию, требуя, чтобы Ахав добровольно признал его верховную власть. Ахав созвал старейшин и, по их совету, отказал Бенададу в его требовании. Арамейский царь гневно восклицал: *«Клянусь, что всей земли Самарийской не хватит, когда ее по горсти разберут мои* *воины».* Ахав велел ему отвечать на это: *«Пусть не хвалится надевающий пояс (перед битвою), как снимающий его (после битвы)!».* С небольшим, но храбрым отрядом Ахав напал на лагерь арамейцев в то время, когда царь их пировал с союзными князьями. Застигнутые врасплох, арамейцы бежали, а Бенадад едва спасся бегством на своем быстром коне.

Когда через год арамейцы опять пришли в израильскую землю, поражение их было еще полнее. Царь их Бенадад, растеряв свое войско, сдался Ахаву и просил у него пощады. Ахав даровал своему врагу жизнь и отпустил на свободу, но взял с него обещание — возвратить израильтянам отнятые у них некогда арамейцами города. Арамейский царь, получив свободу, не исполнил обещания. Тогда Ахав призвал на помощь своего союзника, царя иудейского, и они вместе решили отправиться в поход против арамейцев к городу Раме, в Гилеаде.

Царем Иудеи был в то время правнук Рехавеама, Иосафат, сын Асы (918—895 гг.). При нем Иудея была сильным и богатым государством. Иосафат построил много крепостей в своей стране и увеличил свое войско. Окрестные народы, эдомиты и арабы, платили ему дань. Иосафат заботился также об укреплении в народе истинной веры и добрых нравов. Он поручил левитам обучать жителей законам религии, которые хранились в священных книгах и устных преданиях. Однако чистая вера была еще слаба в народе. Многие не ходили на поклонение Богу в иерусалимский храм, а совершали богослужение на алтарях, которые строились на вершинах холмов, как у язычников. Сам Иосафат, несмотря на свое благочестие, поддерживал дружеские сношения с грешным Ахавом. Цари иудейский и израильский даже породнились между особой: дочь Ахава и Изевели, Аталия (Гофолия), сделалась женою сына Иосафата, Иегорама. Когда Ахав предложил Иосафату идти вместе войною на арамейцев, иудейский царь отвечал: *«Мой народ — твой народ, и мои кони — твои кони»*. Иосафат сам приехал в Самарию. Оба царя стали готовиться к походу. Льстивые придворные пророки предсказывали им успех в войне; но один строгий и правдивый пророк Иеговы, Миха-бен-Имла, спрошенный по требованию Иосафата, отвечал: *«Я вижу всех израильтян рассеянными по горам, как овцы без пастуха»*. Это дурное предсказание рассердило Ахава, и он велел отвести Миху в темницу.

Вслед за тем обе союзные армии со своими царями отправились в поход, к Раме. Здесь произошла кровопролитная битва. Бенадад велел своим стрелкам целиться особенно метко в царя израильского. Ахав переоделся, чтобы враги не узнали его; но один из арамейцев попал стрелою в Ахава, стоявшего в своей колеснице. Раненого царя увезли с поля сражения, но он по дороге истек кровью и к вечеру умер. Тогда по войску раздался клич: *«Пусть каждый возвратится в свою страну и в свой город!»*. Иосафат вернулся в Иерусалим, а тело Ахава было привезено в Самарию в залитой кровью колеснице. Когда в пруде, возле дворца, обмывали эту колесницу, то псы лизали кровь погибшего царя. Это было на том самом месте, где царские слуги некогда казнили виноградаря Навота, — и народ увидел в этом исполнение предсказания пророка Илии.

68. Дети Ахава. Пророк Элиша. Спустя несколько лет после смерти Ахава умер и пророк Илия. Еще раньше Илия избрал себе преемником молодого поселянина Элишу (Елисей). Элиша однажды находился на пашне своего отца, вспахивая землю при помощи волов, когда к нему подошел Илия и набросил на него свой плащ; это был знак посвящения в сан пророка.

Элиша пошел за Илией, стал учиться у него и прислуживать ему. После кончины своего великого учителя Элиша сначала жил уединенно на горе Кармель; но вскоре события в царстве Израильском заставили его принять участие в общественной жизни. Элиша действовал при новом царе Иораме, сыне Ахава. Иорам не устранил ни язычества, ни других неурядиц во внутренней жизни государства, укоренившихся при Ахаве. Мать его Изевель еще жила и продолжала оказывать влияние на государственные дела. Все двенадцатилетие царствования Иорама было наполнено войнами с моавитами и арамейцами.

В это время и Иудейское царство пошло по следам Израильского. Сын и преемник Иосафата, Иегорам, находился под влиянием своей жены Аталии, дочери Изевели и Ахава. Царица Аталия так же ревностно насаждала финикийские порядки в Иерусалиме, как мать ее Изевель — в Самарии. Когда Иегорам умер, сын его, юный Ахазия, во всем слушался свою мать Аталию, и она делала в Иудее что хотела. С глубоким огорчением взирал пророк Элиша на порчу нравов в обоих царствах. Он понял, что пока будут царствовать дети и потомки Ахава, нельзя будет отучить израильтян от языческих нравов. Элиша, поэтому, задумал вызвать в Израильском царстве переворот, с целью отнять власть у преемников Ахава.

В то время возобновилась война между арамейцами и израильтянами. Близ Рамы Гилеадской враждебные войска расположились лагерями друг против друга. Здесь завязался жаркий бой. В одной битве израильский царь Иорам был ранен стрелой. Он уехал в Изреель лечиться, оставив начальником израильского лагеря полководца Иегу (Иуй), человека решительного и честолюбивого. Этого полководца избрал пророк Элиша орудием для уничтожения рода Ахава.

69. Гибель рода Ахава. Иегу. Когда начальник израильских войск Иегу находился в лагере близ Рамы, пророк Элиша послал к нему одного из своих учеников с тайным поручением. Посол пророка прибыл в лагерь, вызвал Иегу из круга военачальников и увел его в отдаленную палатку. Тут посол взял сосуд с елеем, помазал голову Иегу и сказал: *«Именем Бога объявляю тебя царем израильским. Истреби преступную семью Ахава и отомсти за пролитую ею кровь пророков».* Когда Иегу вышел к военачальникам и рассказал о случившемся, они затрубили в рога и воскликнули: воцарился Иегу! Войско присоединилось к своим начальникам и признало нового царя. Иегу, взяв с собою отряд воинов, поскакал в Изреель, чтобы свергнуть с престола Иорама.

В это время у Иорама гостил его племянник, иудейский царь Ахазия. Вместе с Ахазией Иорам выехал навстречу своему полководцу и, завидя его издали, спросил: все ли благополучно, Иегу? Но Иегу грубо отвечал: *«Разве может быть благополучие при распутстве и колдовстве твоей матери Изевели?».* Иорам понял, что Иегу задумал недоброе, и воскликнул: измена, Ахазия! Он велел повернуть свою колесницу назад — и оба царя обратились в бегство. Но Иегу пустил им вдогонку стрелу — и Иорам пал замертво в своей колеснице. Был тяжело ранен и иудейский царь Ахазия; он доехал до города Мегидо и там умер. Убив Иорама, Иегу отправился в изреельский дворец, где жила мать царя, Изевель. Увидев его из окна дворца, Изевель закричала: здоров ли, цареубийца! Разгневанный Иегу приказал дворцовым служителям вытащить Изевель на площадь и растоптать ее копытами коней. Затем он послал в Самарию приказ убить там всех остальных членов семьи Ахава в числе 70 человек. Испуганные старейшины Самарии поспешили исполнить этот приказ и отослали к Иегу в корзинах отрубленные головы царской семьи. Совершив эту страшную месть, Иегу вступил в Самарию и занял царский престол.

Тут Иегу взялся за уничтожение религии Ваала. Для этого он сначала притворился поклонником язычества и объявил: *«Ахав служил Ваалу мало, Иегу же будет служить ему много!».* Затем он созвал в храм Ваала всех его жрецов и приверженцев; они все явились, уверенные в своей безопасности. Как только храм наполнился поклонниками Ваала, Иегу окружил здание стражей и велел своим телохранителям изрубить мечом всех находившихся там. Исполнив это, слуги царя вытащили из храма идол Ваала и сожгли его. Они разрушили храм и алтарь Ваала и все бывшие там языческие изображения и превратили все это в кучу мусора (886 г.). Служение финикийским идолам в стране было запрещено. Однако служение золотым тельцам в Бетэле и Дане продолжалось, как и во времена Иеровеама, ибо простой народ видел в этих идолах изображение Иеговы.

70. Аталия. В то время как Иегу жестоко истреблял род Ахава в Израильском царстве, дочь Ахава, Аталия, властвовала в столице Иудейского царства. После смерти своего сына Ахазии, убитого в Изрееле, Аталия совершила в Иерусалиме ужасное дело. Она велела умертвить многих членов царского рода Давидова и самовольно управляла страной. Шесть лет Аталия царствовала в Иерусалиме. Она наполнила иудейскую столицу изображениями Ваала и Астарты, построила особый алтарь для Ваала и поставила там священником некоего Матана, из рода левитов. Многие знатные иудейские семьи были на стороне царицы и участвовали в идолослужении. Но лучшие люди в стране возмущались беззакониями Аталии.

Во главе недовольных встал первосвященник Иоада, который был женат на сестре убитого царя Ахазии,

Иегошеве. Когда слуги Аталии истребляли членов царского дома, Иегошева спасла от смерти малютку Иоаша, сына царя Ахазии, спрятав его вместе с кормилицей в одной из пристроек храма Соломона. Здесь мальчик рос под надзором своего дяди, священника Иоады, заведовавшего храмом. Когда Иоашу минуло семь лет, Иоада задумал возвести его на иудейский престол, как законного наследника. Для этого он сговорился с военачальниками иерусалимскими, и они вместе решили низложить царицу Аталию. Однажды, в день субботний, Иоада отдал тайный приказ оцепить храм стражей и не впускать туда никого из приверженцев царицы. Затем он вывел семилетнего Иоаша из внутренних покоев храма, возложил на него венец и объявил его царем Иудеи. Стоявшие тут воины восклицали при звуках труб: да здравствует царь! Услышав шум в храме, Аталия побежала туда из своего дворца и увидела мальчика с короной на голове. Она поняла, что ей изменили, и вскричала: заговор, заговор! Тогда первосвященник Иоада велел стражникам вывести царицу из храма: ее привели ко дворцу и там убили (880 г.). Народ разрушил все алтари и изображения Ваала, а священника Матана убили. Иоаш вступил на иудейский престол, но до совершеннолетия царя именем его управлял первосвященник Иоада. — Таким образом, и в Израильском, и в Иудейском царстве почти в одно и то же время положен был конец господству рода Ахава и финикийскому идолопоклонству.

71. Династия Иегу в Самарии и иудейские цари. Кровавые перевороты, при помощи которых в Самарии воцарился Иегу, а в Иерусалиме — Иоаш, не принесли спокойствия обоим царствам. 28-летнее царствование Иегу (887—860 гг.) было бедственным временем для израильского народа. Арамейцы из царства Дамасского опустошали своими набегами заиорданские области и порабощали жителей из колен Рувима и Гада. Еще хуже было положение государства при сыне Иегу, Иегоахазе (860—845 гг.). Арамейцы тогда вторгались даже в области, лежащие на западной стороне Иордана. Военные силы страны так сократились, что у Иегоахаза осталось только небольшое войско из 10000 человек пехоты, 50 всадников и 10 боевых колесниц. Только при сыне Иегоахаза, царе Иегоаше (845—830 гг.), Израильское царство немного окрепло. Иегоаш разбил арамейцев при Афеке и обратно отвоевал многие из захваченных ими городов. Перед этой битвой пророк Элиша предсказывал царю победу над врагами. — Элиша был уже стар и болен; после битвы при Афеке он скончался. Подобно пророку Илии, Элиша оставил о себе в народе память святого человека и чудотворца; но главная заслуга его заключалась в борьбе против финикийского идолопоклонства. Пророк Илия начал эту борьбу, а его верный ученик Элиша успешно окончил ее.

В Иудейском царстве об укреплении истинной веры заботился воспитатель и опекун царя Иоаша, первосвященник Иоада. Пока жил Иоада, молодой царь был очень благочестив. Он вместе со священниками предпринял ремонт пришедших в ветхость частей великого иерусалимского храма. Для этой цели собирались пожертвования по всей стране. Но после смерти Иоады царь Иоаш перестал жить в согласии с духовенством, которое хотело присвоить себе большую власть в государственных делах. Тогда между ним и сыном Иоады, Захарией, возник спор. Захария грозил царю гневом Божиим. Раздраженный царь велел убить Захарию во дворе храма. Перед смертью Захария сказал: *«Бог увидит и взыщет!»*. Жестокий поступок царя возбудил недовольство среди иерусалимских сановников. Составился заговор — и двое царедворцев убили Иоаша в его постели (843 г.).

Сын и преемник Иоаша, Амация (843—815 гг.), велел казнить убийц своего отца. Новый царь, отличавшийся воинственным духом, предпринял ряд походов. Он пошел против эдомитов, отказавшихся от покорности Иудее. Эдомиты укрепились в своих неприступных горах; но Амация проник в эту горную область и, в битве при Соляной долине, разбил эдомитов наголову. После этого Амация послал вызов на войну израильскому царю Иегоашу. Последний отвечал ему: *«Ты побил эдомитов — и возгордилось сердце твое. Сиди лучше с честью у себя дома и не навлекай беды на себя и на иудеев!»*. Амация не послушался и пошел с войском против израильского царя. При Бет-Шемеше произошла битва между иудеями и израильтянами. Иудеи потерпели поражение; сам Амация был взят в плен. Израильское войско подступило к Иерусалиму и разрушило часть городской стены. Получив большой выкуп, Иегоаш освободил Амацию из плена. Иудеи были крайне недовольны Амацией за его безрассудную войну. В Иерусалиме вспыхнуло восстание. Царь бежал в Лахиш, но мятежники настигли его там и убили. Наследник престола Узия, сын Амации, был тогда малым ребенком, и в течение нескольких лет страною управляли придворные вельможи.

Глава X

Общественный и духовный быт евреев в эпоху двуцарствия

72. Хозяйственный и домашний быт. С тех пор как евреи, после завоевания Ханаана, сделались оседлым народом, земледелие составляло главное их занятие. Только в Заиорданской области и в некоторых местах Иудеи жители занимались преимущественно скотоводством. Обрабатывать свое поле, свой сад или виноградник считалось естественным призванием человека. Мечтой израильтянина было «сидеть под своей виноградной лозою и под своей смоковницей». Упорный труд земледельца превращал почву Палестины в цветущий сад. Равнины и долины покрывались обильными колосьями пшеницы и ячменя; на склонах гор зеленели виноградники, сады и оливковые рощи. Земледелие, виноделие и садоводство были распространены не только в деревнях, но и в городах. Эти занятия уравнивали простолюдина с знатным сановником, скромного поселянина с влиятельным общественным деятелем. Царь Саул, до своего вступления на престол, ходил за плугом, хотя и был членом благородной вениамитской семьи; Давид был пастухом, а пророк Элиша занимался земледелием.

Время созревания хлебов в Палестине совпадало с началом весны, а время жатвы — с концом ее; сбор винограда и окончательная уборка смолоченного на гумне хлеба происходили в конце лета или начале осени. К этим главным моментам земледельческой жизни приурочивались большие годовые праздники: Пасха — праздник созревания хлебов (хаг га'авив), Шовуот — праздник жатвы (хаг га'кацир), Сукот — праздник «уборки из гумна и из погреба» (хаг га'асиф). Религиозно-исторический характер получила в описываемую эпоху, по-видимому, лишь Пасха, которая должна была знаменовать исход израильтян из Египта[1]. Употребление опресноков (мацот) в Пасху имело двоякое значение: оно служило символом и раннего созревания хлеба, и поспешного исхода из Египта, когда евреи, по преданию, не успели испечь хлеб и наскоро испекли пресный.

К древнейшим установлениям еврейской религии, имевшим большое влияние на хозяйственную жизнь населения, относится обязательный отдых в седьмой день каждой недели, в субботу («шаббат» — отдых). В древнейшей части Моисеевых законов сказано: *«Шесть дней делай свои дела, а в седьмой день отдыхай, дабы отдохнули также твой вол и твой осел, и дабы успокоились сын рабы твоей и пришлец». «Отдыхай в седьмой день; отдыхай и во время пахания, и во время жатвы»*[2]. Даже на самую землю было распространено начало субботнего покоя: земля должна была «отдыхать» в течение одного года из семи. *«Шесть лет, — гласит древний закон, — ты можешь засевать свою землю и собирать жатву с нее; на седьмой же год ты должен ее оставить и запустить, для того чтобы бедные в народе твоем ели (ее ес-*

---

[1] «Книга Союза», в Исходе XXIII, 14—19; Исход, XX, 11; Второзаконие V, 15.

[2] Исход, XXIII, 12; XXXIV, 21.

тественные произведения), а прочее пусть едят звери полевые. Так же ты должен поступать с своим виноградником и масличным садом[1]. Этот закон имел свой корень в особенностях почвы Палестины и в вытекавших оттуда народных обычаях.

Там, где преобладало земледелие, образ жизни жителей был прост и скромен. Дома строились из дерева и глины; плоская крыша дома служила жильцам для ночлега в теплое время года. Убранство комнат тоже отличалось простотою. Так, в горнице пророка Элиши, гостившего в зажиточном доме, вся мебель состояла из кровати, стола, стула и лампады[2]. Предметами пищи были: хлеб пшеничный или ячменный, лепешки мучные на древесном масле, овощи, плоды. Мясо употреблялось поселянином только в праздничные дни, когда он привозил свой скот для убоя к алтарю или храму в виде жертвы; часть этой жертвы сжигалась на алтаре и отдавалась священникам, а остальное мясо употреблялось в пищу хозяином и его домочадцами. Жители тех городов, где находился храм и алтарь, могли есть мясо и чаще.

С течением времени, однако, простой земледельческий строй жизни значительно изменился. С земледелием стала соперничать торговля. Некогда израильтяне предоставляли занятие торговлей, как нечто недостойное, ханаанейцам или финикийцам, *«держащим в руках неверные весы и любящим прибыль»*[3]. Но эти добрые старые времена прошли, и значительная часть народа силой обстоятельств была вовлечена в промышленную и торговую деятельность. Сами цари со времен Соломона поощряли торговлю, снаряжая караваны и коммерческие суда в далекие страны то с

---

[1] Исход, XXIII, 10—11.

[2] 2-я Книга Царей, IV, 10.

[3] Гошеа, XII, 8.

помощью финикийцев, то самостоятельно. Во времена Ахава и Иосафата торговля уже процветала в обоих царствах. Все это содействовало быстрому росту городов. Рядом с трудом стал капитал; появились торговые деньги, ссуды, ростовщичество. Неисправного должника, не уплатившего ссуды к сроку, заимодавец имел право обратить в рабство, как было в обычае у всех древних народов. Различие состояний все увеличивалось, пропасть между богатым классом и бедным расширялась. Обширные поместья и земельные угодья сосредоточивались в руках немногих богатых помещиков. Богачи строили себе дома из тесаных камней и часто предавались безумной роскоши. Великие учители народа, пророки, боролись против этого порядка вещей во имя высших законов человеколюбия и нравственности; боролся с ним и древний закон, гласивший: *«Если ты одолжил деньги кому-нибудь из бедных в народе моем, не относись к нему как строгий истец; не налагай на него роста. Если ты возьмешь в залог верхнюю одежду твоего (неимущего) ближнего, то возвращай ее ему до заката солнца; ибо — это его покрывало, это — одеяние для тела его: в чем же он будет спать?»*[1]. Но жизнь не мирилась с этими возвышенными требованиями закона; пламенные речи пророков не могли удержать еврейский народ от участия в международной торговле Востока.

Семейная жизнь у древних евреев стояла во многих отношениях выше, чем у окружающих народов. Многоженство (полигамия) было исключением, между тем как одноженство (моногамия) было обычной формой семейной жизни. Только царям разрешалось иметь много жен, вероятно — в видах размножения и укрепления династии; но и цари, после Соломона, не всегда пользовались этим правом. Состоятельные люди обык-

---

[1] Исход, XX, 24—26.

новенно имели не больше двух жен, да и тогда в семье часто происходили распри: нелюбимая жена завидовала любимой, бездетная — плодовитой. Перед вступлением в брак с девицею жених давал ее родителям обычный выкуп, или «могар», как это и теперь делается у многих восточных народов (татарский «калым», кавказское «магори», однозвучное с еврейским «могар»)[1]. В древнейшие времена браки между довольно близкими родственниками не составляли редкости; не возбранялось, например, жениться на своей побочной или двоюродной сестре, или брать в жены одновременно двух сестер; но впоследствии некоторые такие браки были запрещены[2]. Родители имели над детьми неограниченную власть; за оскорбление отца или матери словом или действием полагалась смертная казнь[3]. Мать в семье пользовалась таким же почетом, как и отец.

Рабство у евреев не проявлялось в таких грубых формах, как у других народов. Рабы и рабыни считались членами семьи, и права их ограждались определенными законами. Раб-еврей, например, обязан был служить своему хозяину только шесть лет, а на седьмой год хозяин обязывался отпустить его на волю. Если же раб, прослужив шесть лет, не хотел покидать своих господ, то закон предписывал совершить над ним следующий обряд: поставить верного раба у дверей дома, где он служил, и проколоть ему ухо у дверного косяка, в знак того, что раб навсегда прикреплен к этому дому. После этой церемонии раб становился вечной собственностью своего господина[4]. Вообще рабство у израильтян не имело значения государственного учреждения, как у греков и римлян.

---

[1] Исход, XXII, 15—16.
[2] Бытие, XX, 12; Лев. XVII, 9, 18.
[3] Исход, XXI, 15—17.
[4] Там же, 2—11.

73. Общество и государство. Гражданскими правами пользовались все свободные члены общества, достигшие совершеннолетия. Даже инородцы, или геры, мало чем отличались по своему гражданскому положению от коренного населения. Они пользовались полным покровительством закона. В священных книгах неоднократно говорится: *«Инородца не притесняйте: ведь вы понимаете душу инородца, ибо сами были «герами» в земле Египетской»*[1]. Закон предписывает относиться к инородцам с сочувствием, приравнивая их к беззащитным членам самого еврейского общества: к бедным, вдовам и сиротам; наравне с последними, инородцам дозволяется собирать остатки жатвы на полях состоятельных людей и принимать установленные даяния[2]...

Судьями в городах были почетные лица или старейшины («зекеним»). Они заседали при разборе тяжб у «ворот» города, то есть у въезда («шаар», форштат), на площади; только присяга совершалась при местном алтаре или храме. Судьями были, наряду со старейшинами, и священники, или левиты[3]. Все эти местные судьи разбирали и гражданские дела, и уголовные. Только в особенно важных случаях обращались за разрешением споров к царю.

Царь являлся высшим начальником армии, верховным правителем и судьей народа. Возникнув вследствие потребности народа в объединении против внешних врагов, царская власть сначала имела военный характер (Саул и Давид). Царь был вождем народного ополчения, но, кроме того, он имел и свою постоянную дружину, или отряд телохранителей. Эта дружина сделалась ядром регулярной армии, которая

---

[1] Исх. XXII, 20; Лев. XIX, 33—34.

[2] Второз., XXIV, 17 и XIV, 29; Лев., XXV, 35.

[3] Второз., XXVII, XIX, XXI; Исх. XXII, 7—8.

распадалась на пешую и конную (при Соломоне и следующих царях). Второе место после царя занимал главный войсковой начальник («сар-цаба»). Военная служба была обязательна для полноправных граждан, владеющих недвижимой собственностью. По мере роста военной силы государства, увеличивалось число укрепленных городов, снабженных гарнизонами. Во времена судей и Самуила израильтяне, при вторжении хищных врагов, должны были прятаться в пещерах и ущельях гор; в царскую же эпоху мирная часть населения находит спасение за стенами крепостей. Израильские цари редко вели наступление с целью присоединения чужих земель, но оборонительные войны были очень часты ввиду нападений и насильственного захвата со стороны соседних народов.

Для содержания царского двора были установлены особые натуральные и денежные повинности. Существовали и дворцовые имущества или царские земли, доставлявшие определенный доход. Цари иногда брали деньги на чрезвычайные военные надобности из сокровищниц иерусалимского храма, где хранились народные сбережения, как в нынешних государственных сберегательных кассах (Рехавеам, Аса, Иош, Амация).

К царю обращались за правосудием, как к верховному судье. Слабый взывал к нему против сильного, обиженный — против обидчика; к нему апеллировали и против несправедливых решений местных судов[1]. — Многие гражданские и уголовные законы той эпохи основывались на древних народных обычаях. Первобытный обычай «кровомщения», дававший право родственнику убитого лично преследовать и казнить убийцу, существовал еще в народе; но законодательство значительно смягчило жестокость обычая. Если убийца действовал без заранее обдуманного намерения или умысла, то он мог найти спасение в каком-нибудь хра-

---

[1] II Сам. XIV; XV, 2; I Цар. III, 9, 15 сл.

ме, под сенью алтаря, или в особо для того отведенных «городах-убежищах», где «кровомститель» не имел права его трогать; но предумышленного убийцу мститель мог даже «с алтаря вести на казнь»[1]. С течением времени роль мстителя и в уголовных делах переходила постепенно от личности к обществу и суду. Только в редких случаях суд в своих приговорах придерживался древнего правила возмездия: «око за око, зуб за зуб, жизнь за жизнь»; большей же частью на виновного налагался денежный штраф[2]. Преступления против основных заповедей религии, а также богохульство и оскорбление царя наказывались смертью. Древнейшей формой смертной казни было побиение камнями («секила»), которое совершалось за чертою города, при участии толпы народа[3].

Во всех государствах древности царь являлся по званию и верховным жрецом. Такую роль присваивали себе иногда и еврейские цари; Саул и Давид, например, в торжественных случаях лично приносили жертвы, в качестве «помазанников Божиих». Но впоследствии почетное звание верховных священников удержали за собою только цари десятиколенного царства. Иеровеам I придал духовенству государственный характер; храм Бетэля считался царским, а состоявшие при нем священники — царскими чиновниками[4]. В Иудее же духовенство не признавало за царем права верховного священства, — и царь Узия возбудил против себя общее негодование тем, что однажды осмелился присвоить себе обязанность священника в иерусалимском храме.

---

[1] Исх. XXI, 13; Цар. II, 28 сл.

[2] Исх. XXI—XXII.

[3] Числа, XV, 30; I Цар. XXI, 13.

[4] Цар. XII, 31; Амос VII, 13.

74. Религиозный быт. В религии древних евреев первое место занимало богослужение со всеми его внешними церемониями. Главным центром богослужения в Иудее был столичный город Иерусалим, а в Израильском царстве — провинциальный город на южной границе, Бетэль. Но в обоих царствах, кроме этих главных центров, были и второстепенные места для богослужения. В провинциальных городах Иудеи существовали только народные алтари на «высотах» («бамот»), но особых храмов, которые бы соперничали с иерусалимским, не было, — и в большие ежегодные праздники значительная часть народа стекалась на богослужение в Иерусалим[1]. В Израильском же царстве, кроме старого царского храма в Бетэле, существовали еще храмы Иеговы в Самарии, как столице, в Гилгале, Дане и других местах[2]. Богослужение на высотах и в рощах было здесь гораздо более распространенное, чем в Иудее, и более приближалось к языческим формам. Деревенские алтари воздвигались на возвышенных местах, в виде кучи камней; они устраивались также в рощах, под тенью дуба, пальмы или тамариска. Там, где не было больших деревьев, при алтаре ставилось искусственное дерево, в виде утолщенного кверху столба («ашера»). В храмах Израильского царства помещались золотые статуи в виде быков. Даже в Иерусалиме находилась (до времен царя Хизкии) отлитая из меди фигура змея, как символ божества, исцеляющего от болезней[3].

Главными формами богослужения были молитва и жертвоприношение. Древний человек добивался милости Божией посредством просьбы и приношения даров. Жертвоприношение у евреев (как и у древних греков) имело также символическое значение: мясо

---

[1] I Цар. XIV, 23; XV, 14; XXII, 44; II Цар. XII.

[2] Амос, V, 5; VIII, 14; Гошера, VI, 5 и др.

[3] II Цар. XVIII, 4.

животного, часть которого сжигалась на алтаре в честь Бога, становилось благодаря этому чистым и дозволенным к употреблению. Кровь жертвы целиком выливалась на алтарь, так как мясо с кровью израильтянину запрещалось есть[1]. На алтаре совершалось также возлияние елея и вина. Алтарь был как бы очагом Бога; возле этого очага всякие семейные трапезы приобретали религиозный характер. Особенной торжественностью отличались такие священные трапезы в дни больших праздников. В праздник Пасхи приносились в жертву первенцы овец и быков; мясо жертвенных животных съедалось вместе с обязательными для этого праздника «опресноками» (72). В летний «праздник жатвы» к жертвенному мясу присоединялся уже не пресный, а квашеный хлеб. В осенний «праздник сбора» приносились в храм древесные плоды и пальмовые ветви. Во время этих праздников происходили шумные народные пиршества вокруг храмов и алтарей. Каждая состоятельная семья приглашала к своей трапезе бедных, вдов, сирот и инородцев. Все ели, пили и веселились «перед Иеговой». Земледельческие праздники превращались в религиозные торжества.

Необходимой принадлежностью храма и алтаря был священник. Священники совершали обряд жертвоприношения и получали от каждой жертвы известную часть. Кроме того, они получали от прихожан приношения в виде земледельческих продуктов; размер этих приношений был впоследствии точно определен законом. Должность священника переходила наследственно от отца к сыну. По древней традиции, все еврейские священники вели свой род от общего предка, Арона, брата Моисея, из колена Леви (Арониды, Коганим). Только в Израильском царстве, после религиозного переворота Иеровеама, появились священнослужители, не принадлежавшие к аронидам и левитам.

---

[1] Лев. XVII, 14; I Сам. XIV, 32 сл.

Во времена судей и первых царей священники играли роль прорицателей или оракулов, а также учителей народа; но с течением времени обе эти обязанности перешли к пророкам, которые стали действительными учителями народа.

Кроме общественного богослужения существовала также религия для домашнего обихода. Она состояла из множества обычаев и обрядов, коренившихся в старых народных верованиях. Сюда принадлежал, между прочим, обряд обрезания младенцев мужского пола. Возможно, что обычай «обрезания крайней плоти» был установлен в первобытные времена, для предупреждения известных половых болезней, и уже впоследствии был освящен заповедью религии. Необрезанным не дозволяли вступать в общество верующих[1]. — Представления о загробной жизни были смутны и сбивчивы. Верили, что умерший присоединяется в могиле к своим предкам, что существует общее жилище мертвецов — «шеол», нечто вроде подземного царства, царства теней.

Еврейская религия эпохи двуцарствия представляла собой смесь разнородных воззрений низшего и высшего порядка. Простолюдин понимал религию не так, как последователь пророков. Он, во-первых, считал Иегову своим племенным Богом, как, например, Ваал у финикийцев; во-вторых, простой народ не мог еще обойтись без вещественных изображений Иеговы. Но лучшие люди — пророки и их ученики — проповедовали, что Иегова не постигается никакими вещественными изображениями, что Он, будучи национальным Богом Израиля, является вместе с тем единым мировым Богом, Творцом природы и людей. С этим понятием они соединяли систему нравственности: Бог требует от своих последователей не столько исполнения внешних обрядов, сколько душевной чистоты и осу-

---

[1] Быт. XVII, 10; XXI, 3; Исх. IV, 26.

ществления высших нравственных законов. Не культ, а мораль является средоточием религии. Эта проповедь, начатая пророками Израильского царства накануне его падения, продолжалась в Иудейском царстве — и впоследствии привела к коренному преобразованию еврейского религиозного миросозерцания.

75. Письменность. В течение многих столетий все умственное творчество еврейского народа заключалось в устных преданиях. Сказания о начале мира, образовании стран и народов, предания о прошлой жизни еврейского народа, его скитаниях, подвигах, войнах, о его героях, учителях и царях, наконец, божественные заповеди и законы, верования и обычаи, — все это хранилось в памяти людей и передавалось устно от поколения к поколению. Многие сказания распространялись в виде народных песен; главные заповеди веры (как, например, десять заповедей синайских) заучивались наизусть и еще в очень раннее время изображались в письменных знаках на каменных плитках. Священники, левиты и пророки являлись главными хранителями всех этих устных преданий, этого духовного богатства нации. Но по мере развития еврейского народа среди него распространилось великое искусство письма, известное финикийцам и другим восточным народам. Тогда началось превращение устных преданий в письменные, с целью их увековечения и сохранения для потомства.

Употребление письмен было распространено среди евреев еще во времена Давида и Соломона. Оба эти царя имели при себе «мазкиров», т. е. секретарей, которые, вероятно, записывали также события своего времени. Такие летописи велись и при следующих царях, в обеих частях государства. Это видно из того, что позднейший составитель библейских «Книг Царей» часто ссылается, как на более подробные источники, на «Летопись царей израильских» и «Летопись царей иудейских». С развитием письменного искусства стали записываться и древние народные предания, песни и сказания. Они были начертаны в двух не дошедших до нас книгах, на которые ссылались позднейшие библейские летописцы: «Сефер Милхамот Ягве» («Книга войн Иеговы») и «Сефер га-Яшар» («Книга праведного», или, по более вероятному толкованию, «Книга песен»). От этой древней поэзии сохранились в Библии только отрывки: победная песнь Деборы, элегия, в которой Давид оплакивал смерть Саула, и еще некоторые песни, воспевавшие скитания израильтян в пустыне при Моисее и завоевание Ханаана при Иошуа[1].

Древнейшие части исторических и законодательных Книг Библии (Пятикнижие, или «Тора», Книги «Иошуа», «Судей», «Самуила» и «Царей») были составлены в период двуцарствия, когда развитие письменности достигло известной высоты. В этих замечательных книгах простые народные сказания превращались в поучительные рассказы, полные глубокого нравственного смысла. Разрозненные воспоминания народа о своем прошлом перерабатывались в связные исторические повествования, с яркою религиозной окраской. Предания о сотворении мира, о жизни первых людей, о потопе и вавилонском столпотворении, распространенные не только среди евреев, но и среди всех семитов Передней Азии, получили в этих книгах глубокий религиозный смысл и прекрасную поэтическую форму[2]. В рассказах о жизни патриархов проводится мысль об исконном союзе между Иеговою и родоначальниками еврейского народа и о законных правах последнего на ханаанскую землю. Еще резче проводится эта национально-религиозная идея в повествовании о пре-

---

[1] Числа XXI; Иошуа X; II Сам. I, 18.

[2] См. выше, глава I.

бывании израильтян в Египте и скитаниях в пустыне. Яркими красками рисуется здесь величественная личность Моисея, вдохновенного вероучителя народа; синайское откровение является основой еврейского вероучения и законодательства[1]. Древнейшие части этого законодательства — краткая таблица десяти заповедей и более подробная «Книга Союза» («Сефер габрит») — составляют основу «Торы»[2].

Начиная с VIII века (до христианской эры), и пророки начали излагать свои речи в письменной форме, в назидание потомству. Илия и Элиша были последними пророками, не оставившими о себе письменных памятников. Великие пророки эпохи, о которой будет дальше рассказано (Амос, Иешая, Иеремия и многие другие), оставили потомству блестящие и полные глубокого смысла речи, составляющие лучшую часть библейской литературы.

---

[1] Выше, гл. II—IV.

[2] Десятисловие помещено в 20-й главе книги «Исхода», а «Книга Союза» — в следующих трех главах (21—23).

Глава XI

Последний век двуцарствия (830—730 гг. до хр. эры)

76. Иеровеам II и пророк Амос. После многих лет бедствий и непрерывных войн Израильское царство наконец успокоилось и достигло процветания при Иеровеаме II (сыне Иегоаша), четвертом царе из рода Иегу. Иеровеам II, царствовавший около 60 лет (830—769 гг.), успешно воевал с притеснителями израильского народа, усмирил их и расширил пределы своего государства. Он победил на севере арамейцев и даже проник в их столицу Дамаск; на востоке он покорил моавитов. Все отобранные у них пограничные земли он вновь присоединил к своему царству, которое теперь простиралось, как в былые времена, от гор Ливанских до Мертвого моря.

Обеспеченные от внешних нападений, жители Израильского царства могли спокойно предаваться мирным занятиям. Торговля с финикийскими городами обогащала страну. Столица государства Самария украсилась дворцами богатых людей. У царя Иеровеама II были два великолепных дворца: летний и зимний. Богачи и знатные люди строили себе дома из тесаных камней, с украшениями из слоновой кости. Они одевались в роскошные ткани, ели дорогие кушанья, пили дорогие вина, мазали себе кожу благовонными маслами. В хоромах самарийских богачей постоянно пировали и веселились; женщины особенно предавались веселью и наслаждениям. С роскошью и изнеженностью соединялась жажда наживы. Многие наживали свои богатства неправдой и насилием, угнетением трудящихся и неимущих. Богачи отдавали деньги в рост бедным, а когда должники не могли к сроку уплачивать долг, то отбирали у них последнее имущество или обращали их самих в рабство. В неурожайные годы богачи продавали бедным из своих амбаров хлеб по высоким ценам; торговцы обманывали покупателей, употребляя неверные меры и неверные весы. Судьи и начальники стояли на стороне богатых и знатных, а не бедных; они брали подкуп у обидчиков и не обращали внимания на жалобы обиженных. Священники также гнались за богатством и удовольствиями, подавая дурной пример народу. Нравы портились, а с ними — и религиозные понятия.

В это время выступили с вдохновенной проповедью новые пророки, смело порицавшие поведение правителей и влиятельных людей. Самым красноречивым из этих пророков был Амос. В юности он был пастухом в иудейской местности Текоя, но потом переселился в Бетэль, где находился главный храм Иеговы и куда часто приезжал царь Иеровеам. Привыкший к скромной жизни деревни, Амос возмущался распущенностью жителей большого города. Одаренный пылким красноречием, Амос стал бичевать пороки своих соплеменников. В своих речах к народу он резко порицал алчность и мотовство богачей, жестокость сильных и властных людей, распущенность нравов; он говорил, что страну постигнут великие бедствия, если народ не исправится. Священникам бетэльского храма не нравились речи нового пророка. Один из них, Амация, донес царю Иеровеаму, что пророк Амос волнует народ, предсказывая гибель государству. Амация предложил Амосу покинуть священный город израильтян — Бетэль, удалиться в Иудею и там пророчествовать. На это Амос отвечал: *«Я не пророк и не сын пророка; я был пастухом и собирал сикоморы; но Бог взял меня от стада овец и сказал: иди, пророчествуй Моему народу Израилю!»*. И вслед затем Амос в самых резких выражениях повторил свои грозные предсказания относительно судьбы израильского государства.

Амос — первый израильский пророк, речи которого сохранились в библейской письменности. В его пророчествах звучит могучий призыв к переустройству общественной жизни на началах права и справедливости, свободы и равенства. *«Горе тем*, — восклицает пророк, — *которые лежат на ложах из слоновой кости и растягиваются на своих постелях, едят откормленных баранов, пьют вино из больших чаш, бренчат на арфах — и не сокрушаются о разорении рода Иосифа!»*... *«За то, что вы топчете бедного*, — говорит Амос богачам, — *вы построите дома из тесаных камней, но жить в них не будете; разведете прекрасные виноградники, но вина с них не будете пить!»*. Обращаясь к женщинам высшего класса, гонявшимся за наслаждениями, пророк с негодованием говорит: *«Слушайте это, коровы Башана, что на горе Самарии, вы, грабящие бедных, разоряющие неимущих, говорящие своим господам: несите — и мы будем пить! Придут дни, и увезут вас на кораблях (в изгнание), а остатки ваши — на рыбачьих лодках»*. Осмеивая внешнее благочестие израильтян, пророк доказывает, что Бог ценит не религиозные обряды, а добро и справедливость к людям: *«Зачем приносите вы Мне жертву?* — говорит Бог. — *Не хочу Я ваших всесожжений и даров! Ваши праздники Я презираю, и запах курений на ваших собраниях противен Мне. Удали*

*от Меня гул песней твоих, чтобы Я не слышал зву-
ков гуслей твоих! Пусть лучше правосудие потечет
как вода (повсюду), пусть справедливость разольет-
ся могучим потоком!... Вот наступят дни — и Я
пошлю голод на землю, но не голод хлеба и не жажду
воды, а жажду услышать слово Божие. И будут люди
бродить от моря до моря, от севера до востока будут скитаться, ища слова Божия, но не найдут его».*
Пророк отдает явное предпочтение Иудее перед грешным Израильским царством. В ней и в законной династии Давида он видит то ядро нации, которое сохранится
после всех политических переворотов. *«Я рассею сыновей израилевых среди народов, — говорит Бог, — но
всего рода Якова не истреблю. Я восстановлю рас-
шатанный шатер Давида».*

77. Смуты в Израильском царстве. Ассирия. Продолжительное царствование Иеровеама II было последним спокойным временем в жизни Израильского
царства. После смерти этого царя начались смуты.
Быстро сменялись на престоле цари, царская власть
захватывалась путем заговоров и убийств. Сын Иеровеама II, Захария, царствовал только полгода. Против
него составился заговор — и он был убит. С его
смертью прекратился царский род Иегу. Убийца Захарии, Шалум, завладел престолом в Самарии, но вскоре также пал от рук заговорщиков, во главе которых
стоял житель Тирцы, Менахем-бен-Гади. Менахем вступил в Самарию и объявил себя царем (768 г.). Тех,
которые не хотели признать его власть, он жестоко
преследовал. Жители города Типсаха отказались впус-
тить к себе самозванного царя. Менахем держал этот
город в осаде и, принудив его сдаться, перебил там
всех жителей, не пощадив детей и беременных женщин. Уже готова была разгореться междоусобная война, но в это время на Израильское царство надвигал-

ся из Месопотамии грозный внешний враг. То были ассирийцы, создавшие великое государство между Евфратом и Тигром (Ассирия, Ашур).

В то время Ассирия, благодаря своим воинственным царям, сделалась самым могущественным государством западной Азии. Завоевав много земель в Армении, Мидии, Персии и Вавилонии, ассирийцы устремились к берегам Средиземного моря. Им хотелось овладеть Арамом, или Сирией, и приморской Финикией, Израильским и Иудейским царствами и, наконец, добраться до великого Египта. Ассирийские властелины называли себя «великими царями» и стремились покорить весь мир; их столицею была Ниневия, огромный город на берегу реки Тигр. Ниневия славилась своим многолюдством, богатствами, роскошными дворцами и храмами идолов. Религия ассирийцев заключалась в поклонении небесным светилам. Главными божествами были: Бел, бог солнца, и Иштар, царица неба и богиня плодородия. Бел считался также богом войны, которого можно умилостивить кровавыми жертвами. Воины ассирийские считались повсюду страшными, непобедимыми. Еврейский пророк (Иешая) так описывает ассирийского воина: *«Он идет быстро и легко, не устает и не слабеет; он не дремлет и не спит. Пояс с его бедра никогда не снимается, а ремень его сапога не развязывается. Стрелы его заострены и лук натянут. Копыта коней его подобны кремню, а колесницы его — бурному вихрю. Крик его подобен рыканью льва: зарычит, схватит добычу, умчится с нею — и никто не спасет».* Эти грозные завоеватели устремили свои взоры на Израильское царство.

Ассирийский царь Фул двинулся с большим войском через Дамаск, напал на владения северных колен израильских, где захватил много добычи и пленных, и направился к столице — Самарии. Царь Менахем очутился между двух огней: между враждебной ему частью народа израильского и внешним врагом. Он решил искать у внешнего врага поддержки против внутреннего. Менахем дал Фулу огромный денежный выкуп с тем, чтобы ассирийский царь оставил страну в покое и утвердил за ним, Менахемом, власть над израильтянами. Неприятель ушел, но с тех пор Израильское царство сделалось зависимым от Ассирии.

После десятилетнего царствования Менахем умер, а спустя два года царскую власть захватил энергичный полководец Пеках (Факей, 755 г.). Пеках был человек смелый и предприимчивый. Он решил освободить свое царство от ассирийской власти и для этого вступил в союз с арамейцами. Арамейский царь Рецип и израильский Пеках соединились, чтобы общими силами обороняться против могущественного врага. Союзники решили привлечь на свою сторону и иудейского царя.

В это время бедствий и смут, когда цари захватывали в свои руки власть путем убийства, когда знатные предавались роскоши и модному идолопоклонству, а трудящийся народ коснел в бедности и невежестве, — появлялись новые вдохновенные пророки, указывавшие обществу на его опасные заблуждения. Главным израильским пророком того времени был Гошеа (Осия). В пламенных речах он обличает религиозные и политические заблуждения народа. Гошеа сравнивает Самарию (Израильское царство) с неверною женою, которая бросила своего законного мужа, Иегову, и пошла за любовником Ваалом. Он с горечью говорит о царях Самарии, появляющихся «как пена на поверхности воды», о «бремени царя и князей». *«Я даю тебе царя во гневе Моем и отнимаю в негодовании Моем»*, — вещает пророк именем Бога. Он напоминает народу его историческую юность, время исхода из Египта и странствий в пустыне. *«Когда Израиль был юн, Я лю-*

бил его, — говорит Бог устами пророка, — *из Египта позвал Я сына моего... Как виноград в пустыне, нашел Я Израиль; как молодой плод на смоковнице, увидел Я предков ваших».* Пророк высказывает надежду, что после многих бедствий грешная Самария раскается и скажет: *«Пойду и возвращусь к моему первому мужу, ибо мне тогда было лучше, чем теперь».*

78. Цари Узия и Ахаз в Иудее. В Иудейском царстве не было тех кровавых внутренних переворотов, которые подтачивали силу царства Израильского. Здесь династия Давида была сильна, и престол переходил по наследству от отца к сыну. При внуке царя Иоаша, Узии (805—755 гг.), Иудея снова достигла могущества и благосостояния. Узия соединял в себе способности храброго полководца и хорошего правителя. Для защиты страны от неприятельских нашествий он увеличил свое войско и построил много крепостей в разных местах; особенно укрепил он стены вокруг Иерусалима, возвел там башни и поставил на них большие машины, метавшие камни и стрелы. Узия заботился о развитии земледелия и промышленности. Иудея вела торговлю с Финикией и Египтом и все более богатела. *«Страна наполнилась серебром и золотом, конями и колесницами»,* — говорит современный пророк. Однако с увеличением богатства и внешнего блеска в Иудее также появились стремления к роскоши и легкость нравов, хотя и не в такой степени, как в Израильском царстве. Царь Узия отличался вообще благочестием; только под конец его царствования между ним и храмовым духовенством произошло столкновение. Однажды царь вошел в Иерусалимский храм, желая сам вскурить фимиам на алтаре, — что по закону разрешалось только священникам. Как только царь приблизился к алтарю, на лбу у него выступила проказа (гноящаяся язва). По обычаю, прокаженный должен был жить уединенно и не мог показываться среди людей. Одержимый лютой болезнью, Узия еще при жизни передал царскую власть своему сыну Иотаму, который управлял страной 15 лет.

Тревожное время наступило для Иудеи в царствование сына Иотама, Ахаза (739—724 гг.). Ахаз вступил на престол в ту пору, когда израильский царь Пеках и арамейский Рецип заключили между собой союз против Ассирии. Они предложили и иудейскому царю присоединиться к этому союзу против общего врага; но Ахаз, боясь выступить против могущественной Ассирии, отказался пристать к союзу. Тогда Пеках и Рецип объявили войну Ахазу. Отряды союзников вторгнулись в Иудею и произвели там опустошения; они уже приближались к Иерусалиму. Находясь в отчаянном положении, Ахаз отправил к ассирийскому царю, Тиглат-Пилесеру, посольство со словами: *«Я раб твой и сын твой. Приходи и спаси меня от рук царя арамейского и царя израильского, ополчившихся на меня!».* Ассирийский царь был очень доволен этим изъявлением покорности со стороны Ахаза, который вместо того, чтобы примкнуть к врагам Ассирии, униженно искал ее покровительства. Он немедленно двинул свое войско в земли взбунтовавшихся царей — израильского и арамейского.

79. Падение Израильского царства. Как только союзники, Пеках и Рецип, узнали о вторжении ассирийцев в их земли, они покинули Иудею и поспешно вернулись каждый в свое государство. Но было уже поздно. Тиглат-Пилесер завоевал Дамаск, столицу Арама, и загнал его жителей в далекий край; царя Реципа он взял в плен и умертвил. Арамейское царство было присоединено к Ассирии — и позже получило название Сирия (сокращенное от «Ассирия»). Затем Тиглат-Пилесер вступил в Израильское царство и завоевал на востоке весь Гилеад, а на севере — область колен Нафтали, Зевулона и Ашера. Эти земли он присоединил к своим владениям, а жителей их увел в плен и рассеял по отдаленным окраинам ассирийского государства.

Таким образом, от Израильского царства сразу была оторвана половина его владений (735 г.). Пеках остался царем только над областью Эфраима и уцелевших соседних колен, в центре которой находилась столица Самария. Эта оставшаяся область также должна была признать верховную власть ассирийского царя и платить ему дань. Часть народа была недовольна Пекахом, который своим восстанием навлек беду на страну. Против него составили заговор. Главный заговорщик, Гошеа бен-Эла, убил Пекаха и при помощи ассирийцев сделался царем (734 г.).

Десять лет Гошеа оставался данником Ассирии; он тяготился этим и искал случая избавиться от иноземного ига. Когда Тиглат-Пилесер умер, в Палестине снова начались волнения. Финикийцы в Тире и некоторые другие народности возмутились против верховной власти Ассирии. Восставшие мелкие народы во многом рассчитывали на помощь великого соперника Ассирии — Египта. Общее движение увлекло и царя израильского, и Гошеа вступил в тайные переговоры с египетским царем Со (Сабакон). Полагаясь на помощь Египта, Гошеа перестал высылать ежегодную дань преемнику Тиглат-Пилесера, «великому царю» Шалманассару. Но он обманулся в своих расчетах. Когда возмущенный Шалманассар вторгнулся в израильские владения с огромным войском, египтяне даже не пытались идти к израильтянам на помощь. Ассирийцы брали израильские города один за другим, вскоре подошли к Самарии и осадили ее. Еще до осады столицы Гошеа был схвачен ассирийцами и, как изменник, заключен в темницу (724 г.). Осажденные жители Самарии долго оказывали неприятелю отчаянное сопротивление. Три года осаждали ассирийцы хорошо укрепленную израильскую столицу. Город был взят уже после смерти Шалманассара, при его преемнике Саргоне (721 г.).

Взяв Самарию, ассирийский завоеватель решил навсегда уничтожить Израильское царство. Для этого он прибег к обычному способу, употреблявшемуся ассирийцами при покорении враждебных государств. Он увел с собою в плен десятки тысяч израильтян и расселил их в отдаленных областях своей империи: «в Халахе, Хаборе, у реки Гозан и в городах Мидии». Из одной Самарии было выселено 27280 жителей. Многие успели, однако, спастись бегством в соседнее Иудейское государство. Спустя год после взятия Самарии (720 г.), была обнаружена среди оставшихся там жителей новая попытка к восстанию; это опять повлекло за собой насильственные выселения израильтян в далекие страны. Таким образом, Самария и другие израильские города лишились большей части своих жителей. Загнанные в далекие страны, израильтяне постепенно смешались с тамошними жителями, языческими народами и впоследствии почти затерялись среди них. В опустевшие израильские города ассирийский царь перевел на жительство ассирийцев, вавилонян и хутеев из коренных областей своего государства. Прибывшие поселенцы были язычниками, но с течением времени они усвоили многие израильские обычаи и верования. Они смешались с остатком туземцев-израильтян и образовали впоследствии особую полуязыческую, полуеврейскую народность, известную под именем самаритян.

Так погибло Израильское или десятиколенное царство, просуществовавшее после отделения от Иудейского два с половиной столетия. Погибло не только царство, но и большая часть народа, рассеянная между азиатскими племенами. Это несчастье подготовлялось постепенно. Разделение царства после Соломона нанесло первый удар единству еврейского народа. Раздвоенное государство не могло устоять против внешних врагов. Бо́льшая часть его погибла; осталась только меньшая — Иудея. От еврейского народа уцелели колена Иудино и Вениаминово, часть колена Левиина (левиты) и остатки северных колен, бежавших в Иудею после разгрома Самарии.

80. Царь Ахаз и пророк Иешая. Могущественная Ассирия, разрушив непокорное Израильское царство, пощадила покорную Иудею. Иудейский царь Ахаз добровольно признал ассирийского царя своим верховным повелителем. Когда Тиглат-Пилесер завоевал половину Израильского царства, Ахаз пошел в Дамаск, чтобы приветствовать победителя и приобрести его благосклонность. В Дамаске Ахаз насмотрелся на ассирийские порядки, и они ему очень понравились. Особенно понравился ему языческий алтарь, на котором победитель приносил жертвы ассирийскому богу. Ахаз послал из Дамаска рисунок этого алтаря в Иерусалим, к первосвященнику Урии, и приказал ему построить там такой же. Урия исполнил приказание.

Возвратившись из Дамаска, Ахаз стал вводить в Иерусалиме ассирийское служение солнцу и небесным светилам. У входа в иерусалимский храм была поставлена колесница с конями в честь бога солнца. В своем слепом подражании иноземному язычеству Ахаз дошел до того, что однажды, когда ему грозило какое-то несчастье, он сжег одного из своих сыновей на алтаре бога Молоха, чтобы умилостивить разгневанное божество. Нечестию царя подражали многие иудейские вельможи. Порча нравов в Иудее все усиливалась и грозила принять такие же размеры, как в Из-

раильском царстве. К счастью, Ахаз после 16-летнего
царствования умер, и на иудейский престол вступил
его сын, умный и благочестивый Хизкия (Эзекия,
724 г.), который стал управлять государством в еврейском народном духе. Когда в первые годы царствования Хизкии была взята ассирийцами Самария, население Иудеи усмотрело в этом справедливое возмездие
Бога за пороки Израильского царства; поэтому оно
охотно примкнуло к своему молодому царю Хизкии,
который принялся за искоренение языческих заблуждений и преобразование государства.

Во времена царей Ахаза и Хизкии жил и действовал в Иудее величайший еврейский пророк, Иешая
(Исаия), сын Амоца. Его пророческая деятельность
началась еще при отце Ахаза. Иудея была тогда сильна, богата и спокойна, но знатные и богатые в ней
подражали испорченным нравам самарийцев. Вращаясь постоянно в высшем обществе Иерусалима, Иешая
именем Бога обличал пророки этого общества. Он указывал народу те высокие общественные и духовные
идеалы, к которым потом в течение многих веков призывали величайшие учители человечества.

*«Как сделалась блудницею верная столица! — вос-
клицает пророк. — Некогда она была полна справедливости, правда обитала в ней, — а теперь там убийцы. Князья твои — отступники и сообщники воров;
они все любят подкуп и гоняются за деньгами; сирот
не защищают, а дело вдовы не доходит до них»...
«Горе тем, которые придвигают дом (чужой) к дому
(своему) и поле к полю, не оставляют места для
других и одни завладевают землею!...» «На что Мне
обилие жертв ваших? — говорит Иегова. — Когда вы
являетесь пред лицо Мое (в храм), кто просит вас
топтать дворы Мои? Не приносите мне больше ли-
цемерных даров, курение ваше противно Мне; ваши
праздники и сборища ненавижу. Сколько бы вы ни*

молились, Я не услышу вас; ибо ваши руки полны крови. Омойтесь, очиститесь, удалите ваши дурные дела, перестаньте делать зло! Учитесь добру, стремитесь к правосудию, поддерживайте обиженного, заступайтесь за сироту, защищайте вдову!».

Проповеди Иешаи становятся особенно резкими в царствование Ахаза, когда в Иерусалиме стали подражать ассирийским порядкам и вводить ассирийское идолопоклонство. Пророк был свидетелем нашествия Тиглат-Пилесера, завоевавшего Арам и половину Израильского царства, и предсказывал такую же участь Иудее, если она не исправится. Он осмеивал трусливое поведение Ахаза и его рабскую покорность перед ассирийским царем. *«Ашур (Ассирия) — это только палка в руках разгневанного Бога... Может ли секира ставить себя выше того, кто рубит ею? Может ли пила гордиться перед тем, кто пилит ею?».* Ослепленный Ахаз боялся этой палки, а не Бога, в руках которого она служила слепым орудием. Пророк предвидел в будущем гибель гордой Ассирии, пред которой трепетали все народы. Он пророчествовал также о судьбах Дамаска, Самарии, Тира (Финикии), Моава, Египта и других государств.

Речи Иешаи поражали своей силой и красотой. В век общественной и нравственной порчи мощное слово пророка будило народную совесть. Иешая имел множество учеников и последователей среди лучших людей Иудеи, — и эти люди спасли иудейский народ от падения. Пророк дожил до лучших времен, когда на престол иудейский вступил праведный царь Хизкия, уничтоживший все дурные порядки, введенные при отце его Ахазе. Пророчества Иешаи становятся тогда более светлыми и отрадными. Идеал хорошего правителя и счастливой страны рисуется пророку в следующем виде:

«Произойдет отрасль от ствола Ишая (династия Давида), и отросток — из его корней. И будет осе-

нять его (царя) *дух Божий, дух мудрости и разума, дух познания и богопочитания... Он будет судить бедных по правде и смиренных на земле — по справедливости. Справедливость и вера будут как пояс на бедрах его* (то есть неразлучны с ним). *И будет тогда жить волк вместе с овцою, и тигр с козленком будут рядом лежать; теленок, лев и вол будут вместе, и малый отрок будет водить их. Корова будет пастись рядом с медведем, и детеныши их будут лежать вместе, а лев будет есть солому как вол. Грудной младенец будет играть над норою ужа, и нежное дитя положит руку на гнездо ящерицы. Не будет ни зла, ни вреда на всей святой горе Моей: ибо земля наполнится богопознанием, как море водою».*

Пред взором пророка носится не образ хищного военного государства, покоряющего себе мир мечом, а идеал мирного народа, управляемого в духе социальной справедливости, стремящегося к уравнению слабых с сильными, к примирению интересов, к устранению классовых различий. Иудея не должна соперничать с Ассирией, «тихие воды Шилоаха» (иерусалимского потока) не должны соперничать с «могучими и шумными водами Евфрата», затопляющими землю на далеком пространстве. Еврейское государство должно быть внутренне сильным правовым государством, а не воинственной «мировой державою», сила которой заключается в насилии, право — в кулаке. Больше того, еврейский народ должен усовершенствоваться до того, чтобы служить образцом для других народов и вступить с ними в тесное духовное единение.

«*В конце дней* (в отдаленные времена), — вещает Иешая, — *гора дома Божия утвердится на вершине всех гор и вознесется над всеми холмами, и все народы будут стекаться к ней. И пойдут многие народы и скажут: взойдемте на гору Иеговы, к дому Бога Якова, и пусть Он учит нас путям своим, и мы бу-*

дем следовать по стезям Его, ибо из Циона исходит учение, а слово Божие — из Иерусалима. Тогда Он будет судьею среди народов и обличителем среди многих племен. И они разобьют мечи свои (превращая их) в плуги, и копья свои (превратят) в серпы. Не поднимет народ на народ меча, и никто не будет больше учиться воевать».

Глава XII

Иудейское царство при господстве Ассирии и Вавилонии (720—586 гг. до хр. эры)

81. Хизкия. Со времени великого царя Давида на иудейском престоле не сидел такой праведный и преданный народным интересам царь, как Хизкия (724—696 гг.). В первые годы своего царствования Хизкия видел падение Самарии и окончательную гибель Израильского царства. Он хотел предохранить уцелевшую Иудею от горькой участи ее грешной сестры Самарии. Для этого он поставил себе целью укрепить в стране чистую веру, законность и порядок. С жаром принялся молодой царь за искоренение ассирийского идолопоклонства, введенного его отцом Ахазом. По его приказанию были уничтожены все идолы; был сломан также медный змей, которому простой народ поклонялся, как божеству, исцеляющему от болезней. Хизкия запретил строить алтари Богу на возвышенностях («бама») в разных городах и селах; он требовал, чтобы в большие праздники все являлись на богослужение в иерусалимский храм. Он велел выбросить из храма стоявшие там языческие изображения, прогнал негодных священнослужителей и поставил на их место надежных священников и левитов. Возобновилось богослужение по древним народным обычаям. Священники приносили жертвы из домашнего скота на алтаре Иеговы, а левиты пели хором хвалебные гимны (псалмы) Богу, сопровождая свое пение игрой на инструментах. Особенно торжественно праздновалась Пасха, когда в Иерусалим собирался народ со всех концов страны. Во время таких праздничных собраний царь дружески сближался с народом, молился и веселился вместе с ним. Хизкия приближал к себе пророков и в особенности оказывал уважение великому пророку Иешае.

Упорядочив внутренние дела государства, Хизкия отдался заботам об укреплении его международного положения. Иудея со времен Ахаза находилась под верховной властью Ассирии и платила ей дань; Хизкия же хотел освободить свою страну от этой унизительной зависимости. В то время в Ассирии царствовал гордый Санхерив, стремившийся к покорению новых земель и даже великого Египта. Египетский царь Тиргака готовился дать отпор ассирийцам. И вот Хизкия заключил с египетским царем союз для борьбы с общим врагом. Тиргака обещал Хизкии, что, как только ассирийцы нападут на Иудею, египетская конница придет иудеям на помощь. Иешая не одобрял этого союза и говорил, что не нужно доверять обманчивым обещаниям египтян. *Иегова, — говорил он, — прострет свою руку, и споткнется помогающий, и упадет получающий помощь, и оба вместе погибнут*. Но Хизкия, поддерживаемый придворными советниками, на этот раз не послушался пророка. Царь принял все меры к укреплению Иерусалима на случай нападения неприятеля. Вокруг старой крепостной стены он воздвиг новую, укрепил обе стены башнями, окопал их рвами, заготовил много оружия, провел воду внутрь города, а родники и ручьи за городом велел засыпать, чтобы неприятель во время осады не имел воды для питья. После этого Хизкия объявил восстание против верховной власти Ассирии (703 г.).

82. Нашествие Санхерива. Когда Хизкия восстал против Ассирии, Санхерив во главе огромного войска шел против Египта. Узнав о союзе иудейского царя с египетским, Санхерив решил сначала усмирить Иудею, лежавшую по пути. Ассирийцы ворвались в Иудею и принялись разрушать города и грабить жителей. Их лагерь находился у города Лахиша, недалеко от Иерусалима. Отсюда Санхерив послал трех сановников с отрядом войск к Иерусалиму, с требованием сдать город. Послы пожелали видеть Хизкию, но царь не вышел, а выслал к ним своего дворецкого правителя Элиакима и двух сановников. Оба посольства сошлись у крепостной стены Иерусалима; на эту стену взобрались испуганные жители города, чтобы посмотреть, что произойдет. Один из ассирийских послов, Равшака, обратился к иудейским сановникам со следующей речью: *«Скажите Хизкии от имени великого царя Ассирии: на кого надеешься ты, что ты восстал против меня? Напрасно ты опираешься на Египет, эту сломанную палку, которая может воткнуться в руку опирающегося и проколоть ее. Разве ты можешь померяться силами даже с одним из самых мелких князей, служащих властелину моему?».* Затем, обратясь к испуганным иерусалимцам, стоящим на стене, Равшака громко сказал: *«Пусть царь Хизкия не обольщает вас, ибо он не спасет вас от рук ассирийского царя. Пусть он не обнадеживает вас, что Иегова поможет вам и что город не попадет в руки ассирийцев. Разве боги других народов спасли свои земли от наших рук?».* Иудеи, стоявшие на стене, ничего не отвечали. Когда иудейские послы вернулись и передали Хизкии слова Равшаки, царь встревожился. Он просил пророка Иешаю молить Бога о спасении Иерусалима. Тронутый смирением царя, пророк поспешил успокоить его и предсказал, что Бог не допустит победы Санхерива, который так грубо издевался над иудейским народом и Иеговой.

Пока шли переговоры между ассирийским и иудейским царями, египетский царь Тиргака двинулся во главе сильного войска против ассирийцев. Тогда Санхерив покинул Иудею и вышел со своим войском навстречу Тиргаке, к границе Египта. С дороги Санхерив снова послал к Хизкии письмо с угрозами и требованием — немедленно покориться ассирийской власти. Ободренный помощью Египта, Хизкия отказался исполнить это требование. Вместе с народом он горячо молился в иерусалимском храме об освобождении отечества. Иешая поддерживал в народе бодрость своими чудными пророчествами, предсказывая скорую гибель ассирийского войска. И действительно, вскоре распространилась весть, что громадное войско Санхерива, шедшее против Египта, поспешно возвращается назад (701 г.). Среди израильтян шла молва, что Бог послал чуму на ассирийцев и что «ангел Божий» истребил в их лагере 185 000 человек в одну ночь. В Египте рассказывали, что в одну ночь громадная масса полевых мышей изгрызла одежду, обувь и оружие ассирийцев, которые поэтому вынуждены были отступить. Санхерив бежал в Ниневию. «Божия кара» совершилась над высокомерным врагом — и Иерусалим избавился от разорения. В последние годы жизни Хизкии Иудея снова пользовалась благами мира и спокойствия. После 28-летнего царствования праведный царь Хизкия умер и был похоронен в гробнице рода Давидова.

83. Упадок религии при Менаше. После смерти Хизкии во внутренней жизни иудейского народа произошли перемены к худшему. Сын Хизкии, Менаша (Манассия, 695—640 гг.), подражал не своему праведному отцу, а своему нечестивому деду. Менаша был 12-летним отроком, когда умер его отец. Этим воспользовались старые советники Ахаза и преданные язычеству вельможи, которые при Хизкии были удалены от двора. Они забрали юного царя в свои руки и сначала управляли его именем, а потом приучили и его самого управлять так, как им хотелось.

Менаша отменил все преобразования, введенные при Хизкии. Он не требовал от жителей провинции, чтобы они к большим праздникам являлись в Иерусалим, для богослужения в храме, а разрешал строить повсеместно алтари на возвышенностях и совершать там жертвоприношения. Староханаанские языческие формы богослужения были уравнены в правах с иудейскими. В Иерусалиме господствовало небывалое смешение религиозных обрядов. Тут воздвигались и алтари в честь Ваала, и истуканы Астарты, и капища для поклонения небесным светилам. Языческие идолы и жертвенники помещались даже среди площадей и дворов, окружавших иерусалимский храм. В долине Гинома (Гегином), за городом, возвышался алтарь, на котором приносили Иегове в жертву маленьких детей, по образцу кровавого служения богу Молоху. Идолопоклонство было связано с распутством и грубым суеверием. В стране завелись распутные жрицы, чародеи, колдуны и вызыватели мертвецов. Пророки и священники, поднимавшие свой голос против этих языческих мерзостей, подвергались страшным преследованиям. Великого пророка Иешаи в то время уже не было в живых. (Есть древнее талмудическое предание, гласящее будто Иешая скрывался от преследований в дупле кедра, но царь Менаша нашел его там и велел распилить пророка вместе с деревом.) Но ученики Иешаи самоотверженно продолжали его дело, обличали преступления царя и народа и грозили гневом Божиим. В это время Ассирия вновь подчинила Иудею своей верховной власти, и Менаша должен был мириться с тяжелою зависимостью.

Около полустолетия царствовал Менаша. Сын его Амон (640 г.) пал жертвою дворцового заговора на втором году своего царствования. Иудейским царем был провозглашен восьмилетний сын Амона, Иошия (Иосия, 638—608 гг.).

84. Восстановление религии при Иошии. Во время малолетства Иошии, именем его управляли те же сановники, которые при его предшественниках превратили Иудею почти в языческую страну, послушную ассирийским царям. Но когда царь достиг зрелого возраста и сам стал вникать в дела управления, он понял все безобразие прежних порядков: он все более склонялся к партии пророков, стремившейся к внутренним преобразованиям.

Опираясь на эту партию, царь Иошия решил следовать примеру своего прадеда Хизкии — и приступил к преобразованиям во внутренней жизни государства. Прежде всего он поручил священникам собрать деньги и пригласить мастеров для перестройки пришедшего в ветхость иерусалимского храма. Во время работ в одном из покоев храма найдена была рукопись, в которой оказались записанными древние законы и поучения Моисеевы. (Это была последняя книга «Пятикнижия», известная под именем «Второзакония».) Нашедший эту рукопись первосвященник Хилкия передал ее царскому писцу, а последний доставил ее царю. Найденная книга была изложена в форме предсмертного завещания, произнесенного великим учителем Моисеем в пустыне; в ней предсказывалась судьба израильского народа и государства. В мягких, трогательных словах Моисей увещевает израильтян соблюдать заповеди истинной веры и нравственности и не подражать язычникам. Основная мысль книги «Второзакония» в том, что существует Единый Бог, всесовершенный и всеблагий, который избрал израильский народ из всех народов и заповедал ему великие истины веры, добра и человеколюбия. Этот Бог,

Иегова, заботится, как добрый отец, о судьбе своего народа и требует от него только верности данным заповедям. Заповеди представляют собою ряд правил, соблюдение которых обеспечивает спокойствие и благоденствие как личности, так и общества. Простота нравов, чистота веры, правда и справедливость, в особенности заботливость о слабых и беззащитных членах общества — таковы основы законодательства Моисея. Это — целая система нравственности и общежития, которая по своему возвышенному характеру не имеет себе равной среди всех вероучений мира. И вместе с тем здесь нет мечтательных стремлений к невозможному: все правила и законы жизненны и осуществимы. *«Закон, который я даю тебе, — говорит Моисей народу, — не недостижим для тебя и не далек от тебя. Он не на небе и не за морем, а очень близко к тебе: в твоих устах и в твоем сердце, и от тебя зависит исполнять его».* Рядом с увещаниями встречаются и угрозы, обращенные к тем поколениям, которые будут отступать от заповедей Иеговы. Такие отступления, по завещанию Моисея, должны повлечь за собою кару Божию, в виде народных бедствий, упадка государства и даже его полной гибели.

Когда писец прочел вслух во дворце священную рукопись, царь был поражен ее содержанием. Он теперь понял, как сильно отступил еврейский народ от данных ему Богом через Моисея священных законов, и боялся, что предсказанные вероучителем ужасные бедствия скоро постигнут иудейскую землю. В сильной тревоге послал Иошия своих приближенных к иерусалимской пророчице Хулде, чтобы спросить ее: должен ли народ ожидать наказания от Бога за грехи последних поколений. Пророчица отвечала, что Бог давно решил наказать иудейский народ за его отступления от закона; но так как царь Иошия смирился душою пред Богом, то в его царствование не произойдет бедствие, приуготовленное для Иудеи.

Успокоенный этим предсказанием, Иошия созвал народ в иерусалимский храм. Здесь, стоя на возвышении, царь громко прочел новую священную книгу и заставил слушателей дать обещание, что они будут соблюдать божественные законы, записанные в ней. Народ обещал. После этого царь с жаром принялся за уничтожение идолопоклонства. Жертвенники, изображения и памятники богов были разрушены, все идолы выброшены из храма и сожжены; колесница бога солнца с конями, стоявшая у преддверия храма, была уничтожена. Жрецы и жрицы идолов были изгнаны из страны. Уничтожив следы идолопоклонства в государстве, царь весной созвал в Иерусалим народ из всех городов, чтобы торжественно отпраздновать Пасху по предписанию закона. Таким образом в Иудее была снова восстановлена самобытная духовная и общественная жизнь. Благочестивого царя Иошию прославляли, сравнивали с праведным Хизкией и даже с Давидом. Пророки приобрели при нем сильное влияние на государственные дела.

Главным пророком времен Иошии был Иеремия, потомок священников. В ранней юности Иеремия почувствовал в себе пророческий дар. Следуя своему вдохновению, он говорил резкую правду всем: царю, священникам, вельможам и простому народу; он старался направлять внешнюю политику страны и духовную жизнь народа в духе великих заповедей «Второзакония». Вскоре Иеремия занял в Иудее то высокое положение, которое некогда занимал Иешая.

85. Борьба с Египтом; Иоаким. В последние годы царствования Иошии на Востоке начались великие народные движения, изменившие судьбу многих государств. Владычица Азии, гордая Ассирия была уже близка к падению. От нее отпали самые большие ее области: Мидия и Вавилония; отпавшие провинции

стали угрожать своей бывшей владычице и столице
ее, Ниневии. В Иудее усилилась надежда на избавле-
ние от ассирийского верховенства. Против Ассирии
действовал еще ее старый враг — Египет. Царь египетский (фараон) Нехо также хотел получить часть
распадавшегося ассирийского государства. Он двинулся
с большим войском к Евфрату. Чтобы достигнуть цели
своего похода, египетское войско должно было пройти
через иудейские земли. Иошия решил воспрепятство-
вать этому переходу, ибо боялся, что египтяне, покорив соседние ассирийские области, потребуют потом
покорности и от Иудеи, бывшей данницы Ассирии.
Надеясь на помощь Божию, иудейский царь с отрядом
войск выступил против Нехо и преградил ему дорогу.
При долине Мегидо, близ Кармельских гор, встретились войска иудеев и египтян — и произошло сражение, которое кончилось несчастливо для иудеев; иудейский отряд был разбит, и сам царь Иошия был смертельно
ранен (608 г.). Слуги тотчас отвезли умирающего царя
в Иерусалим. Жители столицы встретили труп своего
любимого царя с воплями и рыданиями.

Поражение при Мегидо сделало Иудею данницей
Египта. Отняв у Ассирии весь Арам, или Сирию, Нехо
объявил себя верховным властелином и соседней
Иудеи. Умерший царь Иошия оставил после себя трех
сыновей. Из них Нехо назначил царем старшего сына,
Иоакима (607—597 гг.). Иоаким был человек недо-
брый и самовластный, и иудейский народ не любил
его; но он нравился египетскому царю и сделался пос-
лушным орудием в его руках. Нехо наложил на Иудею
огромную денежную пеню, в наказание за сопротивление Иошии. Иоаким взимал эту пеню с народа с крайней строгостью.

Так погибли надежды на независимость, связанные
с ослаблением Ассирии: на месте ассирийского верховенства утвердилось египетское. Иоаким и его санов-

ники мирились с этим; они даже, в угоду египтянам, завели в Иерусалиме египетское идолослужение и иноземные порядки. Иоаким подражал фараонам в любви к роскоши; он строил для себя новый дворец в Иерусалиме и посылал на работы иудейских граждан. Снова утвердилось господство аристократического меньшинства (олигархии), и еврейский народ стонал под игом чужеземцев и своих собственных правителей.

86. Иоаким и пророк Иеремия. Против испорченности правителей и высших классов общества неустанно боролись истинные друзья народа — пророки, во главе которых стоял Иеремия. Иеремия бесстрашно говорил царю и сановникам горькую правду и предсказывал, что Бог в своем гневе поступит с Иудеей, как некогда с Самарией. Особенно громил он в своих речах тех ханжей, которые прикрывали свои безнравственные дела маской набожности и уверяли, что Бог защитит Иерусалим ради своего святого храма. Эти ханжи принадлежали большей частью к духовенству, и Иеремия называл их «лжепророками». *«Не надейтесь, — говорил народу Иеремия, — на обманчивые слова: здесь храм Божий. Как! Вы крадете, убиваете и предаетесь разврату, лжете, поклоняетесь Ваалу и «царице неба» (имя египетского божества), — а потом приходите, становитесь пред лицом Божиим в этом храме и говорите: мы спасены. И после этого вы снова делаете те же мерзости. Подите же в Силом (Эфраимский), где тоже некогда стоял Божий храм, и посмотрите, что сталось с ним за грехи израильтян! Вы совершаете те же преступления — и Бог поступит с иерусалимским храмом, как поступил с силомским; Он отвергнет вас, как отверг потомство Эфраимово!».* — Однажды, когда Иеремия произносил такую проповедь в иерусалимском храме, его окружила толпа священников и лжепророков и кри-

чала: *«Ты должен умереть за то, что ты сказал, что иерусалимский храм погибнет как силомский!».* На площади пред храмом собралась громадная толпа народа. На шум прибежали сановники из царского дворца. У ворот храма устроили судебное заседание. Священники и лжепророки требовали, чтобы Иеремию за его грозные пророчества подвергли смертной казни. Иеремия отвечал, обращаясь к сановникам и народу: *«Бог велел мне говорить все то, что вы слышали. Исправьтесь же, послушайтесь Бога — и Он отменит бедствие, которое предназначил вам. Я же в ваших руках; делайте со мною что хотите».* Судьи оправдали Иеремию, признав, что он говорил от имени Бога. Благодаря стараниям своих друзей, Иеремия на этот раз избавился от опасности.

В первые годы царствования Иоакима, произошло важное событие: Ассирия, при последнем своем царе Сараке (Сарданапал), совершенно распалась, а столица ее Ниневия была разрушена мидийцами и вавилонянами. Власть в Азии перешла к Вавилонии. Вавилонским царем в то время сделался воинственный Невухаднецар. Занимая бывшие ассирийские земли, он хотел завладеть и Сирией; но эта область была уже в руках египетского царя Нехо. Поэтому Невухаднецар вступил в борьбу с Египтом. У города Харкемиша произошла кровопролитная битва между египтянами и вавилонянами — и последние победили. Нехо должен был уступить Невухаднецару сирийские земли и вместе с тем верховную власть над Иудеей (604 г.). Пророк Иеремия советовал иудейскому царю добровольно подчиниться власти непобедимого Невухаднецара, но Иоаким рассчитывал еще на помощь Египта и медлил. Тогда Иеремия в своих речах к народу стал предсказывать, что вавилонский царь скоро придет и опустошит Иудею.

87. Владычество Вавилонии; плен Иоахина. Печальные пророчества Иеремии начали сбываться. Победоносный царь Вавилонии Невухаднецар приближался с огромным войском к Иудее. В пограничных городах вавилоняне начали уже буйствовать и грабить жителей. Тогда Иоаким изъявил покорность Невухаднецару (600 г.). Иудея признала верховную власть Вавилонии, как раньше — Ассирии и Египта.

Но зависимость от Вавилонии крайне тяготила Иоакима, и он искал случая избавиться от этой зависимости. Через три года Иоаким, подстрекаемый египетским царем, отказался платить дань Невухаднецару. Этот поступок навел на Иудею беду. Невухаднецар, занятый войною против финикийцев и египтян, сначала посылал в Иудею легкие отряды для опустошения границ, сам же он готовился идти туда с большой армией по окончании начатых войн.

В это смутное время царь Иоаким умер. Иерусалимцы возвели на престол его 18-летнего сына, Иоахина, или Иехонию (597 г.). Дело управления забрала в свои руки мать юного царя, Нехушта, и все шло как при Иоакиме. Новое царствование продолжалось, однако, только три месяца. Невухаднецар, успевший уже покорить часть Финикии и Палестины, вторгся в Иудею, захватил много городов и подступил к Иерусалиму с целью осадить его. Когда осада началась, царица и Иоахин убедились, что столица не устоит против грозной силы вавилонян. Иоахин и его мать в сопровождении придворных вышли из Иерусалима и явились в вавилонский лагерь, чтобы лично изъявить покорность Невухаднецару и смягчить его гнев. Но гордый победитель не смягчился. Он велел задержать Иоахина и его мать и отправить их в плен в город Вавилон, столицу своего государства. Вместе с ними Невухаднецар сослал туда десять тысяч знатных иерусалимцев, священников и оружейных мастеров, принадлежавших к числу противников вавилонской власти. Кроме того, Невухаднецар забрал много золота и серебра из иерусалимского дворца и храма. Таким образом, Иерусалим сразу лишился своих знатнейших людей и большей части своих богатств. Над оставшимся в Иудее населением Невухаднецар поставил царем младшего сына Иошии, Цидкию (Седекия, 597— 586 гг.). Новый царь дал клятву, что будет верным слугой вавилонского повелителя.

88. Цидкия; приготовления к восстанию. Десятилетнее царствование Цидкии было временем тяжелых смут и тревог в иудейском государстве. Цидкия был человек слабый и нерешительный, неспособный управлять страною в такое бурное время. Он уважал пророка Иеремию, который твердил, что нужно терпеливо сносить владычество вавилонян, чтобы не впасть в худшую беду; но в то же время он склонялся и на сторону вельмож, которые желали восстать против Невухаднецара и освободить страну от тяжкой зависимости.

Желание бороться за освобождение отечества было особенно сильно среди иудейских изгнанников, живших вместе с Иоахином в Вавилонии. Они мечтали о скором возвращении домой и вели тайные переговоры с друзьями в Иерусалиме о восстании против Невухаднецара. Напрасно предостерегал пленников живший между ними молодой пророк Иехезкель (Иезекииль), сын священника. Иехезкель уговаривал изгнанников безропотно переносить плен вавилонский, как заслуженное наказание Божие за прежние грехи и ошибки. Он предсказывал, что и оставшиеся в Иудее жители скоро пойдут в плен и что Бог смилуется над своим народом только позже, когда душа народа будет очищена страданиями. Но вавилонские иудеи так же мало обращали внимание на речи Иехезкеля, как иерусалимцы на речи Иеремии. Узнав о замыслах вавилонских пленников, Иеремия послал им письмо, в котором убеждал их оставаться спокойно в том месте, куда загнала их судьба. *«Стройте там дома,* — писал он, — *и живите в них, разводите сады и ешьте их плоды. Заботьтесь о благосостоянии города, куда Бог переселил вас, и молитесь за него, ибо при благополучии этого города и вам будет хорошо. Когда исполнится Вавилону семьдесят лет, Бог возвратит вас из плена»*... Это письмо не понравилось изгнанникам. В Иерусалиме многие также были раздражены против Иеремии, называли его изменником и другом Невухаднецара. Иеремия глубоко страдал, видя, что народ не понимает его.

Он горячо любил родину и знал, что восстание против Невухаднецара погубит ее.

89. Падение Иерусалима. В течение семи или восьми лет иудейский царь Цидкия соблюдал клятву верности, данную Невухаднецару; но, наконец, он решил стряхнуть с себя вавилонское иго, как того требовало большинство иерусалимцев. Цидкия перестал платить дань вавилонскому царю — и таким образом объявил свою страну независимой. В Иерусалиме делались приготовления к войне с вавилонянами. Узнав о восстании иудеев, Невухаднецар пришел в ярость. Он выступил в поход с огромным войском, с целью наказать восставших. Вавилонские войска вступили в Иудею, взяли много укрепленных городов, грабили и уводили в плен поселян. Многие поселяне бежали при приближении неприятеля в Иерусалим, увеличивая и без того густое население столицы. Иерусалим был сильно укреплен, и жители его решили защищаться до последнего.

Зимою, в начале 587 года, армия Невухаднецара обложила Иерусалим и возвела кругом осадный вал. Иерусалимцы взялись за оружие. Чтобы увеличить число воинов, Цидкия велел отпустить на волю всех рабов еврейского происхождения. Иудеи храбро защищались. Целый год вавилоняне безуспешно осаждали столицу. Вдруг дошла до Невухаднецара весть, что египетский царь Хофра идет против него с большим войском. Вавилоняне поспешно отступили от Иерусалима и пошли против египтян. Иерусалимцы ликовали, видя в этом начало поражения врага; но радость была преждевременна. Невухаднецар скоро успел разбить египтян, и войско его снова осадило Иерусалим. Приступы неприятеля становились все страшнее. Пророк Иеремия не переставал твердить, что город погибнет, если добровольно не покорится Невухаднецару. Тогда раздраженные сановники сказали царю Цидкии: *«Иеремия заслуживает смерти, ибо он ослабляет мужество воинов своими предсказаниями».* Царь отвечал: *«Он в ваших руках; я же против вас ничего не могу делать».* По приказанию вельмож Иеремию бросили в яму, наполненную глиной. Пророк умер бы там, если бы над ним не сжалился один из придворных рабов, эфиоп. Этот раб доложил царю о грозящей Иеремии опасности; с разрешения царя, пророка вытащили из ямы на веревках и перевели в дом дворцовой стражи.

В Иерусалиме тревога усиливалась. Запасы хлеба истощились, начался голод. Воины на стенах гибли от стрел неприятельских, а в домах и на улицах Иерусалима люди умирали от голода и чумы. Мужчины и женщины бродили, как тени, по улицам и часто падали от изнурения; дети с плачем кричали: дайте хлеба! Бывали случаи, когда матери варили мясо своих умерших детей и утоляли им свой голод. Изнуренные иудейские воины не были уже в силах защищать укрепления. Наконец в месяц Тамуз (июнь) 586 года вавилонские воины пробили в одном месте городскую стену и ворвались в город. Началась резня. Ожесточенные вавилоняне убивали всех встречавшихся им на пути иудеев, не щадя ни женщин, ни детей. Вместе с вавилонянами ворвались в Иерусалим примкнувшие к ним хищные орды эдомитов, которые грабили и расхищали имущество жителей. Царь Цидкия с некоторыми сановниками и воинами бежал ночью из Иерусалима. Но близ Иерихона их настигли вавилонские всадники. Цидкию и его сыновей отвезли в сирийский город, Ривлу, где тогда находился Невухаднецар. Вавилонский царь жестоко расправился с ними: он приказал казнить сыновей Цидкии в присутствии их отца, а затем велел выколоть глаза самому Цидкии, заковать его в цепи и отвести в Вавилон.

Но этим гнев победителя еще не утолился. Вавилонский царь отправил начальника своих телохранителей, Невузарадана, с приказом окончательно разрушить Иерусалим. Свирепый полководец прибыл в столицу Иудеи, ограбил все сокровища иерусалимского храма, все драгоценные сосуды и украшения святыни и отослал в Вавилон. В 9 день месяца Ава (июль) он сжег великолепный храм, существовавший со времен Соломона, царский дворец и другие большие здания, разрушил стены Иерусалима, а многих жителей увел в плен. Первосвященника Сераю, его помощников и высших сановников, в числе 60 человек, он отправил в Ривлу, где Невухаднецар казнил их. Остальные иудейские пленники, принадлежавшие к лучшей части иерусалимского общества, были отосланы в Вавилон. В Иерусалиме и других местах Иудеи остались бедные горожане и поселяне. Пророк Иеремия сначала тоже попал в плен, но потом его, по приказу Невухаднецара, освободили, так как он всегда стоял за покорность вавилонскому царю. Пророк был поражен страшным горем, постигшим отечество. Он горячо оплакивал падение Иерусалима, которое он давно предвидел.

В Библии сохранились песни скорби, написанные, по преданию, пророком Иеремией по случаю падения

Иерусалима (Мегиллат «Эйха»). Вот несколько отрывков из этих песен, поныне читаемых в синагогах в пост 9-го Ава (Тише-беав). *«Как одиноко сидит столица многолюдная! Она стала как вдова. Великая между народами, властительница областей, она сделалась данницею. Она рыдает по ночам, и слезы текут по щекам ее, и нет ей утешителя среди всех ее друзей: все изменили ей и стали ее врагами. Пути Циона плачут, никто не идет туда на праздник, ворота его опустели, священники его вздыхают, и девы его печальны. О, как омрачил Бог блеск дочери Ционской (еврейской нации)! Царь ее и вельможи — среди чужих, не стало у нее закона, и пророки ее уже не имеют видений от Бога. Сидят на земле и молчат старцы Циона, покрыли голову пеплом, оделись в рубище; склонили к земле головы девицы Иерусалима. Мои глаза истощились от слез, все горит во мне, когда думаю о великом горе народа моего. С кем сравню я тебя, дочь Иерусалима? Кому уподоблю тебя, чтобы утешить тебя? Ведь, как море, глубоко несчастие твое: кто может исцелить тебя? Все мимоидущие всплескивают руками и качают головою, говоря: это ли столица, слывшая совершенством красоты, радостью всей земли?».*

90. Наместник Гедалия. Запустение Иудеи. После разрушения Иерусалима и увода в плен именитых людей в Иудее остались большей частью простолюдины — землепашцы и виноградари. Невухаднецар, не желая превратить завоеванную страну в пустыню, позволил оставшимся жителям владеть землей, с тем чтобы они ее обрабатывали. Правителем страны был назначен иудейский сановник Гедалия, сын Ахикама. Гедалия, друг Иеремии, принадлежал к партии, которая мирилась с вавилонским господством, и поэтому Невухаднецар избрал его своим наместником в Иудее.

Пророку Иеремии Невухаднецар предложил идти в Вавилон и жить там под царским покровительством, или оставаться в Иудее и быть советником Гедалии в деле управления. Иеремия решил остаться на родине, при наместнике.

Так как Иерусалим был разрушен, то Гедалия поселился в городе Мицпе, недалеко от Иерусалима. Под управлением наместника разоренная Иудея немного оправилась от нанесенных ей ударов. Бежавшие во время войны жители возвращались в свои селения и вновь принимались обрабатывать землю. Уцелевшие иудейские воины, скрывавшиеся в горах и пустынях, приходили к Гедалии, изъявляли ему покорность и получали во владение поместья тех, которые были загнаны в Вавилонию. Между ними находился большой отряд под предводительством военачальника Иоханана бен-Кореаха. Но не все пришедшие в Мицпу иудейские воины искренно примирились с наместником царя вавилонского. Между прибывшими военачальниками находился потомок царского рода Исмаил бен-Нетания, который — из личной ли зависти к наместнику, или из желания снова вызвать восстание против Вавилонии — задумал убить Гедалию. Друг Гедалии, Иоханан, предупредил его об опасных замыслах Исмаила, но наместник не принимал никаких мер предосторожности. Однажды Гедалия устроил в Мицпе, по случаю народного праздника, большой пир. В числе приглашенных был также Исмаил и его товарищи. Во время пира Исмаил и другие заговорщики внезапно обнажили мечи, убили Гедалию и всех присутствовавших иудеев и вавилонян. После этого Исмаил бежал в сопровождении восьми товарищей в землю аммонитов (581 г.).

Во главе собравшихся в Мицпе иудеев остался друг убитого Гедалии, Иоханан бен-Кореах. Положение этих людей было отчаянное. Они боялись, что Невухаднецар, узнав об убийстве своего наместника, станет мстить всем оставшимся в Мицпе иудеям и произведет новый разгром страны. Поэтому они переселились в Египет. Вместе с этой партией переселенцев отправился и пророк Иеремия. Таким образом, часть евреев возвратилась в ту страну, откуда за 800 лет перед тем вышли их предки. Египетский царь Хофра дозволил переселенцам жить в городе Тахнанхесе (Тафнис) и в некоторых других городах. Переселенцы питали надежду, что египтяне уничтожат господство Невухаднецара и возвратят их на родину. Некоторые из них усвоили египетские обычаи и верования и даже поклонялись египетским божествам. Иеремия резко укорял этих людей, которых даже горе не исправило. До последних дней своих многострадальный пророк не переставал поучать своих братьев и направлять их на путь истины. Он говорил, что постигшие иудейскую нацию страдания должны очистить, облагородить ее, и тогда Бог сжалится над нею и возвратит ее на родину. Иеремия не дождался этой лучшей поры: он умер в Египте.

Положение дел в Иудее все ухудшалось. После убийства Гедалии разгневанный Невухаднецар послал туда карательный отряд под начальством Невузарадана. Жестокий полководец взял в плен и отправил в Вавилон еще несколько сот иудейских семей. Иудея лишилась большей и лучшей части своего населения. Многие области ее совершенно опустели; по безлюдным местам бродили хищные звери. Среди развалин Иерусалима слышался по ночам вой шакалов, зверей пустыни. Иудейское государство погибло; но рассеянный иудейский народ был жив. Ему предстояло еще избавиться от неволи и возвратиться на родину.

Глава XIII

Вавилонское пленение
(586—537 гг. до хр. эры)

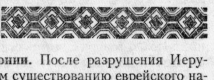

91. Евреи в Вавилонии. После разрушения Иерусалима Невухаднецаром существованию еврейского народа грозила опасность. Бо́льшая часть этого народа, жившая в Израильском или десятиколенном царстве, была оторвана от своей родины и рассеяна по отдаленным странам уже давно, во время владычества Ассирии. Сменившая Ассирию владычица мира Вавилония положила конец существованию Иудейского царства и разогнала жителей Иерусалима. В Вавилонии, Мидии, Персии, Сирии и Египте бродили пленники Иудеи; многие были проданы в рабство иноземцам. Казалось, что иудейскому народу предстоит так же затеряться среди других народов, как затерялись жители бывшего Израильского царства. Случилось, однако, не так. Те иудеи, которые находились в изгнании в Вавилонии, вовсе не смешивались с окружающим языческим населением, а жили особняком, оставаясь верными своей религии, своим законам и обычаям. На чужбине в них пробудилось с особенной силой чувство привязанности к своей родине и вере. Они скорбели об утраченной родине и каялись в тех ошибках, которые привели к этой утрате. К прибывшим из Иудеи изгнанникам присоединились многие потомки старых изгнанников Израильского царства, которые жили в соседних областях (бывшей Ассирии) и еще не успели раствориться среди окружающих племен.

Покоритель Иудеи, Невухаднецар, не угнетал евреев, переселенных им в Вавилонию. От переселенцев требовалось только, чтобы они признавали власть вавилонского царя и не стремились к восстановлению своего государства, но во внутренней жизни и в делах веры им предоставлялась полная свобода. Многие владели пахотной землей и сами обрабатывали ее; другие занимались ремеслами и торговлей. Как в столичном городе Вавилоне, так и в других, евреи жили отдельными общинами, имели своих старейшин, свое духовенство и свои молитвенные дома. В молитвенных собраниях пелись псалмы и читались священные книги. Молящие обращались лицом в сторону Иерусалима, как бы мысленно переносясь в разрушенный храм. Четыре дня в году, связанные с воспоминаниями о гибели отечества — годовщине осады и взятия Иерусалима, разрушения храма и смерти Гедалии, — были днями народного поста и траура. Религиозные собрания содействовали духовному объединению членов иудейских общин. Здесь изгнанники говорили и читали на своем родном языке, предавались воспоминаниям о своей далекой родине, слушали восторженные речи своих проповедников и пророков, которые поддерживали в них надежду на лучшее будущее.

Лишенные родины, изгнанники жили воспоминаниями о ней. Их жгучая тоска по родине была воспета в трогательных псалмах, из которых один стал навсегда гимном национального траура евреев:

«У рек вавилонских сидели мы и плакали, вспоминая о Ционе. На вербах, которые росли там, повеси-

ли мы свои арфы. Там пленившие нас требовали от нас песен, а угнетатели — веселья: «Пойте нам из песен Циона!» — Но как нам петь песни Иеговы на чужой земле? Если я забуду тебя, Иерусалим, пусть отсохнет моя рука. Пусть прилипнет язык мой к гортани, если не буду вспоминать тебя, если не поставлю Иерусалима выше всех моих радостей».

Одно народное предание свидетельствует о том, как ревностно еврейские переселенцы соблюдали свои законы и обычаи. Предание рассказывает, что при дворе царя Невухаднецара в Вавилоне находились потомок иудейских царей Даниил и еще трое юношей из иудейской знати: Ханания, Мисаил и Азария. Даниил и его товарищи воспитывались при дворе и усвоили халдейский (вавилонский) язык и все науки, которыми гордились тогдашние халдейские жрецы; но вместе с тем они не отступали от заповедей своей веры. Получая пищу с царского стола, они отказывались есть мясо и пить вино, запрещенные еврейским законом, а питались овощами и пили воду. Однажды Невухаднецар хотел заставить трех товарищей Даниила поклониться вавилонскому идолу, а когда они отказались сделать это, то велел бросить их в раскаленную печь. Но юноши вышли невредимыми из огня, не опалив себе даже волос на голове. Тогда царь убедился, что еврейский Бог всемогущ, и после того не заставлял больше иудеев поклоняться другим божествам.

Среди иудейских изгнанников в Вавилонии жил великий пророк Иехезкель, который был увезен туда еще с царем Иоахином, до разрушения Иерусалима (88). Иехезкель был духовным руководителем вавилонских пленников. Своими вдохновенными речами он поднимал упавший дух народа-странника; он пророчествовал о будущем возрождении рассеянной нации. Одним из самых блестящих пророчеств Иехезкеля является его знаменитое видение о мертвых костях:

«Рука Иеговы была на мне, и Иегова вывел меня духом, и поставил посреди долины, которая была наполнена костями. И Он обвел меня вокруг них, и вот этих костей очень много на поверхности долины, и они очень засохли. И сказал он мне: «Сын человеческий, оживут ли кости эти?» — И я ответил: «Мой владыко, Иегова, Ты один это знаешь!». И Он сказал мне: пророчествуй этим костям и скажи им: «Сухие кости, слушайте слово Иеговы! Вот Я вселю в вас дух — и вы оживете. И дам вам жилы, и наложу на вас мясо, и обтяну вас кожею, и вложу в вас дух, и вы оживете». — И я пророчествовал, как мне было приказано. И лишь изрек я пророчество, послышался шум, и стали сближаться кости, одна к другой. И увидел я: вот на них жилы, и мясо выросло, а сверху кожа покрыла их; но духа в них не было. И (Бог) сказал мне: «Пророчествуй о духе и скажи: от четырех ветров приди, дух, и дунь на этих убитых, и пусть они оживут!». И я пророчествовал, как мне было приказано, и вошел в них дух, и они ожили, и стала на ноги очень большая рать.

И сказал Он мне: «Сын человеческий, эти кости — весь дом израильский. Вот они (изгнанники) говорят: засохли наши кости, погибла наша надежда, отрезаны мы (от родины). Поведай же им, что так говорит Бог: Я открою ваши гробы, и выведу вас из ваших гробов и приведу вас в землю израильскую... И вложу в вас дух — и оживете, и успокою вас на земле вашей — и узнаете, что Я, Иегова, как сказал, так и сделал» (Книга Иехезкеля, гл. 37).

92. Упадок Вавилонии и надежды Иудеев.
После смерти завоевателя Невухаднецара (562 г.), могущество Вавилонии на Востоке стало клониться к упадку. Сын Невухаднецара, Эвиль-Мородах, царствовал только два года. Он освободил из темницы бывшего иудейского царя Иоахина, которого его отец некогда увел в плен и держал в заточении 36 лет; Мородах приблизил Иоахина к себе и отвел ему почетное место при царском дворе. В это время в Вавилонии начались смуты; за царскую власть спорили разные сановники и военачальники. Эвиль-Мородах был низложен, и в

течение пяти лет в стране сменились три царя. Последним вавилонским царем был Набонад (555 г.). При нем произошло распадение великой восточной империи.

В то время, когда Набонад царствовал в Вавилонии, рядом с ней возникло новое государство, которое вскоре приобрело господство над всей Передней Азией. Обширная страна к востоку от Месопотамии, называемая Ираном, была населена двумя народами: мидийцами и персами. Мидийцы, в союзе с вавилонянами, некогда разрушили ассирийское царство. С тех пор мидийцы господствовали в Иране, а персы подчинялись им. Но впоследствии перевес в Иране получили персы. Под начальством своего храброго полководца Кира (Кореш) они покорили Мидию и взяли ее столицу Экбатану. Кир сделался царем соединенного Мидо-Персидского царства (около 550 г.) и устремился к новым завоеваниям. Он завоевал Малую Азию и Сирию, а потом задумал покорить сильное вавилонское государство. Он успел уже занять некоторые области Вавилонии и готовился подступить к ее столице. Слухи о блестящих победах Кира наполняли радостью сердца иудейских пленников в Вавилонии. О новом победителе рассказывали, что он отличается великодушием и хорошо относится к угнетенным народам. Иудеи, поэтому, надеялись, что после завоевания Вавилона Кир освободит их и отпустит на родину. Один живший среди изгнанников пророк в пламенных речах восхвалял добродетели Кира и указывал на него, как на посланного Богом избавителя иудеев.

Этот великий безымянный пророк (его называют условно Иешая II, так как его речи сохранились во второй части Книги Иешаи I, прославленного пророка времен Хизкии) может быть назван «пророком возрождения». Если в речах Иехезкеля отразилась темная ночь пленения, то в речах нового пророка сияет блеск поднимающейся зари, слышится бодрящий призыв к освобождению и новой жизни. Пророк слышит голос Бога, обращенный к вождям иудейского народа: *«Утешайте, утешайте народ Мой! Говорите сердцу Иерусалима, возвестите, что кончилось время борьбы его, что получено удовлетворение за вину его... Голос взывает: в пустыне (между Вавилонией и Иудеей) проложите путь для Иеговы, в степи выровняйте дорогу для Бога нашего!.. Выходите из Вавилона, спешите вон из Касдима (Халдеи), скажите: освободил Иегова своего раба Якова!..* (гл. 40). — Исполнителем Божией воли в этом перевороте является персидский завоеватель Кир: *«Так сказал Иегова про своего мошиаха (мессию) Кореша: Я укрепил десницу его, покорил ему народы, распоясал чресла (обезоружил) царей, открыл перед ним двери и снял запоры с ворот (городов)... (И все это Я сделал) ради Моего раба Якова и Моего избранника Израиля. Я воздвиг его (Кира) для правды, и все пути его уровняю; он построит мой град и Моих изгнанников отпустит»* (гл. 45).

Пророк развивает ту мысль, что Иегова есть не только Бог еврейского народа, но и Бог всего мира, направляющий судьбы всех людей. Еврейский народ есть только избранник Божий, призванный открыть другим народам истинную веру и осуществить идеалы высшей правды на земле. Этот «избранник» должен был терпеть муки и гонения, но он в конце концов восторжествует: он будет «светочем для народов», знаменосцем истины для всего человечества. Этот светоч вновь засияет на вершине Циона, в освобожденной Иудее. Очищенная страданиями, еврейская нация должна вернуться на родину и там показать миру образец духовной мощи. Пророк сулил освобожденной нации не военное могущество, не владычество над другими народами путем меча и насилия, а покорение умов и сердец путем распространения идей правды и общественной справедливости.

93. Освобождение иудеев персидским царем Киром. В то время как грозные войска Кира приближались к Вавилону, царь вавилонский ничего не предпринимал для обороны своей столицы. Он надеялся, что Вавилон, окруженный двойным рядом толстых стен, никогда не будет взят приступом. Считая себя в безопасности, царь и его приближенные предавались веселию и устраивали шумные пиршества. Об одном из таких пиров предание рассказывает следующее. Вавилонский царь Бельшацар (сам Набонад или его сын) устроил большой пир для своих вельмож и велел принести во дворец сосуды, вывезенные когда-то Невухаднецаром из иерусалимского храма. В то время, когда царь и его гости сидели за столом и пили вино из священных сосудов, на стене комнаты, против стола, показалась человеческая рука и написала там какие-то непонятные слова. Царь испугался и призвал своих мудрецов, чтобы они прочли надпись, но мудрецы не могли ее прочесть. Тогда призвали иудейского мудреца Даниила, Даниил немедленно разобрал надпись и сказал царю: «*Тут начертаны следующие слова: мене, мене, текель уфарсин. Это означает: сосчитано, взвешено и разделено. Сосчитаны дни твоего царствования, взвешены на весах твои дурные дела и разделено твое государство между мидийцами и персами*». Это предсказание очень скоро сбылось.

Могучее войско Кира подступило к Вавилону и осадило его. Взять этот громадный, укрепленный город приступом оказалось невозможно. Кир велел выкопать за городом канал и соединить его с рекой Евфратом, протекавшей среди города. Вода из реки устремилась в канал, а оттуда выливалась в находившееся поблизости глубокое озеро. В реке осталось так мало воды, что ее можно было перейти в брод. Однажды ночью, когда вавилоняне беззаботно веселились по случаю праздника в честь своего божества, персидские воины пробрались по обмелевшему руслу Евфрата в город. Вавилон был взят. Кир объявил себя повелителем вавилонского государства и присоединил его к Персии (538 г.).

Многочисленное иудейское население Вавилонии с восторгом встретило персидского победителя. Эта преданность иудеев понравилась Киру. Он решил освободить их из долгого плена и отпустить в Иудею, которая, как бывшая вавилонская провинция, вошла теперь в состав персидского государства. Вскоре по всей Вавилонии были разосланы царские гонцы, объявлявшие указ Кира: всем евреям, живущим в вавилонских и персидских городах, дозволяется возвратиться в Иудею, отстроить разрушенный Иерусалим и святой храм. Деньги на сооружение иерусалимского храма Кир приказал выдать из своей царской казны. Заведующий персидским казначейством получил от Кира приказ — выдать возвращающимся все золотые и серебряные сосуды, которые Невухаднецар увез из иерусалимского храма.

Десятки тысяч иудеев приготовились покинуть Вавилонию и возвратиться на родину. Во главе этих выходцев стояли: Зерубавель, внук царя Иоахина, и Иешуа, внук последнего иерусалимского первосвященника Сераи. Часть иудеев осталась еще в Вавилонии, но и она не забывала своего отечества и надеялась позже туда возвратиться. Оставшиеся снабдили своих уходивших на родину братьев деньгами, припасами и вьючным скотом. Кир дал переселенцам конвой из тысячи всадников, для охраны в дороге от нападения хищных племен.

В 537 году многочисленная масса иудеев двинулась из Вавилонии в родную землю, по которой так сильно тосковали два поколения изгнанников. Внезапное освобождение от неволи казалось им Божиим чудом или волшебным сном. Позднейший псалом передает ликующее настроение возвращавшихся:

Когда пленников Бог в свой Цион возвращал,
Все мы были как будто во сне;
Ликованьем наполнились наши уста,
Песня радости с них полилась.
Говорили тогда средь народов земли:
«Бог великое с ними свершил!»
Да, великое с нами Иегова свершил,
Ликованьем наполнил сердца!

Глава XIV

Иудея под персидским владычеством (537—332 гг. до хр. эры)

94. Восстановление Иудеи и новый храм. После 49-летнего пребывания в Вавилонии десятки тысяч евреев возвратились в Иудею под предводительством князя Зерубавеля и первосвященника Иешуа (537 г.). Вслед за ними стали возвращаться на родину и многие евреи, которые были рассеяны в других странах: в Египте, Малой Азии и на островах Средиземного моря. Отовсюду спешили изгнанники в Иудею, надеясь зажить там спокойно, под покровительством справедливого персидского царя Кира. Возвратившиеся нашли страну свою в печальном состоянии: святой город Иерусалим представлял собою кучу развалин, многие города и деревни были безлюдны; поля, которые долго не обрабатывались, превратились в пустыни. Некоторые области Иудеи находились в руках враждебных соседних племен. И вот вожди народа, Зерубавель и Иешуа, принялись восстанавливать порядок в опустошенной стране,

Прежде всего они возобновили богослужение в Иерусалиме. Когда приближался осенний праздник Кущей (Сукот), Зерубавель и Иешуа велели построить алтарь для жертвоприношения. Затем они приступили к сооружению небольшого храма на месте прежнего, разрушенного вавилонянами. На торжество закладки храма съехались в Иерусалим много людей из всех городов Иудеи. Священники появились в своих храмовых облачениях, левиты пели благодарственные гимны (доныне сохранившиеся в Псалмах); пророки в своих речах предсказывали счастливое будущее; в народе раздавались радостные крики. Посреди этой ликующей толпы стояли почетные старцы и громко плакали: эти старцы видели еще первый храм (Соломонов) во всем его великолепии, и теперь, сравнивая с ним только что заложенный скромный «дом Иеговы», они не могли удержаться от слез. *«И народ,* — прибавляет летописец, — *не мог различать радостных кликов из-за громкого плача».*

Но нелегко было народу построить и этот скромный храм. На границе Иудеи жили самаритяне, потомки тех смешанных с евреями язычников, которых ассирийские цари некогда переселили в завоеванное ими Израильское царство (79). Хотя с течением времени самаритяне усвоили еврейские верования, но в их жизни сохранилось еще много языческих обычаев. Узнав, что иудеи строят в Иерусалиме новый храм, они тоже захотели участвовать в постройке, с тем чтобы храм был общий для иудеев и самаритян. Но Зерубавель и Иешуа отказались принять самаритян в свое общество, так как считали их только полуевреями. Тогда обиженные самаритяне стали мстить иудеям, доносили на них персидским властям и всеми силами мешали работам по постройке храма.

Между тем и общее положение Иудеи ухудшилось. Покровитель ее, персидский царь Кир умер, и ему наследовал его сын Камбиз (529 г.). Новый царь отправился в поход для завоевания Египта и Эфиопии; персидские войска проходили в эти страны через Иудею и причиняли ее жителям беспокойство. Вследствие этого постройка иерусалимского храма приостановилась; она возобновилась лишь тогда, когда на персидский престол вступил Дарий I (521 г.). Этот царь, подобно Киру, покровительствовал иудеям. По просьбе Зерубавеля и Иешуа он позволил продолжать сооружение храма в Иерусалиме и даже велел отпускать на это средства из царской казны. Пророки Хагай и Захария своими речами воодушевляли народ, увещевая его работать для воздвижения «дома Божия». Народ дружно принялся за работу — и за четыре года здание было построено. Новый храм был готов в 516 году, то есть спустя семьдесят лет после разрушения первого храма (как предсказывали пророки).

95. Эзра. После смерти Зерубавеля и Иешуа, народ не имел способных и предприимчивых правителей. Иудея по-прежнему была подвластна Персии, а внутренними делами заведовали первосвященники, потомки Иешуа. Эти духовные правители заботились только об исполнении храмовых обрядов, о богослужении и жертвоприношениях, но ничего не делали для укрепления расшатанного общественного строя и улучшения благосостояния разоренного народа. Окруженные инородцами внутри страны, иудеи стали сближаться и даже родниться с ними. Вопреки запрещению Моисеева закона, многие брали себе в жены дочерей моавитов, аммонитов и самаритян; дети от этих браков говорили на языке своих матерей и не умели говорить по-еврейски. Тогдашний пророк Малеахи (последний из иудейских пророков) указывал народу на его заблуждения и порицал дурных священников, которые не исполняли своей главной обязанности — быть учителями и руководителями народа. Он предсказывал, что явится скоро «вестник Бога», великий преобразователь, который очистит и обновит всю народную жизнь.

Этот преобразователь явился из «страны пленения»: то был Эзра, потомок еврейских первосвященников, живший в Вавилонии. Он был известен своею ученостью и умением переписывать священные книги; за это он получил прозвище Софер (книжник или писец). Узнав об упадке еврейской общины в Иерусалиме, Эзра решил переселиться туда с целью побудить иерусалимцев к переустройству общественной жизни. Персидский царь Артаксеркс I дал ему полномочие назначать в Иудее начальников и судей, которые бы управляли народом на основании законов Моисеевых. Вместе с Эзрою переселились в Иудею около полутора тысяч вавилонских евреев (458 г.). Прибыв с ними в Иерусалим, Эзра созвал многолюдное народное собрание на площади, перед храмом. Здесь он произнес пламенную речь, в которой увещевал народ устроить свою жизнь в духе великих заповедей Моисеева учения и не смешиваться с чужими племенами. Эзра требовал, чтобы иудеи, которые имели иноплеменных жен, немедленно развелись с ними. Многие поспешили исполнить это требование: иноплеменницы были отпущены и возвратились к своим родным. Это навлекло на иудеев ненависть соседних племен. Моавиты, аммониты и самаритяне стали беспокоить своими набегами жителей Иерусалима и разрушали город. Иерусалим не был укреплен, и жители его не могли защищаться против нападений врагов. Для того, чтобы преобразовать духовную жизнь еврейского народа, как хотел Эзра, нужно было прежде укрепить государство и его столицу. Эту работу взял на себя другой великий деятель, Нехемия.

96. Нехемия жил в столице Персии, Шушане (Сузы) и занимал должность виночерпия (чашника) при дворе царя Артаксеркса. Услышав о бедственном положении своих братьев в Иудее, он очень опечалился. Однажды, когда Нехемия подавал вино Артаксерксу, царь спросил его, отчего он так печален. Нехемия отвечал: *«Как же мне не печалиться, когда город, где находятся могилы моих предков, разрушен?»*. Сочувствуя горю Нехемии, царь позволил ему поехать на время в Иерусалим, укрепить город и ввести в Иудее новые порядки. При этом Нехемия получил звание наместника (пеха) Иудеи.

В 445 году Нехемия прибыл в Иерусалим и тотчас стал призывать жителей к дружной работе по укреплению города. В течение почти двух месяцев народ работал, днем и ночью, над возведением крепостной стены вокруг столицы. Враги иудеев, в особенности самаритяне со своим начальником Санбалатом во главе, старались всеми способами мешать этим работам и даже нападали на строителей; но Нехемия вооружил всех рабочих и велел одной части охранять стену в разных пунктах, в то время как другая часть работала над постройкой. Среди рабочих были и такие, которые одной рукой клали камни, а другою держали меч для защиты. После двухмесячных напряженных трудов крепостная стена вокруг Иерусалима была готова, а вскоре были восстановлены и разрушенные городские ворота. У ворот была поставлена стража. Ворота запирались на ночь и открывались только утром, «когда солнце уже грело». Иудейская столица, прежде беззащитная, стала теперь укрепленным и замкнутым городом и внушала некоторый страх окрестным племенам.

Когда крепостная стена вокруг столицы была возведена, приступили к постройке разрушенных домов внутри города. Так как в Иерусалиме было очень мало жителей, то Нехемия перевел туда часть населения из деревень. В то время в Иудее был продолжительный неурожай хлеба, и народ бедствовал. Богачи, у которых были большие хлебные запасы, давали неимущим хлеб в долг; но когда бедные должники не могли возвращать к сроку полученные ссуды, заимодавцы отнимали у них дома и имущество, а иногда обращали в рабство самих должников. Возмущенный этим, Нехемия заставил богачей прекратить свои жестокие поступки, отпустить на волю бедных должников и возвратить им отобранное имущество.

Водворив, таким образом, некоторый внешний порядок в стране, Нехемия соединился с Эзрою для совместной духовной деятельности. В начале осеннего месяца Тишри они созвали в Иерусалиме многолюдное народное собрание, состоявшее из мужчин и женщин. Эзра громогласно прочел пред собравшимися на площади ряд глав из Торы (Пятикнижия), поручив левитам подробно растолковать прочитанное народу. Народ был глубоко тронут. Все присутствовавшие поднялись со своих мест в знак благоговения перед словом Священного Писания; слезы текли из глаз слушателей, которые теперь поняли, как сильно уклонились они в жизни от высоких нравственных заповедей Торы. 24 Тишри было назначено днем всенародного покаяния. Все постились в этот день и облеклись в траурную одежду. Левиты, обращаясь к народу, изображали в ярких красках все его прошлое, все его великие подвиги и роковые ошибки. После этого взволнованным слушателям был прочитан письменный «договор», которым все они клятвенно обязались точно соблюдать законы и заповеди Торы. Под этим договором подписали свои имена представители народа, священники и левиты.

Позже Нехемия принял меры к тому, чтобы иудеи, оставившие еще у себя инородных жен, удалили их, чтобы народ строго соблюдал закон о субботнем отдыхе и чтобы дурные священники были удалены от храмовой службы. Один из главных священников Менаша, женившийся на дочери начальника самаритян Санбалата, был изгнан из Иерусалима (около 430 г.).

Тогда начальник самаритян построил для своего племени особый храм на горе Гаризим, близ города Сихема, и назначил Менашу первосвященником в этом храме. С тех пор самаритяне все более отдалялись от иудеев в своих верованиях и образе жизни. Из всего Священного Писания они признавали только Пятикнижие Моисеево и книгу Иошуа, но и в этих книгах они потом многое изменили. Самаритяне еще долгое время враждебно относились к иудеям и старались вредить им при всяком удобном случае.

97. Великий Собор; Пурим. После возвращения из вавилонского плена деятельность прежних учителей народа, пророков, постепенно прекратилась. Малеахи был последним пророком иудейским. Вместо пророков стали действовать ученые люди, знатоки Моисеева закона и древних священных книг. Эти люди, называвшиеся «книжниками» (софрим), следовали примеру Эзры: они знакомили народ с законами религиозно-нравственными и общественными, хранившимися в книгах и в устных преданиях. Подвластная Персии, Иудея управлялась во внутренней жизни по законам Моисеевым. Во главе еврейского народа стояли первосвященники, которые управляли с помощью верховного совета, или собрания старейшин. Этот совет назывался Великим Собором (Кнесет гагдола) и состоял из ученых законоведов и лучших представителей народа. Древнее предание говорит, что члены Великого Собора ставили себе в своей деятельности следующие три цели: утвердить милость и правду в суде, распространить знание и «сделать ограду вокруг Торы», то есть ограждать древние законы новыми строгими правилами. Великий Собор назначал судей, которые решали всякие споры между гражданами на основании библейских законов. Собор заботился также о воспитании и обучении юношества и о распространении в народе умения читать и писать. Чтобы облегчить чтение книг, были изменены формы еврейских письмен. Вместо древних, очень трудных письменных знаков, были введены в употребление красивые квадратные буквы, удобные для чтения (этот новый шрифт, употребляющийся с тех пор у евреев, называется «квадратным» или «ассирийским»). Благодаря этим мерам Великого Собора и книжников, знание библейской письменности все более распространялось в народе.

В течение целого столетия после смерти Эзры и Нехемии иудеи жили спокойно на своей земле под верховным владычеством Персии. Персидские цари не вмешивались во внутренние дела Иудеи и довольствовались тем, что получали от жителей ее установленную ежегодную дань. В самой Персии и подвластной ей Вавилонии также находились в то время многолюдные еврейские общины, которые пользовались покровительством персидских властей. Только об одном случае преследования евреев в Персии рассказывает библейское предание. При дворе персидского царя Ахашвероша (Ксеркса), в Шушане, находился один сановник, по имени Гаман, который ненавидел евреев. Однажды он сказал царю: «*Есть один народ, рассеянный и разбросанный во всех областях царства твоего; обычаи его отличаются от обычаев других народов, а царских законов он не исполняет. Если царю угодно, пусть будет отдан приказ уничтожить всех евреев*». Ахашверош тотчас издал указ, разрешающий персам грабить и убивать евреев, живущих в городах персидского государства. Евреям в Персии грозило полное истребление. Тогда в защиту гонимого народа выступил Мордохай, один из почетнейших евреев Шушана, стоявший близко к царскому двору и некогда оказавший царю важную услугу. У Мордохая была родственница, воспитанная им сирота, по имени Эстерь (Эсфирь), которая благодаря своей красоте попала в царский дворец и сделалась любимейшей женой Ахашвероша. Узнав от Мордохая о страшной участи, ожидающей ее соплеменников, Эстерь употребила все свое влияние на царя, чтобы предотвратить несчастье. Прежде далекая от еврейства, она теперь почувствовала свое кровное родство с ним. Эстерь просила царя отменить указ об избиении евреев, причем открыла ему все злодейские козни Гамана. Ахашверош, убедившись в правдивости ее слов и вспомнив о заслугах Мордохая, исполнил просьбу любимой царицы: он велел повесить зачинщика зла — Гамана, а евреям разрешил устроить повсюду самооборону против врагов, которые готовили им гибель. Кончилось тем, что в день, назначенный Гаманом для разгрома евреев (13 Адара), последние с оружием в руках напали на погромщиков и уничтожили их как в провинции, так и в столице Шушане. В память спасения персидских евреев от грозившей им гибели установлен был ежегодный праздник Пурим, доныне соблюдаемый еврейским народом в 14-й день месяца Адара (за месяц до Пасхи). В этот праздник в синагогах читается библейская книга «Эстерь» («Эсфирь»), где подробно описано упомянутое событие.

98. Состав Библии. Ученый Эзра и его последователи, книжники, начали собирать те духовные богатства еврейского народа, которые были созданы в прежние времена. Много великих учителей появилось среди евреев начиная с Моисея и кончая последними пророками. Их учения и пророчества частью сохранялись в письменных памятниках, частью передавались устно из рода в род; многое с течением времени было затеряно или забыто и не дошло до позднейших поколений. Чтобы сохранить уцелевшие памятники, Эзра и книжники стали деятельно собирать их, приводить в порядок и записывать то, что еще не было записано.

Так составилась величайшая книга мира — Тора, или Библия, этот первый источник еврейского вероучения, законодательства и древнейшей истории народа. Собранная и приведенная в порядок, библейская письменность была расположена по следующим трем отделам:

Первый отдел: Пятикнижие, или Учение Моисеево (по-еврейски Торат-Моше). Оно состоит из пяти книг. В первой («Книга Бытия», Берешит) рассказывается о жизни людей от сотворения мира до праотца Авраама и о жизни еврейского народа от Авраама до смерти Якова и Иосифа в Египте. Во второй книге («Исход», Шемот) рассказывается о страдании израильтян в Египте, о Моисее, исходе из Египта, о Синайском откровении и об устройстве «скинии собрания» в пустыне, причем излагаются главные законы Моисеевы. Третья книга («Левит», Ва'икра) содержит в себе преимущественно законы о жертвоприношениях в храме, о праздниках, об отношениях семейных и общественных. В четвертой книге («Числа», Ба'мидбар) описывается время скитания евреев в пустыне, между Египтом и Ханааном. В пятой книге («Второзаконие», Дебарим) повторяются главные законы, изложенные в предыдущих книгах, с прибавлением новых законов и правил в форме высоких нравственных поучений, завещанных Моисеем незадолго до своей смерти.

Второй отдел: Пророки (Небиим). Этот отдел распадается на две части. В первой, состоящей из книг «Иошуа», «Судей», «Самуила» и «Царей», рассказывается семивековая история еврейского народа, от вступления его в Ханаан при Иошуа до разрушения Иерусалима Невухаднецаром и увода иудеев в вавилонский плен. Вторая часть содержит книги трех «больших» пророков — Иешаи, Иеремии и Иехезкеля — и двенадцати «малых» пророков: Гошеи, Иоэля, Амоса, Обадии, Ионы, Михи, Нахума, Хавакука, Цефании, Хагая, Захарии и Малеахи. Возвышенные речи пророков, собранные в этих книгах, составляют существенное дополнение к учению Моисееву, изложенному в Пятикнижии. Тора и речи пророков составляют вместе полное учение библейского иудаизма.

Третий отдел: Писания (Кетубим). Здесь собраны как древние, так и позднейшие религиозно-нравственные, поэтические и философские книги евреев. В начале помещена обширная книга «Псалмов», или религиозных гимнов, из которых многие пелись в храмах левитскими хорами; значительная часть этих псалмов носит имя царя Давида и связана с событиями его жизни. Затем следует «Книга Притчей Соломоновых», заключающая множество мудрых нравоучений и правил поведения. К ней примыкает «Книга Иова», где рассказана судьба страдальца Иова, лишившегося всех благ земных и рассуждающего о ничтожности человеческой жизни; в форме бесед между Иовом и его друзьями здесь развивается глубокомысленная нравственная и религиозная философия. Следующие затем пять небольших книг называются у евреев «свитками» («мегиллот»). В «Песне Песней» воспеваются от имени царя Соломона красоты природы, любовь и счастье юности; в «Экклезиасте» (Когелет) тот же царь в старости предается мрачным размышлениям о бесцельности жизни. Маленькая книга «Руфь» (Рут) изображает мирную сельскую жизнь во времена судей, а в «Плаче Иеремии» (Эйха) воспеваются страдания иудеев во время разрушения Иерусалима вавилонянами. Книга «Эсфирь» («Эстер») содержит повесть об избавлении евреев в Персии от опасных козней Гамана. Последняя часть отдела «Писаний» состоит из позднейших летописей: «Даниила», «Эзры» и «Нехемии», где рассказывается о жизни евреев в эпохи вавилонского и персидского владычества. В конце помещена безымянная летопись («Хроники», «Дибре га'ямим»), где вкратце повторена история евреев от древнейших времен до конца вавилонского пленения.

Таков состав библейской письменности, являющейся плодом духовной деятельности еврейского народа в течение целого тысячелетия. Эта древнейшая письменность содержит самые возвышенные и самые глубокие истины религии, нравственности и общежития. Вот почему Библия сделалась священною книгою не только для создавших ее евреев, но и для всех народов мира, исповедующих единобожие. Даже древний еврейский язык, на котором она написана, — язык красивый, образный и сильный, — получил название «священного языка».

Хронологическая таблица царей

Общееврейские цари:

Саул (ок. 1067 — 1055 гг.)
Давид (ок. 1055 — 1015 гг.)
Соломон (ок. 1015 — 977 гг.)

Иудейские цари (из рода Давида)	Израильские цари	
Рехавеам (977 — 960)	Иеровеам I (977 — 955)	
Авиам (960 — 957)	Надав (955 — 954)	
Аса (957 — 918)	Баша (954 — 933)	
Иосафат (918 — 894)	Эла (933 — 932)	
Иегорам (894 — 887)	*Междуцарствие (932 — 928)*	
Ахазия (887)	Омри (928 — 922)	Династия Омри
Аталия (царица, 886 — 880)	Ахав (922 — 901)	
Иоаш (881 — 843)	Ахазия (901 — 899)	
Амация (843 — 815)	Иорам (899 — 887)	
Междуцарствие (815 — 805)	Иегу (886 — 860)	Династия Иегу
Узия (805 — 754)	Иегоахаз (860 — 845)	
Иотам (754 — 739)	Иегоаш (845 — 830)	
Ахаз (739 — 724)	Иеровеам II (830 — 769)	
Хизкия (724 — 695)	Захария (769)	
Менаша (695 — 640)	Менахем (768 — 757)	
Амон (640 — 638)	Пекахия (757 — 755)	
Иошия (638 — 608)	Пеках (755 — 735)	
Иоаким (608 — 597)	Гошеа (734 — 724)	
Иоахин (597)		
Цидкия (596 — 586)		

ЧАСТЬ II

ПОБИБЛЕЙСКАЯ ИСТОРИЯ НА ВОСТОКЕ

От начала греческого владычества в Иудее до конца эпохи гаонов в Вавилонии (332 г. до хр. эры — 1040 г. после хр. эры)

Древняя история и эпоха Талмуда

1. Вступление. Древнейший (библейский) период своей истории еврейский народ пережил среди народов Востока, в соседстве с Египтом, Сирией, Ассирией, Вавилонией и Персией. Вавилония и Персия одна за другой утверждали свое владычество в еврейском государстве. Ассирия разрушила одну его половину — Израильское царство (время вавилонского пленения), а Персия двести лет держала Иудею под своей верховной властью. Но вот наступил конец и персидскому владычеству. Великий греческий завоеватель Александр Македонский разрушил персидскую монархию — и в Передней Азии установилось греческое владычество (332 г. до христ. эры).

С этого времени начинается древний (побиблейский) период еврейской истории, совпадающий с древним греко-римским периодом во всемирной истории. Еврейский народ, оставаясь на Востоке, в течение многих веков вращается преимущественно среди образованных народов Запада — греков и римлян. Он отчасти подвергается их культурному влиянию и в свою очередь влияет на язычников своей религией чистого монотеизма (единобожия), он борется с политическим гнетом Рима и, наконец, в неравной борьбе, совершенно теряет свою государственную самостоятельность (70 г. христ. эры). С тех пор еврейская нация продолжает жить в качестве политически зависимой, но внутренне свободной народности, имеющей свое самоуправление (автономию). В двух главных ее центрах — Палестине и Вавилонии — руководителями самоуправления являются патриархи и экзилархи. В эту эпоху, включающую конец древности и начало средних веков (70—1040 гг.), созидается и вводится в жизнь

Талмуд, второй после Библии духовный устой еврейства, отчего вся эпоха получила название «талмудической». В последние столетия этой эпохи евреи Палестины и Вавилонии живут уже под владычеством арабов, исповедующих религию ислама.

Глава I

Иудея под греческим владычеством
(332–167 гг. до хр. эры)

2. Александр Македонский. Двести лет продолжалось господство Персии в Иудее и во всей Передней Азии. Но наконец могущественное персидское государство, основанное Киром, распалось, и власть в Азии перешла к грекам. Великий греческий завоеватель Александр Македонский одержал победу над персами и подчинил себе все подвластные им страны, в числе которых были Сирия и Иудея (332 г.). Сначала евреи отказались подчиниться греческому завоевателю, не желая нарушить присягу на верность персидскому царю. Но когда Александр с отрядом войск приблизился к Иерусалиму, чтобы наказать его непокорных жителей, они убедились, что сопротивление грозному победителю будет напрасно. И вот евреи выслали навстречу Александру посольство для изъявления покорности. Предание рассказывает, что первосвященник Яддуа и другие священнослужители, все в великолепных храмовых нарядах, вышли из Иерусалима навстречу Александру. За ними следовали именитые представители иерусалимского общества. Увидев еврейское посольство, Александр сошел с коня и низко поклонился шедшему впереди первосвященнику. На вопрос своего полководца, почему он первый поклонился духовному начальнику евреев, царь ответил: *«Когда я был еще в Македонии и мечтал о покорении Азии, явилось мне однажды во сне видение, весьма похожее на образ встретившего нас первосвященника, и предсказало мне, что мое предприятие окончится победой и славой. Теперь, при виде иудейского первосвященника, вспомнил я о своем сновидении — и в его лице я поклонился Богу, жрецом которого он состоит».* Предание прибавляет, что Александр в сопровождении первосвященника въехал в Иерусалим и посетил храм, где принес жертву Богу Израиля.

Присоединив Иудею к своим владениям, Александр Македонский оставил жителям внутреннюю их свободу: он позволял им исповедовать свою религию и управляться по своим законам, как было при персидском господстве. По тогдашнему обычаю, все подвластные Александру народы помещали его статуи в своих храмах, но евреи не могли поставить его статую в иерусалимском храме, так как религия запрещала им держать в храмах какие бы то ни было изображения. Взамен этого они оказали честь македонскому царю тем, что дали всем своим мальчикам, родившимся в течение одного года, имя Александр. Царь остался доволен этим и даровал евреям новые льготы. Он освободил жителей Иудеи от платежа земельных податей в «субботние годы» (шемита), когда поля не обрабатывались, молодых иудеев, служивших в его войсках, он освобождал от работ по субботам. — Иудея была включена в состав области Келесирия (Нижняя Сирия). Управлять этой областью Александр поручил своему наместнику Андромаху, который жил в городе Самарии. Враги иудеев, самаритяне, недовольные управлением Андромаха, возмутились и убили его. Узнав об этом, Александр жестоко наказал восставших самаритян, изгнал их из Самарии и населил этот город македонцами. Некоторые пограничные самарийские земли он подарил верным ему жителям Иудеи.

Завоевав Египет, Александр Македонский основал там, на берегу Средиземного моря, знаменитый торговый город Александрию, и населил этот город греками и евреями. Многие жители Иудеи добровольно переселялись в Александрию и пользовались там всеми гражданскими правами, наравне с греками.

3. Птолемей Лаги. Недолго просуществовала великая империя Александра Македонского, разбросанная в трех частях света — Европе, Азии и Африке. Когда Александр умер (323 г.), его полководцы стали воевать друг с другом из-за обладания покоренными землями. Один из главных полководцев Александра, грек Птолемей Лаги, взял себе Египет, но не довольствуясь этим, он вторгнулся с большим войском в Сирию и Иудею, вступил в Иерусалим и увел оттуда в Египет многих жителей. По рассказу летописцев, Птолемей так легко взял Иерусалим потому, что напал на него в день субботний, когда евреи не могли сопротивляться врагу с оружием в руках вследствие закона о субботнем покое.

После многолетних смут земли Передней Азии и Северной Африки были разделены между двумя греческими полководцами: Египет и Иудея остались за Птолемеем, а Сирия, Малая Азия и Вавилония достались военачальнику Селевку. Птолемей основал в Египте царскую династию Лагидов и сделал своей столицей город Александрию; Селевк сделался родоначальником греко-сирийских царей, столицей которых была Антиохия, в Малой Азии. Подвластные ему евреи Сирии и Вавилонии усвоили себе особое летосчисление, начиная с года воцарения Селевка I (312 г. до христ. эры). В течение нескольких столетий употребляли они это летосчисление, особенно в письменных договорах и документах (оно поэтому называется в еврейских книгах «миниан шторот», т. е. эра договоров). Сирийские правители из рода Селевка не могли мириться с мыслью, что принадлежащая им по праву соседняя Иудея досталась египтянам, и всегда искали случая отвоевать эту землю. Но египетские цари еще долго держали Иудею под своей властью.

Птолемей I Лаги (304—283 гг.) обращался справедливо с покоренными им народами, и в том числе с евреями. Уведенных им раньше из Иудеи пленных он поселил в своей столице Александрии и предоставил им все гражданские права, наравне с греками. Способнейших еврейских воинов он назначал начальниками армии и вверял им охрану крепостей. Многие добровольно приходили из Иудеи в Египет и поселялись там. Но египтяне-туземцы враждебно относились к евреям, как к иноплеменникам, вторгнувшимся в страну вместе с покорителями-греками. В самой Иудее Птолемей оставил за жителями ту же свободу управления, какою они пользовались под владычеством Персии. Внутренними делами заведовал здесь первосвященник иерусалимский, при помощи совета старейшин («герузия»). Первосвященник был представителем Иудеи перед египетским правительством, он обязан был вносить ежегодно в царскую казну подать от евреев в размере 20 талантов серебра (около 40000 рублей).

4. Птолемей II Филадельф. После Птолемея I царствовал в Египте его сын Птолемей II Филадельф (283—247 гг.). Положение евреев при этом царе еще улучшилось. Птолемей Филадельф, окружавший себя греческими учеными и поэтами, заботился о насаждении в своей стране наук и искусств. При его дворце в Александрии находился величайший в мире музей, где были собраны литературные и художественные произведения всех народов. Предание рассказывает, что Пто-

лемей, узнав о высоких достоинствах еврейских священных книг, пожелал с ними познакомиться и получить точный греческий перевод их для своего богатого книгохранилища. Он написал письмо к первосвященнику Элеазару в Иерусалим и просил прислать в Александрию сведущих людей, способных перевести еврейские книги на греческий язык. Вместе с этим письмом царь прислал и щедрые пожертвования в пользу иерусалимского храма. Элеазар охотно исполнил желание Птолемея и отправил к нему ученых, в числе 72 человек, одинаково сведущих по-еврейски и по-гречески, которые повезли с собою для перевода подлинник Торы, или Пятикнижия. Переводчики удостоились в Александрии блестящего приема. Царь много беседовал с ними и удивлялся их мудрости. Им отвели особый дворец на острове Фарос, близ Александрии, и там, среди полной тишины, работали они над переложением Моисеевых книг на греческий язык. Предание прибавляет, что переводчики были размещены в 72 отдельных комнатах так, чтобы они не могли между собою сообщаться, каждый переводил самостоятельно текст Пятикнижия, — и тем не менее когда по окончании работ были сличены все переводы, оказалось, что они совершенно одинаковы во всех выражениях. Перевод был представлен Птолемею в присутствии старейшин египетских евреев. Эти старейшины испросили позволение списать копию с перевода для распространения в своих общинах, где евреи говорили по-гречески.

В позднейшее время были переведены на греческий язык и все остальные книги Библии. По этим переводам образованные греки и римляне знакомились с религиозной письменностью евреев. Греческий перевод Библии был известен впоследствии под именем «Септуагинта» (перевод 70 толковников).

5. Птолемей III и IV. Преемником Птолемея Филадельфа был Птолемей III Эвергет (246—221 гг.). При нем Иудее угрожала большая опасность. Сирийские цари из династии Селевкидов воевали тогда с Египтом и хотели отнять у него Иудею. Сирийцы склонили на свою сторону иерусалимскую знать и первосвященника Хония II, уговорив их отказаться от платежа дани египетскому царю. Птолемей Эвергет отправил в Иерусалим посла со строгим требованием — немедленно уплатить ежегодную подать в 20 талантов, грозя в противном случае наказать иудеев и раздать их земли греческим поселенцам. Жители Иерусалима разделились на партии; сторонники египетского владычества были недовольны поведением знати и первосвященника. Представитель этой партии, молодой племянник первосвященника Иосиф бен-Товия, отправился в Александрию, чтобы смягчить гнев Птолемея. Льстивыми речами и богатыми подарками Иосиф успел расположить к себе царя и убедить его в верности иудейского народа.

Птолемей назначил Иосифа главным сборщиком податей в Палестине. Отряд из двух тысяч солдат был отдан в распоряжение Иосифа для содействия ему в деле сбора податей. Двадцать два года заведовал Иосиф этим делом в Иудее и пограничных землях; он усердно исполнял свою обязанность и обогащал египетскую казну, но в то же время и сам обогащался. Как царский уполномоченный он имел большое влияние на ход управления в Иудее. При нем в стране завелись греческие порядки, евреи из богатых классов стали подражать образу жизни греков, предавались роскоши и праздности и все более утрачивали скромные еврейские нравы.

Враждебное отношение к евреям впервые проявилось при царе Птолемее IV Филопаторе (221—205 гг.). При нем сирийцы снова попытались завоевать Иудею.

Сирийский царь Антиох III Великий уже завладел Галилеей и землями к востоку от Иордана, но вскоре явился Птолемей Филопатор, разбил сирийцев у Рафии и отнял у них завоеванные земли (217 г.). Послы от иудейского народа пришли поздравить египетского царя с победой. Царь изъявил желание посетить Иерусалим и принести жертву в храме. Войдя в передний покой храма, он захотел идти дальше, во внутреннее святилище (святая святых), куда по закону доступ разрешался только первосвященникам. Ни просьбы священнослужителей, ни ропот собравшегося народа не могли отклонить царя от этого намерения. Но едва только царь ступил на порог священного покоя — рассказывает предание — как вдруг ноги его подкосились, и он упал в изнеможении на пол, так что из храма пришлось его вынести на руках. С тех пор он возненавидел евреев и их веру.

Возвратясь в Египет, Филопатор издал указ, что тот, кто не участвует в языческом богослужении по греческому обряду, не может пользоваться гражданскими правами. В силу этого указа евреи в Египте лишились дарованного им раньше гражданского равноправия и были поставлены в унизительное положение. Не довольствуясь этим, царь прямо преследовал евреев, не желавших исполнять языческие обряды. Однажды он велел согнать массу евреев на площадь и напустить на них диких слонов, но когда взбешенных слонов погнали на людей, последние испустили такой крик ужаса, что животные испугались, бросились назад и раздавили сопровождавшую их стражу и многих зрителей-египтян. Предание прибавляет, что это происшествие так подействовало на царя, что он после того перестал преследовать евреев.

6. Симон Праведный и Иошуа Бен-Сира. В то время в Иерусалиме жил первосвященник Симон Пра-

ведный (Шимон га-Цадик), преемник вышеупомянутого Хония II. Предание прославляет его как лучшего из первосвященников. Оно рассказывает, что Симон участвовал еще в деятельности Великого Собора в последнее время его существования. Немногие из них заботились так о благе своего народа, как Симон Праведный. Он был не только духовным руководителем евреев, но и мудрым светским правителем. Благодаря его неутомимой деятельности вокруг Иерусалима были воздвигнуты сильные укрепления для защиты города от неприятеля, а повреждения в здании храма были исправлены, в столицу была проведена, через подземные каналы, вода из загородных источников. Как высший духовный пастырь, Симон насаждал в народе веру и добрые нравы. В древней письменности сохранилось одно из его изречений: *«На трех вещах держится мир: на учении Божием, на служении Богу и на добрых делах»*, т. е. на знании, вере и нравственности.

Иудейский мудрец Иошуа Бен-Сира (Сирахид), современник Симона Праведного, с восторгом вспоминает о славной деятельности этого первосвященника. Благочестивый Иошуа с горестью видел, как в еврейскую жизнь проникают испорченные греческие нравы, как чистая вера и нравственные добродетели евреев слабеют под влиянием эллинского язычества. Для поучения соплеменников написал он свои замечательные «Притчи Иошуа, сына Сираха» (Мишле Бен-Сира), вошедшие в состав добавочных библейских книг (Апокрифы). В этой книге, составленной по образцу «Притчей Соломона», Иошуа дает мудрые правила на все случаи жизни. Он доказывает, что роскошь и высокомерие губят людей, что только жизнь скромная, чистые нравы и трудолюбие приносят людям счастье и покой; он прославляет знание, как источник высших благ. Он рисует образы великих царей, героев и мудрецов, вышедших из среды еврейского народа в прежние времена, и доказывает, что позднейшие поколения должны брать с них пример.

В поучениях Бен-Сиры заметно стремление противодействовать «эллинской мудрости», несогласной с началами иудаизма. Так, против учения греческих философов о «судьбе» или «роке», управляющем поведением людей, Бен-Сира выдвигает начало свободы воли и ответственности каждого за свои поступки. Вот его слова: *Не говори: из-за Бога я согрешил. Бог сначала создал человека, а затем предоставил его собственным побуждениям. Перед человеком жизнь и смерть, и что ему нравится — то ему будет дано*. Автор «Притчей» советует воспитывать детей строго, приучать их к труду и сознанию долга, а не к забавам и веселью, как у греков. Он советует каждому быть умеренным в удовольствиях, заботиться о сохранении своего здоровья и ясности ума. — Книга Бен-Сиры, написанная по-еврейски, была впоследствии переведена на греческий язык. Этот греческий перевод сохранился, между тем как еврейский подлинник с течением времени затерялся[1].

7. Начало сирийского владычества. Когда умер Птолемей Филопатор, сирийский царь Антиох III Великий, из рода Селевкидов, снова задумал отнять Иудею у Египта. На этот раз ему удалось достигнуть цели. Евреи, раздраженные жестоким правлением Филопатора, поддерживали предприятие сирийского царя, они доставляли продовольствие сирийским войскам, шедшим против Египта, прогнали из Иерусалима египетский гарнизон и облегчили Антиоху завоевание страны. После продолжительной войны Иудея сделалась провинцией Сирийского государства и перешла под

---

[1] Сравнительно недавно найдены в Каире остатки еврейского подлинника «Притчей» Бен-Сиры в старинных списках.

власть Селевкидов (201 г.). Антиох Великий относился очень хорошо к евреям. Он дозволил им управляться по собственным законам, под главенством первосвященника и совета старейшин, уменьшил размер платимых жителями податей, позволил отстроить разрушенные во время последней войны стены Иерусалима и приказал выдавать ежегодно из государственной казны значительную сумму на нужды иерусалимского храма. К несчастью, Антиох вскоре затеял войну с могучей Римской республикой — и потерпел поражение. При заключении мира он обязался уплатить римлянам огромную денежную пеню. Нуждаясь в деньгах, Антиох задумал увезти сокровища, хранившиеся в языческом храме города Элиманды, в Месопотамии, но жители города, возмущенные этим, убили царя и его спутников (187 г.).

На сирийский престол вступил старший сын Антиоха, Селевк IV (187—175 гг.). В то время в Иерусалиме состоял первосвященником Хоний III, человек благочестивый, заботившийся о том, чтобы евреи исполняли законы своей веры и не подражали языческим нравам греков. Он изгнал из Иерусалима одного из надзирателей храма — Симона, поклонника греческих порядков, и его друзей-единомышленников. Изгнанные решили отомстить первосвященнику. Симон довел до сведения сирийского царя, что в иерусалимском храме хранятся несметные богатства. Селевк IV, нуждавшийся тогда в деньгах, немедленно послал в Иерусалим своего казначея Гелиодора с приказом забрать находящиеся в храме богатства. Напрасно убеждал Гелиодора первосвященник Хоний, что храмовая казна не очень велика и состоит большей частью из денег, которые отдавались на хранение вдовами и сиротами; Гелиодор отвечал, что обязан исполнить царский приказ. Но когда он приступил к исполнению своего бесчестного намерения, ему неожиданно что-то помешало. Народная молва гласила, что Гелиодор, переступив порог святилища, увидел высокого всадника на коне, сопровождаемого с обеих сторон двумя юношами чудной красоты. Конь наступил на Гелиодора и ударил его своими копытами, а юноши хлестали дерзкого язычника бичами. Еле живой от испуга, вышел Гелиодор из храма и вскоре удалился в Сирию. Между тем предатель Симон донес Селевку, что первосвященник виноват в неудаче Гелиодора. Боясь царского гнева, Хоний отправился в столицу Сирии, Антиохию, чтобы оправдаться перед царем, но по дороге узнал, что Селевк внезапно умер. На сирийский престол вступил младший брат Селевка, Антиох IV Эпифан.

8. Язон и Менелай. В то время раздоры между различными партиями в Иудее усилились. Сближение с сирийскими греками, которых много жило в Палестине, произвело большие перемены в старой еврейской жизни. Многие евреи, особенно из высших классов, увлекались веселым образом жизни и вольными нравами греков, их театрами и публичными зрелищами, и ради этого часто отказывались от своих народных обычаев. В жизни древних эллинов, коренных обитателей Греции, были наряду с дурными сторонами и хорошие, как например любовь к гражданской свободе, наукам, изящным искусствам, но среди позднейших греков, населявших во время Селевкидов Сирию и Малую Азию, эти лучшие качества были весьма слабы, а выступали наружу худшие, грубые языческие верования, распущенность нравов, погоня за наслаждениями, страсть к роскоши. Такие наклонности были противны духу иудаизма. Моисеевы законы предписывали евреям вести скромную жизнь, соблюдать чистоту нравов, воздерживаться от роскоши, не гнаться за удовольствиями, служить невидимому Единому Богу, творцу природы, а не идолам, изображающим разные силы природы. Таким образом евреи, подражавшие греческим обычаям, являлись отщепенцами от своей веры и народности. Эти евреи назывались эллинистами, т. е. любителями греческих порядков. Против них действовала партия правоверных под названием хасидеев (благочестивцы). Хасидеи были пламенными ревнителями еврейской веры и строгими исполнителями ее законов, они не позволяли себе никакого общения с язычниками и даже запрещали светское образование, которое называли «греческой мудростью». Хасидеи в свою очередь впадали в крайность, отвергая в эллинизме даже лучшие его стороны и воздерживаясь от всякого общения с иноземцами.

Во главе хасидеев стоял первосвященник Хоний III, а его родной брат Иошуа стоял во главе эллинистов. Иошуа переделал и свое имя на греческий лад, назвав себя Язоном. Он задумал отнять сан первосвященника у своего брата Хония и ввести в Иудее новые, греческие порядки. В то время вступил на сирийский престол Антиох Эпифан, жестокий правитель, стремившийся к тому, чтобы все народы его государства усвоили греческие обычаи. К этому закоренелому язычнику и врагу евреев отправился Язон и предложил ему значительную сумму денег за то, чтобы царь назначил его, эллиниста, первосвященником в Иерусалиме, вместо Хония. Антиох охотно исполнил его просьбу. Хоний был лишен сана, а Язон занял место первосвященника (174 г.). Тогда он стал вводить в Иудее новые порядки. Он изменил на греческий лад воспитание еврейского юношества и устроил в Иерусалиме «гимназию», где молодые люди занимались не науками, а только гимнастическими играми и упражнениями. Даже иные священники покидали службу в храме и принимали участие в этих играх. Однажды, когда в Тире происходили обычные у греков олимпийские игры в присутствии царя, Язон отправил туда посольство с большой суммой денег на принесение жертвы греческому полубогу Геркулесу.

Новый первосвященник недолго пользовался властью. В Иерусалиме жил хитрый и честолюбивый человек, из партии крайних эллинистов по имени Менелай. Однажды Язон поручил ему отвезти ежегодную дань царю Антиоху. Пользуясь случаем, Менелай лестью и хитростью приобрел расположение царя и выпросил у него для себя сан первосвященника, обещая платить больше дани, чем Язон. Антиох согласился, отнял у Язона сан первосвященника, а на его место поставил Менелая. Чтобы доставить царю обещанную дань, предатель Менелай забрал из иерусалимского храма множество драгоценных сосудов и отвез их в Антиохию. Здесь встретил его бывший первосвященник, старец Хоний, и уличил его в расхищении храмовых сокровищ. Тогда Менелай совершил новое злодейство; он подослал к Хонию одного своего приятеля — грека, который куда-то заманил старца и убил его. Весть о злодействах Менелая возмутила жителей Иерусалима. Разъяренная толпа убила брата Менелая, Лизимаха, расхищавшего храмовые сокровища. Послы от иерусалимцев поехали к Антиоху, чтобы жаловаться на Менелая, но жестокий царь велел казнить этих послов.

Вскоре Антиох отправился в поход против Египта. В Иерусалиме распространился ложный слух, будто царь убит в этой войне. Иерусалимцы обрадовались, они под предводительством Язона восстали против Менелая и убили многих из его приверженцев. Испуганный Менелай скрывался в иерусалимской крепости, под охраной сирийских воинов. Узнав о восстании иудеев, Антиох поспешил из Египта с многочисленным войском в Иудею, чтобы наказать жителей за бунт. Рассвирепевший царь ворвался в Иерусалим, разграбил храм, убил в городе несколько тысяч жителей, а многих загнал в другие земли, чтобы продать их в рабство (169 г.). Язон бежал в землю аммонитов. Менелай был снова утвержден в должности первосвященника.

9. Жестокости Антиоха. Усмирив восстание в Иерусалиме, Антиох Эпифан еще усилил свои жестокости против евреев. Антиох ненавидел не только еврейский народ, но и еврейскую религию и мораль иудаизма. Он понимал, что пока евреи будут держаться своих законов и нравов, они будут составлять особую народность, отличную от греческой. Поэтому он решил, что нужно насильственно обратить евреев в язычество и через это слить их с греками. И вот он издал указ, чтобы все евреи обязательно почитали греческих богов и не смели исполнять обрядов своей религии. Повсюду в Иудее устанавливались статуи языческих богов и алтари, на которых приносились в жертву нечистые, по Моисееву закону, животные, в особенности свиньи. Под страхом смертной казни запрещалось праздновать субботу и другие торжественные дни, соблюдать законы о пище и собираться для молитвы в синагогах. Свитки Священного Писания осквернялись и покрывались изображениями языческих богов, или совсем уничтожались. На священном алтаре иерусалимского храма была установлена большая статуя Зевса, главного бога греков, а в 25-й день Кислева 168 года началось богослужение перед этим идолом. Полицейские служители сновали по всей стране и наблюдали за точным исполнением царских приказов. Многие из эллинистов охотно подчинялись богохульным приказам, такие отступники получали почетные должности и щедрые награды. Большинство же народа отказывалось от измены своей религии. Хасидеи искали убежища у соседних племен или скрывались в ущельях Иудейских гор и в пещерах. Из этих убежищ выходили часто наиболее смелые из хасидеев, пробирались окольными путями в города и села и воодушевляли народ, укрепляя его в вере и ободряя колеблющихся.

Немало подвигов самопожертвования во имя веры и народности совершилось тогда в Иудее. Многие предпочитали умереть, чем подчиниться возмутительным приказам сирийского царя. Одного честного старца Элеазара сирийцы уговаривали съесть кусок мяса от животного, принесенного в жертву языческому богу, но старик упорно отказывался нарушить закон своей веры — и жестокие сирийцы мучили его, пока он не умер. Предание рассказывает, что одна мать и семеро ее сыновей содержались в тюрьме за то, что они не хотели отступить от еврейской веры. По приказанию царя их били палками и кнутами, требуя, чтобы они исполняли языческие обряды, но ни мать, ни дети не хотели изменить своей вере. Когда царь потребовал, чтобы они отведали свиного мяса, старший из семи сыновей воскликнул: *«Мы скорее удавимся, чем нарушим закон наших предков!»*. Царь разгневался и велел отрубить смелому юноше язык, руки и ноги и бросить его в кипящий котел в присутствии матери и братьев. Но братья не устрашились, один за другим отказывались они исполнять требования Антиоха — и подвергались мучительным казням. Когда шесть братьев уже были казнены и очередь дошла до седьмого, самого младшего, царь сказал его матери: *«Уговори хоть этого сына, чтобы он слушался меня и тем спас свою жизнь!»*. Тогда мужественная мать обратилась к сыну со словами: *«Не бойся этого злодея и умри добровольно, как умерли братья твои, за Бога и нашу веру!»*. Мальчик был казнен, а вслед затем была казнена и героическая мать.

Больше полугода продолжались эти зверства сирийцев в Иудее. Казалось, что жестокие враги готовили еврейскому народу окончательную гибель. Но в то время, когда бедствия народа достигли высшей степени, среди иудеев появились мужественные люди, которые решили вступить в открытую борьбу с жестоким врагом и освободить свою родину от рабства.

Глава II

Освободительные войны Хасмонеев
(167—140 гг. до хр. эры)

10. Mатафия Хасмоней. В нагорном городке Модеине, недалеко от Иерусалима, жил в то время престарелый еврейский священник Мататия (Матафия), из рода Хасмонеев. У него было пять сыновей: Иоханан, Симон, Иуда, Элеазар и Ионатан. Вся эта семья отличалась глубоким благочестием и горячей любовью к родине. Однажды в Модеин прибыли сирийские чиновники, воздвигли там языческий алтарь и стали принуждать жителей участвовать в языческом богослужении, согласно указу Антиоха. Некоторые нетвердые в вере или недостаточно смелые жители подчинились требованиям чиновников, но все остальные решительно воспротивились. Тогда чиновники обратились к Мататии, как самому уважаемому в городе лицу, увещевая его принять участие в языческом богослужении, так как государственная греческая религия обязательна для всех граждан Сирийской империи и ей подчиняются все иноверные народы. Но Мататия гордо отвечал: *«Пускай все народы, находящиеся в подвластных царю областях, послушны ему, изменяя даже религии своих предков, — но я, мои сыновья и братья будем поступать согласно заветам наших*

предков. *Мы не будем отступать от нашей веры ни вправо, ни влево!»* — Когда же вслед за тем на городской площади выступил один иудей-изменник и подошел к языческому алтарю с целью принести на нем жертву, Мататия не мог сдержать своего негодования. Он бросился на дерзкого отступника и убил его на месте. Затем он, вместе со своими сыновьями и храброю горстью ревнителей веры, напал на главного царского чиновника, или начальника сирийского отряда (Апеллеса), убил его, а языческий алтарь в Модеине разрушил (167 г.).

Вслед затем старец Мататия кликнул клич: *«Кто стоит за Бога и Его святое учение, пусть идет за мною!».* На этот призыв откликнулись ревнители веры — хасидеи. Не имея возможности открыто воевать против врагов, эти люди скрывались в ущельях гор и в удобные моменты совершали оттуда внезапные нападения на сирийцев, разрушали языческие храмы и жертвенники. Хасидеи собирали своих единомышленников в синагогах и воодушевляли их чтением отрывков из Торы или книг пророков. Наталкиваясь по дороге на мелкие греческие отряды, повстанцы их уничтожали, при встрече же с более крупными отрядами они снова удалялись в свои неприступные горные ущелья.

Старец Мататия умер вскоре после своего славного подвига. Перед смертью он завещал сыновьям продолжать священную борьбу с врагами веры и родины. Тогда из сыновей Мататии выдвинулся храбрый Иегуда, или Иуда, получивший прозвище Маккавей (Молот). Иуда отличался воинственным духом и горел желанием освободить свой народ от иноземного ига. Он стал во главе еврейских храбрецов и вступил в открытую борьбу с сирийцами. Когда сирийский наместник в Палестине Аполлоний узнал о поднятом иудеями восстании, он двинулся из Самарии со значительным войском против мятежников. Иуда со своим отрядом пошел навстречу неприятелю и нанес ему сильное поражение, сам Аполлоний пал в бою. Иуда снял с него меч и прикрепил к своему поясу, с тех пор он во всех сражениях пользовался этим мечом, своей первой военной добычей. Еврейская рука разила греческим оружием. Другую победу над сирийцами одержал Иуда при Бетхороне, где еврейские воины сражались, как разъяренные львы. Эти первые две победы подняли дух народа, и восстание против Антиоха распространилось по всей Иудее.

11. Победы Иуды Маккавея. Когда царь Антиох получил известие о восстании в Иудее, он пришел в ярость. Он послал туда огромное войско с повелением — разрушить Иерусалим, истребить или изгнать жителей и населить страну другими народностями. Сирийская армия вступила в Иудею под предводительством двух знаменитейших военачальников — Никанора и Горгия. Сирийцы были так уверены в своей победе, что привели с собой в лагерь богатых купцов, чтобы продать им в рабство евреев, которые будут захвачены в плен. Страх охватил население при слухах об этом грозном нашествии. Народ собрался в Мицпе, где находился Иуда со своим войском. Здесь устроено было торжественное богослужение, народ горячо молил Бога о помощи. Тут же Иуда воодушевлял своих воинов на великий подвиг защиты веры и отечества. Он удалил из своего отряда всех робких и нерешительных, после чего у него осталось только 6000 отборных воинов, которые должны были выступить против гораздо большей неприятельской армии. Но иудейские воины были сильны своей горячей верой и сознанием, что они сражаются за правое дело. Сирийские полководцы разделили свою армию на две части, с целью окружить иудейский отряд с двух сторон и сразу уничтожить его. Но Иуда Маккавей, узнав об этом, быстро двинулся со своими воинами навстречу передовой неприятельской армии. С кликом: «За нас Бог!», евреи бросились на сирийцев и нанесли им сильное поражение при городе Эммаусе (Хамат). Тут подоспела другая часть сирийской армии под начальством Горгия, но увидев поражение своего передового отряда, Горгий и его воины поспешно отступили (166 г.). Евреям достался весь лагерь неприятельский с богатой добычей, состоявшей из большого запаса оружия и денег, припасенных работорговцами для покупки иудейских пленных. Иудейский народ ликовал.

После этого войско Иуды увеличилось множеством новых добровольцев. Когда в следующем году против иудеев выступил из Антиохии главный военачальник начальник Сирии Лизий, с армией в 60000 человек, Иуда мог уже выставить в поле десять тысяч отлично вооруженных воинов, жаждавших боя. С этими храбрецами он бесстрашно напал при Бет-Цуре, к югу от Иерусалима, на неприятеля и нанес ему поражение (165 г.). Лизий вынужден был возвратиться в Антиохию, утешая себя надеждой набрать вскоре новое войско и окончательно усмирить восставшую Иудею.

12. Ханука. Первые победы расчистили маккавейскому войску путь к Иерусалиму. Туда двинулся Иуда со своей храброй дружиной. Они без труда заняли столицу с Храмовой горой, только цитадель Акра, в которой находился сирийский гарнизон, оставалась в руках неприятеля. Окружив эту цитадель вооруженным отрядом, Иуда держал там сирийцев в осаде и мог беспрепятственно приступить к восстановлению народной святыни в Иерусалиме. Печальная картина представилась глазам иудейских воинов, когда они поднялись на Храмовую гору. Они увидели полуразрушенный и разграбленный храм, оскверненный идолослужением главный алтарь, сожженные ворота, опустевшие внутренние покои храма и заросшие травой дворы. Видя это, Иуда и его спутники не могли удержаться от громких рыданий, но некогда было предаваться скорби о прошлом, надо было работать для будущего. Тотчас же было приступлено к очищению и восстановлению храма. Воздвигнутый над старым алтарем Иеговы жертвенник Зевса был совершенно разрушен, а камни его выброшены в «нечистое место», служивший же ему подставкой священный алтарь был разобран, и камни его сложены в особое место, «пока не явится пророк и не решит, что делать с ними». На его месте был построен новый алтарь из цельных камней, «которых не коснулось железо». Вместо расхищенных храмовых сосудов были изготовлены новые из золота и серебра, доставшихся еврейским воинам в добычу во время недавних походов.

Когда внутренние и наружные покои иерусалимского храма были прилично убраны, начался обряд «освящения». В 25-й день месяца Кислева (165 г.), в тот самый день, в который за три года перед тем было введено в храме служение Зевсу, совершилось торжественное богослужение с жертвоприношением Богу Израиля. Восемь дней продолжались празднества по случаю освобождения святыни. Каждый вечер преддверия храма освещались множеством ярких огней. Предание прибавляет, что Иуда и его спутники нашли в одном из покоев храма только маленький сосуд со священным елеем, но этого елея, вследствие чуда Божия, хватило на зажигание лампад в течение восьми вечеров. В других городах Иудеи население также устраивало иллюминацию в своих домах. Было решено отныне ежегодно праздновать эти восемь дней в память избавления еврейского народа от ига язычников. Этот осенний праздник, соблюдаемый до сих пор евреями всех стран, носит название Ханука, то есть «праздник освящения». Во всех еврейских домах зажигаются в течение восьми вечеров хануки, лампадки с маслом или тонкие восковые свечки.

13. Смерть Антиоха. Перемирие. Вскоре после обновления иерусалимского храма умер жестокий гонитель еврейского народа, царь Антиох Эпифан (164 г.). Предание рассказывает, что он умер в страшных мучениях, в припадке сумасшествия. Ненавидевшие Антиоха иудеи переделали его прозвище Эпифан (Великолепный) в Эпиман (Безумный, Бешеный). На сирийский престол вступил малолетний сын умершего царя, Антиох V Эвпатор, но государством управляли от его имени высшие сановники. Один из этих сановников, главный военачальник Лизий, приготовился тогда к новому походу в Иудею. Он явился туда вместе с юным царем Эвпатором, во главе стотысячного войска; в сирийском лагере находилось 32 больших слона, приученных к войне. Близ укрепленного города Бет-Цура снова встретились иудейские и сирийские войска. Иудейские воины сражались храбро, но не могли осилить многочисленную рать неприятельскую. Тогда один из братьев Иуды, Элеазар, отважился на отчаянный подвиг. Видя перед собою в неприятельской армии огромного и роскошно убранного слона, на котором сидел верхом какой-то молодой военачальник, он принял этого всадника за царя Антиоха V. Элеазар пробился сквозь ряды сирийцев, убил мечом слона, но не успел убить всадника. Огромное животное грохнулось на землю и своей тяжестью задавило насмерть смелого бойца. Подобные геройские подвиги единичных лиц не могли, однако, доставить иудеям победу. Бет-Цур должен был сдаться неприятелю, а иудейское войско вынуждено было отступить обратно к Иерусалиму. Сирийцы вскоре появились у стен Циона и осадили крепость на Храмовой горе. Положение осажденных было опасное. У них обнаружился недостаток продовольствия, так как по случаю «субботнего года» (шемита) поля в Иудее не обрабатывались и количество хлебных запасов в стране было ничтожно.

Казалось, что с предстоявшим разрушением Циона все блестящие результаты восстания пропадут, и Иудея снова подпадет под тиранию сирийцев. Но случилось иначе. Близкий уже к победе Лизий вдруг услышал, что в Антиохии происходят смуты и что другой сирийский полководец захватил там верховную власть. Лизий поспешил заключить с иудеями мир на выгодных для них условиях и удалился в Сирию (163 г.). В силу этого договора иудеи получили внутреннее самоуправление, полную религиозную свободу, право беспрепятственно соблюдать свои законы и обычаи, с тем только, чтобы они признавали над собою верховную власть Сирии. В знак покорности и миролюбия жители Иерусалима должны были срыть укрепления Храмовой горы. Поставленный Антиохом Эпифаном первосвященник — предатель Менелай, находившийся тогда в сирийском лагере, был лишен своего сана. Вскоре, по свидетельству летописца, Менелай впал в немилость при дворе и был казнен по приказанию Антиоха V или Лизия. С его смертью партия эллинистов ослабела.

Таким образом, результатом пятилетней героической борьбы Хасмонеев были: отмена всех указов Антиоха Эпифана против иудаизма и восстановление того порядка вещей, который существовал до эпохи гонений.

14. Алким. Смерть Иуды. Между тем в Антиохии произошел государственный переворот. Дмитрий Сотер, брат Антиоха Эпифана, привлек на свою сторону часть сирийцев и, убив Лизия и своего племянника Антиоха Эвпатора, объявил себя царем Сирии (161 г.). Новый царь не признавал внутренней свободы, предоставленной иудеям после мира с Лизием, и готовился к борьбе с ними. Ослабленная на время партия эллинистов в Иудее вновь подняла голову. Вождь умеренных эллинистов, священник Алким (Элиаким), получил от царя Дмитрия звание первосвященника. Но хасидеи и борцы за свободу из партии Иуды Маккавея не хотели признать власть Алкима и не впускали его в Иерусалим. Тогда Дмитрий послал на помощь Алкиму отряд сирийских воинов, под начальством Бакхида. Приблизившись к Иерусалиму, Алким стал уверять жителей, что он будет действовать в духе патриотов-хасидеев. Но когда народ ему поверил и впустил в город, Алким показал себя в настоящем виде. Он воздвиг гонения на хасидеев и велел казнить из них 60 человек.

Заняв с помощью сирийцев должность первосвященника, вероломный Алким внушил царю Дмитрию, что необходимо усмирить непокорных хасидеев и вождя их Иуду. Царь послал против Иуды своего полководца Никанора. Никанор хвастливо уверял, что сожжет иерусалимский храм. У селения Адассы произошло 13-го Адара (в марте 161 г.) сражение, где евреи снова одержали блестящую победу. Никанор пал в этой битве, а его войско разбежалось. Победители отрубили Никанору голову и повесили ее у ворот Иерусалима. День этой победы (канун Пурима) еще долгое время праздновался в Иудее и назывался «днем Никанора».

Но вскоре евреи лишились своего храброго вождя. Узнав о поражении Никанора в Иудее, Дмитрий отправил туда 20-тысячную армию под начальством Бакхида. Быстрыми переходами Бакхид приблизился к Иерусалиму. Иуда не успел еще приготовиться, ибо не ожидал такого быстрого натиска неприятеля, и поэтому мог выставить только 3000 человек. Большинство этих воинов не решилось вступить в открытое сражение с сирийцами и настаивало на отступлении с тем, чтобы набрать более сильную армию. Но неустрашимый Иуда не хотел и слышать о позорном отступлении. *«Если, — говорил он, — пришла нам пора умереть, то умрем мужественно за наших братьев, но не наложим пятна на свою честь!».* Из всего отряда только 800 самоотверженных бойцов согласились идти за ним. С этой горсткой храбрецов ударил он, при Адассе, на неприятеля. Мужественная маленькая дружина Иуды билась отчаянно, но ряды ее все больше редели. Наконец, пал в бою с мечом в руках и ее великий вождь (весною 160 г.). Братьям Иуды удалось отыскать только его труп, который они перевезли в Модеин и там похоронили в фамильной гробнице Хасмонеев. Вся Иудея горячо оплакивала смерть своего славного героя, спасителя народной свободы.

15. Ионатан Хасмоней. После смерти Иуды Маккавея иудейское войско избрало своим вождем его брата Ионатана (159 г.). Иоанатан не был таким неустрашимым бойцом, как Иуда, но он обладал способностями государственного деятеля и умел пользоваться всяким удобным случаем для достижения своей цели — освобождения отечества. Пока в Иерусалиме властвовали сирийский наместник Бакхид и первосвященник Алким, Ионатан ничего не мог сделать и бродил с дружиной в пустыне, близ Мертвого моря. Но вскоре Алким умер. Его смерть последовала внезапно в то время, когда он приступил к перестройке внутренней стены иерусалимского храма. Народ увидел в этом кару Божию над нечестивым первосвященником. Эллинисты лишились своего вождя, а Ионатан воспользовался этим и усилил свою партию. Собрав значительное войско, Ионатан и брат его Симон стали беспокоить сирийцев частыми нападениями. Утомленный этими стычками, сирийский полководец Бакхид перестал вмешиваться во внутреннюю борьбу иудейских партий, он заключил мир с Ионатаном и удалился в Сирию (157 г.). С тех пор Иудея в течение нескольких лет оставалась спокойною, под управлением Ионатана.

Усилению Иудеи более всего способствовала вспыхнувшая тогда в Сирии борьба за царскую власть. Против царя Дмитрия I Сотера поднялся уроженец Родоса, Александр Балас, выдававший себя за сына Антиоха Эпифана и законного наследника престола. Александр объявил себя царем и с большим войском выступил против Дмитрия. Испуганный Дмитрий просил Ионатана помочь ему в войне с соперником, обещая даровать разные льготы Иудее. Но Александр еще более старался привлечь на свою сторону иудейского вождя, он назначил Ионатана первосвященником, то есть начальником еврейского народа, и прислал ему в подарок пурпуровую мантию и золотую корону Иудеи; не забывшие еще о жестокостях Дмитрия, перешли на сторону Александра, который после долгой борьбы завладел сирийским престолом. Ионатан вступил в Иерусалим и в праздник Кущей (Сукот) совершил в храме торжественное богослужение в качестве первосвященника (152 г.). Таким образом, семья Хасмонеев, поднявшая восстание против Сирии, добилась, наконец, того, что один из ее членов сделался начальником еврейского народа с согласия сирийского правительства. Следующие сирийские цари поневоле должны были признавать представителей рода Хасмонеев законными правителями Иудеи.

Непрерывные смуты и борьба за престол в Сирии окончательно ослабили это государство, и Ионатан решил, что наступила пора совсем уничтожить владычество сирийцев в Иудее. Скрывая свои намерения от сирийского правительства, Ионатан незаметно увеличивал численность своей армии, укреплял Иерусалим и некоторые другие города и готовился завоевать для

Иудеи полную независимость. Но об этих замыслах узнал сирийский полководец Трифон. Заманив хитростью Ионатана с небольшой дружиной в город Птолемаиду (Акко), Трифон дружину велел перебить, а Ионатана оставил у себя в плену.

16. Симон Хасмоней. После плена Ионатана, брат его Симон стал во главе иудейского войска (143 г.). Симон употреблял все усилия, чтобы спасти жизнь своего брата, находившегося в заточении у Трифона, но это ему не удалось. Трифон сначала обещал отпустить пленника, если иудеи дадут за него большой выкуп и заложников, но получив все это от Симона, коварный сириец все-таки велел умертвить Ионатана. Иудеям был возвращен только труп героя.

Симон, последний из братьев Хасмонеев, довел до конца дело освобождения отечества от сирийского ига. Имея сильное и хорошо вооруженное войско, он постепенно вытеснял из укрепленных городов Иудеи оставшиеся там еще сирийские отряды. Наконец, пал последний оплот иноземного владычества в Иудее; находившийся в иерусалимской крепости Акреирийский гарнизон очутился в осаде; Акра была окружена войсками Симона, которые не допускали туда подвоза съестных припасов. Голод заставил сирийцев сдаться. Гордая крепость, долго служившая угрозой иудейской свободе, была очищена от иноземцев. В день 23-го Ияра (май 142 г.) состоялось торжественное вступление иерусалимцев в Акру, и этот знаменательный день был объявлен на будущее время ежегодным национальным праздником. Сирийские цари, считая дальнейшую борьбу бесполезной, освободили Иудею от платежа дани, — и таким образом Иудея сделалась свободной страной. В многолюдном народном собрании, созванном в Иерусалиме 18 Элула (август) 140 года, Симон был избран первосвященником и князем освобожденного народа. Он повелел чеканить особую монету для Иудеи, как государства независимого. На серебряных и медных монетах, чеканившихся тогда, были начертаны на одной стороне слова: «Святой град Иерусалим» или «Симон, князь Израиля», а на другой — «год (такой-то) со времени нашего освобождения».

Так окончилась 27-летняя борьба Иудеи за свою независимость. Эти освободительные войны называются хасмонейскими, по родовому имени Мататии и его сыновей, или маккавейскими, по прозвищу главного героя — Иуды Маккавея.

17. Евреи в Египте. Пока в Иудее происходила борьба Хасмонеев с сирийцами, жившие в Египте евреи пользовались полным спокойствием. Число их значительно увеличилось переселенцами из Иудеи, бежавшими от жестокостей Антиоха Эпифана. Царь Птолемей VI Филометор (181—145 гг.) охотно принимал этих беглецов и оказывал им покровительство. Еврейская община в Александрии, главном городе Египта, приобрела тогда важное значение. Она сосредоточивалась главным образом в квартале Дельты, примыкавшем к морской гавани. В этом «еврейском городке» кипела промышленная деятельность, состоявшая в ввозе и вывозе товаров. Пользуясь гражданским равноправием, александрийские евреи имели и свое общинное самоуправление. Во главе их стоял особый этнарх, который «управлял народом, творил суд, заботился об исполнении обязательств и предписаний, как начальник независимого города». В Александрии находилась великолепная синагога. Она была так велика, что во время богослужения голос священника не был слышен в отдаленных концах ее; чтобы молящиеся знали, когда отвечать «аминь» на благословение священника, посреди синагоги каждый раз поднималось в знак этого высокое знамя.

Но египетские евреи не довольствовались своей великолепной синагогой. Они хотели иметь большой храм наподобие иерусалимского, где можно было бы не только молиться, но и совершать жертвоприношения по библейским законам. Не имея такого храма, многие благочестивые египетские евреи должны были ездить на большие праздники в далекий Иерусалим, что было очень трудно в смутное время хасмонейских войн. В это время прибыл из Иудеи в Египет Хоний IV, сын смещенного при Антиохе Эпифане иерусалимского первосвященника Хония III. Считая себя законным преемником первосвященнического сана, Хоний Младший (или Ониас, как его называли по-гречески) решил воздвигнуть для египетских евреев особый храм. Царь Птолемей VI дал на это свое согласие. В округе Гелиополя был воздвигнут красивый храм, убранный по образцу иерусалимского (160 г.). Богослужение в нем совершали Ониас и другие священники и левиты, переселившиеся во время смут из Иудеи. Для этих священнослужителей был построен возле храма особый городок, названный Онионом, по имени Ониаса. Еврейский храм в Египте просуществовал больше двух столетий.

В это время среди александрийских греков и евреев распространились книги Священного Писания в греческих переводах. Переложение Библии на греческий язык, начатое еще при Птолемее II Филадельфе, подвинулось вперед при Птолемее Филометоре. С этого именно времени образованные язычники стали ближе знакомиться с еврейскими религиозными книгами. Александрийские же евреи усваивали греческую светскую образованность. Они выдвинули из своей среды целый ряд философов и поэтов, писавших свои произведения на греческом языке (Аристовул, Эвполем, Эзекиель и др.).

Глава III

Иудея при династии Хасмонеев (140—37 гг. до хр. эры)

18. Княжение Симона. После многолетних войн и смут, для Иудеи, наконец, наступила пора свободного и мирного развития под властью еврейских князей. Первый князь из рода Хасмонеев, Симон (140—135 гг.), особенно заботился об улучшении внутренней жизни евреев; он водворил порядок и безопасность в разоренной войнами стране, старался поднять земледелие и торговлю. В ближайшем к Иерусалиму приморском городе Яффе, отнятом у сирийцев, он устроил большую торговую гавань.

Сирийский царь Антиох Сидет (сын Дмитрия I) с досадой смотрел на усиление Иудеи. Он потребовал от Симона через послов — либо возвратить Сирии Яффу и иерусалимскую крепость, либо взамен их уплатить большую сумму денег (около двух миллионов рублей). Так как иудейский князь не хотел исполнить эти требования, то Антиох послал своего полководца Кендебая из Гиркании с сильным войском, чтобы разгромить Иудею. Симон выслал против него большую армию под предводительством своих сыновей Иоханана и Иуды. Недалеко от Яффы произошла битва, в которой сыновья Симона одержали полную победу

(137 г.). В память этой победы над Кендебаем Гир-
канским, старший сын Симона, Иоханан, получил прозвище Гиркан. Чтобы обезопасить себя от дальнейших
нападений Антиоха, Симон заключил союз с врагом
Сирии Римом, самым могущественным государством
того времени.

Видя, что в открытом бою нельзя победить князя
Симона, Антиох Сидет задумал погубить его путем об-
мана. Он уговорил зятя Симона, Птолемея, который
был начальником Иерихонской области, убить тестя и
занять иудейский престол. Коварный Птолемей пригласил к себе в гости в замок Док, близ Иерихона,
князя с его семьей и свитой и устроил для них веселый пир. Во время пира рабы Птолемея, по его приказанию, убили Симона, его двух сыновей, Мататию
и Иуду, и некоторых людей из княжеской свиты
(135 г.). Жену убитого князя, свою тещу, злодей держал в заключении у себя в замке, в то же время он
послал гонцов в город Газару, где находился старший
сын князя, наследник престола Иоханан Гиркан, с поручением умертвить и его. Но Иоханан, узнав о случившемся, бежал из Газары в Иерусалим. Здесь народ
и войско провозгласили его князем. Народ горячо оплакивал преждевременную смерть своего освободите-
ля, Симона Хасмонея. Тело убитого князя было похоронено в Модеине, в семейной гробнице Хасмонеев, а
над этой гробницей был воздвигнут великолепный памятник, который стоял на высокой скале и был далеко виден с моря.

19. Иоханан Гиркан. Вступив на иудейский престол, Иоханан Гиркан (135 — 109 гг.) прежде всего решил наказать убийц своего отца. Он несколько раз
подходил к замку Доку, где укрепился Птолемей, но
последний каждый раз выводил на крепостную стену
свою пленную тещу, мать Гиркана, и грозил убить ее,

если Гиркан будет наступать. Эти угрозы и весть о приближении сирийского царя заставили Гиркана удалиться в Иерусалим.

Антиох Сидет сам двинулся в Иудею с большим войском и осадил столицу. Иерусалим был так укреплен, что сирийцы не могли его взять приступом. Поэтому они решили держать город в осаде, пока в нем не истощатся съестные припасы. Жителям Иерусалима грозил голод и Гиркан вынужден был заключить мир. Он обязался платить сирийскому царю дань за Яффу и некоторые другие города, а также срыть укрепления Иерусалима. Антиох ушел. Изменник Птолемей, покинутый своими союзниками-сирийцами, бежал из Иудеи, но перед своим бегством этот кровожадный человек велел умертвить бывшую у него в плену мать Гиркана.

После смерти Антиоха Сидета в Сирии начались раздоры и смуты. Иоханан Гиркан воспользовался распадом Сирии и совершенно отказался от признания ее верховенства. Он направил все усилия на то, чтобы обеспечить границы своего государства от вторжения неприятеля. Для этого он решил подчинить своей власти мелкие пограничные племена, которые обычно соединялись с врагами Иудеи и вредили ей. Князь Гиркан выступил в поход с большим войском, в котором было много наемных солдат из языческих племен. Сперва он завоевал несколько городов к востоку от Иордана, затем пошел против самаритян, давнишних врагов Иудеи. Он разрушил их святой город Сихем и их храм на горе Гаризим. Закончил он свой поход полным покорением племени эдомитов (идумеев). Разрушив их крепости, Гиркан предложил эдомитам на выбор одно из двух: или принять иудейскую веру, или выселиться из страны. Эдомиты покорились и приняли иудейство. С течением времени они слились с евреями, но это слияние имело потом печальные последствия для хасмонейской династии. Только самаритяне не могли мириться с господством иудеев. Оправившись от недавнего поражения, они соединились с сирийцами и египтянами и выступили против иудеев. Гиркан напал на союзников, разбил их, завоевал после двенадцатимесячной осады укрепленную Самарию и разрушил этот город до основания. В этом походе особенно отличились сыновья Гиркана, Аристовул и Антигон.

Таким образом, Иудея расширила свои пределы и получила почти такое протяжение, как в славные царствования Давида и Соломона; она имела свою гавань (Яффа), приносившую стране большие доходы, хорошо вооруженное войско и сильные укрепления, так что ни одна из соседних народностей не осмеливалась воевать с ней. По мере расширения иудейского государства, возрастал и блеск столицы. Иерусалим украсился великолепными постройками. На возвышенности, к востоку от Храмовой горы, был воздвигнут роскошный царский дворец, который соединялся мостами с храмом. Упрочив свою власть, Иоханан Гиркан возобновил союз с Римом, который признал за иудейским государством новые его приобретения.

20. Фарисеи, цадукеи и эссеи. Когда после многих веков зависимости Иудея стала свободным государством, как в древнейшие времена, — среди представителей народа возник вопрос: в каком духе должно управляться это обновленное государство и каково должно быть его отношение к религии, отношение светской власти к духовной? Одни говорили, что еврейский народ должен жить как все другие народы, вести войны, забирать новые земли и усиливаться политически. Другие утверждали, что евреи — особенная духовная нация, которая должна управляться своими религиозными законами, обособляться от других народов и стремиться только к улучшению своего внутреннего быта в духе заповедей иудаизма. Так же различны были в различных кругах общества взгляды на иудаизм, т. е. на совокупность учений, законов и преданий, накопившихся от древнейших времен до эпохи Хасмонеев. Таким образом, в эту эпоху возникли в Иудее три партии: фарисеи, цадукеи и эссеи.

Фарисеи были преемниками хасидеев, или благочестивцев. Они думали, что религиозные законы должны управлять жизнью каждого еврея в отдельности и всего еврейского народа в целом. Фарисеи строго соблюдали не только все писаные библейские законы, но также все обычаи и правила, сохранившиеся путем устного предания. Сверх того, их вероучители создавали новые законы, которые дополняли или исправляли старое законодательство согласно требованиям жизни. Они утвердили в народе некоторые основы религии (догматы), которые не были достаточно ясно изложены в Библии. Фарисеи особенно укрепили в народе веру, что Бог воздает каждому человеку по его заслугам после смерти, ибо душа человека не умирает вместе с телом, а продолжает жить в высших мирах. Души хороших людей там блаженствуют, а души дурных людей мучаются за грехи, совершенные на земле. Таков закон высшей справедливости, установленный Богом. Бог избрал еврейский народ и дал ему заповеди правды и добра. Этих заповедей избранный народ должен держаться и не подражать обычаям других народов. Евреи должны в своей жизни отличаться, отделяться от других народов, а также отдаляться от всего нехорошего, языческого[1]. Фарисеи действительно отличались глубокой религиозностью и нравственными добродетелями, они проповедовали скромность и воздержание в жизни, помогали слабым и бедным. Из их среды выходили учители народа и толкователи зако-

---

[1] Отсюда название «фарисеи» (перушим), которое означает «обособленные», «отличающиеся».

на. Иногда, впрочем, попадались между ними и люди неискренние, которые только наружно были набожны, а в душе таили дурные наклонности. Таких ханжей называли в народе «крашеными» (цевуим).

Цадукеи были преемниками эллинистов. Они смотрели на задачи государства как светские люди и политики; они требовали отделения религии от государства. К этой партии принадлежали люди из высших слоев общества: военачальники, чиновники, священники, потомки знатных родов[1]. Цадукеи полагали, что еврей должен следовать только законам, начертанным в Священном Писании, а устные законы и позднейшие народные обычаи для него не обязательны. Они отвергали веру в загробное воздаяние, так как о нем ясно не говорится в учении Моисеевом. Во всем они держались не смысла, а буквы писаного закона; их правилом было: не прибавлять ничего к библейским законам и не убавлять от них, даже если условия жизни этого требовали. Для цадукеев еврейское вероучение было не живым, а мертвым учением, которое нужно только сохранять, а не развивать. Цадукеи, принадлежавшие к богатым и влиятельным классам, любили вольную жизнь и утверждали, что вовсе не грешно сближаться с язычниками. Цадукеи, занимавшие должности священников, часто враждовали с законоучителями из партии фарисеев. Между обеими партиями происходило постоянное соперничество из-за участия в государственном управлении.

Третью партию составляли эссеи. Они совершенно стояли в стороне от общественных и государственных дел и заботились только об усовершенствовании личной жизни. Они смотрели на себя, как на сословие «святых», и особенно строго соблюдали законы о те-

---

[1] Полагают, что свое имя партия цадукеев получила от потомков библейского первосвященника Цадока, стоявших во главе этой партии.

лесной «чистоте», обязательные только для священников. Большей частью эссеи удалялись в пустыни и там жили маленькими общинами или братствами, как монахи. В эти братства допускались только одни мужчины. Члены эссейских кружков делили между собой поровну свое имущество и жили как братья. Они занимались земледелием, питались только хлебом и овощами, не пили вина, ежедневно купались в озере или реке для поддержания чистоты своего тела и носили белые одежды. В простонародье эссеи считались святыми и чудотворцами. К ним приходили лечиться от разных болезней и гадать о будущем[1].

21. Синедрион и борьба партий. Подобно своему отцу Симону, Иоханан Гиркан был одновременно и князем, и первосвященником, то есть и светским и духовным главой Иудеи. Но значительная доля власти принадлежала государственному совету или сенату, носившему имя Синедрион (по-гречески — собрание, совещание). Синедрион, находившийся в Иерусалиме, состоял из 70 членов и одного председателя. Члены Синедриона собирались в одной из больших палат иерусалимского храма для обсуждения государственных вопросов, издания законов и разбора важнейших судебных дел. Князь не принимал никаких важных решений в делах государственных без одобрения Синедриона.

Судебные заседания Синедриона происходили публично. Члены суда сидели полукругом, дабы они могли видеть друг друга. Два писца стояли справа и слева и записывали мнения судей. Для разбора дел необходимо было присутствие не менее 23 членов («малый Синедрион»). В уголовных делах для оправдательного приговора считалось достаточным большин-

---

[1] Название «эссеи» означает «совершающие омовение» и «врачующие».

ство даже в один голос; для обвинительного же приговора требовалось большинство двух голосов. Больше всего заботились об обеспечении правды и милости в суде. Опрос членов относительно виновности подсудимого начинался с младшего члена и постепенно доходил до председателя; это делалось для того, чтобы отзывы старших и уважаемых членов не оказывали давления на младших. Кроме того, раньше должны были высказываться сторонники оправдания подсудимого, а потом уже сторонники осуждения. Тот, кто высказался за оправдание, не мог уже взять свое слово назад. При таких условиях смертные приговоры составляли большую редкость в практике Синедриона.

В первое время княжения Гиркана среди членов Синедриона было много фарисеев, которые приобрели большое влияние на ход государственных дел. Это сильно беспокоило их противников, цадукеев. И вот цадукеи стали уверять князя Гиркана, что фарисеи недовольны его управлением. Желая узнать, правда ли это, Гиркан устроил пир, на который созвал почетных гостей. Во время пира Гиркан поднялся и сказал: «Если кто из присутствующих может доказать, что я, как князь или первосвященник, поступал против закона, пусть тот смело встанет и объявит мне это!». Тогда один фарисей поднялся и сказал: «Если ты, князь, хочешь быть справедливым, то довольствуйся княжеским венцом и сложи с себя сан первосвященника, ибо твоя мать когда-то находилась в плену среди язычников»[1]. Гиркан был оскорблен этими словами, но все-таки приказал расследовать, правду ли говорит фарисей. Когда же это оказалось неправдой, князь потребовал от Синедриона наказания оскорбителя. Но фарисейские члены Синедриона присудили обвиняемого товарища к очень легкому нака-

---

[1] Сыновья военнопленниц, по закону, не могли быть священниками.

занию. Это еще более усилило подозрения Гиркана против фарисейской партии. Князь всецело перешел на сторону цадукеев. Он удалил фарисеев от важнейших должностей и передал эти должности цадукеям, что возбудило ропот в народе. После 30-летнего управления Иоханан Гиркан умер (104 г.). Он оставил пять сыновей, из них выдвинулись: Иуда Аристовул, Антигон и Александр Яннай.

22. Иуда Аристовул.

Иоханан Гиркан перед смертью назначил правительницей государства свою жену, а сан первосвященника передал старшему сыну Иуде, носившему и греческое имя Аристовул. Но Аристовул не удовольствовался полученным духовным саном. Как только умер его отец, он заключил свою мать в темницу (где она, как гласит предание, умерла с голоду) и присвоил верховную власть. Честолюбивого Аристовула не удовлетворял титул князя («наси»), который носили его предшественники: он, первый из Хасмонеев, принял титул царя («мелех») и возложил на свою голову царскую корону. Аристовул был человек болезненный и раздражительный. Своих трех братьев он держал в заточении, любил он только одного брата, Антигона, и назначил его начальником иудейских войск. Антигон покорил северную часть Галилеи и заставил жившее там арабское племя, итурейцев, принять иудейскую религию. Своими военными подвигами Антигон прославился в народе, но возбудил зависть среди царедворцев. Приближенные Аристовула старались возбудить в нем недоверие к брату — и преуспели в этом.

Из своего славного похода Антигон возвратился в Иерусалим ко дню осеннего праздника Кущей (Сукот). Во главе войска он направился в храм, чтобы открыть празднество. Народ шумно приветствовал героя. Этот шум был услышан во дворце. Царедворцы, ненавидевшие Антигона, сказали Аристовулу: *«Вот слышишь, как толпа приветствует твоего брата. Скоро он заберет власть в свои руки и перестанет тебе повиноваться».* Некоторые прибавили, что Антигон сейчас придет во дворец в полном вооружении, с целью захватить царский престол. Тогда Аристовул отдал своей страже приказ — убить всякого, который попытается проникнуть во дворец с оружием в руках. Антигону же он через посла дал совет — явиться к нему без оружия. Но царедворцы уговорили посла передать Антигону совершенно противоположное, а именно: что царь хочет видеть его в полном вооружении. Поверив этому, Антигон отправился во дворец в военном наряде и с оружием в руках, но едва он приблизился ко дворцу, стража бросилась на него и убила, согласно отданному приказу. Известие о смерти любимого брата потрясло Аристовула, болезнь его усилилась — и он вскоре умер, процарствовав только один год (103 г.) и не оставив после себя детей. При этом царе усилилось в государстве влияние партии цадукеев. Его называли Филеленом, т. е. другом греков.

23. Александр Яннай. По смерти Аристовула вдова его Соломея Александра освободила из заточения его братьев. Старший из них, Александр Яннай, сделался царем и по библейскому закону женился на бездетной вдове своего брата Аристовула. В ранней юности Яннай не пользовался расположением своего отца Иоханана Гиркана, который, не желая видеть сына при дворе, отправил его на воспитание в Галилею. Там юноша получил хорошую военную подготовку, но не то гражданское и духовное воспитание, которое требовалось для будущего правителя и первосвященника. Преждевременная смерть его двух братьев, Аристовула и Антигона, поставила Янная неожиданно во главе государственного управления, и тут сказалась вся недостаточность его подготовки. Новый царь, напоминавший по своим наклонностям более эллина, чем еврея, знал только одну цель в жизни: распространить владычество Иудеи на всю Палестину. Тотчас по вступлении на престол он попытался завоевать приморский город Птолемаиду (Акко), но этим вызвал нашествие египтян, которые уже готовились возобновить свое владычество в Иудее. Яннаю удалось только захватить несколько городов на берегу моря с одной стороны и Иордана с другой (96 г.).

Народу, уставшему от разорительных войн, не нравились эти военные походы. Влиятельная в стране партия фарисеев не уважала Янная ни как царя, ни как первосвященника, так как он был другом аристократов — цадукеев. Один случай обострил отношения между Яннаем и фарисеями. В праздник Сукот царь-первосвященник совершал богослужение в иерусалимском храме. Ему подали воду в серебряной чаше для возлияния на жертвенник, согласно принятому фарисеями народному обычаю, но царь в угоду цадукеям, не признававшим этого обычая, вылил воду на землю. Собравшаяся в храме толпа, возмущенная этим поступком, стала бросать в царя лимонами из праздничного букета (этрог). Царь приказал своим наемным солдатам-язычникам усмирить народ. 6000 иудеев было убито во дворе храма.

После этого народ еще более возненавидел Янная. И когда вскоре царь вернулся из нового неудачного похода против арабов, в Иерусалиме вспыхнуло восстание. Шесть лет (94—88 гг.) длилась борьба народа со своим царем. Александр сражался с восставшими при помощи наемных войск, не останавливаясь ни пред какими жестокостями. Во время этой шестилетней гражданской войны погибло около пятидесяти тысяч иудеев. Когда царь наконец устал бороться с собственным народом и предложил фарисеям примирение, те резко ответили: *«Только смерть твоя может примирить нас с тобою».* В своем ожесточении враги царя дошли до того, что призвали против него в Иудею сирийцев и с их помощью одержали победу. Яннай должен был бежать и скитаться в горах. Но вскоре царю удалось завоевать одну крепость, где заперлись многие фарисеи, и он жестоко отомстил им. 800 фарисеев были по его приказу распяты на крестах. Другие бежали в Сирию и Египет. Народ прозвал Янная «Фракийцем», то есть дикарем.

Почувствовав приближение смерти, Яннай раскаялся в своих жестокостях. Он передал управление государством царице Соломее Александре и посоветовал ей помириться с фарисеями. *«Не бойся,* — сказал он ей, — *ни фарисеев, ни цадукеев; бойся только крашеных* (лицемеров), *которые делают все дурное и выдают себя за праведников».* Александр Яннай умер на 27-м году своего царствования (76 г.), оставив вдову и двух сыновей.

24. Соломея Александра. Управление государством взяла в свои руки царица Соломея Александра. Своему старшему сыну, слабому и простодушному Гиркану, она передала сан первосвященника, но младшего сына, честолюбивого и пылкого Аристовула, она держала вдали от государственных дел. Соломея Александра управляла народом разумно и старалась исправить зло, причиненное государству предшествовавшим бурным царствованием. Во время ее десятилетнего управления (76—67 гг.), Иудея почти не подвергалась нападению врагов.

Царица снова призвала фарисеев к власти; те из них, которые при Александре Яннае бежали в чужие страны, возвратились в свое отечество. В числе возвратившихся находились вожди фарисеев: брат царицы Симон бен-Шетах и ученый Иуда бен-Табай. Оба они жили в изгнании во время жестокостей Янная. Симон скитался по разным странам, а Иуда скрывался в Египте. После смерти мужа царица призвала обратно в Иерусалим своего брата Симона, а последний вызвал из Египта своего друга, Иуду. Симон и Иуда сделались председателями Синедриона, и при них фарисеи снова получили влияние на ход государственных дел. Больше всего заботились они об упрочении законности и порядка в стране. О Симоне бен-Шетахе говорили, что «он восстановил Закон в его древних пределах». Он обязал родителей обучать своих детей в школах. Заботясь о правах женщин, Симон издал закон, по которому муж при вступлении в брак дает письменное обязательство — выделить жене часть своего имущества, на случай если он оставит ее вдовой или разведется с ней («кетуба»). Введенные цадукеями в прежнее царствование суровые уголовные законы были заменены более мягкими. Вообще, цадукеи были удалены от власти законодательной и судебной, сохранив за собою только должности высших начальников в армии.

Но партии цадукеев покровительствовал второй сын царицы, Аристовул. Когда царица заболела, честолюбивый Аристовул тайно покинул Иерусалим, чтобы с помощью цадукейских военачальников захватить верховную власть. На его сторону перешли многие военные отряды и укрепленные города, где начальствовали цадукеи. И вот когда умерла царица Соломея Александра, в Иудее возгорелась кровопролитная борьба за престол.

25. Борьба Гиркана II и Аристовула II. После смерти Соломеи царем должен был сделаться старший сын ее, первосвященник Гиркан II. Но не успел еще Гиркан вступить во власть, как брат его Аристовул двинулся с войском к Иерусалиму, чтобы силой отнять у него престол. Гиркан выслал против брата войско. У Иерихона встретились войска обоих братьев и произошла битва, в которой армия Гиркана потерпела поражение, так как значительная часть ее, увлеченная храбростью Аристовула, перешла к последнему (67 г.). Испуганный Гиркан заперся в крепости при иерусалимском храме. Он признал себя побежденным, когда Аристовул вступил в столицу. Братья заключили между собою мирный договор, по которому Гиркан отказался от царского звания, сохранив за собой (по-видимому) только сан первосвященника; Аристовул же объявлен был царем Иудеи, под именем Аристовула II. Оба брата, в присутствии народа, подали друг другу руки и обнялись. Отречение от престола не было, впрочем, особенно тяжело для Гиркана, ибо он по природе любил тихую жизнь и был мало способен к управлению государством.

Недолго, однако, мог Аристовул II спокойно царствовать в Иудее. Скоро междоусобица возобновилась благодаря проискам одного человека. То был Антипатр, потомок тех эдомитов, которых Иоханан Гиркан некогда покорил и обратил в иудейство. Антипатр, бывший начальник войск в подвластной Иудее Эдомской провинции, подружился с Гирканом II, когда тот был еще царевичем. Честолюбивый эдомит надеялся, что слабохарактерный Гиркан, сделавшись царем, назначит его своим ближайшим советником. Когда же власть перешла к Аристовулу, эта надежда рушилась. Антипатр не мог мириться с этим. Он употреблял все старания, чтобы снова пробудить в душе Гиркана ненависть к брату, отнявшему у него престол. Он уверял Гиркана, что Аристовул хочет его убить, и наконец уговорил его бежать в Аравию, к царю Арету, чтобы с помощью арабов возвратить себе царскую власть. За эту помощь Антипатр обещал отдать Арету 12 городов в Иудее. Тогда аравийский царь двинулся вместе с Гирканом к Иерусалиму, во главе 50-тысячного войска (65 г.).

После неудачной попытки отразить арабов Аристовул и его сторонники укрепились на Храмовой горе, в Иерусалиме. Арет ворвался в столицу и осадил Храмовую гору. К нему присоединилось много иудеев, сторонников Гиркана, так что иудеи держали в осаде своих же братьев. В лагере осаждавших был один святой человек, по имени Хоний. Гирканисты требовали от Хония, чтобы он молил Бога о гибели Аристовула и его приверженцев. Но святой муж, горячо любивший свой народ, стал на молитву и воскликнул: *«О, Боже! и осажденные, и осаждающие — дети Твои: не делай же того, что желают друг другу обе стороны!»*. Грубые воины рассердились на Хония и побили его камнями. Между тем наступил праздник Пасхи, и осажденные, у которых не хватило животных для жертвоприношения в храме, вынуждены были покупать их за большие деньги у осаждавших. Ежедневно с крепостной стены храма спускалась на железных цепях корзина с золотом, взамен которого осаждавшие посылали наверх, на тех же цепях, баранов. Но однажды арабы позволили себе обидную шутку и вместо барана послали наверх «нечистое животное» — свинью, это очень раздражило аристовулистов. Война все более разгоралась.

26. Вторжение Помпея. Во время этой борьбы между братьями Хасмонеями к Иудее приближались грозные войска Римской республики под предводительством великого полководца Помпея. Римское государство, центром которого была Италия, давно уже достигло высшей степени могущества. Оно поглотило бывшие владения Греции в Европе, захватило Северную Африку и устремилось к завоеваниям в Передней Азии. Бывшие земли Ассирии, Вавилонии, Персии покорялись одна за другой всемогущему Риму. Наконец, под власть римлян перешла и Сирия, где больше двух столетий царствовала греческая династия Селевкидов. Помпей закончил покорение Сирии — и из Дамаска послал отряд войска, под начальством Скавра, в Иудею. Тут к Скавру явились посольства от обоих воюющих братьев, Гиркана и Аристовула, с просьбами о поддержке. Аристовул предлагал Скавру за военную помощь крупную сумму в четыреста талантов, а Гиркан был вынужден обещать столько же. Но римский легат охотнее принял предложение Аристовула, которому, как царю, больше доверял. Он приказал Арету немедленно удалиться со своими арабами из Иерусалима, угрожая в противном случае объявить его врагом римлян. Арет не смел ослушаться и тотчас снял осаду. Освобожденный Аристовул послал Помпею в Дамаск роскошный подарок — искусно изготовленное из золота виноградное дерево.

Вскоре пред Помпеем в Дамаске лично предстали Аристовул и Гиркан, прося его о разрешении их спора. Каждый из братьев доказывал свое право на царское звание. Помпей отложил решение спора до своего прибытия в Иудею. «Царь царей» (так называли Помпея в Азии) хотел не помочь тому или другому из иудейских правителей, а подчинить страну Риму. Умный Аристовул догадался об этих опасных замыслах, начал было готовиться к обороне страны, но был арестован Помпеем и остался при его войске.

Армия Помпея между тем вступила в Иудею, заняла несколько городов и подошла к Иерусалиму. Гирканисты впустили римлян в город, но храбрые аристовулисты укрепились на Храмовой горе и защищали национальную святыню. Три месяца римляне безуспешно осаждали их. Наконец, Помпей сделал решительный приступ в субботний день (или в день иомкипура), когда евреи слабо защищались. Крепость на

Храмовой горе была взята, римляне ворвались туда и проникли в храм. В это время там шло праздничное богослужение, священники не прерывали молитвы, спокойно ожидая смерти. Помпей со страхом вошел во внутренние покои храма и удивился, не увидев там ни одного изображения Божества. Он, однако, ничего не трогал в святом месте.

Помпей объявил Иудею подвластной Риму провинцией (63 г.). Гиркану он предоставил звание «этнарха» (то есть начальника племени) и первосвященника, но не позволил ему именоваться царем. Эдомит Антипатр был назначен «опекуном» Гиркана. Аристовула же и его детей Помпей взял в плен и повез с собой в Рим. Таким образом Иудея, после почти столетней независимости, снова подпала под власть иноземцев, благодаря внутренним раздорам между членами царского дома. Первые Хасмонеи своим геройством спасли свободу Иудеи, последние Хасмонеи своими раздорами погубили эту свободу.

27. Ирод и Антигон II.

Покоривший Иудею Помпей был одним из трех полководцев, которые в то время разделили между собой власть в Римской республике. Кроме Помпея в этом союзе трех правителей (триумвират) участвовали великий полководец Юлий Цезарь и Красс. При дележе римских областей между ними Сирия и Иудея достались на долю Красса. Жадный к деньгам Красс вступил в Иерусалим и вывез из храма много сокровищ, но вскоре, во время своего похода в Парфию, Красс погиб, и иудеи увидели в этом кару Божию за разграбление их святыни. Между оставшимися союзниками, Помпеем и Цезарем, возгорелась кровопролитная борьба за власть — и победителем вышел наконец Цезарь, который сделался самовластным правителем Римской республики. Во время этой войны погиб в Риме развенчанный царь Аристовул II.

Цезарь освободил его из плена и дал ему легион солдат, с поручением сражаться против Помпея. Но друзья Помпея узнали об этом и отравили Аристовула перед его отъездом.

В то время от имени слабого Гиркана управлял Иудеей его «опекун» Антипатр, назначенный на эту должность Помпеем. После гибели Помпея и победы Цезаря хитрый Антипатр изъявил последнему полную покорность и оказывал ему помощь в его азиатских войнах. За это Юлий Цезарь назначил Антипатра своим наместником в Иудее, а Гиркану оставил прежние звания этнарха и первосвященника (47 г.). Важнейшие должности в государстве Антипатр раздал своим сыновьям и родным. Своего старшего сына Фазаила он назначил начальником города Иерусалима, а второму сыну Ироду поручил управлять северной областью, носившей имя Галилея. Этому Ироду суждено было впоследствии сделаться царем Иудеи.

Ирод был человек предприимчивый, властолюбивый и хитрый. С юных лет стремился он к власти и ради достижения этой цели не останавливался перед самыми дурными средствами. Любовь к еврейскому народу была чужда этому сыну эдомита, он везде искал только своих личных выгод. Чтобы угодить римлянам, Ирод самовольно казнил в Галилее одного патриота Эзекию и его товарищей, которые подняли среди тамошних евреев восстание против римлян и боролись за свободу отечества. За это самоуправство иерусалимский Синедрион потребовал Ирода к суду. Ирод явился, но не как подсудимый, а как победитель, в сопровождении военной свиты. Члены Синедриона боялись его осудить. Тогда поднялся старец Шемая, председатель Синедриона, и воскликнул: *«Знайте, что настанет день, когда тот, которого вы теперь боитесь осудить, вас самих осудит на смерть».* Пока Гиркан и Синедрион колебались, Ирод бежал в Сирию, под защиту римлян. С их помощью Ирод, после смерти своего отца Антипатра, забрал в свои руки верховную власть и совершенно подчинил себе слабого Гиркана. Он обручился с внучкой Гиркана, прекрасной Мариамой, мечтая посредством женитьбы на хасмонейке достигнуть царской власти. К этой заветной цели Ирод шел неуклонно, и счастье улыбалось ему. Когда Юлий Цезарь был убит в Риме и властителем Востока сделался римский полководец Антоний, Ирод лестью и хитростью склонил последнего на свою сторону. Антоний назначил Ирода и его брата Фазаила правителями Иудеи, на правах римских наместников (41 г.).

Значительная часть иудейского народа возмущалась тем, что сыновья эдомита Антипатра назначены правителями Иудеи по воле римлян. Недовольные хотели возвести на престол молодого Антигона, сына Аристовула II, умершего в Риме. Для этой цели они вступили в союз с предводителями парфян, сильного племени в Персии, которое в то время восстало против римского владычества. Парфяне вместе с приверженцами Антигона овладели Иерусалимом, захватили в плен бывшего царя Гиркана II и Фазаила, а Ирода заставили бежать. Фазаил, предвидя свою участь, сам лишил себя жизни; Гиркан был отвезен в плен в Парфию, причем ему по приказанию его племянника Антигона обрезали уши, чтобы сделать его негодным к исполнению обязанностей первосвященника (по закону, священником не мог быть человек с телесным повреждением). Сын Аристовула воцарился в Иудее под именем Антигона II (40 г.).

Четыре года продолжалось это царствование. Антигон II не мог упрочить свою власть на более продолжительное время. Пока он спокойно царствовал в Иудее, бежавший оттуда в Рим Ирод подготовил ему гибель. В Риме смотрели на Антигона, как на бунтовщика, отнявшего власть у правителей, поставленных

Антонием. Поэтому римский сенат постановил — лишить Антигона власти, а Ирода признать царем Иудеи. Тогда Ирод, в сопровождении римских отрядов, вторгнулся в Иудею и осадил Иерусалим. После трехмесячной осады, Иерусалим был взят приступом и римляне устроили там ужасную резню. Антигон был схвачен. Когда его привели к римскому полководцу Созию, пленный царь заплакал. За это римляне презрительно обозвали его женским именем — «Антигона». По требованию Ирода Антигон был казнен (37 г.). Посреди этого ужасного кровопролития вступил на иудейский престол потомок эдомитов Ирод, любимец римлян, но ненавистный еврейскому народу.

Родословная таблица Хасмонеев

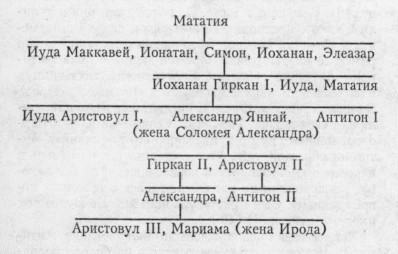

Мататия

Иуда Маккавей, Ионатан, Симон, Иоханан, Элеазар

Иоханан Гиркан I, Иуда, Мататия

Иуда Аристовул I,   Александр Яннай,   Антигон I
(жена Соломея Александра)

Гиркан II, Аристовул II

Александра, Антигон II

Аристовул III, Мариама (жена Ирода)

Глава IV

Царь Ирод I и его преемники (37 г. до хр. эры — 6 г после хр. эры)

28. Жестокости Ирода. Овладев иудейским престолом с помощью римлян, Ирод стал жестоко мстить приверженцам Антигона и хасмонейской династии. Многих он изгнал из Иудеи, отняв у них имущество. В числе изгнанных были члены Синедриона и представители знатных родов. Чувствуя, что иудеи его не любят, Ирод окружил себя греками и римлянами и раздавал им важнейшие должности в государстве.

Больше всего боялся Ирод, чтобы царскую власть не отняли у него оставшиеся члены рода Хасмонеев. Из рода Хасмонеев были тогда в живых: бывший царь и первосвященник Гиркан II, его дочь Александра и дети ее: Мариама и Аристовул III. На Мариаме Ирод женился еще до вступления на престол, желая породниться с царской семьей. Дед Мариамы, Гиркан II, возвратился из парфянского плена, Ирод принял его приветливо, но велел тайно следить за ним. Гиркан не мог снова сделаться первосвященником, так как уши у него были повреждены. Ироду пришлось утвердить в сане первосвященника его внука, 17-летнего Аристовула III. Народ горячо любил этого красивого и бла городного юношу. Когда в праздник Кущей Аристо вул, в роскошной одежде первосвященника, впервые совершал богослужение в иерусалимском храме, собравшиеся радостно приветствовали его. Эта любовь народа к Аристовулу мучила и пугала Ирода; царь видел в юном первосвященнике из рода Хасмонеев своего опасного соперника, который со временем может отнять у него корону. Задумав погубить Аристовула, Ирод пригласил его в Иерихон для участия в устроенных там празднествах и увеселениях (35 г.). Здесь Аристовул, купаясь в дворцовом пруде вместе с другими придворными, утонул как бы по собственной неосторожности, на самом же деле его утопили служители Ирода, согласно полученному тайному приказу. Народ догадывался о виновнике этой внезапной смерти, но никто не смел называть его по имени. Царица Мариама, потрясенная смертью любимого брата, почувствовало с тех пор к мужу непримиримую ненависть.

29. Казнь Мариамы. Мать Аристовула III, Александра, дала знать римскому властителю Антонию об убийстве ее сына и просила расследовать дело. Антоний, находившийся тогда в Сирии, вызвал Ирода к себе для ответа. Ирод со страхом повиновался. Перед отъездом он поручил охрану дворца Иосифу, мужу своей сестры Соломеи, и тайно приказал ему убить царицу Мариаму в случае, если он, Ирод, не вернется в Иудею. Этот ужасный приказ объясняют тем, что царь, страстно любивший красавицу-жену, не желал чтобы она после его смерти вышла замуж за другого. Во время отсутствия Ирода в Иерусалиме распространился ложный слух, будто Антоний казнил его. Во дворце произошло замешательство. Царица Мариама и ее мать готовились бежать из столицы; правитель дворца Иосиф сочувствовал им и даже открыл царице относившийся к ней тайный приказ Ирода. Между тем

Ироду удалось умилостивить Антония, и он возвратился в Иерусалим. Царица встретила его не радостно, а враждебно, и царь понял, что Иосиф открыл ей ужасную тайну. Злая сестра Ирода, Соломея, оклеветала Мариаму перед братом, обвиняя ее в слишком близкой дружбе с Иосифом. Разгневанный Ирод велел обезглавить Иосифа.

После того Ироду стала угрожать новая опасность. Правители Рима Антоний и Октавиан-Август воевали друг с другом за верховную власть. В знаменитой битве при Акциуме (31 г.), Август разбил Антония — и сделался единственным повелителем римского государства, приняв титул императора. Ирод, неожиданно лишившийся своего покровителя Антония, должен был поспешно отправиться к Августу, чтобы выпросить у него утверждение в царском сане. Перед отъездом жестокий Ирод велел казнить старика Гиркана II для того, чтобы римляне не вздумали возвести на престол этого последнего мужского представителя хасмонейского рода. Царицу Мариаму и ее мать он велел содержать в крепости и снова тайно приказал начальнику крепости убить обеих женщин в случае, если он не возвратится в Иерусалим. После этого Ирод явился в Родос к императору Августу, как смиренный проситель, и сложил перед ним свою царскую корону. Это смирение понравилось Августу, он утвердил Ирода в его царском сане и даже подарил ему некоторые пограничные города, некогда отторгнутые Помпеем от Иудеи.

Возвратившись с торжеством в Иудею, Ирод не встретил радостного сочувствия ни в народе, ни в своей семье. Мариама, узнавшая о его новом злодейском приказе, совершенно отвернулась от мужа. Тут коварная Соломея снова вмешалась в дело и, желая погубить царицу, прибегла к гнусной клевете: она донесла Ироду, будто Мариама хотела всыпать ему отраву в вино. Рассвирепевший Ирод велел предать Мариаму суду, обвиняя ее в измене мужу и желании убить его. Суд, состоявший из царских угодников, приговорил невинную Мариаму к смертной казни. Благородная царица приняла смерть спокойно, не обнаружив ни страха, ни женской слабости (29 г.).

30. Нововведения Ирода. После казни Мариамы Ирода стали мучить угрызения совести. Он горько каялся в том, что казнил свою прекрасную жену, которую так страстно любил. Царем овладело мрачное настроение, переходившее иногда в бешенство. В таком припадке бешенства велел он однажды казнить всех судей, приговоривших Мариаму к смерти. Эти мучительные душевные тревоги причинили царю тяжкую болезнь, но оправившись от нее, он снова стал искать жертв для утоления своей ярости. Были казнены теща Ирода, Александра, дальние родственники Хасмонеев и некоторые члены знатных иудейских родов.

Свои душевные тревоги и угрызения совести Ирод старался заглушать лихорадочной деятельностью. Он воздвигал великолепные здания в столице и провинции, вводил римские публичные игры и зрелища, и вообще старался приучить евреев к римскому образу жизни. В Иерусалиме он устроил роскошный театр, а за городом — цирк, где происходили публичные игры. Бойцы и наездники, актеры и музыканты наполнили священный город, на площадях устраивались разные состязания и в особенности бои силачей (атлетов) с дикими зверями. Такими нововведениями Ирод приобрел расположение римлян, но возбудил к себе ненависть благочестивых евреев, которые с отвращением смотрели на все эти языческие забавы. Среди этих ревнителей веры нашлись десять смельчаков, которые составили заговор против Ирода и решили убить его в театре; но заговор, благодаря доносу, был обнаружен — и заговорщики поплатились жизнью. С этого времени царь стал появляться на улицах не иначе, как в сопровождении телохранителей из галлов, фракийцев и германцев.

Подражая римскому императору Августу, Ирод заботился больше всего о внешнем блеске государства. Он построил несколько красивых городов на границах Иудеи. На берегу Средиземного моря, недалеко от Яффы, появился город Кесария (Цезарея), населенный преимущественно греками и римлянами. Древнюю Самарию Ирод переименовал в Себасту и украсил ее храмами и памятниками. Огромную массу денег он потратил на постройку нового царского дворца в Иерусалиме. Желая сколько-нибудь расположить к себе еврейский народ, царь приступил к перестройке иерусалимского храма, который был уже очень стар и тесен. Строителям царь велел руководствоваться указаниями священников и законоучителей. Работы по перестройке храма длились более десяти лет. Обновленный храм поражал своим великолепием, многие покои были выстроены из мрамора, а стены покрыты золотом. По красоте и убранству новый храм не уступал даже древнему Соломонову храму. За это еврейский народ готов был многое простить Ироду, но другими своими действиями царь все-таки продолжал возбуждать народ против себя. Он, например, поместил над входом в иерусалимский храм герб Рима — золотого орла — и тем оскорбил народное и религиозное чувство иудеев. Сильное недовольство возбуждал также произвол царя в деле назначения первосвященника. Ирод назначал первосвященниками своих любимцев, но большей частью людей, недостойных этого духовного сана. Он так часто менял их по своему капризу, что народ совершенно потерял уважение к высокому сану первосвященника.

31. Последние годы Ирода. Последние годы царствования Ирода были ознаменованы новыми жестокостями. У Ирода было много детей от различных жен. От хасмонейки Мариамы он имел двух сыновей — Александра и Аристовула, которые были похожи на свою мать красотой и благородством души. Юные царевичи получили блестящее светское воспитание в Риме, при дворе императора Августа. Когда они возвратились в Иерусалим, народ встретил их восторженно, как желанных наследников престола. Но у них был один опасный соперник. Старший сын Ирода от первой его жены-эдомитки, Антипатр, считал себя законным наследником царя и сильно ненавидел своих братьев — Аристовула и Александра, любимцев народа. Антипатр сговорился с сестрой царя, жестокосердной Соломеей, и они вместе стали добиваться гибели сыновей Мариамы. Соломея и Антипатр уверяли Ирода, что юные царевичи замышляют убить его, чтобы отомстить за смерть своей матери. Подозрительный Ирод поверил этой гнусной клевете — и нарядил суд над своими сыновьями. На суде он сам выступил обвинителем против своих сыновей. Судьи вынесли обвиняемым смертный приговор. Александр и Аристовул должны были испытать участь своей матери: они были казнены в Себасте (7 г. до хр. эры).

Коварный Антипатр, к великой радости своей, был назначен наследником престола, но не продолжительна была его радость. В Иерусалиме был обнаружен придворный заговор, имевший целью отравить Ирода и ускорить переход власти к Антипатру; выяснилось, что последний сам участвовал в этом заговоре против отца. Суд приговорил Антипатра к смерти, но Ирод медлил с исполнением приговора и держал преступного сына в заточении.

Все эти тревоги окончательно надломили здоровье Ирода. Лютая болезнь приковала царя к постели. Однажды в Иерусалиме разнесся ложный слух, будто царь умер. Тогда два смелых фарисея, Иуда и Матиас, с толпой своих учеников двинулись к иерусалимскому храму и разрушили там на воротах ненавистное народу золотое изображение римского орла, поставленное Иродом. Несмотря на свою тяжкую болезнь, царь велел схватить главных мятежников и привести к нему; виновные были сожжены живьем. За пять дней до своей смерти Ирод велел казнить своего сына Антипатра, так как узнал, что тот сделал попытку подкупить стражу и бежать из тюрьмы. Рассказывают, что император Август, узнав о казни третьего Ирода, воскликнул: *«Гораздо лучше быть свиньей иудейского царя, чем его сыном!»*. Молва гласила, будто перед смертью Ирод поручил своим приближенным заманить знатнейших иудейских граждан в Иерихонский цирк и убить их всех в день его смерти, для того, чтобы народ поневоле плакал в этот день и не мог радоваться избавлению от тирана. Ирод умер после 33-летнего бурного царствования (4 г. до хр. эры). Иудейский народ презрительно прозвал его «эдомитом» и «полуиудеем», а римляне титуловали его Иродом Великим.

32. Архелай. Внутренние смуты.

Перед смертью Ирод разделил иудейские земли между своими тремя сыновьями: Архелаем, Иродом Антипою и Филиппом. Прежде чем вступить во власть, наследники должны были получить на это согласие римского императора. Главный наследник Архелай, по окончании семидневного траура, явился в храм и обратился к собравшемуся там народу с приветственной речью. В ответ на это в собрании послышались громкие требования реформ. Народ требовал, чтобы новый царь облегчил бремя государственных податей, отменил налоги на предметы первой необходимости и освободил всех политических узников, томившихся в тюрьмах при Ироде. Архелай обещал исполнить эти требования после того, как император утвердит его в царском звании. Но народ не хотел ждать, начались волнения. Эти волнения усилились с наступлением Пасхи, когда тысячи богомольцев из разных городов съехались в Иерусалим. Археллай решил подавить восстание в самом зародыше. По его приказанию солдаты бросились на собравшийся близ храма народ и убили около 3000 человек; приезжие богомольцы вынуждены были покинуть Иерусалим накануне Пасхи. После этого, ставший ненавистным народу, Археллай поехал в Рим, чтобы исходатайствовать у императора Августа утверждение в царском звании. Туда же вскоре отправились и его братья, чтобы хлопотать каждый о себе.

Охрану порядка в Иерусалиме принял на себя римский полководец Сабин. Но грубость и алчность Сабина еще более раздражали жителей. В столице и по всей стране происходили народные восстания с целью низвержения ига римлян и ненавистных «иродиан». Испуганный Сабин должен был запереться в царском дворце со своими воинами. Тогда на выручку ему явился главный римский наместник Сирии, Вар, с многочисленным войском. Вар жестоко наказал восставших иудеев, 2000 человек он распял на крестах.

Император Август утвердил наследников Ирода в их правах. Археллай был назначен правителем южной части Иудеи со столицей Иерусалимом; при этом он получил только звание «этнарха» (начальник племени), но не царя. Ирод Антипа был признан правителем северной области — Галилеи, а Филипп получил на свою долю северо-восточные области, за Иорданом. Но Археллай недолго пользовался властью. Уверенный в покровительстве Рима, он жестоко притеснял народ. Подобно своему отцу, он по личному усмотрению назначал и смещал первосвященников, а иногда открыто нарушал законы еврейской веры. Евреи отправили в Рим послов, которые жаловались императору на беззакония Археллая. Тогда император вызвал Археллая в

Рим, лишил его власти и сослал в далекую Галлию. Южная Иудея с Иерусалимом перешла под непосредственную власть Рима — и ею стали управлять прокураторы, или наместники, назначавшиеся римским императором (6 г. христианской эры).

33. Духовная жизнь. Гилель и Шамай. Управление Ирода и его преемников было тягостно еврейскому народу больше всего потому, что эти правители старались насаждать в Иудее греко-римские нравы и обычаи, противные духу иудаизма. Лучшие люди в народе видели, что от любителей римских обычаев еврейству грозит такая же опасность, как некогда от эллинистов — поклонников греческой образованности. Эти лучшие люди, принадлежавшие к партии фарисеев, стремились к тому, чтобы оградить внутреннюю жизнь народа от дурных влияний извне. Они давали направление деятельности главного законодательного учреждения — Синедриона. При вступлении Ирода I на престол во главе Синедриона стояли великие законоучители — Шемая и Авталион. Эти духовные вожди заботились о распространении книжного образования в народе. Под их руководством способные люди изучали писаные и устные законы иудейства. Когда Шемая и Авталион умерли, руководителями Синедриона сделались законоучители из фамилии Бне-Батара, но они недолго занимали свои почетные места. Однажды, накануне Пасхи, в Синедрионе обсуждался какой-то трудный религиозный вопрос, которого никто из ученых не мог разрешить. Тогда в собрание пригласили молодого ученого из Вавилонии, который остроумно разрешил поставленный вопрос, сославшись на слышанное им мнение Шемаи и Авталиона. Бне-Батара должны были уступить свое первое место в Синедрионе молодому ученому, который вскоре прославился в народе под именем Гилеля.

Гилель родился в Вавилонии, в знатной семье, происходившей, по преданию, от царя Давида. В ранней юности он прибыл в Иерусалим, чтобы учиться в школе Шемаи и Авталиона. Будучи чужим в столице, он терпел там сильную нужду, но его страсть к учению победила всякие трудности. Предание рассказывает, что однажды, в зимний вечер, Гилель не был допущен к слушанию лекций Шемаи и Авталиона, так как не имел чем заплатить привратнику за вход в школу. Не долго думая, Гилель взобрался снаружи на стену школьного здания, приник к окну и в таком положении прослушал лекции своих учителей. Углубившись в смысл читаемого, он не чувствовал, как холод пронизывал его тело и как снег покрывал его толстым слоем. Только на рассвете бедного Гилеля нашли почти окоченевшим у окна и с трудом привели его в чувство.
— Гилель приобрел такие обширные познания в Законе, писаном и устном, что вскоре был избран членом Синедриона, а затем и председателем («наси»). Он сделался величайшим законоучителем своего времени. Подобно тому, как вавилонянин Эзра некогда распространял в народе Священное Писание, так его земляк Гилель распространял «устное учение», которое в позднейшее время расширилось и было записано под именем «Мишны».

Заслуга Гилеля состояла в том, что он связал накопившиеся в иудействе устные предания с писаными библейскими законами. Он также устанавливал новые законы, выводя их из мыслей и выражений Библии. Но особенно прославился Гилель как творец нравственного учения, основанного на самых возвышенных истинах библейского иудаизма. Гилель считал религию средством для нравственного совершенствования личности. «Обязанности человека к ближнему» он ставил еще выше, чем «обязанности человека к Богу». Один язычник, желавший принять иудейство, но страшившийся обилия иудейских законов и обрядов, обратился к Гилелю с просьбой передать ему в нескольких словах сущность еврейского вероучения. И Гилель сказал ему: *«Что тебе неприятно, того не делай другому — вот сущность Торы, а все остальное есть лишь объяснение к этому. Ступай, учись!».* О человеколюбии Гилеля рассказывают следующее. Один человек держал с кем-то пари о том, что ему удастся вывести Гилеля из терпения и рассердить его. Является этот человек к Гилелю накануне субботы, когда тот умывался в бане, и вызывает его по спешному делу. Когда Гилель, прервав купание, вышел к посетителю, последний предложил ему какой-то пустой вопрос, на который кроткий учитель ответил, однако, очень приветливо. Спустя несколько минут, дерзкий посетитель является опять с другим праздным вопросом, затем — в третий раз, но всякий раз Гилель дает ему ответ в самом ласковом тоне. Наконец, посетитель потерял терпение и в сердцах воскликнул: *«Таких как ты, Гилель, пусть будет поменьше в Израиле!»* — *«Почему же, сын мой?»* — кротко спросил Гилель. *«Да я из-за тебя пари проиграл»,* — ответил тот. *«Лучше, чтобы ты проиграл пари,* — сказал Гилель, — *чем чтобы я потерял терпение».*

Любимыми изречениями Гилеля были: *«Люби мир и водворяй его везде, люби людей и приближай их к закону Божию». «Не суди своего ближнего, пока не станешь в его положение». «Если не я за себя, то кто же за меня? Но если я только за себя, то что я значу?» «Кто старается прославить свое имя, тот теряет свое имя; кто не приобретает новых познаний, теряет и прежние».*

Одновременно с Гилелем обязанности председателя Синедриона исполнял другой великий законоучитель, Шамай. Он отличался от Гилеля и по духу своего учения, и по личному нраву. Шамай не допускал никаких облегчений в исполнении законов и запрещал многое из того, что Гилель разрешал. Он ставил в религии выше всего строгое исполнение правил и обрядов. Вместе с тем он был очень суров и высокомерен в обращении с людьми. Когда язычник, желавший перейти в иудейство, попросил Шамая сказать ему в нескольких словах («пока он будет стоять на одной ноге»), в чем сущность еврейского вероучения, суровый учитель прогнал его. Гилель же ласково принял искателя истины и привлек его к иудейству вышеупомянутым изречением, которое сводит всю религию к началу любви к ближнему. Другой язычник — рассказывает предание — пришел к Шамаю и заявил, что хочет принять иудейство, но с тем, чтобы соблюдать только писаный закон, а не устный. Шамай резко отверг это предложение. Гилель же согласился принять язычника в общину иудеев и стал его обучать. В первый день он показал ему буквы еврейского алфавита по порядку, а на другой день — те же буквы в обратном порядке. На вопрос ученика, почему его сегодня обучают иначе, чем вчера, Гилель ответил: *«Нет, это одно и то же, только в различных видах. Таково и отношение устного учения к писаному»*. Когда эти двое новообращенных потом встретились, они сказали: *«Суровость Шамая едва не оттолкнула нас от святыни, кротость же Гилеля ввела нас туда»*.

После смерти Гилеля и Шамая (ок. 5 г. хр. эры), ученики их разделились на две религиозные партии или школы. Эти школы расходились в решении многих религиозных и правовых вопросов и в толковании библейских законов. «Школа Гилеля» и «школа Шамая» часто спорили между собой. Между законоучителями, заседавшими в Синедрионе, не было согласия. Эти споры ослабляли единство фарисейской партии, но зато они дали толчок умственной деятельности, которая все более усиливалась среди евреев и привела впоследствии к созданию Талмуда.

Глава V

Владычество римлян в Иудее (6—66 гг. хр. эры)

34. Первые римские наместники. После смещения и ссылки Архелая братья его Ирод Антипа и Филипп остались правителями в своих уделах — в Галилее и Заиорданской области. Ирод Антипа сделал своей столицей город Ципору (Сепфорис). Близ Генисаретского озера он построил новый город, которые назвал Тивериадою, в честь Тиверия, преемника римского императора Августа. Тивериада славилась впоследствии своими целебными источниками. Правитель Заиорданской области, Филипп, построил себе у источников Иордана великолепную столицу, названную Кесарией Филиппинской (в отличие от Кесарии Приморской). Оба брата управляли своими уделами около тридцати лет (до 34—39 гг. хр. эры), в качестве данников (вассалов) римского императора

В это время внутренней Иудеей, центром которой был Иерусалим, управляли римские чиновники, посившие звание наместников, или прокураторов. Так как Иудея считалась частью Сирийской провинции, то иудейские наместники состояли под начальством главных римских правителей в Сирии. Иудейские наместники жили в Приморской Кесарии, построенной

Иродом I. Они имели обширную власть: собирали подати с евреев, назначали и смещали первосвященников и проверяли судебные решения Синедриона. Первым наместником, после удаления Архелая (6 г.), был начальник конницы, римлянин Копоний. При нем в Иудее произведена была перепись населения, с целью установить размер податей, которые жители должны платить императору. Эта перепись и последовавшее затем строгое взыскание податей дали почувствовать народу всю тяжесть римской власти. Наместники, часто сменявшие друг друга, притесняли население и обременяли его произвольными поборами. Император Тиверий (14—37 гг.) назначил в Иудее наместником Валерия Грата и приказал ему не притеснять жителей. *«Хороший пастух, — говорил император, — стрижет своих овец, но не сдирает с них шкуру».*

После Грата наместником Иудеи сделался Понтий Пилат, человек жестокий и коварный. Он приказал внести в Иерусалим римские знамена с изображением императора, которым язычники воздавали божеские почести. Но иудеи, верные синайской заповеди, запрещающей поклоняться всяким изображениям, возмутились, и Пилат принужден был удалить знамена из священного города. Однажды Пилат, для устройства водопровода, взял деньги из казнохранилища храма. Когда иерусалимцы собрались вокруг храма и начали шумно выражать свое негодование, он послал туда своих переодетых солдат, которые били иудеев спрятанными под одеждой дубинками и многих уложили на месте.

Имя Понтия Пилата связано еще с одним жестоким поступком. В то время в Иудее появился Иисус Христос и стал проповедовать свое вероучение. Услышав, что Иисуса называют «царем иудейским», римский наместник, вместе с подчиненным ему иерусалимским первосвященником Каяфой и Синедрионом, осудил его на смерть (33 г.). Через несколько лет, однако, Пилат за свои беззакония был смещен с должности и сослан в Галлию.

35. Император Калигула. В Риме, при дворе императора Тиверия, жил внук Ирода I и царицы Мариамы Агриппа, сын казненного Аристовула. Живя среди римской знати, молодой Агриппа приучился к веселой жизни и расточительности. Он растратил все свои деньги и наделал много долгов. Боясь преследования со стороны кредиторов, он бежал из Рима и долго скитался по разным странам. Возвратился он в Рим только в конце царствования Тиверия. В это время Агриппа подружился с наследником престола Каем Калигулой. Однажды Агриппа выразился, что желал бы поскорее увидеть Калигулу императором. Узнав об этом, разгневанный Тиверий велел заковать Агриппу в цепи и бросить в темницу. Но через полгода Тиверий умер (37 г.). Преемник его, Калигула, освободил своего друга из заключения и подарил ему золотую цепь на память о железной цепи, которую узник носил в тюрьме. Новый император назначил Агриппу правителем Заиорданской области, бывшей под властью Филиппа. В то же время Калигула отнял Галилею у Ирода Антипы и передал ее Агриппе. Таким образом, Агриппа сделался правителем большей части Иудеи и даже получил титул царя. Он поехал из Рима через Александрию, столицу Египта, чтобы вступить в управление иудейскими землями. Но по дороге ему пришлось быть свидетелем печальных событий.

С тех пор как Египет перешел из-под власти Птолемеев под власть Рима (при императоре Августе), между еврейским и греческим населением Александрии происходили постоянные раздоры. В Египте жило около миллиона евреев, которые благодаря своему трудолюбию и трезвости достигли высокой степени благосостояния. Они беспрерывно расширяли свои торговые сношения и все более богатели, в то время как часть местного греческого населения, вследствие лености и распутной жизни, постепенно обеднела. Евреи успешно соперничали с греками также в науках и искусствах.

Еврейские ученые писали свои сочинения по-гречески. Величайшим философом того времени был еврей Филон Александрийский. Последователь древнего афинского философа Платона, Филон старался сочетать его метафизические идеи с религиозными воззрениями Моисея и еврейских пророков. В своих сочинениях: «Жизнь Моисея», «Сотворение мира» и других, — он выводил глубокие нравственные истины из библейских рассказов и законов. Ради этого Филон часто толковал выражения Библии иносказательно (аллегория), открывал в них, кроме прямого их смысла, и скрытые философские идеи. Сущность своего учения Филон выразил так: *«Кто утвердил в своей душе следующие истины: что Бог существует, что Он един, что Он создал мир, что мир тоже един и что Бог постоянно заботится о своем творении, — тот будет вести счастливую жизнь».*

Успехи евреев во всех отраслях труда возбуждали в греках зависть и злобу, которые проявлялись при всяком удобном случае. Когда Агриппа, по пути в Иудею, проезжал через Александрию и тамошние евреи встретили его с царскими почестями, завистливая греческая чернь сопровождала его на улицах бранными криками и насмешками (38 г.). Не довольствуясь этим, толпа греков ворвалась в синагоги и поставила там статуи римского императора, зная, что еврейским законом воспрещено держать в храмах какие бы то ни было изображения. Римский наместник в Египте Флакк, вместо того чтобы защищать евреев, примкнул к их врагам. Когда евреи прибегли к самообороне против дикой толпы громил, Флакк велел отнять у них оружие и тем поощрил греков к насилиям. Солдаты, по его приказу, схватили 38 почетных представителей еврейской общины, потащили их в театр и там жестоко избили палками. Тогда александрийские евреи отправили в Рим посольство с целью просить императора о защите. Во главе этого посольства стоял еврейский философ Филон. Александрийские греки со своей стороны отправили в Рим послов с жалобами на евреев, главным из этих послов был закоренелый враг еврейства, писатель Апион. Император принял еврейских послов недружелюбно, ибо он тогда сильно гневался на иудеев. Причина его гнева заключалась в следующем.

Император Калигула с первых лет своего царствования стал обнаруживать признаки безумия. Он считал себя Богом и отдал приказ, чтобы все народы Римской империи помещали в своих храмах его статуи и поклонялись им. Жителей Иудеи этот указ привел в ужас, ибо религия запрещала им поклоняться идолам. Между тем Калигула предписал сирийскому наместнику Петронию поставить в иерусалимском храме императорскую статую и силой заставить иудеев поклоняться ей. Петроний двинулся с большим войском в Иудею и грозно потребовал от жителей, чтобы они исполнили императорский приказ. Тогда иудеи восстали для защиты своей веры. Огромная толпа их окружила жилище Петрония в Тивериаде и в течение сорока дней упрашивала его, чтобы он не осквернил иерусалимской святыни статуей императора. Петроний убедился, что нельзя исполнить императорский указ без страшного кровопролития, и дал знать об этом в Рим. Возвратившийся в Рим Агриппа тоже старался склонить Калигулу к отмене указа. Неизвестно, чем бы кончилось дело, если б вдруг Калигула не умер, убитый заговорщиками (41 г.). Преемником его сделался император Клавдий.

36. Царь Агриппа I. Когда умер Калигула, Агриппа содействовал тому, чтобы римским императором был избран Клавдий. В награду за эту услугу новый император отдал Агриппе сверх ранее полученных областей, еще и южную Иудею. Таким образом, Агриппа сделался царем всей Иудеи, в тех пределах, какие она имела при хасмонейских царях. Его кратковременное царствование (41—44 гг.) напомнило евреям былые счастливые времена. Переселившись в Иерусалим, Агриппа оставил свои легкомысленные юношеские увлечения и всецело предался делу государственного управления. Народ, недавно страдавший от римских наместников, с радостью встретил своего царя и вскоре полюбил его. Царь Агриппа всегда выказывал глубокое уважение к религиозным обычаям еврейского народа, но вместе с тем старался поддерживать хорошие отношения и с окружающими греками и римлянами. Он опирался в деле управления на партию фарисеев, которой народ больше доверял, чем богачам-цадукеям. Агриппа возвратил Синедриону его прежние права и назначал первосвященниками людей благочестивых и бескорыстных. В обращении с людьми он был очень скромен. В «праздник жатвы» (Шовуот) царь, исполняя религиозный обычай, сам нес в храм свою корзину с овощами, наравне с простыми поселянами. Однажды Агриппа громко читал в храме установленные главы из Второзакония. Когда он дошел до места, где говорится: *«Из среды братьев твоих поставь над собою царя: не можешь поставить над собою инородца»* (XVII, 15), — он вдруг заплакал, ибо вспомнил, что сам он эдомитского происхождения со стороны своего деда Ирода I. Присутствующие, в том числе и фарисеи, были очень тронуты и воскликнули: *«Не печалься, Агриппа! Ты брат наш!»*. В Агриппе, сыне казненного Аристовула и внуке хасмонейки Мариамы, народ действительно видел скорее хасмонея, чем иродианца.

Агриппа начал строить вокруг Иерусалима высокую крепостную стену, чтобы обезопасить столицу от неприятельских нападений. Но римский наместник в Сирии донес об этом императору Клавдию и прибавил, что иудейский царь, вероятно, хочет отделиться от Рима. Тогда Агриппа вынужден был прекратить работы. Вскоре Агриппа умер внезапно, присутствуя на публичных играх в Кесарии. Евреи горячо оплакивали своего царя, кесарийские же греки и римляне радовались его смерти и устроили по этому случаю веселый пир.

В царствование Агриппы I во главе иерусалимского Синедриона стоял Гамлиель I, внук великого законоучителя Гилеля. Гамлиель мудро руководил деятельностью Синедриона, приспособляя законодательство к потребностям жизни. Одним из учеников Гамлиеля был Саул из Тарса, который впоследствии отпал от еврейства и сделался главным апостолом христианства, под именем Павла. — В то время многие язычники стали исповедовать веру в Единого Бога. Одни принимали эту веру по христианскому учению, другие — по иудейскому. В Сирии и Малой Азии многие язычники, в особенности женщины, обращались в иудейство. В небольшом царстве Адиабене, в Месопотамии, обратились в иудейскую веру царица Елена и ее сыновья Изат и Монобиз; их примеру последовали другие члены адиабенской царской семьи. Елена отправилась в Иерусалим, на поклонение Богу Израиля. В столице тогда свирепствовал голод, и Елена пожертвовала много денег на покупку хлеба для голодавшего населения. После смерти Елены и Изата тела их были перевезены в Иерусалим и похоронены в особой гробнице. Дети и потомки Изата поселились в Иудее и жили там до падения этого государства.

37. Агриппа II и римские наместники. Агриппа I оставил после себя 17-летнего сына, Агриппу II, и трех дочерей, из которых особенно славилась своей красотой Береника. Император Клавдий хотел назначить царем Иудеи юного Агриппу II, который воспитывался в Риме, но влиятельные царедворцы отклонили императора от этого намерения, под тем предлогом, что Агриппа еще слишком молод. Вследствие этого Иудея опять попала под управление римских наместников (44 г.).

Народ, отвыкший в течение нескольких лет от иноземного владычества, почувствовал себя снова несчастным. Новые римские наместники своими строгостями еще усиливали недовольство в народе. Наместник Фад жестоко подавлял всякие стремления к свободе среди иудеев. Он велел обезглавить агитатора Теуду, который выдавал себя за пророка и избавителя Иудеи. Язычник Фад вмешивался и в духовные дела евреев: назначал первосвященников и хранил у себя праздничные священнические одежды. Однако впоследствии император предоставил право назначения первосвященников и заведования иерусалимским храмом Агриппе II. Агриппа получил в свое владение княжество Халкиду, в Сирии. Таким образом, потомок царей иудейских сделался только помощником римских наместников, управлявших Иудеей. Для самостоятельного управления у Агриппы не было ни способностей, ни охоты. Он предпочитал вести веселую жизнь в Риме, среди придворной и родовитой молодежи, чем посвятить свои силы служению своему народу.

А в иудейском народе, между тем, все усиливалось недовольство против римлян. Новый наместник Куман (48—52 гг.) расставлял римских солдат вокруг иерусалимского храма для наблюдения за порядком во время больших праздников. Присутствие язычников в священном месте оскорбляло религиозное чувство евреев. Однажды какой-то солдат совершил неприличный поступок близ святилища, на глазах огромной массы богомольцев, собравшихся в храме по случаю праздника Пасхи. Возмущенные этим иудеи стали бросать камни в римских солдат и бранить наместника. Тогда Куман вызвал вспомогательный отряд войска. Солдаты бросились на безоружную толпу, которая пустилась бежать по прилегавшим к храму узким и кривым улицам. Люди толкали и давили друг друга, и тысячи иудеев найдены были на улицах задавленными. Многие семьи оплакивали своих погибших членов, и праздник превратился в великий траур. Подобные столкновения происходили часто, и наместник обыкновенно принимал под свою защиту язычников. Так же враждебно относились к евреям и сменившие Кумана наместники.

Новый римский император Нерон, преемник Клавдия (54—68 гг.), не защищал евреев от насилий. Когда однажды в Кесарии возгорелся спор за гражданские преимущества между греками и евреями, и обе стороны обратились с жалобами к Нерону, последний решил спор в пользу греков, хотя они были неправы. Тогда часть еврейского народа начала готовиться к восстанию. В различных местах собирались иудейские вольные отряды для борьбы с римлянами. Во главе таких отрядов стояли люди, горячо любившие свою родину и готовые жертвовать жизнью для ее освобождения. Эти люди назывались «ревнителями», или зелотами. Одновременно с зелотами, действовавшими открыто, появились тайные мятежники, которые назывались сикариями, т. е. «кинжальщиками». Сикарии носили под своими плащами короткие кинжалы и при всяком удобном случае убивали римлян и даже своих братьев — иудеев, которые дружили с римлянами.

38. Начало восстания. Терпение еврейского народа окончательно истощилось, когда наместником Иудеи был назначен римлянин Гессий Флор, который явился «как бы в качестве палача для казни осужденных» (64—66 гг.). Флор бессовестно грабил жителей Иудеи, вымогал деньги как у богатых, так и у бедных, и совершал всяческие беззакония. Живущие в стране язычники, видя это, думали, что закон уже не охраняет евреев и что их можно безнаказанно преследовать. В приморском городе Кесарии, где обыкновенно жил римский наместник, усилились давнишние споры между греками и евреями. Надеясь на поддержку Флора, кесарийские греки и римляне стали оскорблять еврейских жителей города на каждом шагу. Дерзкие язычники собирались возле синагоги и своими криками и насмешками мешали евреям молиться. Эти издевательства ожесточили иудейское население. Дело дошло до рукопашного боя на улице, в этой драке евреи были побиты. Тогда они оставили Кесарию в субботний день и, забрав с собой священные книги, удалились в соседний городок. Отсюда изгнанники отправили посольство к Флору с просьбой о заступничестве, но тот, выслушав послов, приказал бросить их в темницу.

Весть об этом насилии вызвала в Иерусалиме сильнейшее негодование, которое еще возросло, когда Флор послал к заведующему храмом приказ — выдать ему из храмовой казны 17 талантов золота. Дерзкое требование наместника было отвергнуто; народ громко бранил и проклинал Флора: некоторые жители Иерусалима обходили улицы с кружками в руках и в насмешку просили у прохожих милостыни в пользу «бедного, несчастного Флора». Узнав об этом, рассвирепевший наместник ворвался с вооруженным отрядом в Иерусалим, требуя денег и выдачи тех, которые его оскорбляли. Получив отказ, он велел своим солдатам грабить так называемый «верхний рынок», где находились дома богачей. Начался страшный погром, сопровождаемый резней и грабежом. Напрасно сестра Агриппы, Береника, умоляла Флора о прекращении погрома; наместник был неумолим. Но тут сам народ постоял за себя. Когда Флор ввел в столицу новые войска, с намерением завладеть храмом, население взялось за оружие. Возмущенные иудеи волной хлынули на улицы, ведущие к Храмовой горе, вытеснили оттуда римских солдат, стреляя в них с крыш домов, и наконец заставили Флора с частью войск уйти из Иерусалима обратно в Кесарию.

Однако сначала не все иудеи примкнули к восстанию. В борьбе с римлянами принимали участие главным образом беднейшие классы народа и горячие патриоты, носившие имя «зелотов». Во главе воинственной партии зелотов стоял Элиезер-бен-Ханания, из рода первосвященников. Богатые же люди, боявшиеся за свое благосостояние, стояли за мир с римлянами; главой этой миролюбивой партии был Агриппа II. Когда произошло вышеописанное столкновение евреев с Флором, главный сирийский наместник Цестий Галл отправил в Иерусалим посла, чтобы исследовать причины беспорядков. В присутствии этого посла Агриппа произнес в народном собрании длинную речь, где горячо убеждал евреев не начинать опасной войны с могучим Римом. Речь произвела сильное впечатление на слушателей, они выразили готовность подчиниться римскому императору и снова платить ему дань. Но когда Агриппа имел неосторожность предложить, чтобы народ признал и власть ненавистного наместника Флора, слушатели пришли в ярость. Ожесточенная толпа назвала Агриппу изменником и заставила его удалиться. Воинственная партия взяла верх — и восстание снова разгорелось. Священники перестали приносить ежедневную жертву за императора — что означало разрыв с Римом. Миролюбивая партия осуждала поведение зелотов и даже вступила с ними в борьбу. Семь дней продолжался на улицах Иерусалима ожесточенный бой между отрядами Агриппы и зелотами, пока наконец последние не победили. Разъяренные крайние зелоты (сикарии) сожгли дворцы Агриппы и Береники и убили многих иудеев, подозреваемых в сочувствии римлянам.

Узнав о том, что делается в Иерусалиме, главный сирийский наместник Цестий Галл двинулся туда сам с многочисленным войском для усмирения мятежа. Опустошая все на своем пути, войска Цестия приблизились к Иерусалиму в дни праздника Кущей (66 г.). Ввиду грозившей опасности, армия зелотов сильно увеличилась. Главным предводителем ее был богатырь Симон Бар-Гиора. Увлекши за собой массу народа, зелоты выступили из Иерусалима против легионов Цестия и дружным нападением произвели страшное замешательство в их рядах. Римляне отошли от Иерусалима, но через несколько дней снова подошли и взялись за осаду. Они заняли наружные, неукрепленные части города, но не могли одолеть иудеев, мужественно защищавших внутренний город. Тогда Цестий велел снять осаду и отступить от столицы. Заметив, что неприятель уходит, иудейские воины погнались за ним и нанесли ему сильное поражение. Цестий позорно бежал с остатками своего войска. Эта победа над римским главнокомандующим ободрила иудеев; к партии зелотов перешли даже многие умеренные люди, которые прежде боялись войны с Римом. Таким образом, большинство народа примкнуло к восстанию — и решительная война с римлянами сделалась неизбежной.

Родословная таблица династии Ирода

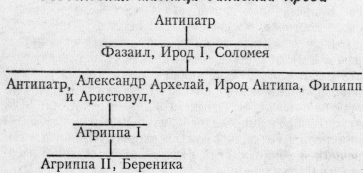

Глава VI

Война с римлянами и падение иудейского государства (66—70 гг.)

39. Приготовления к войне. Восставшие иудеи предвидели, что римский император вскоре пошлет большое войско с целью усмирения непокорного народа, — и поэтому стали деятельно готовиться к защите своего отечества. Образовалось временное правительство из аристократов и фарисеев. Иерусалимский Синедрион, во главе которого тогда стоял Симон бен-Гамлиель (правнук Гилеля), составил подробный план обороны Иудеи в случае неприятельского нашествия. Начальниками в столичном городе Иерусалиме Синедрион назначил Иосифа бен-Гориона и первосвященника Ханана (Анан). Они деятельно укрепляли столицу, собирали воинов, приготовляли запасы оружия и продовольствия. Ожидали, что римляне подойдут к Иерусалиму не через ближайший приморский город, а двинутся из Сирии сухим путем через Галилею. Поэтому здесь больше всего готовились к обороне. Начальником военных сил в Галилее был назначен Иосиф бен-Мататия, который впоследствии прославился как историк, под именем Иосифа Флавия. Под его руководством важнейшие города Галилеи были сильно укреплены и снабжены достаточным количеством войска и оружия.

Для того, чтобы все эти приготовления привели к желанной цели, необходимо было, чтобы между всеми частями народа существовало полное единство и согласие. Но, к несчастью, в народе и среди его руководителей обнаружилась опасная рознь. В самом Синедрионе одни стояли за решительную войну с римлянами, до полного освобождения отечества, а другие, предвидя бесполезность этой войны, готовы были мириться с властью римлян, лишь бы только за иудеями оставлена была свобода внутренней, духовной жизни. В народе боролись две партии: революционеры-зелоты и миролюбцы. Начальник Галилеи, Иосиф бен-Мататия, был в душе также противником войны, хотя и по другим побуждениям. Он принадлежал к знатному священническому роду и в юности получил образование в школе фарисеев, но на 26-м году жизни он приехал в Рим и, вращаясь в обществе образованных римлян, во многом переменил свои убеждения. Он убедился, что только в религии и нравственности евреи стоят выше римлян, но в деле государственного управления и в светском образовании римляне превосходят их. Иосиф полагал, что Иудея, подобно другим мелким государствам Востока, может только выиграть от того, что находится под господством такой сильной державы, как Рим. Воевать с Римом казалось ему опасным, ибо в этой неравной борьбе маленькая Иудея падет, а народ ее будет рассеян по всем странам. При таких убеждениях Иосиф, в качестве начальника галилейских войск, не мог строго исполнять свой долг. Это понял один из главных вождей зелотов в Галилее, Иоханан Гисхальский, храбрый воин, проникнутый горячей любовью к родине и ненавистью к ее угнетателям. Иоханан заметил в поведении Иосифа склонность не к борьбе, а к примирению с римлянами: он немедленно дал знать иерусалимскому Синедриону, что опасно поручать оборону Галилеи такому человеку, как Иосиф. Но ловкий и красноречивый Иосиф успел оправдаться перед Синедрионом и доказать ему, что опасения Иоханана неосновательны. Он сохранил за собой звание главнокомандующего галилейской армией, — и это вскоре привело к весьма печальным последствиям.

40. Война в Галилее. Император Нерон получил известие о восстании иудеев в то время, когда он забавлялся в Греции олимпийскими играми и устраивал там веселые празднества. Он немедленно отправил в Иудею для усмирения мятежа лучшего из своих полководцев, Веспасиана. В начале 67 года Веспасиан стянул к границам Иудеи все расположенные на Востоке римские войска. Его армия насчитывала до 60000 человек. В этой армии находился, в качестве римского вассала, Агриппа II со своими вспомогательными отрядами, так что потомку иудейских царей пришлось выступить против своего собственного народа. Вместе с Агриппой в римском лагере находилась его сестра, красавица Береника. Здесь она познакомилась с сыном Веспасиана, Титом, командовавшим несколькими полками, и очаровала его своей красотой. Завязались близкие отношения между еврейской принцессой и человеком, который призван был нанести последний удар иудейскому государству.

Веспасиан начал с того, что с отборнейшими отрядами своей армии вторгнулся в Галилею, которую нужно было завоевать, прежде чем двинуться к Иерусалиму. Ужас охватил галилеян, никогда еще не видевших такой громадной неприятельской армии. Иосиф бен-Мататия, руководитель обороны в Галилее, первый устрашился могущества римлян. Он отступил к Тивериаде, между тем как неприятель шел вперед и брал один город за другим. Жители этих городов оказывали отчаянное сопротивление, но они все-таки не могли устоять против огромных полчищ Веспасиана. Только галилейский город Иотапата, укрепленный самой природой и превращенный Иосифом в неприступную крепость, остановил на время движение римлян. Иотапата стояла на очень крутой скале, окруженной глубокими ущельями, а единственная сторона, с которой к ней можно было подойти, была ограждена окопами и башнями. Здесь-то заперся Иосиф со значительной частью своего войска. Веспасиан сосредоточил свою армию вокруг этой крепости и лично руководил осадой.

Римляне беспрерывно бросали в город стрелы, камни и куски дерева, обложенные горючими материалами, но осажденные делали удачные вылазки, отгоняя то один, то другой из неприятельских отрядов и уничтожая их осадные сооружения. Когда римляне придвинули к крепости стенобитные орудия (тараны), осажденные опустили вдоль крепостных стен наполненные соломой мешки, чтобы ослабить удары этих орудий, а между тем бросали на римских солдат пылающие головни, лили на них серу и кипящую смолу. Но все эти усилия оборонителей были напрасны. Город крайне нуждался в воде. Изнуренные жаждой иудейские воины, охранявшие крепостную стену, однажды под утро заснули. Об этом сообщил неприятелю один перебежчик. Римляне тотчас же подступили к крепости, взобрались на стену — и прежде чем стража успела очнуться, Иотапата была уже занята (июнь 67 г.). Ожесточенные римские солдаты устроили в городе страшную резню. Тысячи иудеев погибли в Иотапате, множество женщин и детей было взято в плен и продано в рабство. Сам начальник Иосиф несколько дней скрывался в пещере с сорока товарищами. Когда их убежище было обнаружено, товарищи Иосифа решили лучше заколоть друг друга и умереть, чем сдаться римлянам. Иосиф же вышел из пещеры и явился к

Веспасиану с изъявлением покорности. Веспасиан снача́ла велел держать Иосифа под стражей, но потом стал обращаться с ним хорошо и оставил его в своей свите. Весть о падении Иотапаты вызвала великую скорбь в Иерусалиме. Узнав, что Иосиф сдался римлянам, народ проклинал его, как изменника отечеству.

После падения Иотапаты Веспасиан покорил всю остальную Галилею. Прежде чем двинуться к Иерусалиму, он дал роздых своим утомленным войскам и разместил их на зимних квартирах близ Кесарии Приморской.

41. Осада Иерусалима. Иудеи, спасшиеся от резни в Галилее, и зелоты из других частей государства скопились в Иерусалиме. Столица превратилась в военный лагерь; здесь собрались храбрейшие защитники отечества. Иерусалим был в то время большим, красивым, хорошо укрепленным городом; с трех сторон он был защищен крутыми скалами и обрывами и сверх того искусственным валом, а единственная открытая его сторона была укреплена тройной каменной стеной со многими башнями. Гора Мориа, на которой стоял храм, представляла собой неприступную крепость. При таких условиях столица могла бы очень долго обороняться против неприятеля, если бы в ней не происходили раздоры между различными партиями. Воинственные зелоты думали, что для успеха войны необходимо удалить от власти всех «миролюбцев», считавших борьбу с Римом гибельной. Таких миролюбцев было много и в составе Синедриона, и среди иерусалимских граждан; между ними и зелотами возгорелась борьба.

Чтобы сделаться хозяевами столицы, зелоты овладели укрепленным храмом и засели там. Миролюбцы из партии первосвященника Ханана окружили храмовое подворье и держали зелотов в осаде. Тогда приверженцы зелотов ночью впустили в город отряд эдомитов и с его помощью напали на Синедрион. Лучшие члены Синедриона были убиты, в том числе и начальники города — Иосиф бен-Горион и первосвященник Ханан; многие из миролюбцев были казнены. Зелоты запретили гражданам, под страхом смертной казни, выходить за черту города. Но победив миролюбцев, зелоты сами распались на партии, состоявшие из умеренных и крайних. Умеренные зелоты избрали своим вождем Элеазара бен-Симона, более крайние галилейские зелоты находились под начальством героя Иоханана Гисхальского, самые же крайние патриоты состояли под предводительством неустрашимого богатыря Симона Бар-Гиоры. Вместо того, чтобы соединиться для борьбы с общим врагом, эти партии враждовали и боролись друг с другом. Во время этих столкновений были уничтожены скопленные иерусалимскими богачами огромные хлебные запасы, которых хватило бы на прокормление жителей в течение долгого времени. Таким образом, своими раздорами защитники отечества ускоряли только его гибель.

Между тем в Риме произошли важные перемены. Кровожадный император Нерон умер, и в Риме началась борьба за престол между начальниками армии. После двухлетних смут римским императором был избран полководец Веспасиан (69 г.), готовившийся тогда к осаде Иерусалима. Веспасиан уехал в Рим, а начальство над войсками, расположенными в Иудее, передал своему сыну Титу. В праздник Пасхи 70 года Тит двинул свои войска прямо к Иерусалиму. Перед лицом этой могущественной армии и ее грозных осадных машин вражда партий внутри столицы утихла, хотя уже слишком поздно; все партии соединились для обороны святого города и храма. На предложение Тита добровольно сдать ему город — иерусалимцы ответили решительным отказом, и осада началась.

Иудейские воины делали смелые вылазки из города в неприятельский лагерь и производили там опустошения. Однажды они чуть не захватили в плен самого Тита, который только с трудом спасся. Эти частые вылазки иудейских храбрецов мешали римлянам придвигать к городу свои большие осадные орудия. Но наконец, после многих потерь, римлянам удалось окружить город высокими насыпями и установить на них машины для метания стрел. С этих насыпей кидали они стрелы внутрь города, распространяя смерть и увечье среди населения. В то же время придвинуты были к Иерусалиму стенобитные орудия, и громадные железные тараны стали разбивать крепкую городскую стену. Осажденные, под предводительством Иоханана Гисхальского, снова делали вылазки, разрушали осадные сооружения, истребляли мелкие отряды неприятеля, — вообще сражались с беспримерной храбростью; но не могли они все-таки устоять против военной тактики и превосходства сил римлян. В мае взята была неприятелем наружная городская стена, а затем, после пятидневного кровопролитного боя, пала и вторая внутренняя стена.

Самое трудное было еще впереди. Предстояло взять сильно укрепленный Верхний город и Храмовую гору. Против этих двух пунктов Тит велел воздвигнуть четыре вала и установить на них штурмовые машины. Четыре легиона непрерывно работали над этими сооружениями. Но и осажденные не сидели сложа руки. Обороной Верхнего города заведовал Симон Бар-Гиора, а Храмовую гору защищал Иоханан Гисхальский. Оба они обстреливали римлян из своих метательных машин и мешали возведению валов. Тит снова попытался склонить героев обороны к сдаче города и послал к ним Иосифа Флавия, бывшего галилейского военачальника. Иосиф стал на высокую насыпь, против стены, и оттуда громко произнес речь, в которой уговаривал осажденных покориться Титу и тем спасти хоть святой храм от разорения. Но иудеи не послушались Иосифа, которого считали изменником и перебежчиком; они продолжали бороться, желая победить или умереть.

42. Разрушение Иерусалима (70 г.). Между тем голод в Иерусалиме принимал ужасающие размеры. Запасы хлеба давно истощились. Богатые жители отдавали свои сокровища, бедные — последнее достояние за кусок хлеба. В памяти народной сохранились потрясающие рассказы об этом времени. Марта, богатая вдова первосвященника Иошуа бен-Гамалы, некогда ходившая в храм не иначе, как по дороге, устланной роскошными коврами, вынуждена была утолять свой голод подбираемыми на улице отбросами; другая богатая женщина была доведена голодом до того, что зарезала и съела своего собственного ребенка. Улицы были покрыты трупами или падавшими от изнеможения людьми. Хоронить мертвецов не успевали. Валявшиеся повсюду трупы заражали воздух. Голод, зараза и неприятельские стрелы одновременно опустошали ряды защитников города, но уцелевшие все еще не теряли мужества. Эта храбрость и стойкость иудеев удивляли даже воинственных римлян.

Наконец, неприятель направил свои осадные машины против укреплений храма. После взятия главной башни — «башни Антония», римляне увидели перед собой толстые стены, окружавшие храмовое подворье. Так как пробить эти стены оказалось невозможным, то Тит отдал приказ поджечь наружные ворота, от которых тянулся ряд колонн до самого храма. Бой закипел в обширном храмовом подворье; иудейские воины сражались как львы, и каждый шаг по пути к святыне стоил неприятелю потоков крови. Вдруг один римский солдат схватил горящую головню и бросил ее внутрь храма, через окно. Деревянные части храмовых покоев тотчас загорелись — и скоро весь храм был уже охвачен пламенем. Тит, поспешив туда, громко упрашивал солдат потушить пожар и отстоять великолепное здание, но за оглушительным треском падавших построек, отчаянными воплями осажденных и звоном оружия нельзя было расслышать голос главнокомандующего. Ожесточенные римляне бросились в не сгоревшие еще храмовые покои с целью грабить находившиеся там сокровища, но могли проникнуть туда только по трупам иудейских воинов, завязавших с ними отчаянный бой на месте пожарища. Тут уже страсти были разнузданы, и победители дали волю своей злобе. Стариков, женщин и детей бесчеловечно убивали, многие иудеи нашли себе смерть в пламени, куда сами бросались. Храм, гордость Иудеи, был превращен в груду пепла; он погиб в те же дни (9 и 10 Ава), в которые некогда был разрушен и первый, Соломонов храм, взятый Невухаднецаром. Уцелели от принадлежностей святыни только канделябры, стол с дарами и кадильница, все из чистого золота. Тит велел взять их и хранить, как знаки победы (трофеи).

Этим завоевание Иерусалима еще не кончилось. В одном квартале столицы, называвшемся «Верхним городом», заперлись с остатками своих отрядов богатыри Иоханан Гисхальский и Симон Бар-Гиора. Они объявили, что тогда только сдадут эту часть города Титу, если им позволят свободно выйти оттуда с оружием в руках. Когда Тит не согласился на это, война возобновилась. Верхний город был взят римлянами и разрушен. Скрывавшиеся в подземелье вожди Иоханан и Симон вышли оттуда, измученные голодом, и попали в руки римлян. Их отвезли в оковах в Рим.

43. Падение Иудеи. С разрушением Иерусалима окончательно пало иудейское государство. Эта редкая в истории героическая борьба маленького государства с величайшей в мире империей поглотила неимоверную массу жертв: около миллиона иудеев погибло за все время войны с римлянами (66—70 гг.), а около ста тысяч было взято в плен. Из этих пленников одни были казнены, другие сосланы на каторжные работы или проданы в рабство на рынках Азии и Африки. Наиболее сильные и красивые были оставлены для борьбы с дикими зверями в римских цирках, а также для сопровождения Тита при его торжественном въезде в Рим. Празднуя в Берите и Кесарии дни рождения своего отца и брата, Тит устроил военные игры и гладиаторские бои, при которых множество пленных иудеев, для увеселения публики, были брошены на растерзание хищным зверям. После этого Тит с богатой добычей и толпой иудейских пленников возвратился в Рим. Здесь император Веспасиан устроил, по случаю победы над Иудеей, торжественное шествие по городу. Впереди императора и его двух сыновей, Тита и Домициана, шли в оковах пленные иудеи; тут же несли священные сосуды, похищенные из иерусалимского храма. Когда шествие достигло храма Юпитера Капитолийского, из толпы иудейских пленников вывели Симона Бар-Гиору, накинули на него веревку и втащили в тюрьму, возле форума. Там совершена была казнь над иудейским героем. О ней было объявлено на площади при восторженных кликах публики. Другой вождь, Иоханан Гисхальский, был осужден на пожизненное тюремное заключение. В память одержанной победы чеканились особые монеты с изображением женщины, окованной цепями, и надписью «Побежденная Иудея» (Judaea capta).

Три крепости остались в Иудее после разрушения Иерусалима. Сильнейшая из них, Масада (около Мертвого моря), была взята римлянами спустя три года после ухода Тита (73 г.). Храбрые защитники Масады бились до последней капли крови за этот последний оплот отечества. Все находившиеся в крепости иудейские воины (их было около тысячи), воодушевленные речью своего вождя Элеазара бен-Яира, закололи мечами своих жен и детей, а затем и себя самих, чтобы не достаться на поругание врагу. Когда римляне вступили в Масаду, они нашли в живых только двух женщин с пятью детьми.

Вся земля иудейская была признана собственностью римских императоров. Земельные участки были частью розданы римским солдатам-поселенцам, частью распроданы другим язычникам; только маленькая область оставлена была для жительства уцелевшим евреям. Подать в полшекеля, которую прежде каждый иудей платил в пользу иерусалимского храма, приказано было отныне взимать в пользу храма Юпитера Капитолийского в Риме.

Бежавшие из Иудеи остатки зелотской партии нашли убежище в Египте. Проникнутые ненавистью к Риму, эти «последние ревнители» побудили египетских евреев к восстанию против римлян. Но это предприятие не удалось; Веспасиан быстро подавил восстание. Чтобы отнять у евреев последнюю святыню, он приказал разрушить Ониасов храм в Египте (73 г.).

Агриппа II, сын последнего царя Иудея, сохранил свое маленькое сирийское княжество и жил то в Риме, то в своих владениях. Веспасиан щедро наградил его за верность Риму и за участие в покорении Галилеи. Сестра Агриппы, Береника, жила во дворце Тита в Риме. Тит не женился на ней, ибо боялся, что римляне будут недовольны, если он вступит в брак с иудейкой; разочарованная Береника возвратилась в Палестину.

При римском дворе провел остаток своей жизни иудей, оказавшийся неудачным полководцем во время галилейской войны, но прославившийся как красноречивый историк своего народа. То был Иосиф бен-Мататия, получивший в знак императорского благоволения фамильное прозвище Веспасиана — Флавий. Веспасиан подарил Иосифу обширные поместья в Иудее и отвел ему для жительства один из своих домов в Риме. Здесь прожил Иосиф около двадцати лет и писал свои знаменитые сочинения по истории еврейского народа. Он рассказал подробно о тех войнах, в которых сам был участником или очевидцем. Его «История иудейской войны» была первоначально написана по-еврейски, но до нас дошел только греческий ее перевод. Затем Иосиф Флавий написал по-гречески, в двадцати книгах, сочинение под именем «Иудейские древности», содержащее историю еврейского народа от первобытных времен до последних римско-иудейских войн. Исторические книги Иосифа Флавия отличаются необыкновенной красотой слога и увлекательностью рассказа. Но автор часто бывает пристрастен в объяснении современных ему событий; он, например, выставляет всех зелотов дурными людьми и часто оправдывает поведение римлян.

До нашего времени сохранился также на греческом языке ряд книг, написанных евреями в Иудее или в Египте в течение последних двух столетий существования иудейского государства и тесно примыкающих к библейской письменности. Эти книги известны под именем «Апокрифов» или «тайных писаний». К ним принадлежат: 1) «Книги Хасмонеев», где рассказывается о войнах за освобождение Иудеи от сирийского ига; 2) «Притчи Иошуа бен-Сиры»; 3) «Юдифь», где описывается подвиг еврейской женщины Иудифи, которая убила вавилонского полководца Олоферна и тем спасла Иудею от порабощения; 4—5) нравоучительные рассказы «Товий» и «Сусанна»; 6) «Премудрость Солона» и некоторые другие книги. Часть этих книг была первоначально написана по-еврейски, но впоследствии еврейские подлинники затерялись, а сохранились только греческие переводы их. Некоторые «Апокрифы» по своему духу очень близки к библейским книгам (например, первые части «Хасмонеев» и «Притчей бен-Сиры»), но еврейские законоучители не включили их в состав Священного Писания ввиду их позднейшего происхождения.

Глава VII

От разрушения Иерусалима до восстания Бар-Кохбы (70—138 гг.)

44. Иоханан бен-Закай. Когда иудейское государство еще существовало и боролось с Римом за свою независимость, мудрые духовные вожди народа предвидели скорую гибель отечества. И тем не менее они не падали духом и верили, что еврейский народ, даже лишившись своего государства, не погибнет. Эти люди знали, что настоящая сила народа не в его правительстве или войске, а в его духе, в его внутреннем единстве, основанном на общности народных чувств, верований, нравов и обычаев. Вот почему они старались больше всего укрепить в евреях религиозный и национальный дух. К числу таких людей принадлежал и законоучитель Иоханан бен-Закай, один из влиятельных членов иерусалимского Синедриона, руководитель «школы Гилеля». Иоханан, как глава партии миролюбцев, предвидел падение Иудеи — и решил приготовить убежище для духовных вождей народа, на случай разрушения Иерусалима. Незадолго до осады Иерусалима, когда воинственные зелоты заперли ворота столицы и никого не выпускали, Иоханану и его ученикам удалось выбраться оттуда посредством хитрости: ученики одели престарелого Иоханана в саван, уложили его в гроб и вынесли за город, как покойника. Очутившись за городом, Иоханан явился к римскому полководцу Веспасиану и сказал ему: *«Дозволь мне поселиться с учениками и устроить школу в городе Явне»* (Ямния, недалеко от Яффы). Веспасиан дружески принял еврейского законоучителя, стоявшего за мир с римлянами, и исполнил его просьбу.

Вскоре после того, как Иоханан поселился со своими учениками в Явне, туда пришла страшная весть о разрушении Иерусалима и храма. Долго плакали учитель и ученики о великом горе, постигшем отечество. Ученики думали, что с разрушением иерусалимского храма и прекращением жертвоприношений еврейская вера должна погибнуть. Но Иоханан ободрял их, напоминая им слова пророков, что истинное служение Богу заключается не в жертвоприношениях, а в благочестии и добрых делах. Богу — говорил он словами Священного Писания — угодны добродетели, а не жертвы; как прежде соединял всех евреев иерусалимский храм, так теперь должны соединять их истинная религия и послушание Закону. Для изучения законов еврейской веры основана была Иохананом высшая школа в Явне, а для надзора за исполнением законов образовался в этом же городе новый Синедрион. Под руководством Иоханана явненский Синедрион предпринял ряд мер с целью привести в порядок духовные дела евреев. Был введен новый порядок богослужения, без жертвоприношений, но некоторые храмовые обряды были сохранены, в память о прошлом (например, церемония благословения народа потомками священников, коганами, трубление в рог и ношение пальмовых букетов в осенние праздники).

Недолго управлял Иоханан бен-Закай духовными делами евреев. Он был уже очень стар и умер спустя несколько лет после разрушения Иерусалима (80 г.). Перед смертью он благословил своих учеников и сказал им: «*Пусть страх перед Богом* (духовная дисциплина) *влияет на ваши поступки не менее, чем страх перед человеком* (государственная дисциплина)».

45. Патриарх Гамлиель II. После Иоханана бен-Закая главой Синедриона в Явне сделался Гамлиель II, сын Симона II, последнего вождя иерусалимского Синедриона. Симон погиб во время осады Иерусалима, а его юного сына Гамлиеля взял на свое попечение Иоханан бен-Закай. Иоханан воспитывал и обучал юношу в Явне и готовил его себе в преемники. После смерти своего опекуна и учителя Гамлиель занял должность председателя Синедриона, которая раньше была наследственна в роде Гилеля. Римские власти утвердили Гамлиеля в этой должности и дали ему звание патриарха, т. е. старейшины палестинских евреев. Молодой Гамлиель оказался не только хорошим ученым, но и способным правителем. Кроме глубокого знания еврейских законов, он хорошо знал римский и греческий языки, которые были необходимы ему при сношениях с императорскими наместниками и другими чиновниками.

В то время римским императором, после Тита, был его брат Домициан (81—96 гг.). Этот император, человек жестокий и ненавистный самим римлянам, относился к евреям очень враждебно. При нем римские чиновники в Иудее сильно притесняли жителей и обременяли их тяжелыми налогами. Опасность грозила тогда и иудейской религии, ибо среди евреев появились секты, примыкавшие к новому христианскому учению. Чтобы укрепить внутреннее единство народа, Гамлиель решил усилить законодательную власть Синедриона. Это было очень трудно. Из школы Иоханана бен-Закая вышли великие законоучители, как, например, Иошуа бен-Хананания и Элиезер бен-Гиркан, которые основывали в разных местах свои собственные школы. Каждая школа толковала законы и предания иудейства по-своему; возобновились старые споры между партиями Шамая и Гилеля. Чтобы положить конец спорам законоучителей, патриарх Гамлиель объявил, что Синедрион по большинству голосов должен каждый раз решать, какое толкование закона верно. Тех законоучителей, которые не желали повиноваться решениям Синедриона, Гамлиель наказывал «отлучением от синагоги», т. е. временным исключением из общества. Такому наказанию подвергся даже Элиезер бен-Гиркан, уважаемый в народе ученый, за то, что не хотел подчиниться авторитету Синедриона.

Эти строгости навлекли на Гамлиеля сильное неудовольствие. Среди законоучителей образовалась враждебная патриарху партия, которая отказала ему в повиновении и избрала вместо него другого председателя Синедриона, молодого ученого Элиезера бен-Азарию. Гамлиель безропотно покорился своей участи — и продолжал заседать в Синедрионе в качестве простого члена. Тогда все поняли, что не честолюбие побуждало Гамлиеля прежде прибегнуть к строгостям, а искреннее желание положить конец опасным религиозным спорам. Гамлиеля снова избрали председателем Синедриона, а Элиезер бен-Азария был оставлен в качестве его помощника. — Гамлиель II установил порядок и содержание ежедневных трех молитв: утренней («шахрит»), предвечерней («минха») и вечерней («маарив»). По его поручению была дополнена главная ежедневная молитва, состоящая из 18 благословений («шмона эсре»); в ней каждый еврей молил Бога не только о личном благополучии, но также о восстановлении Иерусалима и иудейского государства. Чтобы рассеянные повсюду евреи знали о сроках ежегодных праздников, явненский Синедрион каждый раз извещал об этом отдаленные общины через особых послов.

Во избежание ошибок, еврейские общины вне Палестины праздновали добавочные дни в праздники Пасха, Шовуот, Сукот и Рош-гашана. Так вошли в обычай «двойные дни» праздников.

В те времена быстрого распространения христианства бывали также случаи обращения язычников в иудейство. Некоторые близкие родственники императора Домициана соблюдали обычаи иудейской религии. Жестокий Домициан за это еще больше возненавидел евреев. Один образованный грек из Малой Азии, по имени Акила, обратился в иудейство и сблизился с патриархом Гамлиелем и еврейскими законоучителями. Под их руководством Акила составил дословный греческий перевод Библии взамен старого, искаженного перевода «семидесяти толковников». Но перевод Акилы не дошел до нас, а сохранился только сделанный по его образцу арамейский перевод Пятикнижия, носящий имя «Таргум Онкелос» (перевод Онкелоса, т. е. Акилы).

46. Смуты при Траяне и Адриане.

Спустя три года после смерти Домициана, римским императором сделался Траян (98 г.). Он вел продолжительные войны с парфянами, жившими в бывших землях Вавилонии и Персии. В этих землях жило также очень много евреев; в больших городах, как Нагардея и Низиб, находились богатые еврейские общины. Заслышав о приближении войск Траяна, вавилонские евреи стали опасаться, что жестокие римляне отнимут у них свободу, как отняли ее у палестинских евреев. Поэтому они выступили против римских войск с оружием в руках (115 г.). Траян подавил это восстание, но оно вспыхнуло в других местах. Возмущение против Рима распространилось среди евреев, рассеянных во всех римских владениях Азии и Африки. Евреи везде ненавидели римлян, как разрушителей Иерусалима и святого хра-

ма; они надеялись на скорое пришествие «мессии», то есть избавителя, который соберет рассеянный народ в Палестину и устроит там новое, свободное и сильное еврейское царство. В Малой Азии, на острове Кипр и в Египте евреи взялись за оружие и убивали своих притеснителей-язычников (116 г.). Траян выслал против мятежников полководца Турбона, который подавил восстание с крайней жестокостью. Пострадали и евреи Александрии: их великолепная большая синагога, которая славилась со времен Птолемеев, была разрушена до основания. В Палестине тоже обнаружились признаки народных волнений, и Траян послал туда в качестве наместника свирепого полководца Квиета, приказав ему держать евреев в повиновении. Вскоре Траян умер и на римский престол вступил император Адриан (117 г.).

Боясь восстания евреев в момент всеобщей смуты на Востоке, император Адриан сначала действовал в духе умиротворения. Он отозвал из Палестины жестокого Квиета и даже обещал скоро восстановить разрушенный Иерусалим и храм. Евреи поверили обещаниям и успокоились. Они не понимали истинного намерения Адриана, который хотел отстроить город Иерусалим не для них, а для язычников. Скоро они поняли свою ошибку. Император медлил с исполнением обещания; предание говорит, что он предлагал евреям отстроить их храм не в Иерусалиме, а в другом месте. Обманутый в своих ожиданиях народ стал снова волноваться. Громадная толпа вооруженных евреев собралась в Бет-Римоне, готовясь напасть на римлян.

Восстание разгорелось бы немедленно, если бы в дело не вмешался мудрый законоучитель Иошуа бен-Ханания, который после смерти Гамлиеля II был главой Синедриона. Иошуа предвидел, что восстание евреев окончится новым несчастием для них, и поспешил в Бет-Римон. Здесь он обратился к восставшим с речью и рассказал следующую басню: «*Царь зверей, лев, ел однажды свою добычу и вдруг подавился костью. Стал он звать на помощь, обещая большую награду тому, кто вытащит у него кость из горла. Прилетел журавль, всунул свой длинный клюв в пасть льва и вынул кость. Сделав это, журавль потребовал обещанную награду, но лев с насмешкой отвечал: ступай и будь доволен, что ты вынул в целости голову из моей пасти. И мы,* — добавил Иошуа, — *должны быть довольны, что попав в руки римского народа, мы еще не истреблены им*». — Народ послушался и разошелся по домам.

47. Рабби Акива.

После смерти миролюбивого Иошуа сильное влияние на евреев приобрел великий законоучитель Акива бен-Иосиф, который старался склонить народ к открытому восстанию против римлян. Жизнь этого замечательного человека была полна необычайных приключений. В юности Акива был очень беден и служил пастухом у иерусалимского богача Калбы-Сабуи. Дочь этого богача, Рахиль, полюбила молодого пастуха и согласилась сделаться его женой, но только при условии, чтобы он посвятил себя науке. Отец Рахили, не желавший этого брака, прогнал дочь из дома, и она жила с мужем в крайней нужде. Акива горячо принялся за учение. Он расстался с любимой женой, ходил из города в город и занимался в различных школах изучением законов. Пока он скитался, Рахиль терпела такую нужду, что однажды она вынуждена была отрезать свою роскошную косу и продать ее, чтобы купить хлеба. Но тем не менее она терпеливо ждала своего мужа, уверенная в успехе его подвига. Действительно, через много лет Акива, успевший уже прославиться в народе как великий ученый, возвратился домой в сопровождении своих многочисленных учеников. Верная жена встретила его с восторгом, и даже тесть примирился с ним.

После Гилеля, Акива считался величайшим законо-учителем еврейства. О нем говорили, что он «на каж-дый сучок Священного Писания нагромождал кучи за-конов», то есть выводил из библейских заповедей множество дополнительных законов и правил. Так как в то время накопилось уже очень много устных зако-нов и преданий, то Акива собрал их и привел в поря-док. Этот сборник изучался в школах под именем «Мишны рабби Акивы».

Но Акива не был только духовным руководителем; он хотел быть также государственным деятелем и бор-цом за свободу своего народа. Он ненавидел римлян, как врагов еврейской нации, и всю жизнь мечтал об избавлении евреев от римского ига, о восстановлении Иерусалима и храма. Еще в царствование Домициана, Акива с тремя законоучителями отправился в Рим, что-бы просить об отмене некоторых жестоких законов, изданных императором против евреев. Когда путники подъезжали к Риму и услышали издали шум этого оживленного и веселого города, товарищи Акивы за-плакали: вспомнилось им, как их родная столица Иеру-салим, пустынна и безлюдна, в то время как столица врага процветает. Но Акива сказал своим товарищам: «*Зачем плакать? Если Бог дает так много благ лю-дям, не исполняющим Его воли, то сколько же Он должен воздать в будущем тем, которые исполняют Его волю!*» — В другой раз Акива бродил с товарища-ми в окрестностях разрушенного Иерусалима. Прибли-зившись к Храмовой горе, они увидели, как из разва-лин храма выбежал шакал, зверь пустыни. Видя это запустение, спутники Акивы разрыдались; он же, на-против, улыбался. «*Отчего ты улыбаешься?*» — спро-сили его — и получили такой ответ: «*Если исполни-лось предсказание наших пророков, что Цион превратится в пустыню, то должно в будущем ис-полнится и другое их предсказание, что он будет восстановлен».* — Надежда на освобождение еврейского народа не покидала Акиву. Народные волнения при Траяне и Адриане усилили в нем эту надежду. Он разъезжал по разным городам Палестины и Малой Азии и возбуждал евреев к восстанию против римлян.

48. Восстание Бар-Кохбы. В то время, когда в Палестине шли приготовления к восстанию, появился человек, который сделался начальником восставшего народа. То был Симон бар-Козиба (уроженец Козибы), прозванный Бар-Кохбой («Сын Звезды»), храбрый воин, отличавшийся богатырской силой. Духовный вождь евреев Акива признал в Бар-Кохбе вождя военного и соединился с ним для совместной деятельности. Акива верил, что Бар-Кохба есть тот избавитель еврейского народа, о котором предсказывал библейский прорицатель в словах: *«Взойдет звезда из рода Якова».* Увлекаясь примером своего великого учителя Акивы, многие евреи примкнули к Бар-Кохбе.

Из всех азиатских областей Римской империи стекались десятки тысяч еврейских борцов под знамена нового вождя. Бар-Кохба гордился этой армией и говорил: *«Боже, если Ты не хочешь нам помогать, то не помогай хоть нашим врагам, ибо тогда мы наверное победим».* На первых порах евреи действительно одержали блестящие победы. Римский наместник Руф и его небольшие отряды, поставленные для охраны палестинских городов, не могли устоять против огромной армии восставших. Под предводительством Бар-Кохбы еврейские воины брали крепость за крепостью и изгнали римлян почти из всех городов Палестины. В руках евреев оказались скоро 50 крепостей и около тысячи городов и селений (132—133 гг.). Прежде чем весть о восстании дошла до Адриана, римляне в Иудее были уже разбиты повсеместно; посланные императором Руфу вспомогательные отряды испытали ту же участь. Бар-Кохба стал властелином Иудеи и велел уже чеканить монету со своим именем. Средоточием его армии была горная крепость Бетар близ Иерусалима.

Между тем император, встревоженный успехами иудеев, послал в Палестину самого храброго римского полководца того времени, Юлия Севера. Ввиду выгодного военного положения иудейской армии, Север сначала воздерживался от решительного сражения, а нападал только на отдельные отряды в разных местах и разбивал их. Наконец Север довел повстанцев до того, что они вынуждены были отступить к Бетару, где укрепился Бар-Кохба со своим войском. Целый год осаждали римляне Бетар. Запертая в этом небольшом городе огромная масса иудеев мужественно защищалась, но и осаждавшие действовали с необыкновенным усердием. Во время этой осады евреи разочаровались в своем мнимом избавителе Бар-Кохбе. Он не был достаточно благочестив, по временам бывал слишком жесток и самовластен. Он приказал казнить всякого, подозреваемого в сочувствии к римлянам. Однажды Бар-Кохба своей рукой убил набожного старца, законоучителя Элиезера из Модеина, которого кто-то оклеветал перед ним. Этот старец во все время осады непрестанно молил Бога о спасении иудейского воинства; народ, веривший в силу его молитв, был очень опечален его смертью. Наконец силы осажденных истощились — и город был взят Севером (135 г.). Римляне произвели в Бетаре ужасную резню. Десятки тысяч евреев погибли в этой войне. Погиб и вождь восстания, Бар-Кохба. Многие иудеи, взятые в плен, были проданы в рабство. Так печально кончилась последняя борьба еврейского народа за свою независимость.

49. Гонения Адриана. Усмирив великое восстание в Палестине, император Адриан воздвиг жестокие гонения на уцелевших после войны евреев. Подобно Антиоху Эпифану, Адриан был убежден, что пока будет существовать иудейская религия, евреи не примирятся с верховной властью язычников. Поэтому Адриан решил искоренить иудейскую веру. Он издал указ, запрещавший евреям праздновать субботу и исполнять другие важные обряды иудейства; запрещалось им также обучать детей в школах и собираться для чтения своих священных книг. За исполнением этих указов строго следил наместник Руф, которого евреи прозвали «тираном». По его поручению римские шпионы разыскивали евреев, которые тайно совершали обряды своей веры или изучали свой закон, и предавали их властям для наказания. Многие пали тогда мучениками за веру. Особенную стойкость проявили законоучители.

Подготовитель восстания Акива, потеряв надежду на скорое возрождение иудейского государства, ревностно продолжал свою духовную деятельность: он открыто собирал своих учеников и преподавал им учение иудаизма, вопреки императорскому указу. Один из его друзей спросил его: *«Разве ты не боишься римских властей?».* На это Акива ответил следующей притчей. *Однажды лисица стояла на берегу реки и увидела, что рыбки беспокойно бегают в воде. «От кого вы убегаете?»* — спросила лисица. *«Мы убегаем от сетей, расставленных людьми с целью ловить нас»,* — отвечали рыбки. Тогда лисица сказала: *«Выходите же на сушу и будем жить вместе, как жили наши предки с вашими».* Но рыбки возразили: *«Про тебя, лиса, говорят, что ты умная, а видно, что это неправда. Ведь если в воде, где только мы и можем жить, мы боимся опасности, то как же нам не бояться на суше, где мы тотчас помрем?»* *«Так,* — продолжал Акива, — *и с евреями. Как рыба без воды, так мы не можем жить без нашего святого учения, и если занимаясь учением, мы подвергаемся опасности, то что же будет, когда мы оставим его?».*

Вскоре Акива был схвачен римлянами и брошен в заточение. Руф решил примерно наказать духовного вождя евреев. На эшафоте он приказал палачу рвать тело Акивы железными клещами. Акива с поразительной твердостью духа переносил эти ужасные страдания; под рукой палача не переставал он твердить слова молитвы: *«Слушай, Израиль, Иегова — Бог наш, Иегова — един!».* Заметив своих рыдавших учеников, Акива сказал им: *«Я всегда скорбел, читая в Торе заповедь: люби Бога своего всем сердцем, всей душою и всем достоянием своим. Два пункта этой заповеди я мог соблюдать: я любил Бога всем сердцем и жертвовал для Него своим достоянием; но меня огорчала мысль, что я еще не исполнил третьего пункта и не положил души своей за Бога. Теперь я радуюсь, что сподобился совершить этот последний долг».* Великий учитель испустил дух на восклицании: *«Бог един!».* — Акива был одним из десяти законоучителей-мучеников времени Адриана. Товарищ его Ханина бен-Терадион был схвачен, когда он держал свиток Торы в руках и учил народ, как жить по правде. Римские солдаты бросили Ханину на костер, окутав его тело свитком Торы и положив на грудь мокрые губки, чтобы он медленно горел. Рыдавшую у костра дочь мученик утешал словами: *«Тот, кто взыщет за унижение святой Торы, взыщет и за меня».*

Подавив восстание иудеев, император Адриан мог осуществить свое давнишнее намерение: превратить Иерусалим в языческий город. Он велел построить на месте старой разрушенной столицы новый город и основать там римскую «колонию». Эта колония должна была состоять из выслуживших срок солдат и вольных поселенцев-римлян, греков и сирийцев, вообще из людей всех национальностей, кроме еврейской. Новый город получил название Элия Капитолина, в честь императора Элия-Адриана и Юпитера Капитолийского. Храмовая гора была очищена от развалин, загромождавших её еще со времени Тита; поверхность ее, по приказанию наместника Руфа, была взрыта плугом для того, чтобы изгладить всякую память о бывшей святыне Иудеи. На месте, где некогда стоял иудейский храм, был воздвигнут храм Юпитера; тут же возвышалась статуя Адриана. Иерусалим получил вид греческого города — с театром, цирками, капищами и статуями богов. Согласно христианскому преданию, на месте гроба Христа было устроено капище Венеры. На южных воротах, по дороге в Бетлэхем, красовалось изображение свиньи. Евреям запрещалось даже показываться в черте города; за нарушение этого запрета полагалась смертная казнь.

Глава VIII

Патриархи и школы в Палестине до заключения Мишны (138—200 гг.)

50. Рабби Меир. Восстание Бар-Кохбы и последовавшие затем гонения Адриана довели Иудею до полного разорения. Уцелевшее от меча и плена население крайне обеднело, многие бежали от религиозных преследований в другие страны, особенно в Вавилонию. Среди эмигрантов были и законоучители, не желавшие подвергнуться участи рабби Акивы и его товарищей-мучеников. Юг Палестины (то есть собственно Иудея), бывший главным театром войны, представлял печальную картину запустения. Значительная часть еврейского населения южной Иудеи передвинулась на север, в менее опустошенную Галилею. Здесь совершилось восстановление еврейского общественного строя, после того как гонения прекратились. Преемник Адриана, император Антонин Пий (138—161 гг.) отменил бесчеловечные указы своего предшественника против исповедующих иудейскую религию; только запрещение доступа в Иерусалим оставалось в силе. Ученые и патриоты, бежавшие от преследований Адриана в чужие страны, стали возвращаться на родину. В их числе были некоторые ученики Акивы, из которых достойным его преемником считался знаменитый рабби Меир.

Когда смуты прекратились, законоучители собрались в галилейском городе Уша на совещание. Здесь было решено возобновить деятельность Синедриона и вновь открыть упраздненные школы. Начальником Синедриона и патриархом палестинских евреев был избран Симон III, сын бывшего патриарха Гамлиеля II (140 г.). Главным же законоучителем, вместо Акивы, сделался его ученик Меир.

Имя «Меир» означает «светящий», — и современники говорили, что рабби Меир был светочем ума для своего народа. Еще при жизни своего учителя Акивы он удивлял всех своими обширными знаниями и остроумием. Он любил рассуждать и горячо спорить о самых трудных вопросах еврейского законоведения. *«Кто видел Меира в школе во время ученых прений, тому казалось, что он переворачивает горы»*, — говорит предание. Увлечение учителя сообщалось и ученикам, и школа Меира была переполнена слушателями. Чтобы не утомлять слушателей трудными учеными рассуждениями, Меир часто вставлял в свои чтения занимательные рассказы, нравоучения и басни. Он сам сочинил много басен, в которых главную роль играла хитроумная лисица. За свои труды в качестве законоучителя Меир не получал никакого вознаграждения, а добывал себе средства к пропитанию простым трудом: он обладал очень красивым почерком и занимался перепиской книг.

Женой Меира была образованная и умная Берурия, дочь вышеупомянутого мученика Ханины бен-Терадиона. Народное предание много рассказывает о благородстве и твердости духа этой женщины. Однажды — говорит предание — в субботний день, Меир сидел в своей школе и читал лекцию, оставив дома жену и двух больных сыновей. Пока он возвратился из школы, мальчики умерли (дело было во время чумы). Не желая расстроить субботний покой мужа, Берурия накрыла покойников простыней, а сама вышла к Меиру спокойная и бодрая, затаив свое горе в глубине сердца. Весь день она скрывала от мужа страшную истину и под разными предлогами не допускала его в комнату, где лежали дети. Когда наступил вечер, и Меир совершил молитву на исход субботы (гавдала), жена подошла к нему и сказала: *«Учитель, я имею предложить тебе вопрос. Намедни кто-то отдал мне вещь на хранение, а теперь он явился и требует ее назад; обязана ли я отдать ее ему?»* — *«Разумеется, обязана»*, — ответил Меир. Тогда Берурия повела мужа в комнату, где лежали мертвые дети, и сняла с них покрывало. Меир громко заплакал. Но жена ему сказала: *«Учитель, не ты ли говорил мне сейчас, что кто взял вещь на хранение, тот обязан возвратить ее по требованию владельца? Бог дал нам детей. Бог теперь взял их; да будет же имя Его благословенно!».*

С именем Меира в народных преданиях связано воспоминание о великом и несчастном вольнодумце того времени, Элише бен-Авуе. Элиша был сначала товарищем Акивы и принадлежал к кругу лучших законоучителей, но впоследствии он стал изучать греческую философию и колебался в своей вере. В народе он прослыл отступником и получил имя «Ахер» (иной, переменившийся). Говорили, будто он отвлекал еврейских детей от веры отцов и дружил с врагами народа, римлянами. Товарищи и ученики покинули его; только Меир, некогда бывший его учеником, не покидал его. Когда Меира спрашивали, зачем он дружит с неверующим, он отвечал: *«Я нашел гранатовое яблоко, плод я съел, а шелуху бросил»* (т. е. принимаю у него только истинное знание, отбрасывая ложные мнения). Не раз Меир старался обратить Элишу на путь веры, но напрасно. Однажды Элиша ехал верхом в день субботний, а Меир шел за ним пешком и слушал его речи. Вдруг Элиша остановился и сказал: *«Меир, вернись домой, ибо ты уже прошел больше того расстояния, которое дозволяется проходить в субботу».* *«Вернись же и ты* (на путь истины), *учитель!»* — воскликнул Меир в ответ. *«Нет,* — отвечал Элиша, — *мне уже нет возврата, ибо давно уже слышал я голос Бога: покайтесь, все заблудшие, кроме Ахера, который познал Мою силу и все-таки отверг Меня!».*

Одновременно с Меиром действовал другой законоучитель из школы Акивы, Симон бен-Иохаи. Во время Адриановских смут Симон за какое-то резкое выражение против римского правительства был осужден на смертную казнь, но он успел вовремя бежать. Несколько лет скрывался он в пещере, скудно питаясь овощами и водой. Когда гонения в Иудее прекратились, Симон вышел из своего убежища и поселился в Тивериаде. До глубокой старости был он одним из главных духовных руководителей палестинских евреев. Он не любил остроумных словопрений, которые были в ходу в школе Меира, а старался объяснять просто смысл и значение каждого библейского закона. Позднейшие предания утверждают, будто Симон бен-Иохаи во время пребывания в пещере составил тайную священную книгу («Зогар») и сделался чудотворцем. Доныне гробница Симона близ Цефата в Галилее привлекает ежегодно массу богомольцев.

51. Патриархи Симон III и Иегуда Ганаси. Как Синедрион в Явне после разрушения Иерусалима Титом, так действовал и Синедрион в Уше после неудачного восстания Бар-Кохбы. Цель нового Синедриона также состояла в том, чтобы объединить общими законами всех евреев, рассеянных по различным странам. Патриарх Симон III, подобно отцу своему Гамлиелю, стремился усилить власть Синедриона не только в Палестине, но и вне ее. Во время опустошения Палестины при Адриане евреи в Вавилонии учредили свой собственный синедрион, желая отделиться от своих палестинских братьев. Но когда порядок был восстановлен, патриарх Симон III отправил в Вавилонию посольство с требованием, чтобы тамошние евреи закрыли свой Синедрион и снова подчинились духовной власти палестинских законоучителей. Послы напомнили, что в Св. Писании сказано: *«из Циона* (Палестины) *исходит учение»*, а не: *«из Вавилонии исходит учение»*; при этом они указывали на опасность, грозящую единству еврейского народа от разделения духовной власти. Тогда вавилонские евреи покорились и снова признали над собою власть палестинского Синедриона.

Подобно своему отцу, Симон хотел поставить власть патриарха выше власти отдельных законоучителей и вследствие этого иногда имел с ними столкновения. Товарищами патриарха Симона по председательству в Синедрионе были упомянутый рабби Меир и другой ученый, по имени Натан из Вавилонии. Симон установил правило, чтобы ему, как патриарху, отдавали иначе честь, чем его товарищам, а именно: при входе патриарха в какое-нибудь собрание должны были вставать все собравшиеся, при входе же товарищей патриарха — лишь часть собравшихся. На это сильно обиделись Меир и Натан, которые по учености стояли гораздо выше патриарха. Они сговорились между собою, чтобы в следующем собрании ученых предлагать Симону такие трудные вопросы по законоведению, на которые он не мог бы отвечать; таким способом они надеялись унизить гордого патриарха. За это дурное намерение Меир и Натан были временно исключены из собрания ученых.

После смерти Симона III (170 г.) патриархом и начальником Синедриона сделался сын его Иегуда Ганаси (наси — князь, начальник). Новый патриарх, седьмой из рода Гилеля, соединял в себе способности хорошего правителя с обширной ученостью. Он поддерживал хорошие отношения с римскими властями и успешно отстаивал интересы своего народа. Если верить преданию, он находился в дружеских сношениях с одним из императоров Антонинов, вероятно, с философом Марком Аврелием. Обладая значительными родовыми богатствами, Иегуда вел княжеский образ жизни: этого требовал его сан представителя еврейского народа перед римским правительством. Такого же уважения к своему сану Иегуда требовал от всех законоучителей и членов Синедриона. При нем Синедрион достиг почти былого своего величия и имел полный состав членов (70), как во времена иерусалимского храма. Синедрион собирался сначала в Уше, а потом — в галилейских городах Тивериаде и Ципоре, где по большей части жил Иегуда Ганаси. Патриарх собственной властью назначал в общинах судей и учителей, от него зависело допущение законоучителей в Синедрион. При всей своей строгости, Иегуда отличался добротой и щедростью. Значительную часть своих богатств он употреблял на то, чтобы поддерживать несостоятельных ученых и учащихся. Многие школы содержались на средства щедрого патриарха. Даже из Вавилонии приезжали любознательные юноши в Палестину и здесь достигали ученых степеней, пользуясь покровительством Иегуды Ганаси.

52. Заключение Мишны. Самая важная заслуга Иегуды Ганаси состояла в том, что он, при помощи окружающих его ученых, собрал и окончательно привел в порядок все устные законы, выработанные еврейскими вероучителями в виде дополнений к писаным библейским законам; Иегуда опасался, чтобы «устное учение», передававшееся из рода в род, не было с течение времени забыто или искажено. Чтобы навсегда сохранить это учение, нужно было увековечить его в письменном памятнике. Эта работа, едва начатая при Акиве и Меире, деятельно продолжалась и была закончена при Иегуде Ганаси. При нем были включены в один сборник все законы, мнения и предания, хранившиеся в памяти ученых в течение нескольких столетий. Этот сборник получил название Мишна, то есть «Второучение», или дополнение к Моисееву первоучению, к Торе. Сначала Мишна была составлена только в качестве руководства для школ и законоведов, но с течением времени она сделалась священной книгой для народа и на нее смотрели как на прямое продолжение Моисеевой Торы.

Мишна (Второучение) состоит из шести отделов или «седарим»: 1) Зераим, или собрание законов о посевах и поземельных обязанностях, о приношениях в пользу духовенства, бедных и т. п. Во главе этого отдела помещен трактат о молитвах и благословениях («Берахот»), 2) Моэд, или законы о субботе, праздниках и постах, 3) Ношим — о браках, разводах и других вопросах семейного права, 4) Незикин — свод законов и рассуждений по гражданскому и уголовному праву; к этому отделу присоединен трактат «Абот», заключающий в себе нравоучительные изречения «отцов синагоги» от времен Великого Собора до Иегуды Ганаси, 5) Кодшим — законы о жертвоприношениях и обрядах иерусалимского храма, а также действующие законы о пище, 6) Тагарот, или законы о чистоте для священников и мирян. — Каждый отдел («седер») разделяется на трактаты («месихтот»), каждый трактат на главы («пераким»), а каждая глава на статьи («мишны» в узком смысле). Язык Мишны — древнееврейский, но с арамейскими оборотами речи и с примесью греческих и латинских терминов. Способ изложения в Мишне очень своеобразен. Рядом с законоположениями часто выставляются спорные мнения, которые высказывались различными учеными по поводу этих законоположений. При этом обыкновенно не указывается, какое именно мнение вернее, ибо книга предназначалась для ученых и учащихся, которые сами должны были определять степень верности того или другого мнения. Отсюда возникли впоследствии многочисленные толкования к Мишне, вошедшие в состав Талмуда.

Иегуда Ганаси занимал должность патриарха около сорока лет (до 210 г.). Перед смертью он передал сан патриарха своему старшему сыну Гамлиелю. Когда распространилась весть, что рабби Иегуда умирает, масса народа устремилась в Ципору, с тревогой справляясь о состоянии больного. Когда Иегуда скончался, никто не решался открыть возбужденной толпе страшную истину. Тогда верный ученик покойного, Бар-Капара, вышел к собравшемуся народу в траурной одежде и сказал: *«Ангелы и смертные боролись между собой за ковчег завета, ангелы победили — и священный ковчег похищен!».* Народ понял, что означает это иносказание — и громкие рыдания огласили Ципору и ее окрестности. Вся дорога от Ципоры до Бет-Шеарим, куда отвезли для погребения тело патриарха, была усеяна народом. В синагогах произносились речи о великих заслугах учителя, увековечившего «устное учение». Его потом так и называли просто Рабби (учитель), с опущением собственного имени. Иегуда Ганаси был последним из законоучителей, считавшихся творцами Мишны и известных под именем таннаев (учащие). Число таких таннаев, от Иоханана бен-Закая до Иегуды Ганаси, доходит до 120. Законоучители позднейшего времени назывались уже не таннаями, а «амораями» (толкователи).

Ближайшие ученики Иегуды Ганаси довели до конца начатое им дело собирания «устного учения». Хия, Vшая и другие собрали законы и отзывы ученых, которые не были включены в Мишну, и записали их в особых дополнительных сборниках, названных «Барайтой» и «Госефтой». Кроме того, появились книги, имевшие целью связать Мишну и Тору путем толкования текста последней. Таковы: 1) Мехильта, или толкования текста на вторую часть Пятикнижия, 2) Сифра или Торат Коганим — толкования на третью часть Пятикнижия, где изложены законы о жертвоприношениях, 3) Сифре — толкования на законы последних двух частей Пятикнижия.

Глава IX

Евреи в Палестине до прекращения власти патриархов (200—425 гг.)

53. Патриархи и первые амораи. После Иегуды Ганаси не было уже в Палестине подобных ему патриархов, которые соединяли в себе сильную власть с большой ученостью. Сын и преемник Иегуды, Гамлиель III (с 210 г.), ничем не прославился. Внук составителя Мишны, Иегуда II Несиа, занимал должность патриарха более полувека (230—286 гг.). Он вел жизнь светского властелина и дружил с римскими сановниками. Тогдашний римский император Александр Север относился дружелюбно к евреям и уважал иудейскую религию. В покоях его дворца, рядом с изображениями греческих богов и героев, находилось также изображение родоначальника израильского племени Авраама. Над входом в императорский дворец были начертаны слова еврейского мудреца Гилеля: *«Не делай другим того, что неприятно тебе самому!»*. Во время патриаршества Иегуды II Синедрион переместился из Ципоры в Тивериаду. Этот прекрасный город, стоящий на живописном берегу Генисаретского озера, сделался с тех пор постоянным местопребыванием патриархов и средоточием умственной деятельности палестинских евреев. Там находилась высшая школа законоведения, в которой преподавали лучшие законоучители.

Законоучители, жившие после заключения Мишны, назывались «амораями», то есть «толкователями». Первым из них был Иоханан бен-Нафха, в ранней юности посещавший школу Иегуды Ганаси. Иоханан основал в Тивериаде новую школу, куда стекались слушатели не только из Палестины, но даже из Вавилонии. В этой школе занимались исследованием собранных в Мишне законов, разбирали мнения прежних законоучителей, таннаев, и определяли в каждом случае, какое мнение верно и должно быть принято к руководству. Между новыми учеными были такие, которые считали Мишну второй Библией и не допускали никаких отступлений от ее слов. Но Иоханан держался того мнения, что законодательство должно изменяться и развиваться, а не стоять на одном месте. Поэтому он и его товарищи составляли дополнения (гемару) к Мишне, которая сама была дополнением к Библии. Главным сотрудником Иоханана в этом деле был Реш-Лакиш. Жизнь этого амторая была богата приключениями. В юности Реш-Лакиш скитался и сильно бедствовал. Нужда заставила его однажды бросить учение и поступить на службу в цирк, в качестве укротителя зверей. Тогда Иоханан, школьный товарищ Реш-Лакиша, спас его от нужды и бродячей жизни. Реш-Лакиш женился на красивой сестре Иоханана, возвратился к ученой деятельности и вскоре прославился как остроумнейший толкователь закона. Он нередко побеждал в школьных прениях даже своего ученого шурина.

После смерти этих двух первых амораев (около 280 г.), палестинские школы все более приходили в упадок. Вместо Иоханана и Реш-Лакиша, руководителями тивериадской школы сделались рав-Ами и рав-Аси; но при них эта школа уже не привлекала к себе такую массу учеников, как прежде. Многие ученые покидали Палестину и переселялись в Вавилонию, где еврейская наука процветала тогда в многочисленных академиях.

54. Христианские императоры Рима. В первые три столетия существования христианства римские императоры продолжали исповедовать языческую веру и часто воздвигали жестокие гонения на христиан. Только в начале IV столетия император Константин Великий обнаружил склонность к христианству. Приняв под свою защиту гонимых прежде христиан, он сначала не преследовал ни язычников, ни евреев. В 313 году он издал в Милане указ о том, что все религии в римском государстве пользуются одинаковой свободой. Но впоследствии Константин под влиянием христианского духовенства решил сделать христианство господствующей в государстве религией, а прочие религии подчинить ей. С тех пор стали преследовать евреев. Им запрещали обращать язычников или христиан в свою веру, ограничивали их гражданские права, налагали на них особенные, тяжелые подати. В 325 году Константин созвал в Никее, в Малой Азии, большой церковный собор, на котором было решено, чтобы христиане праздновали свою Пасху не одновременно с евреями, а в другие сроки, определяемые правилами церкви. С тех пор христианская религия все более стала отличаться от иудейской, а христиане все более отделялись от евреев.

При преемнике Константина, императоре Констанции, были запрещены браки между евреями и христианами. Стали мешать евреям изучать в синагогах свой закон, и поэтому многие законоучители должны были переселиться из Палестины в Вавилонию. В некоторых городах Палестины (Ципора, Тивериада, Лидда) выведенные из терпения евреи возмутились и напали а расположенных там римских солдат; но римский полководец Урсицин подавил восстание с крайней жестокостью (352 г.).

55. Император Юлиан и патриарх Гилель II. Надежда на лучшее время блеснула евреям в царствование племянника Константина, Юлиана, которого христиане прозвали Отступником. В юности Юлиан отступил от христианства, а сделавшись императором, решил восстановить в Римской империи языческую религию и древнюю греческую образованность. Будучи сам очень образованным человеком, Юлиан не притеснял христиан, но не позволял им также притеснять людей иной веры. С особенным сочувствием относился новый император к евреям, гонимым при его предшественниках. Он возвратил евреям все гражданские права и освободил их от лишних налогов. Не довольствуясь этим, Юлиан в особом послании к иудейским общинам возвестил им, что намерен на свой счет отстроить для них святой город Иерусалим (362 г.). В этом послании император почтительно называл тогдашнего еврейского патриарха, Гилеля II, своим «братом». Юлиан не замедлил исполнить свое обещание: он послал в Палестину чиновника с поручением приготовить все к постройкам в Иерусалиме. Был уже приготовлен строительный материал, были наняты рабочие, и началась уборка древних развалин, загромождавших улицы святого города, но тут произошло несчастье. Когда на месте старого иерусалимского храма рабочие стали копать фундамент, из глубины вскопанной земли вырвалось пламя и опалило нескольких рабочих. Народ увидел в этом какое-то страшное знамение Божие — и работы по постройке приостановились. Вскоре в Иерусалим пришла печальная весть, что император Юлиан погиб в походе против персов (363 г.). Вместе с ним погибла и последняя надежда иудеев на восстановление Иерусалима и храма.

При первых христианских императорах Рима патриархом палестинских евреев был упомянутый выше Гилель II. Вследствие гонений на нехристиан многие евреи покидали Палестину и переселялись в Вавилонию и другие персидские земли. Власть патриарха и Синедриона все более сокращалась. В прежние времена палестинский Синедрион делал ежемесячные наблюдения над состоянием луны (евреи считают месяцы и годы по луне, а не по солнцу) и через гонцов извещал общины Палестины и соседних стран на какой день приходится тот или другой праздник в ближайший месяц. Но когда в Палестине осталось мало евреев, а большая часть их была рассеяна по отдаленным странам, такой порядок оказался неудобным. Поэтому патриарх Гилель II составил первый еврейский календарь, по которому евреи всех стран могли бы сами определять числа каждого месяца и дни праздников, не дожидаясь известий от палестинского Синедриона (359 г.). Таким образом была порвана последняя нить, связывавшая рассеянных в Передней Азии евреев с палестинскими законоучителями.

56. Последние патриархи. Иерусалимский Талмуд. Римские императоры после Юлиана окончательно утвердили христианство в своих владениях. Получив власть в свои руки, христианское духовенство в Римской империи сильно притесняло иноверцев, и в особенности евреев. Возбужденная проповедью своего духовенства, христианская чернь часто нападала на синагоги и разрушала их. Император Феодосий Великий еще иногда защищал евреев против подобных насилий, но после его смерти (395 г.), когда Римская империя окончательно распалась на Восточную и Западную (Византия со столицей Константинополь, Италия со столицей Рим), некому было заступиться за гонимых иноверцев. Византийские или восточные императоры всецело поддались влиянию епископов и других сановников церкви, которые смотрели на евреев как на безбожников. Феодосий II (408—450 гг.), по внушению духовенства, запретил евреям строить новые синагоги, занимать государственные должности и держать в своих домах христиан для услужения.

При Феодосии II жил последний еврейский патриарх в Палестине, Гамлиель VI. Император сначала утвердил Гамлиеля в его сане и присвоил ему звание «префекта (начальника) иудеев». Но когда патриарх позволил себе нарушить императорский указ, стеснявший права евреев (он своей властью разрешал строить новые синагоги), Феодосий лишил его почетного сана, а затем совершенно упразднил должность патриарха в Палестине (около 425 г.). Так кончилась власть палестинских патриархов из рода великого законоучителя Гилеля, после трехвекового существования. Титул «патриарха» перешел к епископу иерусалимскому, высшему представителю восточной церкви.

В то же время пришли в упадок и школы палестинских евреев. В Палестине осталось уже очень мало законоучителей, преемников первых «амораев». Эти немногие законоучители решили собрать и записать все толкования и дополнения к Мишне, выработанные в прежних школах, для того чтобы эти толкования не затерялись при устной передаче. Собранные и записанные, все эти толкования и дополнения были присоединены к Мишне под именем «Палестинской Гемары» (Гемара означает «дополнение» и вместе с тем «учение»). Мишна с Гемарой вместе получили впоследствии название Талмуд («Учение»). Талмуд в том виде, как он был составлен в Палестине, назывался Иерусалимским, в отличие от позднейшего Талмуда — Вавилонского. Время заключения Иерусалимского Талмуда совпадает приблизительно с эпохой последних патриархов.

Глава X

Евреи в Вавилонии до заключения Вавилонского Талмуда (200—500 гг.)

57. Вавилонские евреи под властью Новоперсии. Евреи жили в Вавилонии с древнейших времен. По окончании вавилонского пленения, при Кире, не все изгнанники возвратились в Иудею, многие остались в Вавилонии и жили там особыми общинами, не смешиваясь с окружающим языческим населением. Пока существовал храм в Иерусалиме, вавилонские евреи поддерживали постоянные сношения со своими палестинскими соплеменниками: посылали жертвы для храма, а иные и сами отправлялись на большие праздники в святой город, на поклонение Богу. После разрушения Иерусалима римлянами связь вавилонских евреев с палестинскими поддерживалась тем, что и те и другие признавали над собой духовную власть Синедриона и великих законоучителей палестинских школ. Во время патриарха Иегуды Ганаси многие юноши приезжали из Вавилонии в Палестину, чтобы учиться в тамошних высших школах. Но после смерти Иегуды Ганаси, когда деятельность патриархов и Синедриона в Святой земле стала клониться к упадку, среди вавилонских евреев проявилось стремление к самостоятельной духовной жизни. Гонения, воздвигнутые на палестинских евреев христианскими императорами Рима, заставляли гонимых во множестве переселяться в Вавилонию, — и таким образом здесь размножались еврейские общины, к которым постепенно переходила «гегемония» (первенство) от палестинского еврейства.

После древних персов, покоривших Вавилонию при Кире, страной долгое время владели воинственные парфяне. Но в 226 году христианской эры пришел конец господству парфян. Персы возмутились против парфянского царя Артабана IV, свергли его с престола и избрали царем своего вождя Ардашира, из рода Сассанидов. Ардашир основал в Передней Азии сильное Новоперсидское государство, в состав которого входила и Вавилония. Вавилонским евреям эта перемена причинила сначала много горя. Новый царь восстановил древнюю религию персов, состоявшую в поклонении огню. Персидские жрецы, или «маги», стали притеснять иноверцев. Евреям запрещалось зажигать огонь в своих домах в дни персидских праздников, когда язычники совершали служение богу света Ормузду. Но эти притеснения продолжались недолго. Преемник Ардашира, воинственный царь Шабур I (241—272 гг.) возвратил евреям свободу вероисповедания и внутреннего управления. При нем и последующих персидских царях еврейские общины в Вавилонии процветали.

Самые большие и богатые общины находились в городах: Нагардее, Суре, Пумбадите и Махузе. Во главе всех еврейских общин стоял верховный начальник из евреев, носивший титул реш-галута, или экзиларх, что означает «начальник изгнанников». Экзилархи, подобно палестинским патриархам, вели свой род от царя Давида; власть их переходила от отца к сыну. Экзиларх считался высшим судьей и правителем вавилонских евреев. Через своих чиновников он собирал с евреев подати в пользу персидских царей, он назначал начальников для наблюдения за порядком в городах, населенных евреями, а также судей для разбора спорных дел. Экзилархи жили по-княжески, окруженные свитой чиновников и слуг. Персидские цари утверждали каждого нового экзиларха в его должности, и он считался одним из высших персидских сановников. Таким образом, евреи в Вавилонии, как некогда в родной земле, имели свое собственное внутреннее управление и могли свободно жить по своим законам. Эта внутренняя свобода (автономия) вызвала среди них подъем общественной деятельности и умственного творчества.

58. Рав и Самуил. Первые крупные еврейские школы в Вавилонии возникли вскоре после заключения Мишны. Основателями их считаются: Абба Ариха, прозванный Равом, и Самуил Ярхинаи. В молодости оба эти ученые отправились из Вавилонии в Палестину, чтобы там усовершенствоваться в науках в школе патриарха Иегуды Ганаси. Благодаря своим блестящим способностям, Абба и Самуил заняли первые места среди учеников патриарха и вскоре были возведены в звание законоучителей (рабби). После этого они возвратились в Вавилонию, решив посвятить все свои силы распространению знания на родине. Рабби Абба или Рав (учитель), как его для краткости называли, — открыл в городе Суре школу для изучения законов, по образцу палестинских школ (219 г.). Новая школа или академия («иешива») привлекла множество слушателей; число их доходило иногда до 1200. Будучи богатым человеком, Рав содержал бедных учеников на свой счет. Чтобы дать возможность учиться и людям семейным или занятым, которые не могли поступать в школу в качестве постоянных слушателей, — устраивались ежегодно два раза, в конце зимы и в конце лета, большие академические собрания, известные под именем Калла. В этих собраниях, где присутствовали и постоянные воспитанники школы, и множество посторонних слушателей, повторялось вкратце все пройденное в школе за предыдущее полугодие. Тут же, накануне весенних и осенних праздников, читались общедоступные лекции для народа. Наплыв слушателей, приезжающих из разных городов Вавилонии на эти предпраздничные чтения, был так велик, что в Суре не хватало квартир для приезжих, и многим из них приходилось ночевать под открытым небом, на берегу Сурского озера. Такими способами распространялось знание во всех слоях народа.

Рав славился как великий законоучитель и первый толкователь Мишны (аморай) в Вавилонии. Он сочинял также гимны или молитвы для чтения в синагогах. Рав любил земледельческий труд и ставил его выше торговли. У него самого были большие поля в окрестностях Суры, и он лично наблюдал за их обработкой. Своему сыну Рав дал такой совет: *«Лучше небольшой клочок земли, чем большой склад товаров»*. Около 30 лет заведовал Рав академией в Суре и умер в 247 году. Начал он свою деятельность при владычестве парфян, а кончил при господстве царей новоперсидских. Все вавилонские евреи при известии о смерти Рава наложили на себя 12-месячный траур.

Товарищ Рава, Самуил, заведовал академией в своем родном городе Нагардее. Эта академия существовала и раньше, но при Самуиле она впервые достигла славы и сделалась высшей школой еврейских наук. В отличие от других законоучителей, Самуил занимался не только исследованием религиозных законов, но и светскими науками: математикой, естествознанием и медициной. Как медик, Самуил приписывал происхождение большей части болезней испорченному воздуху. Любимейшим занятием его была астрономия в связи с календарными вычислениями. *«Небесные пути, —* говорил он о себе, — *мне так же хорошо известны, как*

улицы Нагардеи». Самуил провозгласил одно правило, имевшее важное значение для евреев, рассеянных
между другими народами. Он постановил, что общие
гражданские законы каждого государства обязательны
для всех евреев, живущих в этом государстве. Это зна-
чило, что законы, по которым евреи управляются в
своей внутренней жизни, не должны противоречить
законам тех государств, где евреи живут. Предание
рассказывает, что персидский царь Шабур I лично знал
и уважал ученого Самуила.

59. Вавилонские амораи. Рав и Самуил, принес-
шие с собой из Палестины учение Мишны, были пер-
выми «амораями» Вавилонии. Из основанных ими
школ вышли многие славные ученые, которые, в свою
очередь, учреждали школы и умножали число законоведов. То было замечательное время. Жажда знания
охватила вавилонских евреев. Школа ценилась выше
всего. Уважением в обществе пользовался не богатый,
а ученый. Знание Мишны и множества устных к ней
толкований сделалось обязательным для всякого образованного еврея. Еврейская наука, терявшая под собой почву в Палестине, поднялась и расцвела в Вавилонии. Главными академиями в Вавилонии считались
сначала сурская и нагардейская. Но после смерти Самуила Нагардею постигло несчастье: пальмирский
князь Оденат, в войне с персами, завоевал этот город
и разрушил его (259 г.). Тогда академия из Нагардеи
была на время перемещена в Пумбадиту.

Во главе сурской академии, после Рава, стоял Гуна.
В молодости Гуна был скромным земледельцем; сделавшись ученым, он все еще продолжал сам обрабатывать свои поля; часто видели его возвращающимся вечером с поля, с заступом и лопатой на плечах.
Впоследствии он разбогател, отдался науке и достиг
почетного звания ректора сурской академии. Подобно

Раву, Гуна содержал на свой счет несостоятельных учеников. Руководителем высшей школы в Пумбадите был Иегуда бен-Иехезкель. Он был чрезвычайно остроумен и часто устраивал в своей школе ученые споры, чтобы развивать умственные способности учеников. Пумбадитские ученые прославились как остроумнейшие спорщики: о них говорили, что они в своих рассуждениях способны «пропустить слона через игольное ушко». В то время пумбадитская академия приобрела большее значение, чем сурская. После Иегуды, начальником ее был Рабба бар-Нахмени, прозванный за свою горячность в ученых спорах «колебателем гор». При нем, во время предпраздничных народных чтений, в Пумбадиту съезжалось около двенадцати тысяч слушателей. Персидское правительство запретило евреям устраивать такие многолюдные съезды, а Раббу приказало арестовать. Рабба принужден был бежать из Пумбадиты и по дороге умер.

Пумбадитская школа особенно славилась при своем знаменитом руководителе Абае. Имя этого амморая часто встречается в Талмуде рядом с именем его товарища — Раввы (300—350 гг.). Абая заведовал академией в Пумбадите, а Равва — в городе Махузе. Между этими двумя учеными происходили постоянные прения по вопросам законодательства. Часто прения в их школах велись не для того, чтобы разъяснить тот или другой закон, а лишь для того, чтобы упражнять умственные способности учащихся. Абая и Равва ревностно заботились о распространении начального образования в народе; они следили за тем, чтобы в каждом городе была школа для юношества. По смерти Абаи большинство учеников пумбадитской академии перешло в Махузу, к Равве. Когда же умер и Равва, махузская академия также пришла в упадок. Вскоре Махузу постигла печальная участь: во время похода императора Юлиана в Персию этот город был разрушен римскими войсками.

60. Рав-Аши и Вавилонская Гемара. Прошли два столетия с тех пор, как Рав и Самуил пересадили в Вавилонию палестинскую образованность. В течение этого времени сотни вавилонских амораев трудились над исследованием и расширением еврейских религиозных законов, правоведения и нравственного учения. Мнения и решения этих амораев излагались в академиях и передавались устно или в отрывочных записях. Таким образом, после заключения Мишны накопилось множество новых преданий, которые уже трудно было удерживать в памяти. Явилась потребность собрать и привести в порядок все эти устные предания, а затем записать их, чтобы они не пришли в забвение. Начало этому делу положил великий законоучитель рав-Аши (370—427 гг.).

Рав-Аши стоял во главе сурской академии. При нем эта академия снова достигла цветущего состояния, а глава ее прославился как самый ученый аморай в Вавилонии. Вся многолетняя ученая деятельность рав-Аши была посвящена одной цели — собиранию устных преданий, выработанных в вавилонских школах, в качестве дополнений к Мишне. Вся совокупность этих преданий называлась Вавилонской Гемарой. Для достижения своей цели рав-Аши во время больших народных собраний в Суре читал слушателям определенные отделы Мишны в связи с относящимися к ним толкованиями амораев, то есть в связи с Гемарой. В течение тридцати лет была таким образом изложена в лекциях вся Мишна вместе с Гемарой, и этим было положено начало составлению Талмуда Вавилонского. За свои великие заслуги рав-Аши удостоился высшего ученого звания «Раббену» (наш учитель); потомство ставило его рядом с Иегудой Ганаси, составителем Мишны. Во время его управления сурской академией Сура сделалась местопребыванием еврейских экзилархов, которые раньше жили в Нагардее и Пумбадите. Ежегодно, после осенних праздников, устраивался в Суре особый народный праздник в честь экзиларха, как светского начальника вавилонских евреев.

61. Заключение Талмуда. После смерти рав-Аши гражданское положение вавилонских евреев ухудшилось. При царе Иездегерде II (438—457 гг.) в Новоперсидской империи возобновились гонения на иноверцев, не признававших огнепоклоннической религии Зороастра. По наущению персидских жрецов, или «магов», царь преследовал христиан и евреев, живших в его государстве. Евреям запрещалось даже праздновать субботу. Эти гонения усилились еще при следующем персидском царе, Фирузе, которого евреи прозвали «злодеем» (рашиа). В городе Испагани произошло столкновение между магами и евреями, причем два мага были убиты. За это Фируз велел вырезать половину еврейского населения Испагани, а еврейских детей отдать в персидские храмы, чтобы приучить их служить богу огня. Экзиларх вавилонских общин Гуни-Мари и два законоучителя были заключены в темницу и затем казнены (470 г.). Еврейские школы в Вавилонии были закрыты, а юные ученики насильственно обращались в религию персов. Тогда евреи стали массами выселяться из Вавилонии. Многие переселились в соседнюю Аравию, где с древнейших времен жило племя воинственных евреев, ведших кочевую жизнь; часть переселенцев проникла оттуда в далекую Индию.

В это бедственное время оставшиеся в Вавилонии еврейские ученые решили приступить к полному письменному изложению устного учения, накопившегося после Мишны. Собирание устных преданий, начатое при рав-Аши, деятельно продолжалось после его смерти его преемниками и учениками. Закончить эту работу выпало на долю амораев, живших в конце V столетия христианской эры. В это время, после смерти :хестокого Фируза, гонения на евреев в Вавилонии прекратились; академии в Суре и Пумбадите вновь были открыты. Начальником первой был аморай Равина, прозванный «последним амораем». Под его руководством ученые приступили к составлению Вавилонской Гемары. Они изложили все собранные раньше устные толкования и дополнения к Мишне в одном своде законов и мнений — и объявили этот свод «заключенным», то есть запретили прибавлять или изменять в нем что-нибудь. Вавилонская Гемара была распределена по порядку отделов и статей Мишны, так что за каждой статьей Мишны следовали относящиеся к ней толкования и рассуждения Гемары. Соединенные вместе, Мишна и Вавилонская Гемара составили огромный письменный памятник, получивший имя Талмуда Вавилонского (в отличие от более краткого и неполного Талмуда Иерусалимского). Таким образом, рав-Аши начал составление Талмуда, а Равина закончил его спустя 75 лет. Равина считается последним амораем, он умер в 499 году. Поэтому 500-й год христианской эры признается годом заключения Талмуда (430-й год после разрушения Иерусалима Титом).

62. Содержание Талмуда.

Галмуд — это обширный сборник, состоящий из полусотни больших и малых трактатов (в печатных изданиях обыкновенно от 12 до 20 больших томов). Здесь сосредоточена большая часть того, что создано было еврейской мыслью от заключения библейской письменности до конца пятого века христианской эры. Это не произведение одного или нескольких ученых мужей, а памятник духовного творчества еврейского народа в течение семи столетий. Талмуд не похож на обыкновенный «свод законов», ибо в нем, кроме законов религиозных и гражданских, содержится еще масса сведений по другим отраслям знания, философии и морали. Сама законодательная часть изложена в Гемаре не в виде окончательных решений, а в форме рассуждений или прений между законоучителями. Объясняется это тем, что Талмуд, как означает и само его название (изучение, наука), был составлен первоначально не только в качестве книги законов, образующей дополнение к Библии, но также в качестве школьного руководства, по которому всякий еврей мог бы учиться, упражнять свой ум. Вместе с тем эта книга должна была служить для народа источником общих знаний и нравственных поучений. В Талмуде, наряду с религиозными и гражданскими законами, встречаются сведения по астрономии, медицине и естественным наукам, а чаще всего — нравственные поучения, философские мысли, исторические рассказы, народные предания.

Каждая книга Талмуда, по своему содержанию, состоит из двух слитых между собой частей: из галахи и агады. В галахе подробно обсуждаются и дополняются законоположения Мишны и указывается связь этих законов с библейскими. В агаде главное место занимают нравственные поучения, беседы о разных явлениях жизни, исторические предания. Изучающий Талмуд, утомленный трудными рассуждениями и словопрениями галахи, отдыхает на агаде, где он находит приятное и занимательное чтение. Здесь, среди прекрасных рассказов и преданий, разбросаны мудрые изречения, заключающие в себе самые возвышенные нравственные истины, какие высказывались после появления Библии. Впоследствии, когда Талмуд сделался предметом изучения в школах и синагогах, всякий находил в нем богатую пищу для ума: ученый углублялся в остроумные рассуждения галахи, а средний человек с увлечением читал поучительные рассказы и мудрые изречения агады.

В Талмуде, то есть в соединенных Мишне и Гемаре, древнее библейское законодательство завершило свое развитие. К законам Моисеевым прибавлена была огромная масса новых законов и обрядов, которым должен подчиняться еврей в своей домашней, общественной и духовной жизни. Каждая заповедь Торы разветвлялась в Талмуде на множество заповедей. Например, Тора предписывает отдыхать в субботний день от обычных работ; Талмуд же запрещает в субботу даже такие действия, которые не принадлежат к числу работ (носить мелкие вещи, зажечь свечу, сорвать цветок и т. п.). К запрещенным Библией родам пищи Талмуд прибавил множество новых. Нелегко было еврею соблюдать все эти многочисленные законы и обряды, но последние были необходимы ввиду особого положения еврейского народа. Евреи были рассеяны по всем частям света; для того чтобы они составляли один народ и не могли смешаться с окружающими племенами, нужно было, чтобы евреи повсюду строго подчинялись законам своей веры и сохраняли свои национальные обычаи, отличающие их от прочих народов. К этой цели направлено все законодательство Талмуда. И этому законодательству действительно удалось сохранить еврейскую нацию в целости, вопреки всем гонениям, которым евреи подвергались в разных странах за свою веру и народность.

Вавилонский Талмуд сходен с Иерусалимским только в том, что у них Мишна одинаковая; Гемара же у них различная, причем в Вавилонском Талмуде она гораздо более обширна и полна. Вот почему впоследствии особенно сильно распространился, как свод законов и научное руководство, Вавилонский Талмуд. Язык Вавилонского Талмуда состоит из смеси слов еврейских и арамейских (халдейских). В Мишне, составленной в Палестине, преобладают еврейские слова и формы; в Гемаре же — арамейский язык, который был весьма близок к тогдашней разговорной речи вавилонских евреев.

Глава XI

Евреи на Востоке до конца эпохи гаонов (500—1040 гг.)

63. Смуты в Персии. Сабураи. После заключения Талмуда евреи в персидской Вавилонии переживали тревожные времена. Они сильно терпели от произвола сатрапов (провинциальных наместников) и от фанатизма магов, жрецов религии огня. В начале VI века страдания евреев дошли до того, что часть их восстала против персидского правительства. Во главе восставших стоял молодой еврей — экзиларх Мар-Зутра. Воинственный экзиларх изгнал персов из города Махузы и утвердился там со своей дружиной, в качестве независимого еврейского князя. Семь лет продолжалось княжение Мар-Зутры, но потом войска персидского царя завоевали Махузу, схватили Мар-Зутру и повесили его у махузского моста (около 520 г.). Евреев еще больше стали преследовать и притеснять.

В течение семидесяти лет после этого положение евреев под персидским владычеством менялось то к лучшему, то к худшему, исходя из того, какой царь управлял государством. Порядок и спокойствие в еврейской жизни упрочились только при последнем персидском царе Хозрое II (590—628 гг.), который прославился как завоеватель и мудрый правитель. При нем еврейские общества в Вавилонии снова стали управляться своими светскими начальниками, экзилархами, и своими законоучителями, стоявшими во главе талмудических школ.

Законоучители того времени назывались уже не «амораями», как прежде, а «сабураями», что означает «высказывающие мнение». Так как Талмуд был уже заключен, то к нему нельзя было прибавлять новые законы, а можно было только изучать и объяснять содержащиеся в нем законоположения. Это делали сабураи. Они изучали письменный текст Талмуда, исправляли его ошибки, вставляли иногда свои краткие объяснения, размещали отделы в известном порядке. Главные талмудические школы находились по-прежнему в двух вавилонских городах — Суре и Пумбадите.

64. Евреи в Сирии и Палестине под властью Византии. Когда великая Римская империя распалась на две половины: Восточную, или Византию, и Западную, или Италию (выше, 56), — Сирия и Палестина отошли к Византии. Здесь положение евреев было еще хуже, чем в Персии, так как христианская Византия вообще притесняла иноверцев. Христианское духовенство ненавидело евреев за то, что они оставались при своей старой вере, и побуждало императоров издавать для них стеснительные законы. У евреев постепенно отнимали свободу вероисповедания и другие гражданские права, но заставляли исполнять все гражданские обязанности и платить тяжелые государственные налоги. Византийский император Юстиниан (527— 565 гг.) писал в своем указе о евреях: *«Пусть стонут эти люди под тяжестью повинностей, но пусть не пользуются никакими почетными званиями; они должны оставаться в том же презренном состоянии, в каком они сами оставляют свои души».* В «Юстинианов кодекс» (свод государственных законов) был включен ряд стеснительных для евреев предписаний. Видя беззащитность еврейских жителей, византийская чернь часто нападала на них, грабила и убивала.

Особенно угнетали евреев на их прежней родине, в Палестине. Византийцы строили здесь для себя церкви и монастыри, а евреям запрещали строить новые синагоги вместо разрушавшихся старых. В некоторых местах им вовсе запрещали селиться. Их не пускали даже в святой город Иерусалим. Значительная еврейская община осталась только в городе Тивериаде, где некогда жили иудейские патриархи. Много евреев жило также в Сирии, особенно в большом городе Антиохии, населенном греками-христианами.

Притеснения и обиды со стороны византийских христиан крайне раздражали евреев и доводили их иногда до открытого возмущения. В Антиохии между ними и греками произошло однажды кровопролитное столкновение. На этот раз евреи одержали верх: они убивали своих врагов, бросали их в огонь и даже умертвили антиохийского патриарха Анастасия. Но вскоре это восстание было подавлено, многие евреи были казнены или изгнаны из страны по приказанию императора Фоки (608 г.).

Через несколько лет евреи снова воспользовались случаем, чтобы отомстить своим притеснителям. В то время шла война между персидским царем Хозроем II и византийским императором Гераклием. Персы вступили в Сирию и приближались к Палестине. К ним примкнули палестинские евреи для совместной борьбы против ненавистных византийцев. Богатый Вениамин Тивериадский давал средства на вооружение своих соплеменников. В 614 году персы при помощи еврейских отрядов взяли приступом Иерусалим, где евреям раньше строго запрещалось жить. Отсюда победители устремились в другие палестинские города, убивая везде монахов, разрушая церкви и монастыри с таким же остервенением, с каким византийская чернь прежде разрушала еврейские синагоги и школы. Около четырнадцати лет продолжалось владычество персов в Палестине. Но когда Хозрой был свергнут с престола и в Персии начались смуты (628 г.), византийцы снова усилились. Гераклий вновь покорил Палестину и жестоко наказал евреев за их союз с персами. Много евреев было перебито, а другие бежали в Египет.

Недолго, однако, пользовались византийцы властью в Палестине. В то время на Востоке стала быстро распространяться религия Магомета; принявшие эту религию воинственные арабы отняли в Азии господство и у язычников-персов, и у христиан-византийцев.

65. Евреи в Аравии и Магомет. На Аравийском полуострове евреи жили с древнейших времен. Часть их поселилась там еще во время существования Иудейского государства, многие бежали туда позже из византийских и персидских земель. Арабы смотрели на евреев как на родственное им племя, ибо арабы вели свой род от Исмаила, сына родоначальника еврейского племени Авраама. И действительно, оба эти народа принадлежали к семитской расе и говорили на сходных между собой наречиях. Аравийские евреи и по образу жизни мало отличались от туземцев. Они жили в виде мелких «колен», или родов, называвшихся по имени общего предка (например: Бену-Кайнукаа, Бену-Надир, т. е. потомки Кайнукаа и Надира). Старший в роде считался его начальником. Евреи занимались скотоводством, но многие также вели торговлю с Индией, Персией и Византией. Подобно арабам, они отличались воинственным духом. Только религия отличала их от арабов, которые были еще язычниками. Но в VI веке христианской эры еврейская вера стала распространяться среди арабов. Целые их роды иногда обращались в иудейство, следуя примеру своих старейшин. Переход в иудейство облегчался для арабов тем, что обрезание младенцев мужского пола было у них в обычае с древнейших времен.

В начале VI века в Южной Аравии, или Йемене, образовалось небольшое государство, где еврейская религия была господствующей. Йеменский царь Абу-Кариба, познакомившись с еврейскими мудрецами, принял иудейство и обратил в эту веру многих арабов (500 г.). Преемник его, молодой Юсуф Ду-Новас, был ревностным приверженцем иудаизма и сделался горячим защитником новых своих единоверцев. Узнав, что в Византийской империи христианские цари и духовенство притесняют евреев, Юсуф решил отплатить за это живущим в его государстве христианам. Он велел хватать проезжавших в Индию через Йемен византийских купцов и казнить их; он обложил всех христиан своего царства тяжелыми податями и притеснял их так же, как притесняли византийские императоры подвластных им евреев. Этим Ду-Новас возбудил негодование христианских царей, до которых дошли слухи о гонениях на христиан в Йемене. На помощь последним явился царь близкой Эфиопии (Абиссинии), Элесбаа, исповедовавший христианскую веру. Полчища эфиопов ворвались в Йемен и принялись опустошать страну. Арабо-еврейское войско Ду-Новаса не могло устоять против них. Предвидя неизбежную гибель, Ду-Новас, чтобы не попасть в руки врагов, вскочил верхом на коне на высокий утес и бросился оттуда в море (530 г.). Так пало еврейское царство в Аравии.

Постоянное общение евреев с арабами подготовило последних к принятию веры в Единого Бога. В начале VII века появился в Аравии основатель новой религии, которая, подобно христианству, была основана на еврейском Священном Писании. То был арабский пророк Магомет. В юности Магомет вращался среди евреев и познакомился через них с Библией и основами единобожия. Эти религиозные понятия он впоследствии соединил с арабскими преданиями и создал новую религию — ислам («преданность Богу»). Он объявил себя вдохновенным пророком, которого Бог послал, чтобы преобразовать «веру Авраама». Первая истина его религии гласила: *«Нет Бога, кроме* (Единого) *Бога, и Магомет — Его пророк!».* Многие арабы приняли новую веру и признали Магомета пророком. Сначала Магомет пытался склонить к своему учению и евреев, но они, за исключением немногих, не хотели признать его Божьим посланником, стоящим выше библейских пророков. Поэтому, когда основатель ислама утвердился в городе Медине (622 г.) и получил власть над массой «правоверных» арабов, он вступил в борьбу с евреями. Распространяя свою религию «посредством меча», Магомет и его воины нападали на еврейские племена Бену-Кайнукаа и Бену-Надир. Евреи оказывали мужественное сопротивление, но не могли устоять против арабских воинов; многие из них бежали в другие страны, а попавшие в плен были казнены по приказанию «пророка». Одну из пленниц-евреек, красивую Зайнаб, пророк взял себе в жены. Эта храбрая женщина решила отомстить врагу своего народа и поднесла однажды Магомету кусок отравленного мяса. Один из приближенных «пророка», отведавший этого мяса, умер, сам же пророк, успевший выплюнуть отраву, спасся от смерти. Когда Магомет спросил Зайнаб о причине ее поступка, она ответила: *«Ты причинил моему народу неимоверные страдания — и я поэтому думала, что если ты только простой завоеватель, то я, отравив тебя, доставлю моему народу спокойствие, если же ты пророк, то Бог тебя предупредит о моем намерении — и ты останешься невредим».* Магомет велел ее казнить.

Этими столкновениями объясняется то обстоятельство, что в «Коране» — священной книге магометан —

сохранилось много враждебных отзывав Магомета о
еврействе. Сначала евреям действительно приходилось
много страдать от религиозной нетерпимости магометан, но в позднейшее время вражда двух родственных
религий ослабела и евреи в магометанских странах
могли жить спокойнее, чем в христианских.

68. Первые халифы. Новые экзилархи. Перед
смертью Магомет завещал арабам распространять его
религию во всем мире посредством оружия. Как только пророк умер (632 г.), воинственные арабы ворвались во все страны Передней Азии, провозглашая:
«Нет Бога, кроме Бога, и Магомет — Его пророк!».
Первые арабские халифы (наместники пророка) были
отличными полководцами. Во главе своих войск они
завоевали Сирию, Палестину, Персию и Египет. Особенно прославился второй халиф, храбрый Омар. В
638 году он отнял у византийцев Палестину. Овладев
Иерусалимом, он заложил там мечеть (магометанский
храм) на месте бывшего храма иудейского. Иерусалим, бывший раньше священным городом для евреев
и христиан, сделался отныне священным и для магометан, или «мусульман» (правоверных). Омар не позволял евреям жить в этом городе и вообще притеснял
как их, так и христиан.

В завоеванных арабами Персии и Вавилонии положение евреев упрочилось при четвертом халифе, Али
(660 г.). Покорив все страны Передней Азии и Северной Африки, победители-арабы успокоились и стали
водворять порядок в завоеванных странах. Арабские
халифы давали евреям полную свободу во внутреннем
их управлении. Евреи в Вавилонии вновь получили
право иметь над собою начальника из своих соплеменников. Первым таким начальником, или экзилархом,
при господстве арабов был Бостанай, потомок прежних
экзилархов, ведших свой род от царя Давида. Преда-

ние рассказывает следующее о том, как Бостанай достиг власти. Один царь велел истребить весь род еврейских экзилархов в Вавилонии. Приказ был исполнен, осталась в живых только вдова убитого экзиларха Хиния, которая была беременна и тоже ожидала смерти. Вдруг ночью царю приснилось: будто он срубил все деревья роскошного сада («бостан»), но когда он поднял секиру на последнее дерево, пред ним явился седой старец, который ударил его по лицу секирой так, что царь упал, обливаясь кровью. Царь стал умолять старца о пощаде и поклялся, что не тронет последнего дерева и будет его оберегать. Проснулся царь и заметил у себя на лбу следы крови. Тогда призвал он к себе одного еврейского мудреца, который растолковал ему сон так: срубленный сад — это род иудейского царя Давида, уцелевшее дерево — это дитя, которое вскоре родит вдова убитого экзиларха. Царь велел окружить вдову наилучшим уходом, и когда она родила сына, дал ему имя Бостанай, по имени сада, или «бостана», виденного им во сне. Бостанай, к радости всех вавилонских евреев, вырос и приобрел большие познания в религиозных законах. Царь любил скромного и кроткого юношу и назначил его экзилархом. Арабские халифы утвердили Бостаная в сане экзиларха, а один из них дал ему в жены прекрасную Дару, дочь персидского царя, которая попала в плен после покорения Персии арабами.

67. Экзилархи и гаоны. После смерти халифа Али во всех владениях бывшей Персии царствовали халифы из арабского рода Моавия, или Омайяды (661— 750 гг.). Столица их находилась в главном городе Сирии, Дамаске. При этих халифах самоуправление евреев в Вавилонии окончательно упрочилось. Установилась двоякая верховная власть над еврейскими общинами: светская и духовная. Светская власть принадлежала экзилархам из рода Бостаная. Они были представителями вавилонских евреев перед халифами и местными арабскими властями. Экзилархи вели жизнь богатых и влиятельных сановников, носили роскошные одежды в знак своего достоинства, имели свою почетную свиту и выезжали в парадных каретах. Доходы на содержание своего двора экзиларх получал с известных округов, по указанию халифа, а также имел право облагать подвластные ему общины особыми податями.

Представителями духовной власти у вавилонских евреев были начальники двух главных талмудических школ или академий, находившихся в Суре и Пумбадите. Эти начальники получили новый титул: гаоны, что означает «великие, превосходительные». Сурский гаон считался старшим духовным сановником, а пумбадитский — вторым после него. Наравне с экзилархом, гаоны были верховными судьями евреев. Хотя сан экзиларха был наследственным в роде Бостаная, тем не менее утверждение в этом сане зависело от обоих гаонов. Для этого установлено было особое торжество. Почетнейшие представители еврейских общин и ученые, с гаонами Суры и Пумбадиты во главе, вводили новоизбранного экзиларха в синагогу при большом стечении народа. В субботнее утро в синагоге происходило торжественное богослужение, при котором экзиларх восседал на высокой, роскошно убранной трибуне, имевшей форму башни. Тут прежде всего подходил к трибуне сурский гаон, преклонял пред экзилархом колено и затем садился рядом с ним справа, то же делал и пумбадитский гаон, садясь затем с левой стороны князя. Чтение Торы открывал сам экзиларх, который после этого произносил какую-нибудь ученую проповедь; если же он не мог сам читать проповедь, то за него говорил сурский гаон. В заключение читалось особое благословение («Иекум пуркан») экзиларху, главам академий, всем законоучителям и учащимся и всем еврейским общинам, поддерживавшим академии своими пожертвованиями. Все торжество заканчивалось парадным шествием из синагоги во дворец экзиларха, где давали обед ученым и знатным особам, а также арабским государственным сановникам.

Во внутренней жизни евреев гаоны имели еще большее значение, чем экзилархи. Еврейские общества управлялись в то время по своим собственным законам, изложенным в Библии и Талмуде; главными же законоведами были гаоны, которые поэтому имели большое влияние на жизнь народа. Заведуемые ими академии в Суре и Пумбадите были переполнены учеными и учащимися. Здесь изучали и толковали Талмуд и разъясняли его законы. Ученые из различных мест собирались сюда дважды в год, весной и осенью, и под руководством гаонов обсуждали все дела, касающиеся общественной и духовной жизни евреев. Не только из Вавилонии, но и из других стран обращались к гаонам за разъяснением спорных религиозных вопросов, гаоны давали свои решения по этим вопросам, и таким образом они сделались законодателями для евреев всех стран, где господствовали арабы. Еврейские общины Персии, Сирии, Палестины и Египта имели постоянные сношения с вавилонскими: все они объединились под общей духовной властью гаонов. Один из вавилонских гаонов, Ахаи переселился в Палестину и там написал свою знаменитую книгу «Шеелтот» («Вопросы»), которая заключает в себе разъяснения талмудических законов и религиозные поучения. Благодаря деятельности гаонов, среди евреев всех стран распространялось знакомство с Талмудом, который таким образом сделался священной книгой для народа.

68. Багдадский халифат. Секта караимов. В VIII веке в Восточном халифате начались смуты, приведшие к падению дамасской династии Омайадов. Последний дамасский халиф погиб в борьбе, и царская власть перешла к новому роду — Абассидов. Абассидский халиф Аль-Мансур (754 г.) перенес столицу арабского государства из Дамаска в город Багдад в Вавилонии. Отсюда все государство получило название: Багдадский халифат. Оно включало Персию, Вавилонию, Армению, Сирию, Палестину и Египет. Евреи всех этих стран, таким образом, входили в состав одного государства. Их главный духовный центр по-прежнему оставался в Вавилонии, там находились их экзилархи и гаоны, управлявшие всеми еврейскими общинами.

В это время среди евреев произошел религиозный раскол. Многие были недовольны тем, что Талмуд сделался почти такой же священной книгой, как Библия; они находили крайне стеснительными строгие законы, установленные Талмудом, и не хотели подчиняться им. Как некогда цадукеи восстали против «устного учения», так и теперь появилась партия, которая утверждала, что от Бога исходят лишь законы Торы, а не законы Талмуда. Во главе этой партии стал Анан бен-Давид, из рода вавилонских экзилархов.

Около 760 года умер один экзиларх, не оставив детей. Между двумя родственниками его, братьями Ананом и Хананией, возгорелся спор: каждый хотел получить для себя сан экзиларха. Ученые сурской и пумбадитской школ и тамошние гаоны отвергли Анана, как вольнодумца, и выбрали экзилархом его брата. Приверженцы Анана возмутились и признали его своим экзилархом. Споры дошли до халифа Аль-Мансура. Халиф принял сторону избранного гаонами экзиларха и велел посадить Анана, главаря раскольников, в темницу. Когда Анана освободили из заключения, он покинул Вавилонию и переселился со своими приверженцами в Палестину. Ожесточенный против гаонов, Анан открыто выступил против талмудического иудейства. Он образовал из своих последователей особую религиозную общину, или секту. Подобно древним цадукеям, он приписывал божественное происхождение только библейским законам; все же религиозное законодательство, выработанное под именем «устного учения» со времен Эзры и вошедшее в Талмуд, он считал творением людей. Устное учение, по мнению Анана, не обязательно, оно составляет даже прямое нарушение библейского завета, гласящего, что к закону Моисееву нельзя ничего прибавить и от него ничего нельзя убавить. Любимым изречением Анана было: *«Ищите хорошо в Писании!»*. Последователи этого учения называли себя сначала ананитами, по имени своего учителя, но впоследствии присвоили себе наименование караимов, то есть «людей писания», или библейцев. Своих противников они называли «раббанитами» — приверженцами учителей Талмуда, носивших титул «рабби». Боясь преследований в Вавилонии, где была сильна власть гаонов, караимы переселялись в Палестину. Анан, как гласит предание, построил особую синагогу для своей общины в Иерусалиме. Свое вероучение он изложил в «Книге законов» («Сефер га-мицвот»), от которой сохранились только немногие отрывки.

Караимы отличались от талмудистов в способах исполнения важнейших законов и обрядов. Субботу они соблюдали очень строго. Придерживаясь буквального смысла Библии, они не зажигали огня даже до наступления субботнего вечера и проводили этот вечер в потемках, не употребляли горячей пищи в субботу, старались не отлучаться в этот день из своих домов, не делали никаких работ даже для опасно больных, и т. п. (Позднейшим караимским ученым пришлось смягчить эти субботние строгости.) Установленный при патриархе Гилеле II еврейский календарь караимы отменили и снова ввели первобытный способ определения дней праздников по наблюдениям за новолунием. Пятидесятницу (Шевуот) они праздновали в 50-й день после первой пасхальной субботы, что выходило всегда в воскресенье. Пасхальную «мацу» (опресноки) они пекли непременно из ячменной муки, чтобы она напоминала о «хлебе бедности», как говорится в Пятикнижии. В праздник Кущей караимы не употребляли пальмового и миртового букетов при богослужении, а только украшали ими свои кущи. Хануку, или национальный праздник Хасмонеев, они вовсе не праздновали, так как о нем не упоминается в древних книгах Библии, но Пирум праздновался ими два дня. Пост по случаю разрушения Храма караимы перенесли с 9-го дня месяца Ава на 10-й. Караимы изменили также содержание и порядок молитв, законы о пище и убое скота; у них запрещены браки даже между дальними родственниками. Иные религиозные законы соблюдались у караимов еще строже, чем у талмудистов.

Основатель караимской секты Анан умер, по преданию, в Палестине. Караимы считали его святым человеком, талмудисты же проклинали его, как вероотступника. Вражда между сектантами и талмудистами была так сильна, что они не заключали между собой браков и не ели вместе, как последователи двух различных религий. Мало-помалу караимы совсем отделились от большинства еврейского народа и составили как бы особую народность, как некогда самаритяне. Ученики и преемники Анана во многом изменили и дополнили его учение.

69. Умственная жизнь во время гаонов. В Багдадском халифате, существовавшем около 200 лет, арабы достигли наивысшей степени своего культурного развития. В этом обширном государстве процветали торговля и промышленность, развивались науки и искусства. Распространению образованности содействовали просвещенные халифы, вроде Гаруна аль-Рашида и Аль-Мамуна (786—833 гг.), имена которых прославились во всем мире. Евреи не отставали от арабов в умственном развитии. Кроме людей, занимавшихся изучением Талмуда и религиозной письменности, были среди евреев ученые астрономы, медики, математики и философы, писавшие свои сочинения на арабском языке.

В то время талмудистам часто приходилось спорить с караимами о правильном толковании тех или других мест Библии. Эти споры привели к тому, что еврейские ученые стали больше заниматься исследованием библейского языка и его грамматики. (Евреи на Востоке говорили и писали тогда по-арамейски или по-арабски.) Прежде всего надо было установить правильное чтение библейского текста. Священные книги писались с древнейших времен без гласных знаков, т. е. точек и черточек, заменяющих в еврейском языке гласные буквы. Правила для чтения этого сплошного текста, состоявшего из одних согласных букв, хранились в устных преданиях и назывались «массорами» (предания); они были известны опытным чтецам, переписчикам Библии и вообще людям книжным. Для народа же чтение Библии без гласных знаков было крайне затруднительно. Вдобавок такое чтение допускало весьма частые ошибки, ибо в еврейском языке одно и то же слово может иметь различные значения, смотря по тому, какие гласные знаки к нему приставить. И вот в VIII веке еврейские ученые в Вавилонии и Палестине выработали целый ряд знаков, которые ставились под или над буквами библейского текста и показывали, как надо читать всякое слово. В словах, допускавших разночтение, установлен был один обязательный способ чтения, на основании древних преданий, или «массор». Ученые, занимавшиеся этим, получили название «массоретов».

Изучение библейского языка приохотило многих писать на этом языке. Сочинялись молитвы и религиозные гимны в своеобразных стихах. Такие стихи назывались «пиутим», сочинители их — «пайтаны» (поэты). Многие из этих гимнов читались в синагогах, в виде дополнений к праздничным молитвам, и вошли в состав «Махзора».

70. Гаон Саадия. Во время арабского владычества на Востоке духовные вожди еврейства — гаоны — выдвинули из своей среды немало выдающихся деятелей. Но никто из них не приобрел такой славы, как гаон Саадия бен-Иосиф. Саадия был не только законоведом-талмудистом, но и великим мыслителем, усвоившим себе все науки того времени. Он родился в 892 г. в Египте, где тогда процветала арабская образованность. Изучив еврейскую и арабскую письменность, Саадия с юных лет начал писать книги. На 23-м году он написал по-арабски сочинение против караимов под заглавием «Опровержение Анана». Здесь он доказывал, что библейское учение не может существовать без устных преданий, изложенных в Талмуде, ибо многие законы Библии выражены неясно, и иные основы веры (как, например, воздаяние после смерти) даже не указаны в Пятикнижии. Сочинение Саадии вызвало бурю среди караимов. Известнейшие караимские ученые возражали молодому писателю в целом ряде книг, защищая свое учение. Саадия отвечал им и в то же время писал сочинения по еврейской грамматике и переводил Библию и Мишну на арабский язык. Ученые труды Саадии и его славная борьба с караимами сделали его имя известным далеко за пределами Египта.

В это время умер главный гаон в Суре, в Вавилонии. Вавилонские законоучители пригласили на эту почетную должность Саадию, которому тогда минуло только 36 лет (928 г.). Саадия прибыл из Египта и занял место начальника древнейшей вавилонской академии, но ненадолго. Вскоре возгорелся спор между ним и тогдашним экзилархом, Давидом бен-Закаем. Экзиларх Давид решил какой-то спор о наследстве не по закону, а по личным корыстным соображениям, и потребовал, чтобы гаоны сурский и пумбадитский подписались под этим приговором. Пумбадитский гаон исполнил требование Давида, Саадия же отказался подписать решение экзиларха, как противозаконное. Экзиларх послал непокорному гаону строгий приказ повиноваться, угрожая ему в противном случае отрешением от должности, но все было напрасно. Тогда раздраженный экзиларх лишил Саадию гаонского звания и назначил на его место другого ученого Саадия, в свою очередь, наложил проклятие на Давида и вместе со своими приверженцами избрал другого экзиларха. В Вавилонии образовались две враждебные партии: Давидова и Саадиева, из коих каждая старалась склонить на свою сторону багдадского халифа. Благодаря щедрым подкупам, партия Давида одержала верх при багдадском дворе. Саадия, лишенный своей должности, должен был удалиться из Суры (933 г.). Он поселился в Багдаде и жил там в совершенном уединении четыре года. Он всецело отдался своим научным работам и написал несколько книг по богословию, философии и языкознанию. Между тем умер халиф, отрешивший Саадию от должности, и партия опального гаона снова усилилась. Нашлись люди, которые решили помирить экзиларха с Саадией. Вскоре состоялось это примирение. Саадия снова занял место гаона в Суре. Но перенесенные огорчения и напряженная умственная деятельность надорвали его здоровье. Саадия умер в 942 г., имея только 50 лет от роду.

Главный труд Саадии, обессмертивший его имя, называется «Верования и мнения» и посвящен исследованию сущности еврейской религии. Эта книга, написанная автором по-арабски, была впоследствии переведена на еврейский язык (под названием «Эмунот ве-деот»). Саадия пытался разрешить здесь вечный спор между верой и знанием, религией и наукой. Он борется и против суеверия толпы, и против безверия многих ученых. *«Сердце мое болит, — пишет он, — когда думаю о некоторых разрядах разумных существ, и душа моя тревожится за участь народа нашего, детей Израилевых. Я вижу в наше время многих верующих людей, вера которых не чиста и мнения которых лишены ясности; с другой стороны многие отрицатели гордятся тем, что они все уничтожают, считают себя выше людей убеждения, а между тем сами заблуждаются. Видел я, как одни тонут в море сомнений, а другие погружены в пучину заблуждений, и нет пловца, который извлек бы их оттуда».* Саадия доказывает, что главные истины еврейского вероучения основаны на фактах и не противоречат разуму.

Саадия излагает сущность иудаизма в следующем виде. Бог сотворил мир не из готовой материи, а сотворил материю. Творец мира сего един по существу; при создании мира Он руководствовался определенной целью. Венец творения есть человек, в которого вложена разумная душа, способная отличать добро от зла и познать истину. Но человек не мог бы сам найти истинный путь в жизни, если бы на помощь ему не явился Бог. Бог дал людям откровение (синайское), то есть совокупность заповедей и законов, которые направляли бы деятельность человека к благим целям. Человеку предоставлена свободная воля: он волен исполнять или нарушать заповеди откровения; отсюда — понятия о заслуге, о добродетели и грехе. Добрые, богоугодные дела очищают и возвышают душу, дурные поступки помрачают и пятнают ее. Справедливость требует, чтобы праведники достигали блаженства, а грешники страдали вследствие своих отступлений от истинного пути; но так как в земной жизни полное воздаяние по заслугам невозможно, то окончательное справедливое воздаяние происходит только в будущей жизни. Смерть есть не конец бытия, а переход к иному существованию: праведные души возносятся к месту блаженства и покоя, а грешные скитаются по вселенной. В определенное Богом время произойдет воскресение мертвых, связанное с пришествием Мессии. Воскресение мертвых Саадия понимает в смысле учения Талмуда, т. е. что воскреснут и телесные оболочки мертвецов. По пришествии Мессии водворится на земле высшая справедливость.

71. Последние экзилархи и гаоны. В эпоху Саадии еврейская образованность в Багдадском халифате достигла своего полного расцвета. Но вскоре началось уже распадение Багдадского халифата; вместе с тем близилась к упадку общественная и духовная жизнь вавилонских евреев. Власть экзиларха, как верховного начальника общин, теряла свое прежнее значение. После смерти Давида бен-Закая пост экзиларха оставался долгое время незанятым.

В то же время пришла в упадок сурская академия. Евреи соседних стран, поддерживавшие своими денежными пожертвованиями этот рассадник талмудического знания, перестали посылать в Суру деньги — и академия закрылась. Еврейская община в Суре сделала последнюю попытку, чтобы спасти свою древнюю школу. Предание рассказывает, что четыре ученых отправились для собирания пожертвований в пользу школы в далекие страны. Но корабль, на котором они плыли по Средиземному морю, был схвачен арабскими матросами. Взятые в плен ученые были увезены в разные страны: двое попали в Египет и Северную Африку, третий — в Испанию, четвертый — неизвестно куда. Эти ученые занимались насаждением талмудического знания в тех местах, куда их забросила судьба. Благодаря их деятельности, еврейским общинам Африки и Европы не приходилось так часто, как прежде, обращаться к вавилонским гаонам за разрешением религиозных вопросов.

После упразднения сурской академии осталась только академия в Пумбадите, во главе которой стояли местные гаоны. Последними гаонами в Пумбадите были Шерира и его сын Гай. В отличие от Саадии, оба эти гаона были строгими талмудистами и не занимались ни светскими науками, ни философией. Из трудов Шериры наибольшее значение имеет его «Послание» («Игерет рав-Шерира»), в котором вкратце излагается история составления Талмуда и деятельности гаонов. Гаон Гай написал несколько книг по еврейскому законоведению, но в народе особенно распространился его сборник нравоучительных изречений под названием «Мусар гаскель» («Разумные поучения»). Гай умер в 1038 году. Начальником пумбадитской академии и гаоном был провозглашен Хизкия, правнук бывшего экзиларха Давида бен-Закая. Хизкия должен был соединить в своем лице сан экзиларха с саном гаона, но он властвовал недолго. По чьему-то доносу багдадский халиф велел схватить еврейского князя и бросить его в темницу, где Хизкия вскоре умер (1040 г.). Сыновья его бежали в Испанию.

Власть экзилархов и гаонов в Вавилонии утратила свое значение, талмудические школы пришли в упацок, ученые покидали родину Талмуда и переселялись в другие страны. Старая Вавилония, имевшая духовное первенство среди евреев, должна была уступить это первенство («гегемонию») другим странам, где для евреев началась новая жизнь. Эти страны находились уже не на Востоке, а на Западе, в Европе.

ЧАСТЬ III

СРЕДНИЕ ВЕКА
И НОВОЕ ВРЕМЯ
В ЕВРОПЕ

Средние века

1. Вступление. Во всемирной истории «средними веками» называется тысячелетие, протекшее от распадения Западной Римской империи (476 г.) до открытия Америки (1492 г.). В истории еврейского народа это тысячелетие простирается от заключения Талмуда Вавилонского (500 г.) до изгнания евреев из Испании (1492 г.). Оно разделяется на два периода. В первый период (от VI до XI века христианской эры) главная масса еврейского народа живет еще на Востоке: в Вавилонии, Персии, Аравии, Сирии, Палестине и Египте[1], — а меньшая часть его разбросана в виде отдельных поселений на Западе, в европейских странах: Италии, Византии, Испании, Германии, Руси. Во второй период средних веков (XI—XV вв.) замечается обратное явление: на Востоке остается меньшая часть еврейского народа, а большая часть его сосредоточивается на Западе. Вместо Палестины и Вавилонии, центрами еврейства делаются Испания, Франция, Германия и другие европейские страны. В руках евреев находилась тогда значительная часть международной торговли, они издавна были промышленными посредниками между Азией и Европой, — и поэтому им нетрудно было переместиться с Востока на Запад, когда их главные восточные центры пришли в упадок и когда Азия, наводненная монголами, стала погружаться в долгий средневековый сон. В Европе они уже нашли старые еврейские поселения, образовавшиеся во времена Римской империи. Одним из мостов, по которому евреи перешли из Азии и Африки в Европу, была

---

[1] Краткая история евреев, часть II, глава XI.

Испания: когда эта страна была завоевана в VIII веке арабами, восточные евреи проникли туда вместе с завоевателями и превратили Испанию на несколько столетий в одну из самых образованных стран Европы.

В судьбе самих европейских евреев есть также различие между двумя указанными периодами средних веков. В первый период, когда число евреев в Европе было еще невелико, они жили сравнительно спокойно и лишь редко подвергались гонениям со стороны окружающих народов, переходивших тогда от язычества к христианству. Во второй же период, по мере своего размножения, евреи все чаще подвергаются со стороны христиан притеснениям и преследованиям, которые в нескольких странах кончаются полным изгнанием еврейских жителей. Разделительным пунктом между этими двумя половинами средних веков служит время крестовых походов, начавшихся с 1096 г во Франции и Германии.

Глава I

Еврейские поселения в Европе до крестовых походов (500—1096 гг.)

2. Италия и Византия. Римская империя, отнявшая у евреев их отечество — Иудею, всегда давала приют в своих владениях еврейским переселенцам. После разделения империи на Западную Римскую и Восточную Византийскую (395 г.) евреи жили в обеих ее половинах, среди итальянцев и греков. Спустя 400 лет после разрушения Иерусалима евреи видели разрушение Рима «варварами» — племенами готов и германцев — и полное распадение некогда могущественного государства (476 г.). Они были свидетелями того, как постепенно императорский Рим превращался в папский, военная столица — в церковную, в обитель католических пап, первосвященников христианской церкви в Европе.

Первые римские папы не притесняли евреев, хотя и очень старались обратить их в христианство. Папа Григорий Великий (590 г.) дозволял еврейским общинам управляться по своим законам и обычаям; но он давал разные льготы и выгоды тем из евреев, которые обращались в христианскую веру. Когда ему говорили, что меняющие веру ради выгоды не будут искренними христианами, папа отвечал: *«Зато дети и внуки* новообращенных будут уже настоящими христианами».

Благосостояние евреев в Италии возросло с тех пор, как эта страна вошла в состав западноевропейской империи Карла Великого (VIII—IX вв.). Император особенно ценил деятельность евреев в области международной торговли и покровительствовал им. Но при преемниках Карла Великого его империя распалась, и в Западной Европе все более утверждался феодальный строй, то есть такой порядок, при котором владельцы крупных земельных поместий являлись полными хозяевами в своих землях и управляли жителями на правах феодальных князей, плативших дань и поставлявших войско королю данной страны. Судьба евреев, поэтому, зависела не от одного правителя, а многих; в одной области они жили свободно и пользовались почти всеми гражданскими правами, в другой — их притесняли. Большие еврейские общины существовали тогда в итальянских городах: Риме, Венеции, Неаполе и на острове Сицилии. В Риме католические папы относились к евреям терпимо, а некоторые даже покровительствовали им и не позволяли церковным соборам ограничивать их в правах; евреям в папских владениях запрещалось только держать в своих домах христианскую прислугу, из опасения, что она обратится в иудейскую религию. Но переход евреев в христианство поощрялся всякими способами. Потомок одной еврейской семьи, принявшей христианство, сделался позже папой римским, под именем Анаклета II (1130—1138 гг.).

С этим фактом связано народное предание о «еврейском папе» Эльханане. У еврейского ученого рабби Симона из Майнца — гласит предание — был похищен малолетний сын, Эльханан; мальчика окрестили и воспитывали в католическом монастыре. Привезенный в Рим, он, благодаря своим блестящим способностям, достиг высокого звания кардинала, а затем был избран папой. Но Эльханан сильно тосковал по родной семье и религии отцов. Желая увидеть своего престарелого отца, он прибег к следующей хитрости. Он велел майнцскому епископу притеснять местных евреев, полагая что последние пошлют тогда с жалобами в Рим депутатов, среди которых, вероятно, будет почтенный рабби Симон. И действительно, Симон приехал в Рим, чтобы ходатайствовать перед папой об отмене епископских приказов. Папа сначала вел с еврейским ученым религиозный спор, в котором обнаружил изумительное знание иудаизма, затем играл со стариком в шахматы (папа был большой любитель шахматной игры) и, наконец, оставшись с ним наедине, открыл свою тайну. Потрясенный рабби Симон узнал в римском папе своего пропавшего сына Эльханана и убедился в его желании возвратиться в иудейство. Он поспешил в Майнц с папским приказом, чтобы евреев перестали притеснять, и с радостной вестью жене, что пропавший сын нашелся. Через некоторое время папа внезапно исчез из Рима. Он тайно приехал в Майнц, стал исповедовать иудейскую веру и жил в доме родителей. По другому рассказу, дело не так благополучно кончилось: раскаявшийся папа, желая искупить свое прежнее отступничество от еврейства, бросился с башни храма Св. Петра в Риме и разбился насмерть.

Положение евреев в Византийской империи (на Балканском полуострове) было гораздо хуже, чем в Италии. Византийские императоры относились враждебно к евреям еще со времен Юстиниана (VI в.) и крайне стесняли их в гражданских правах. Иногда их насильственно обращали в христианство. Император Лев Исаврянин издал указ, чтобы все евреи приняли крещение по греческому обряду, грозя им в противном случае самыми ужасными наказаниями (723 г.). Многие приняли тогда для вида крещение, надеясь впоследствии, когда утихнут преследования, вернуться к своей вере;

другие же переселились из Византии на северное побережье Черного моря, в область Тавриды и Крыма. Об императоре Василии Македонянине (867 г.) рассказывают, что он всеми способами принуждал евреев к принятию христианства, а когда его старания не привели к цели, он уничтожил около тысячи еврейских общин; уцелели только пять общин, благодаря заступничеству еврейского поэта Шефатии, который вылечил сумасшедшую дочь императора. Этим поэтом была написана, по преданию, одна стихотворная покаянная молитва, начинающаяся словами «Исраиль поша» (в Селихот и Махзоре). Следующие строфы ее выражают настроение гонимых:

> Мы стучимся в Твои двери, Боже, как нищие,
> Услышь же нашу мольбу, Живущий в горних!
> Мы запуганы нашими притеснителями и оскорбителями,
> Не оставь же нас Ты, Бог наших предков!
> Пусть спасение явится нам пред глазами всех,
> Пусть прекратится владычество злодеев,
> Положи конец всем бедствиям нашим,
> И пусть придут избавители к Циону.

Такие ужасные гонения, однако, были сравнительно редки. В более спокойные времена византийские евреи играли очень важную роль в хозяйственной жизни страны. Они имели свои общины в городах Греции, Фессалии, Македонии, Фракии и на островах Архипелага. Значительные общины находились в столице — Константинополе и в торговом приморском городе Салониках. Евреи занимались различными промыслами, в особенности шелководством и изготовлением шелковых и пурпурных тканей. Из ремесел наиболее распространенным было красильное, и «еврейская краска» славилась в тогдашней торговле. В крупных городах рядом с общинами талмудистов, или «раббанитов», находились караимские общины. В Константинополе евреи жили в торговом квартале Пера, на берегу моря. Гражданские права их, в силу старых церковных законов, были крайне ограничены, но в своей внутренней жизни они были свободны. Еврейские общины управлялись своими выборными старшинами, или «эфорами».

3. **Испания при вестготах.** В Испании, на Пиренейском полуострове, евреи жили с незапамятных времен, еще до утверждения христианства в этой стране. Они проникли туда как подданные Римской империи, в состав которой входила и Испания. В V веке, когда Римская империя распадалась, Испанией завладело германское племя вестготов и утвердило здесь свое царство. Вестготские короли, приняв христианство по католическому обряду, предоставили в стране большую власть духовенству, — и с тех пор евреев стали жестоко преследовать за веру. Король Рекаред I издал крайне стеснительные для евреев законы (589 г.) Эти законы имели целью прекратить всякое общение между евреями и христианами, которые раньше жили как добрые соседи. Боялись, что евреи отвлекут христиан от церкви. Вестготский король Сизебут предложил всем испанским евреям или принять крещение, или выселиться из страны (612 г.). Многие тогда выселились в другие страны, но иные были принуждены креститься, сохраняя в душе привязанность к иудейству. Некоторые из правителей позднейшего времени отменяли или смягчали эти строгости против евреев. Но таких правителей было немного. Большая часть вестготских королей в Испании соединяла в себе первобытную дикость нравов с необузданным религиозным фанатизмом. Подстрекаемые католическим духовенством, они стремились или истребить евреев, или обратить их в христианство.

Особенной свирепостью отличались короли Рецесвиит (652 г.), Эрвиг (680 г.) и Эгика (687 г.). Они больше всего преследовали тех евреев, которые раньше, по принуждению, принимали христианство и потом возвращались к прежней вере. При короле Эгике эти крещеные евреи были доведены до такого отчаяния, что они решились составить заговор с целью низвержения вестготской династии. Они вступили в союз со своими соплеменниками в Северной Африке, жившими счастливо под властью арабов, и с их помощью намеревались произвести государственный переворот. Замысел этот, однако, был обнаружен — и всех испанских евреев постигла ужасная кара. Раздраженный король, с согласия созванного по этому случаю церковного собора, издал указ такого содержания (694 г.): *«Ввиду того, что евреи не только осквернили веру, к которой церковь удостоила приобщить их при крещении, и соблюдают свои прежние обряды, но сверх того еще дерзнули составить заговор с целью насильственно присвоить себе власть в государстве, — все они объявляются рабами и раздаются в крепостное владение разным господам (христианам), которые не имеют права отпускать их на волю. Дети, начиная с семилетнего возраста, отнимаются у своих родителей и отдаются на воспитание к христианам».*

Неизвестно, что сталось бы с евреями после таких гонений, если бы вскоре не пришел конец вестготскому владычеству в Испании. Из северных областей Африки, отделяемых от Испании Гибралтарским проливом, хлынули в эту страну воинственные племена арабов (берберы, мавры) и быстро завоевали большую часть ее (711 г.). Евреи встретили арабов как освободителей и оказывали им помощь в борьбе с вестготами. Завоевав какой-нибудь город, арабские вожди поручали охрану его евреям, как надежным союзникам, и шли с войском дальше. Столица Испании, Толедо, была сдана арабскому полководцу Тарику евреями, которые отворили завоевателю ворота города, в то время как католическое население искало спасения в церквах; охрана столицы также поручена была евреям. Таким образом, евреи сделались хозяевами тех городов, откуда их раньше бесчеловечно изгоняли. Вступив в управление Испанией, арабские халифы предоставили евреям полную свободу вероисповедания и внутреннее самоуправление. В Гренаде, Кордове, Толедо и других городах Испании вновь образовались многочисленные еврейские общины, пользовавшиеся таким же независимым положением, как их соплеменники в арабской Вавилонии.

Арабское войско, завоевавшее Испанию, принадлежало восточному халифату, где тогда царствовала дамасская династия Омайадов[1]. Поэтому Испания сделалась сначала провинцией Дамасского халифата. Когда омайадские халифы уступили место династии Абассидов из Багдада (Багдадский халифат), последний из Омайадов, Абдуррахман, бежал в Испанию и объявил себя здесь независимым правителем (755 г.). Он избрал своей столицей город Кордову, и вследствие этого арабское царство в Испании позже называлось Кордовским халифатом. Здесь для евреев наступила пора мирного развития. Твердо держась своей религии и народности, они, тем не менее, сближались с просвещенными арабами в гражданской и умственной жизни. Совокупными усилиями этих двух семитических народов, исповедовавших иудейство и ислам, была создана в Испании такая высокая культура, которая сделала эту страну самым светлым уголком в темной средневековой Европе.

4. Франция и Германия. Еврейские поселения в Галлии (Франции) и Германии возникли еще тогда, когда эти страны были провинциями древней Римской империи. В IV и V веках христианской эры еврейские

---

[1] Краткая история евреев, ч. II, 68—69.

колонии встречаются в Марселе, Орлеане, Клермоне, Париже, Кельне и некоторых других городах. Везде евреи пользовались правами «римских граждан» и мирно уживались с туземцами-язычниками. Распространение христианства среди этих воинственных «варварских» племен должно было повести к смягчению их нравов; христианская религия, вышедшая из иудейской, должна была еще больше сблизить туземцев — франков и германцев — с жившими среди них евреями. И действительно, новообращенные племена, не видя большой разницы между двумя родственными религиями, сближались с евреями и даже роднились с ними путем браков. Это не нравилось высшему христианскому духовенству, которое боялось влияния иудейства на «сынов церкви», и оно всеми силами старалось испортить эти добрые отношения между последователями двух религий. Оно внушало своей пастве, что грешно дружить с евреями, предки которых будто бы убили Христа. Многие католические епископы уговаривали королей насильно крестить евреев или изгнать их из государства.

Старания духовенства увенчались успехом в новом франкском государстве, где управляли христианские короли из династии Меровингов (VI—VII вв.). Меровингские короли предоставили евреев в полное распоряжение духовенства и подчинили их церковному законодательству. Церковные соборы в Орлеане (533—541 гг.) строго запрещали браки между христианами и евреями; евреям не дозволялось показываться на улицах в дни Страстной недели и Пасхи; за обращение христиан в иудейство закон строго наказывал; раб еврея, принявший христианство, объявлялся за это свободным. Все старания духовенства были направлены к тому, чтобы прекратить всякое общение между евреями и окружающим населением и выделить их в особую бесправную касту. Но этим не довольствовались. Некоторые франкские короли и епископы пытались обращать евреев в католичество насильственными мерами.

Епископ Авит из Клермона долго увещевал местных евреев отречься от веры отцов. Его проповеди не имели успеха, и только один еврей принял крещение в праздник Пасхи. Вероотступник навлек на себя ненависть своих прежних единоверцев. Однажды, когда он шел по улице в церковной процессии, какой-то еврей вылил ему на голову вонючее масло. Тогда, в день Вознесения, разъяренная толпа христиан, в присутствии епископа, разрушила синагогу до основания и грозила перебить всех евреев. На другой день епископ призвал к себе клермонских евреев и предложил им либо принять крещение, либо покинуть город. Один тогдашний поэт-монах переложил эту краткую речь епископа в латинские стихи, в такой форме:

Зри, что ты делаешь, старый еврейский народ, неразумный!
Жизнь обнови ты свою, научись ты под старость хоть вере!
Но говорить слишком долго, времени ж мало. Так слушай:
Веру ты нашу прими, а не то убирайся отсюда.
Выбор свободен тебе: исполни совет мой немедля
И оставайся среди нас, упорные пусть же уходят.

После трехдневных мучительных колебаний около пятисот евреев согласились принять крещение, а прочие бежали в Марсель (576 г.).

Особенное усердие проявили в деле обращения евреев франкский король Хильперик и его сподвижник, ученый епископ Григорий Турский. У Хильперика был в Париже торговый и финансовый агент, еврей Приск. Король очень ценил ум и честность Приска, но не мог мириться с его еврейским исповеданием. Он и епископ Турский уговаривали Приска принять крещение, но еврей упорно отказывался. Однажды король, шутя, взял Приска за голову, наклонил ее и сказал епископу: приди, служитель Божий, и возложи на него руки!

Приск с ужасом отшатнулся от крестного знамения. Король рассердился, а епископ вступил с евреем в горячий спор о том, чья вера истинная: христианская или иудейская. Еврей доводами разума и библейскими изречениями доказывал, что Христос не был сыном Божьим. Хильперик отпустил Приска, чтобы дать ему время одуматься; но когда тот все еще продолжал упорствовать, король воскликнул: *«Если еврей не уверует добровольно, я силою заставлю его верить!».* Боясь угроз светских и духовных властей, многие евреи в Париже давали себя крестить. Приск под разными предлогами откладывал крещение, не желая даже притворно отречься от веры отцов. Однажды в субботу, когда он шел в синагогу, находившуюся на одной из отдаленных улиц Парижа, на него напал выкрест из евреев и убил его (582 г.).

Один из последних королей меровингской династии, Дагоберт, соперничал в жестокостях против евреев со своими современниками, вестготскими королями Испании. Он безжалостно гнал из своей страны еврейских переселенцев, бежавших туда из соседней Испании. В 629 г. он с одобрения епископов издал указ, чтобы все евреи, не желающие принять крещение, были изгнаны из пределов франкского государства. Летописцы утверждают, что к этому шагу побудило Дагоберта письмо византийского императора Гераклия, который в то же время воздвиг гонения на евреев в своей империи (ч. II, 65). Гераклий будто бы из предсказаний астрологов узнал, что Византия будет опустошена «обрезанным народом»; полагая, что опасность эта грозит со стороны исповедующих иудейство, император советовал королю франков озаботиться крещением евреев, как народа, опасного для всякой христианской державы. «Обрезанный народ» вскоре действительно нагрянул на Византию, но то были не евреи, а мусульмане-арабы.

Падение государства Меровингов и создание империи Карла Великого избавили на время евреев Франции и Германии от преследований (768—814 гг.). Этот могущественный монарх не поддавался влиянию духовенства и покровительствовал евреям, которые тогда были главными двигателями торговли и промышленности в Европе. Карл Великий поощрял во Франции торговые предприятия евреев, позволял им приобретать недвижимость и заниматься всякими промыслами, в особенности судоходством. Некоторые образованные евреи были даже в числе приближенных императора; один из них, Исаак, участвовал в посольстве, отправленном Карлом к багдадскому халифу Гарун аль-Рашиду. — Сын Карла, Людовик Благочестивый (814—840 гг.), также защищал евреев против враждебного им католического духовенства. Когда фанатический лионский епископ Агобард стал в церквах возбуждать народ к нападению на евреев, Людовик приказал епископу замолчать, а евреям обещал свою охрану. Он назначил особого чиновника с титулом «еврейский староста» («magister judaeorum»), для защиты гражданских и торговых прав евреев от всяких нарушений.

Империя Карла Великого вновь распалась после смерти его сына. Потомки Карла царствовали в Италии, Германии и Франции, превратившихся в отдельные государства. Но власть этих королей была очень слаба. Благодаря феодальному строю (2), отдельные бароны и графы распоряжались в своих владениях почти как независимые короли. Вот почему в разных областях Франции положение евреев было различно: в одних местах феодалы покровительствовали им, а в других преследовали. Там, где господствовала церковная политика, с евреями обращались жестоко. В городе Тулузе, например, графы установили следующий «церковный» обычай: ежегодно, перед христианской

Пасхой, тулузский граф приглашал к себе старейшину местной еврейской общины и давал ему чувствительную пощечину, чтобы в его лице напомнить евреям о муках распятого Христа. От этой предпасхальной пощечины евреи впоследствии откупались особым денежным налогом. В Безьере католическое духовенство ежегодно, на Страстной неделе, призывало в своих проповедях христиан мстить евреям за распятие Христа, — и послушная своим пастырям толпа действительно бросалась на евреев, била их и бросала камни в их жилища. Бывали случаи вооруженного сопротивления со стороны еврейских жителей, и тогда дело доходило до кровопролития.

В Германии, после прекращения династии Карла Великого, утвердилась Саксонская династия. Германский король Оттон Великий (в X веке) присоединил к своим владениям Северную Италию и получил звание «императора». Считаясь как бы наследниками римских императоров, германские властители смотрели на евреев, как на собственность своего государства, полученную в наследство от Древнего Рима. Императоры часто уступали известные области вместе с проживавшими в них евреями своим феодалам: графам, баронам или епископам. Разрешая евреям заниматься торговлей или ремеслами в той или другой области, местные власти взимали с них за это большие подати.

Во многих городах Германии евреи жили отдельными общинами, во главе которых стояли ученые раввины и старейшины. Наиболее благоустроенные общины находились в городах Эльзаса, Лотарингии и прирейнских областей (Майнц, Вормс, Шпейер, Кельн). Здесь возникали талмудические школы и появлялись авторитетные законоучители, предписаниями которых евреи руководствовались в своей внутренней жизни. В начале XI века прославился майнцский ученый рабби-Гершом, прозванный Меор-гагола (светило рассеянного народа). Он стоял во главе высшей талмудической школы, служившей рассадником раввинов для общин Германии и Франции. Подобно былым гаонам, рабби-Гершом разрешал спорные вопросы еврейского законодательства и издавал в нужных случаях новые законы. Он, между прочим, запретил многоженство, которое еще иногда встречалось среди евреев на Востоке, и постановил, что муж не может дать жене развод без ее согласия. Эти постановления были одобрены съездом раввинов в Вормсе. Ученые, вышедшие из школы рабби-Гершома, были известны под именем «мудрецов Лотарингии».

5. Русь и Польша. Хазарское царство. Появление евреев в землях, вошедших потом в состав Южной Руси, относится к очень древнему времени. Еще в первые века христианской эры встречались еврейские поселения в греческих владениях, к северу от Черного моря и на Крымском полуострове. Там жили выходцы из близкой Византии, имевшей в этих странах свои колонии. Две греческие надписи на памятниках, найденных близ Керчи и относящихся к 80—81 гг. христианской эры, свидетельствуют о существовании в этой области «синагоги иудеев», то есть еврейской общины и молельни.

В VII веке у берегов Каспийского моря возникло сильное Хазарское государство. Хазары или козары были сначала язычниками из татарского племени. Но с течением времени они познакомились с религиями иудеев, греков и арабов и почувствовали влечение к единобожию. Предание рассказывает, что хазарский царь Булан (около 730 г.) пожелал принять одну из этих трех религий. Византийский император отправил к нему послов с дарами, предлагая принять христианство; арабский халиф через послов старался склонить Булана к магометанской вере. Булан призвал также еврейских мудрецов. Так как всякий хвалил только свою веру, то царь Булан решил выбрать из трех религий еврейскую, как самую древнюю. Следуя примеру своего царя, многие хазары обратились в иудейство. Хазарские цари назывались хаганами (коганим, священники). Их столицей был город Итиль, близ впадения Волги в Каспийское море (около нынешней Астрахани). Один из потомков Булана, хаган Обадия, был особенно ревностным последователем иудейства. Он приглашал из других стран еврейских ученых, велел обучать народ Библии, основывал синагоги и упорядочил богослужение. Иудейское вероучение способствовало смягчению нравов полудиких хазар. Долгое время евреи других стран не знали о существовании Хазарского царства. Только в X веке узнали об этом в Испании. Около 950 г. хазарский царь Иосиф, потомок Обадии, послал в Испанию письмо, в котором рассказал о том, как его предки приняли иудейство. Вскоре после этого Хазарское царство пало. В прежние века хазары делали набеги на славян, живших по Волге и Днепру, и брали с них дань; но когда русское государство при киевских князьях усилилось, владычество хазар ослабело. Киевский князь Святослав завоевал их крепости на Волге и вытеснил их из Каспийской области (969 г.). Хазары частью переселились в Крым, частью рассеялись по русским землям.

Около того времени евреи появились в Киевской Руси. Русский летописец Нестор рассказывает, что в 986 году прибыли в Киев «хазарские евреи». Киевский князь Владимир Святой, тогда еще язычник, готовился принять от греков христианскую веру. Хазарские евреи, как гласит предание, уговаривали его принять иудейство. Но Владимир спросил их: где же земля ваша? Евреи отвечали: в Иерусалиме. *А вы там живете?* — спросил князь. *Нет, —* отвечали евреи, — *Бог разгневался на наших предков и рассеял их по разным странам»*. Тогда Владимир сказал: *«Как же вы других учите, если вы сами отвергнуты Богом и рассеяны?»*. Вслед за тем князь принял крещение и крестил свой народ. Появившиеся затем в Киеве русские монахи и священники, воспитанные греками, часто спорили с евреями о вере. Монах Феодосий Печерский ходил к киевским евреям и препирался с ними о религии, называя их беззаконниками и отступниками (1070 г.). На Руси устанавливалось такое же отношение к еврейству, как в Византии.

Спустя сто лет после Владимира Святого, евреи еще жили и торговали в Киевском княжестве. Великий князь Святополк II покровительствовал еврейским купцам и поверял некоторым собирание товарных пошлин и прочих княжеских доходов. В городе Киеве существовала тогда значительная еврейская община. Эту общину постигло тяжкое испытание во время междуцарствия, последовавшего после смерти Святополка (1113 г.). Киевляне пригласили на княжеский престол Владимира Мономаха, но так как он медлил с прибытием в Киев, то в городе произошли беспорядки. Толпа взбунтовалась, разграбила двор тысяцкого Путяты, а затем двинулась против евреев и разграбила их имущество. Жители Киева отправили вторичное посольство к Мономаху с заявлением, что если он дольше будет медлить, то погром примет еще большие размеры. Тогда Мономах прибыл и водворил в столице спокойствие. Евреи и после этого продолжали жить в Киеве. В 1124 году они сильно пострадали от пожара, истребившего значительную часть города. Киев привлекал к себе еврейских купцов, как крупнейший город, через который шла торговля Западной Европы с Азией.

В Киевскую Русь шли еврейские переселенцы из Византии и ближних азиатских земель, а в соседнюю Польшу шли эмигранты из Западной Европы. Полагают, что уже со времен Карла Великого еврейские купцы из Германии приезжали в Польшу по делам, и многие там оставались на постоянное жительство. С именем еврея связано одно старое польское предание, которое гласит следующее. После смерти своего князя Попеля поляки собрались на вече в Крушевице для избрания князя (ок. 842 г.). Долго спорили, кого избрать, и наконец решили, что тот, кто первый вступит в город на следующий день утром, будет князем. Случилось, что первым пришел еврей Абрам Порховник; его провозгласили князем; но он отклонил от себя эту честь и посоветовал избрать князем умного поляка Пяста, который сделался родоначальником династии Пястов. Другое предание утверждает, будто в конце IX века еврейские депутаты из Германии явились к польскому князю Лешку с ходатайством о допущении их соплеменников в Польшу. Лешек, расспросив послов о свойствах иудейской религии, дал свое согласие; тогда многие евреи стали переселяться из Германии в Польшу (894 г.). Движение евреев в Польшу усилилось с конца X века, когда польский народ принял христианство и тем связал себя с западной католической церковью и западными народами, среди которых евреи жили в значительном числе.

Глава II

Возрождение еврейства в арабской Испании (950—1215 гг.)

6. Кордовский халифат. Хасдай. Основанное арабами в Испании государство (711 г.) расширилось и достигло процветания в X веке. Оно занимало весь центр и юг Пиренейского полуострова, с большими городами: Кордова, Севилья, Толедо, Гренада. Небольшие христианские королевства уцелели только на севере, в Кастилии и Арагонии. Евреи жили среди дружественных им арабов, под покровительством царей, или «халифов», столицей которых была Кордова. Наибольшего процветания достиг Кордовский халифат при халифах Абдуррахмане III и Альхакеме II (912—976 гг.). Абдуррахман занял видное место среди христианских и магометанских государей своего времени; он прославился как покровитель наук, поэзии и искусства. Торговля и промышленность процветали тогда в арабской Испании, в ее богатых многолюдных городах. В городе Кордове было около полумиллиона жителей магометанского, иудейского и христианского исповедания, свыше ста тысяч домов, множество мечетей и дворцов. В этом мирном, образованном обществе больше всего ценились не военные доблести, а достоинства ума. Ученый и поэт уважались в высших кругах более, чем блестящий воин. Сам халиф Альхакем был поэтом и любителем наук; он тратил много денег на приобретение редких и дорогих сочинений; в его библиотеке было собрано около четырехсот тысяч свитков рукописей. Кордовская академия была тогда самой знаменитой в Европе. Ученые и писатели из арабов и евреев часто назначались на высокие государственные должности.

Одним из влиятельных государственных людей того времени был еврей Хасдай ибн-Шапрут (915—970 гг.). Сын знатного кордовского жителя, Хасдай получил хорошее образование, занимался языковедением и медициной, владел в совершенстве языками: еврейским, арабским и латинским. Вместе с тем он отличался практическим умом и умением управлять. Абдуррахман III обратил внимание на эти редкие способности Хасдая и назначил его своим советником, или министром, по иностранным делам. Все переговоры между кордовским халифом и иноземными государями или послами шли через Хасдая. Занимая высокое положение при дворе, еврейский сановник в то же время неустанно работал в пользу своих соплеменников. Он сделался начальником еврейских общин в Испании, чем-то вроде вавилонского экзиларха. Под его покровительством испанские евреи пользовались совершенным спокойствием и благосостоянием.

Когда в Кордову являлись послы из Византии и других государств Европы и Азии, Хасдай усердно расспрашивал их о положении евреев в их землях. Однажды послы из Персии сообщили ему, что где-то в далеких краях есть самостоятельное еврейское царство — Хазария, с царем-иудеем во главе, по имени Иосиф. Хасдай сначала не поверил радостному известию; он захотел узнать правду: действительно ли есть на земле место, где часть рассеянного, безземельного народа имеет свое собственное государство. После дол-

гих исканий пути в неведомую Хазарию Хасдай отправил туда через Византию и Русь посла с письмом к хазарскому царю Иосифу, прося его написать всю правду о таинственном еврейском царстве. *«Если бы я знал, — писал Хасдай, — что есть у нашего народа свое царство на земле, я оставил бы свое высокое положение, бросил бы свою семью и шел бы по горам и долинам, по суше и по морю, пока не пришел бы в то место, где живет господин мой, царь иудейский. Я увидел бы, как живет спокойно остаток Израиля, и тогда я излил бы свою душу в благодарностях Богу, который не отнял своего милосердия от бедного народа своего. Ибо уже долгое время ожидает избавления наш народ, скитаясь из страны в страну. Лишенные чести, униженные в изгнании, мы ничего не можем отвечать говорящим нам: у каждого народа есть царство, а у вас нет на земле и следа царства».* Спустя некоторое время Хасдай получил ответное письмо хазарского царя, или хагана, Иосифа (ок. 960 г.). Из этого письма он узнал, что Хазарское царство по происхождению не еврейское и что только правители и значительная часть народа исповедуют иудейскую веру. Царь Иосиф заканчивал свое письмо словами: *«Наши взоры обращены к Богу, к мудрецам Израиля в академиях Иерусалима и Вавилонии... Да ускорит Бог обещанное освобождение Израиля, да соберет свой рассеянный народ еще при нашей жизни!».* Через десять лет после получения послания царя Иосифа пришла печальная весть о падении Хазарского царства (5). Не суждено было Хасдаю переселиться в еврейское царство, а напротив: потомкам хазарских царей пришлось искать убежище в Испании.

Будучи сам ученым, Хасдай особенно покровительствовал представителям еврейской науки. При нем была основана в Кордове высшая талмудическая школа. Предание рассказывает об этом следующее. Один из четырех талмудистов, посланных тогда из Вавилонии для собирания денег в пользу сурской академии и попавших в плен к арабским морякам (ч. II, 72), был выкуплен из плена евреями Кордовы (955 г.). Имя этого ученого было Моисей бен-Ханох. Вавилонский талмудист, поселившийся в Кордове, сначала не обнаруживал своей учености; только случайно узнали об этом. Однажды он, в одежде бедного странника, явился в кордовскую синагогу. Местный раввин и судья, рабби Натан, читал талмудическую лекцию и объяснял слушателям один трудный законодательный вопрос. Моисей, скромно приютившийся у дверей, заметил, что раввин в одном месте запутался в своих объяснениях; он не мог удержаться и сделал Натану некоторые возражения. Присутствующие с изумлением слушали глубокомысленные замечания бедного странника и предложили ему еще целый ряд спорных вопросов, которые тот разрешил тут же с большим знанием дела. Тогда рабби Натан, выйдя из школы, сказал своим слушателям: *«Я не гожусь быть вашим раввином: это звание подобает тому бедно одетому страннику. Он — мой учитель, а я отныне его ученик. Изберите его раввином и судьею кордовской общины».* Избранный кордовским раввином, Моисей занялся распространением талмудической науки среди испанских евреев. Он учредил в Кордове высшую школу, для которой привозились драгоценные списки Талмуда из Вавилонии. Эта школа вскоре приобрела такую славу, что туда устремилась масса любознательных юношей из городов Испании и соседней Африки. Все признали духовную власть рабби Моисея и подчинялись его законодательным решениям, как в прежнее время — решениям вавилонских гаонов. Моисей носил титул не гаона, а раввина (от слова рабби, учитель), и этот титул утвердился среди европейских евреев.

Покровительством Хасдая пользовались также еврейские языковеды и грамматики. При нем жили в

Кордове известные грамматики Менахем и Донаш. Оба занимались исследованием правил еврейского языка, но расходились в своих мнениях по этому предмету. Менахем написал первый словарь древнееврейского языка, под именем «Махберет», а Донаш написал разбор этой книги, где резко осмеял мнения своего противника и его объяснения библейских слов. Начался сильный спор между сторонниками двух ученых; Хасдай перешел на сторону Донаша и лишил бедного Менахема своей поддержки. — Из учеников Менахема особенно прославился грамматик Иегуда ибн-Хаюдж, впервые установивший правило, что корни библейских слов состоят обыкновенно из трех букв.

7. **Время Самуила Нагида (Гренада).** После халифов Абдуррахмана и Альхакема Кордовский халифат стал клониться к упадку. Соседние христиане с одной стороны и африканские арабы (мавры) с другой — делали набеги на кордовские владения и опустошали страну. В 1013 году Кордова была опустошена полчищами африканских арабов, а вскоре Кордовский халифат распался. Арабская Испания разделилась на несколько мелких царств, называвшихся по имени своих главных городов: Гренада, Севилья, Сарагосса. Многие евреи, бежавшие из Кордовы в смутное время, поселились в Гренаде. Здесь появился еврейский сановник, который стал для своих соплеменников тем, чем был для них Хасдай ибн-Шапрут в Кордовском халифате. То был Самуил Галеви, получивший титул «нагид» (сановник, начальник).

Уроженец Кордовы, Самуил получил в юности широкое образование, духовное и светское. Он основательно знал еврейский и арабский языки, писал на обоих языках изящным слогом и обладал красивым почерком, что тогда особенно ценилось. После разгрома Кордовы, Самуил поселился в городе Малаге, принадлежавшем царю Гренады; небольшая лавка для продажи пряностей доставляла ему скудные средства к существованию. Лавочка находилась в соседстве с домом, где жила семья гренадского визиря (первого министра), Аларифа. Одна из служанок визиря упросила Самуила писать для нее письма к ее господину, в Гренаду. Эти письма, отличавшиеся изящным арабским слогом и красивым почерком, заинтересовали Аларифа. Приехав однажды в Малагу, он лично познакомился с Самуилом и был удивлен нашедши в скромном лавочнике человека с обширными знаниями и ясным умом. *Твое место*, — сказал он Самуилу, — *не в лавке, а рядом со мной; отныне ты будешь моим советником*. Визирь взял с собой Самуила в Гренаду и назначил его своим секретарем. Спустя несколько лет Алариф заболел. Перед смертью он указал гренадскому царю Габусу на Самуила, как на человека, могущего быть очень полезным в деле государственного управления. Царь Габус, высоко ценивший ученых людей, приблизил к себе Самуила и поручил ему заведование важнейшими государственными делами (1027 г.). В течение 28 лет занимал Самуил высокий пост визиря Гренадского царства. Своим мудрым управлением он поднял благосостояние страны, водворил в ней порядок и нередко отвлекал ее от опасных военных предприятий. У еврейского сановника было немало врагов среди знатных арабов, которым было досадно, что еврей занимает такое важное место при дворе. Но Самуил своим кротким обращением и добродушием успокаивал даже своих врагов.

Добросовестно исполняя обязанности государственного деятеля, Самуил в то же время ревностно служил интересам родного племени. Царь Габус назначил его нагидом, то есть начальником над всеми евреями Гренадского царства. В этом звании Самуил много содействовал улучшению гражданского положения своих соплеменников. Его покровительством пользовались не только евреи Испании, но и еврейские общины Северной Африки, Вавилонии и Святой Земли. Как ученый талмудист, Самуил был и духовным руководителем гренадских евреев. Среди своих трудов по государственному управлению он находил время и для того, чтобы читать лекции Талмуда любознательным слушателям и разъяснять вопросы еврейского законодательства. Он содержал на свой счет бедных ученых и держал при себе писцов для изготовления списков Талмуда, которые раздавались бесплатно учащимся. Самуил написал сочинение под заглавием «Введение в Талмуд» («Мево га-Талмуд»), где объяснено происхождение «устного учения» и указаны способы толкования Библии талмудистами. Это «Введение» до сих пор перепечатывается в изданиях Вавилонского Талмуда. Кроме того, Самуил написал в стихах книгу религиозных гимнов в подражание Псалмам («Бен-Тегилим»), книгу изречений по образцу Притчей Соломоновых («Бен-Мишле») и собрание философских размышлений по образцу Экклезиаста («Бен-Когелет»).

Самуил Нагид умер в 1055 году. Сын его, Иосиф, заместил отца в должности визиря Гренады и еврейского нагида. Иосиф служил при царе Бадисе, сыне Габуса, и оказывал государству важные услуги. Но против него восстала арабская знать, завидовавшая величию еврея. Во время одной войны враги Иосифа распустили ложные слухи, будто он призвал неприятеля в страну и хотел передать гренадский престол другому царю. Однажды возбужденная такими слухами арабская чернь бросилась во дворец визиря. Иосиф спрятался в одном из задних покоев дворца и вымазал себе лицо углем, чтобы буяны его не узнали; но его нашли, убили и повесили его труп у ворот Гренады (1066 г.). Затем толпа напала на соплеменников визиря, перебила и разорила несколько сот еврейских семейств; прочие евреи спаслись бегством. Между спасенными были жена и сын погибшего визиря; драгоценное книгохранилище Иосифа было частью уничтожено, частью расхищено. Этот страшный погром отразился на судьбе евреев всего Гренадского царства; они были вынуждены покинуть страну, где в течение полувека пользовались спокойствием и благосостоянием, и переселиться в другие арабские владения Испании.

В то время участились войны между арабами южной Испании и христианами севера. Разгорелась борьба между христианской Кастилией и арабской Севильей. Севильцы призвали к себе на помощь из Африки воинственных мавров из племени альморавидов. У Солака произошла кровопролитная битва между христианами и маврами — и христианское войско потерпело поражение (1086 г.). Евреи храбро сражались и в магометанских, и в христианских рядах (много евреев жило в Кастилии). Вследствие этого день солакской битвы не мог быть назначен ни в пятницу, ни в субботу, ни в воскресенье, так как первый из этих дней был днем покоя для мусульман, второй — для евреев, а последний — для христиан. Победители — альморавиды на полвека утвердили свою власть в южной Испании.

8. Соломон Габироль. Расцвет литературы. В XI и XII вв. в Испании появилось такое множество еврейских ученых и поэтов, что эта эпоха, по справедливости, названа «золотым веком еврейской литературы». Во время Самуила Нагида жил знаменитый еврейский поэт, Соломон ибн-Габироль (1020—1058 гг.). Соломон родился в Малаге, рано осиротел и был обречен на скитальческую и бедственную жизнь. После скитаний по разным городам, он поселился в Гренаде, где пользовался покровительством Самуила Нагида. Габи-

роль писал на еврейском языке звучные, полные глубокого чувства стихи, которые приводили в восторг современников и потомков. Особенно волнуют душу его религиозные гимны, доныне читаемые в синагогах. В них воспеваются и горе рассеянного еврейского народа, и глубокая тоска верующей души, стремящейся к Богу. Образцом народных гимнов могут служить следующие стихи:

«Бедная пленница в земле чужой стала рабыней, рабыней Египта (чужого народа). С того дня, как Ты, Боже, ее покинул, она ждет Тебя. Всему есть конец, но нет конца моему несчастию; годы чередуются — и нет исцеления моей ране. Истерзанные, придавленные, несущие иго, ограбленные, ощипанные, втоптанные в землю, — доколе, Боже, будем мы сетовать на обиды, на многолетнюю неволю? Исмаил (мусульмане) подобен льву, а Исав (христианский мир) — коршуну: едва один нас оставляет, другой за нас принимается».

Личное религиозное чувство нашло свое высшее выражение в длинном гимне Габироля, известном под именем «Царский венец» («Кетер-малхут»). Этот величественный гимн, вошедший в состав иом-кипурского богослужения, содержит в себе ряд философских мыслей о высших догматах веры, о свойствах Божества и Его дивных творениях, о Его мудром мироуправлении и о сокровеннейших силах души человеческой. Об этих вопросах религии и философии Габироль написал еще особое сочинение в прозе: «Источник жизни». В своих философских писаниях Габироль приближается к воззрениям греческого философа Платона и еврейского — Филона Александрийского. «Источник жизни», переведенный с арабского на латинский язык, был очень распространен в средние века среди христианских богословов, которым автор был известен под именем Авицеброна. Габироль умер, имея только 38 лет от роду. О его смерти распространилось в народе следующее сказочное предание. Один араб, завидовавший мудрости и поэтическому дару Габироля, тайно убил его и закопал труп в своем саду, под смоковницей. Дерево стало давать с тех пор необыкновенно красивые и вкусные плоды, слух о которых дошел до царя. Последний призвал к себе араба и спросил его, каким способом удалось ему вырастить такие великолепные плоды. Когда араб, смутившись, запутался в ответе, царь велел подвергнуть его пытке. Араб сознался в своем преступлении, и царь велел его повесить на том же дереве.

Произведениям Габироля подражали следующие поколения стихотворцев. Одним из лучших поэтических преемников Габироля был Моисей ибн-Эзра (1070 — 1138 гг.), член знатной семьи Ибн-Эзра в Гренаде. Поэтическое чувство пробудилось в нем под влиянием несчастной любви. В юности он горячо полюбил дочь своего брата и хотел на ней жениться, но брат воспротивился этому браку. Тогда огорченный Моисей покинул родной город и удалился в Кастилию. Отрекшись от личного счастья, он искал забвения в поэзии и философии. Он пел о горестях и разочарованиях жизни, об измене друзей, о людской злобе и лжи; но иногда поэт как будто ободрялся и грезил о тихой жизни на лоне природы, о красоте, об увлечениях юности. Таково именно содержание его лирического сборника «Таршиш». Позже Ибн-Эзра стал писать преимущественно религиозные гимны, подобно Габиролю. Он сочинил около двухсот покаянных молитв («селихот»), из которых многие читаются в синагогах. Кроме стихотворений, написанных по-еврейски, Ибн-Эзра составил еще на арабском языке книги по риторике, философии и морали; но в этих книгах он только подражал арабским образцам.

Из мыслителей той эпохи особенную известность приобрел Бахия ибн-Пакуда, раввин, или «судья», в Сарагоссе. Бахия написал превосходное сочинение о нравственных обязанностях («Ховот га-левавот», т. с. «Обязанности сердец»). Автор делит все законы иудейства на два разряда: внешние обряды, или «обязанности тела», и нравственные правила, или «обязанности сердца», причем он последние ставит выше первых. Книга Бахии имела целью развить в еврее глубокое нравственное сознание. Переведенная с арабского языка на древнееврейский, эта книга всегда составляла любимое чтение мыслящих людей; в последние столетия ее усердно читал и простой народ, в переводе на немецко-еврейский разговорный язык.

Между талмудистами «золотого века» первое место занимал Исаак Альфаси (до 1103 г.). Он был родом из Феца (по-арабски Фас, откуда и имя «Альфаси») в Северной Африке и переселился в Испанию одновременно с завоеванием ее альморавидами. Еще на родине он прославился как великий знаток Талмуда. Поэтому в Испании к нему стали собираться отовсюду ученики, желавшие усовершенствоваться в европейском законоучении. Город Луцена, где Альфаси занял место раввина, сделался центром раввинской учености, каким прежде была Кордова. Чтобы облегчить изучение Талмуда, Альфаси написал свое знаменитое сочинение «Галахот» («Начала законоведения»). В Вавилонском Талмуде, состоящем из многих книг, перемешаны между собой законодательные и нравоучительные части: «галаха и агада». Альфаси извлек из этого громадного сборника его законодательную часть, отбросив из нее лишние рассуждения, и составил таким образом сокращенный или малый Талмуд. Книга Альфаси значительно облегчила изучение Талмуда и дала толчок к упорядочению еврейского законодательства.

9. Иегуда Галеви. Еврейская поэзия в Испании достигла полного своего расцвета в произведениях Иегуды Галеви (1086—1142 гг.). Уроженец христианской Кастилии, Иегуда в юности переселился на юг, в арабскую Испанию, и здесь получил высшее образование в школах лучших талмудистов и философов. Он изучил также медицину и позже, возвратившись в Кастилию, добывал себе пропитание врачебной практикой. Но большую часть своей жизни он посвятил поэзии, философии и богословию. Как поэт, Иегуда Галеви стоит неизмеримо выше своих предшественников, даже Габироля. В юные годы он в плавных, музыкальных стихах воспевал природу, любовь, красоту жизни; он часто тратил свой поэтический дар и на житейские мелочи: сочинял хвалебные оды к друзьям и покровителям, загадки, шутки и т. п. Но с годами муза Галеви делается серьезнее и грустнее. Поэт вдохновляется трагическими судьбами еврейской нации. Величие и падение этой нации, ее надежды и разочарования, ее вековая скорбь и тоска — все это нашло свой отклик в трагических стихах Иегуды Галеви. Вопль многострадального народа слышится в тех произведениях, где поэт вопрошает Бога, когда же будет конец рассеянию еврейства:

> «*На орлиных крыльях нес Ты голубицу* (еврейскую нацию), *приютил ее некогда на своем лоне, скрывал ее в тихих покоях; отчего же Ты теперь ее покинул, чтобы она скиталась по лесам, где со всех сторон расставлены ей сети? Чужие искушают ее другими богами, а она втайне плачет об Избраннике своей юности... Отчего же так далек от нее Друг небесный и так гнетет ее враг?*».

Самыми сильными из национальных стихотворений Галеви являются те, где поэт изливает свою страстную тоску по древней родине Израиля, по Святой Земле и разрушенному Циону:

«О, чудный край, радость мира, град великого Царя! К тебе стремится душа моя из крайнего Запада! Жгучая жалость наполняет меня, когда вспомню о древнем величии твоем, ныне исчезнувшем, и о твоем храме, ныне опустошенном. О, кто понес бы меня на орлиных крыльях — и я напоил бы землю слезами своими и обнимал и целовал бы камни твои, и вкус твоих глыб был бы для меня слаще меда! *Мое сердце на Востоке, а я на крайнем Западе*; как же могу я чувствовать вкус в том, что я ем? Как исполню я свой обет, пока Цион находится в оковах Эдома (крестоносцев), а я изнываю под игом Аравии? Не прельстили бы меня все блага Испании, если бы только я мог своими глазами узреть прах разрушенного храма».

Эта тоска по Циону не была только поэтическим порывом: она охватила все существо Иегуды Галеви, для которого заветным желанием стало — увидеть дорогую страну предков. Желание поэта осуществилось к концу его жизни: после смерти жены, он покинул свой тихий приют в Испании, разлучился с родными, с учениками и друзьями, и предпринял далекое морское путешествие в Святую Землю. После продолжительного плавания на корабле по Средиземному морю Иегуда Галеви прибыл в Египет, где сблизился с местными знатными и учеными евреями. Из Египта он направился в Палестину, в которой тогда хозяйничали крестоносцы, отнявшие страну у магометан (1140 г.). Что сталось с поэтом в Святой Земле — об этом история молчит; неизвестно даже, достиг ли он Иерусалима, конечной цели своих пламенных стремлений. По-видимому, он умер вскоре по прибытии в Палестину. Темное народное сказание гласит, что Иегуда Галеви, дойдя до ворот Иерусалима и увидев развалины святого города, упал на землю и заплакал; в слезах он пропел свою знаменитую элегию, начинающуюся словами: *«Цион, ведь ты спросишь о судьбе твоих пленников»*. В это время проезжал мимо какой-то арабский всадник, который, увидев распростертого на земле и молящегося еврея, наехал на него и растоптал его копытами своего коня. Элегия, о которой говорится в этой легенде, есть одна из лучших песен о Ционе («циониды»), написанных Иегудой Галеви и доныне читаемых в синагогах ежегодно, в пост 9-го Ава. Вот некоторые отрывки из нее:

«Цион, ведь ты спросишь о судьбе твоих пленников, приветствующих тебя и составляющих остатки твоей (рассеянной) паствы. С запада и востока, севера и юга шлют тебе привет далекий и близкий. Привет тебе и от узника (твоей) любви, проливающего свои слезы, как росу хермонскую, и жаждущего излить их на твоих горах!.. О, как хотелось мне излить свою душу в том месте, где дух Божий осенял твоих избранников! Ты, обитель царей, славный трон Божества! Зачем теперь воссели рабы на престолы твоих владык?.. Могу ли я есть и пить, когда вижу, как псы волочат тела твоих львов? Как могу я наслаждаться светом солнечным, когда вижу, как вороны клюют трупы твоих орлов!.. Не доносятся ли к тебе стоны пленников, рвущихся к тебе из своих темниц? Могут ли соперничать с тобою Шинеар и Патрас (Вавилон и Египет), и разве их суеверие может сравниться с твоею вещею мудростью? Разве найдется что-либо, подобное твоим помазанникам и пророкам, левитам и певцам?».

Иегуда Галеви был не только великим поэтом, но и глубоким мыслителем. Об этом свидетельствует его философская книга «Козара», написанная автором по-арабски и позже переведенная на еврейский язык. Основания еврейского вероучения изложены здесь в виде беседы между хазарским царем, желающим принять иудейство, и одним ученым евреем. По мнению Иегуды Галеви, в религии откровение важнее, чем разум, ибо откровение исходит от Бога, а человеческий разум способен ошибаться. Синайское откровение, как основа еврейской религии, есть неоспоримый факт, очевидцами которого были десятки тысяч израильтян. Бог открылся прежде всего израильтянам, потому что они раньше других народов проявили способность к богопознанию. От них истина должна была распространиться на весь род человеческий, подобно тому как кровь от сердца разливается по всему телу и дает ему жизнь. На еврея возложено так много религиозных обязанностей именно для того, чтобы направлять все его шаги в жизни к духовным целям и приучать его делать все во имя божественного закона. Иудаизм стремится к усовершенствованию всех лучших сил, заложенных в душе. Его отличие ст эллинизма в том, что он ставит истину и добро выше красоты. *«Не увлекайся, — говорил Галеви, — греческой мудростью, ибо в ней есть только цвет, а нет плода».*

10. Авраам ибн-Эзра, современник и друг Иегуды Галеви, родился в Толедо, в 1089 г. Одаренный от природы блестящими способностями, он усвоил себе искусства и науки своего времени; не мог он научиться только искусству — жить и работать спокойно. В жизни ему не везло; во всех своих предприятиях он терпел неудачи. *«Если бы я торговал саванами для мертвецов, — жалуется он, — то вероятно, за всю мою жизнь, не умер бы ни один человек; и если бы я продавал свечи, то солнце не заходило бы до дня моей смерти».* Авраам ибн-Эзра долго путешествовал по разным странам Европы, Азии и Африки, пользуясь в местах своих остановок покровительством богатых еврейских меценатов. В Риме он начал писать свой знаменитый Комментарий к Библии. Это был первый комментарий, где Священное Писание объяснялось по своему грамматическому и историческому смыслу, без произвольных толкований. До тех пор библейские выражения толковались и законоведами, и философами, и моралистами, причем каждый старался вносить в эти выражения посторонние мысли, нужные для его

целей. Ибн-Эзра захотел восстановить истинный смысл древней Библии и очистить понимание ее от ошибочных позднейших толкований. Многое он сделал в этом направлении; но часто он не осмеливался ясно высказывать свои мнения, боясь обвинения в вольнодумстве; в таких случаях он намеренно излагал свои мысли в темной форме, в виде недомолвок и намеков, которые могут отгадать только очень проницательные люди. И все-таки Авраам ибн-Эзра в позднейшее время прослыл вольнодумцем, и комментарий его употреблялся только в кругу свободомыслящих людей.

Кроме этого важнейшего своего труда Авраам ибн-Эзра написал множество сочинений по грамматике, астрономии, математике, философии. Он усердно писал также стихотворения как светского, так и религиозного содержания. Он отлично владел стихотворной формой, но по глубине поэтического чувства его стихи стоят ниже произведений Иегуды Галеви. Предание рассказывает, как познакомились оба поэта. Иегуда Галеви знал стихи Ибн-Эзры, но с автором их еще не был знаком. Однажды в доме Галеви остановился бедный странник, который не назвал своего имени. В то время Галеви работал над одним большим стихотворением, в форме акростиха (где строфы начинаются с букв алфавита в последовательном порядке). Дойдя до буквы Р, поэт остановился: искусство ему изменило, и он никак не мог подыскать соответствующую строфу. Оставив с досадой недоконченную рукопись на столе, он пошел спать. На другое утро он встал и, к великому своему изумлению, заметил, что затруднявшая его строфа уже дописана в оставленной рукописи, и изложена прекрасно. *«Это мог только сделать или ангел, или Авраам ибн-Эзра»*, — воскликнул изумленный поэт. Тогда бедный странник открыл свое имя: то был Ибн-Эзра. После долгих странствий, престарелый Авраам ибн-Эзра возвращался на родину, в Испанию; но он умер на границе родной земли, в 1167 году.

Последним поэтом «золотого века» был Иегуда Аль-харизи (жил около 1165—1225 гг.). Уроженец Испании, он провел много лет жизни вне родины, преимущественно в городах Южной Франции (Марсель, Люнель и др.); он долго путешествовал по Востоку, посетил Египет, Палестину и Сирию. Альхаризи известен своей книгой «Тахкемони». В пятидесяти отделах этой книги, где рифмованная проза чередуется со стихами, поэт увлекательно и живо рассказывает о своих странствиях и приключениях в разных странах, вплетая в свой рассказ то поэтические вымыслы, то остроумные характеристики разных типов людей, то беседы о литературе. Между прочим, Альхаризи дает меткие характеристики предшествовавших ему великих поэтов — Габироля, Иегуды Галеви, Ибн-Эзры и других. Собственное его творчество знаменует собой начало упадка еврейской поэзии в Испании: он более стихотворец, чем поэт. Он сам причисляет себя к подражателям, собирающим крохи со стола славных предшественников.

Всем была богата тогдашняя еврейская литература; недоставало в ней только исторических летописей и описаний еврейской жизни в разных странах. Эти недостатки были только в слабой степени пополнены трудами двух писателей: Авраама ибн-Дауда и Вениамина Тудельского. Ибн-Дауд из Толедо (автор религиозно-философского трактата «Возвышенная вера», «Эмуна-рама») написал небольшую «Книгу предания» («Сефер га-каббала»), где перечислены главные события еврейской истории. В этой книге особенное значение имеют сведения, сообщаемые автором, по истории испанских евреев (до 1180 г.). Вениамин из Туделы путешествовал 13 лет (1160—1173 гг.) по известным тогда трем частям света. Свои путевые впечатления он изложил в книге «Масаот Бениамин». Здесь еврейский путешественник рассказывает о посещенных им странах, о тамошних еврейских общинах, о занятиях и нравах туземцев вообще, о местных преданиях, постройках, памятниках и т. п. Он сообщает не только о том, что сам видел, но также о том, что слышал от других. Подобно всем средневековым путешественникам, он часто не отличает баснословных рассказов от достоверных фактов. Но тем не менее многие его известия очень ценны как для истории тогдашних евреев, так и для всеобщей географии.

11. Альмогады. Испания и Восток. В середине XII века евреев в арабской Испании постигло большое бедствие. В соседней Северной Африке появилась враждебная иноверцам магометанская секта альмогадов. Основатель ее, называвший себя магди, или пророком, проповедовал, что нужно распространить религию Магомета во всем мире с помощью оружия. Альмогады сначала утвердились в царстве Марокко, где жило много евреев, и стали угрожать им смертью, если они не примут ислама. Евреи пришли в отчаяние. Многие переселились в Египет и Испанию; оставшиеся обращались притворно в ислам. Таким же насилиям подвергались евреи и христиане в прочих африканских городах, завоеванных альмогадами. Везде синагоги и церкви разрушались и несчастных иноверцев насильно тащили в мечети. Евреи, вынужденные притворно принять ислам, соблюдали тайно обряды иудейства.

Вскоре полчища альмогадов вторгнулись в Испанию. Они заняли Кордову и разрушили ее великолепные синагоги (1148 г.). Затем они завоевали Гренаду и Севилью и утвердили свое владычество в Южной Испании, вытеснив оттуда альморавидов. Здесь африканские фанатики поступали с евреями так же, как и на своей родине. Цветущие еврейские общины Андалузии были разорены, еврейские школы и академии Севильи, Луцены и других городов закрылись. Мно-

гие евреи принуждены были принять для вида магометанскую веру; другие бежали в христианские государства Испании или в Египет.

В то время среди евреев западной Азии поднялось
освободительное движение. Центр движения находился в городе Багдаде, где жил экзиларх — начальник
еврейских общин Сирии, Месопотамии и Персии. В
гористых областях Персии жили вольные евреи, отличавшиеся воинственным духом. Среди этих вольных
горцев появился человек, которого народ принял за
своего мессию (1160 г.). То был Давид Альрой из
персидского города Амадии, получивший в багдадских
школах еврейское и арабское образование. Видя постепенное распадение Багдадского халифата, Давид вздумал сделаться независимым князем своего племени.
Он обратился с воззванием ко всем евреям Азии, воз-
вещая, что он послан Богом освободить своих братьев
от магометанского ига и повести в Иерусалим. На его
призыв сбежались в Амадию вооруженные евреи, которые из предосторожности прятали свое оружие под
верхней одеждой. Предание рассказывает, что узнав о
восстании евреев, персидский султан призвал к себе
Давида Альроя. Последний явился во дворец без свиты и неустрашимо назвал себя царем иудейским. Его
схватили и заключили в темницу. Но Давид посредством чародейства бежал из заключения и снова появился в Амадии. Народ верил, что Давид способен
творить чудеса, как подобает посланнику Божию. Мнимый мессия, однако, скоро пал жертвой заговора: его
убил во сне тесть его, по требованию персидских властей. Но и после смерти Альроя осталась еще в Багдаде группа приверженцев его, веривших в скорое чудо
избавления. Этим легковерием толпы воспользовались
два обманщика для корыстных целей. Они показали
багдадским евреям присланное будто бы мессией письмо, в котором говорилось, что освобождение близко и

что оно совершится следующим чудесным образом: в известный час, около полуночи, евреи должны облечься в зеленые одежды, взобраться на крыши своих домов и там ждать; тогда поднимется сильный ветер и перенесет их всех прямо в Иерусалим. Одураченные приверженцы мессии передали обманщикам все свое имущество для разделения между бедными и в установленный час взобрались на крыши. Только просидев с женами и детьми на крышах в течение целой ночи и не дождавшись чудесного перелета, евреи поняли свое заблуждение. Обманщики же, забрав их имущество, скрылись. Багдадцы шутливо прозвали тот знаменательный год «годом перелета».

Завоевания альморавидов и затем альмогадов в Испании сблизили эту страну с родиной завоевателей — Северной Африкой. Теснимые альмогадами, многие испанские евреи переселялись в более спокойные области Африки, в особенности в Египет, в котором тогда воцарился великий султан Саладин, завоеватель Сирии и Палестины (1171 г.). Правоверный магометанин, Саладин, однако, с полной терпимостью относился к евреям. Он дозволил им жить в Иерусалиме, откуда христиане их раньше изгоняли. В самом Египте евреи жили благоустроенными общинами, на началах самоуправления. Во главе всех общин стоял еврейский сановник, носивший титул нагида (то же, что экзиларх). Он назначал раввинов и канторов для общин и синагог, разбирал гражданские и уголовные дела евреев и имел право приговаривать виновных не только к денежным штрафам, но и к телесному наказанию и заточению в тюрьме. Главные еврейские общины находились в столичном городе Каире и в Александрии. В Египте жило также много караимов, имевших свои отдельные общины и синагоги. При дворе Саладина состоял врачом величайший еврейский философ и законоучитель Маймонид.

12. Жизнь Маймонида. Моисей бен-Маймон, прозванный Маймонидом (Рамбам), родился в 1135 году в Испании, в городе Кордове, где его отец занимал место духовного судьи («даян») еврейской общины. Моисей получил свое образование в ту славную пору, когда в Испании евреи и арабы выдвинули из своей среды множество великих ученых, философов и поэтов. С ранних лет он ревностно изучал Талмуд, философию, естественные науки и очень много читал по-еврейски и по-арабски. Едва минуло Моисею 13 лет, как Кордова была завоевана альмогадами, и еврейским жителям поставили на выбор: выселиться или принять ислам. Семья Маймонида должна была покинуть родной город и вести скитальческую жизнь, полную лишений. Во время этих скитаний по разным городам Испании юный Моисей не переставал трудиться над своим умственным развитием. Он занимался под руководством арабских ученых, с которыми знакомился в разных местах, и между прочим хорошо изучил медицину. Но вместе с тем страдания, перенесенные юношей из-за веры, толкали его ум в область еврейской религии и законоведения; он хотел внести в эту область свет знания и порядок. Уже на 23-м году жизни он начал писать обширный комментарий к Мишне, основе Талмуда.

В это время Моисей переехал с отцом и прочими членами семьи в Северную Африку и поселился в Феце. Здесь все еще свирепствовали фанатики-альмогады, принуждавшие евреев исповедовать ислам. Членам семьи Маймона тоже приходилось некоторое время притворяться магометанами и соблюдать свою веру тайно. Но магометане вскоре узнали об этом, и семье Маймона пришлось бежать в Палестину (1165 г.). После шестидневного плавания по Средиземному морю, поднялась сильная буря, и корабль едва не потерпел крушение. Много тревог пережила несчастная семья, много слез было пролито в горячих молитвах к Богу о спасении. Наконец, после месячного плавания, корабль вошел в гавань города Акко. Здесь путешественники прожили несколько месяцев и затем отправились в Иерусалим, чтобы помолиться на том месте, где некогда стоял храм. Оттуда они поехали в Хеврон, и здесь Моисей целый день молился в пещере, где, по преданию, находятся гробницы еврейских патриархов. Затем странствующая семья переехала в Египет и поселилась в Старом Каире (Фостат).

В Каире Моисей Маймонид занимался врачебной практикой, дававшей ему средства к жизни, но в то же время продолжал писать свои сочинения по религии и философии. Вскоре он прославился среди арабов и евреев как искусный врач и глубокомысленный ученый. Просвещенный султан Саладин назначил Маймонида своим придворным врачом. Кроме того, Маймонид получил звание нагида, т. е. старшины или патриарха всех египетских евреев. Он сделался духовным руководителем своих соплеменников не только в Египте, но и во всех странах Востока, откуда к нему часто обращались с запросами по делам религиозным и общественным. После смерти Саладина (1193 г.) Маймонид исполнял обязанности придворного врача при его преемнике. О своем образе жизни в то время Маймонид писал следующее в послании к одному ученому: *«Султан живет в Новом Каире, а я в Фостате* (старом городе). *Ежедневно по утрам обязан я являться ко двору. Если заболеет султан или кто-либо из жен и детей его, я остаюсь там почти целый день. Но и в те дни, когда все благополучно, я могу возвращаться в Фостат только после полудня. Там я уже застаю в прихожей своего дома массу людей — магометан и евреев, важных особ и простолюдинов, судей и чиновников, дожидающихся моего возвращения. Я слезаю с осла, умываюсь и выхожу к ним, извиняясь и прося их подождать, пока я что-нибудь поем. Затем выхожу к больным, чтобы лечить их, и прописываю рецепты. Так уходят и приходят ко мне люди до вечера. Вечером я чувствую крайнюю усталость и все-таки веду ученую беседу, иногда до двух часов ночи. Только по субботам имею я возможность беседовать с членами общины и давать им наставления на всю неделю».*

Маймонид умер в 1204 году, 69 лет от роду. В Каире его оплакивали не только евреи, но и магометане, а в Иерусалиме еврейская община установила пост и молитву по случаю этой тяжелой утраты. Прах Маймонида был перевезен в Святую Землю и похоронен в Тивериаде. Единственный сын Маймонида, Авраам, был его преемником в должностях придворного врача и нагида египетских евреев.

13. Сочинения Маймонида. Слава Маймонида особенно возросла после его смерти, когда распространились его сочинения. О нем говорили: *«От Моисея (библейского) до Моисея (Маймонида) не было подобного Моисею (Маймониду)».* И действительно, после древних творцов Пятикнижия и Мишны никто так много не сделал для развития иудаизма, как Моисей Маймонид. Уже в первом своем сочинении, обширном комментарии к Мишне, названном по-арабски «Светоч» (позже переведен на еврейский язык), Маймонид пролил свет на все содержание «устного учения». Если Гемара часто запутывала и затемняла смысл Мишны, то «Светоч» Маймонида упрощал и уяснял его. Но Маймонид не ограничился этим. Многотомный Талмуд заключал в себе такую огромную и беспорядочную массу законов, нравоучений и научных званий, что на изучение его человек должен был тратить всю свою жизнь; выводить же из этой массы точные правила и законы для руководства было очень трудно, ввиду многочисленных противоречий во мнениях различных творцов Мишны и Гемары. И вот Маймонид решил составить полный свод еврейских законов и поучений на основании Библии и Талмуда. *«Я хотел бы, — говорит он в предисловии к этому труду, — чтобы настоящее сочинение служило полным сводом устного учения со всеми постановлениями, обычаями и законами, накопившимися от времени нашего учителя Моисея до составления Гемары. Я назвал эту книгу Мишне-Тора («Второй закон») в том предположении, что всякий человек, усвоив сначала писаное учение (Библию), будет в состоянии немедленно приступить к изучению настоящего свода, по которому он ознакомится с содержанием устного учения (Талмуда), так что ему не придется читать между этими книгами ничего другого».*

Свод «Мишне-Тора», или как он иначе называется «Яд гахазака» («Сильная рука»), написан прекрасным еврейским языком и состоит из 14 книг. Первая называется «Книгой познания» («Сефер га'мада»); в ней изложены главные основания (догматы) еврейской веры. Маймонид в другом своем сочинении установил 13 таких основ или догматов: 1) Бог — творец и правитель мира; 2) Он, безусловно, един; 3) Бог не имеет телесных свойств и никакого подобия человека; Он — существо, постигаемое не чувствами, а разумом; 4) Бог вечен и не зависит от времени; 5) еврей обязан почитать только этого Бога; 6) все слова библейских пророков истинны; 7) наш вероучитель Моисей есть первый и самый великий пророк; 8) наше вероучение дано Богом через Моисея; 9) это вероучение никогда не будет заменено другим; 10) Бог знает все дела и помыслы людей; 11) Он воздает добром исполняющим Его заповеди и наказывает нарушителей их; 12) когда-нибудь придет избавитель еврейства, Мошиах (Мессия), которого следует ожидать ежедневно; 13) по воле

Божией совершится когда-нибудь воскресение мертвых.

В «Книге познания» все эти основы еврейского вероучения подробно объяснены; там же изложены те нравственные обязанности, которые из них вытекают для каждой отдельной личности. В остальных отделах «Мишне-Торы» изложены, в строгом порядке, все законы, обряды и обычаи еврейской религии, а также законы семейные, государственные и общественные, выработанные в эпохи Библии и Талмуда. Благодаря своду законов Маймонида, талмудическое законодательство окончательно утвердилось среди евреев. «Мишне-Тора» сделалась необходимым руководством для всякого раввина, судьи и главы общины. Однако на первых порах нашлись и противники, осуждавшие великое предприятие Маймонида. Автора упрекали и в намерении сократить изучение Талмуда в школах, и в свободомыслии, и, наконец, в произвольном решении вопросов, считавшихся в Талмуде спорными. Эти упреки и нападки исходили из лагеря приверженцев старины.

Составив свод религиозных законов иудаизма, Маймонид не считал еще свою задачу оконченной. Две великие истины служили Маймониду путеводными звездами в его жизни: истина, возвещенная человечеству божественным Откровением, и та истина, которую открывает мыслящему человеку его собственный Разум. Как верующий, он преклонялся перед учением Моисея и пророков; как мыслящий человек, он признавал учения греческого философа Аристотеля и других мыслителей, исправляя и дополняя эти учения в духе своих убеждений. Заветной мыслью Маймонида всегда было — примирить истины Откровения с истинами Разума. Эту великую задачу он осуществил в своем труде, написанном по-арабски под заглавием «Путеводитель блуждающих» («Море Невухим» в еврейском переводе). В этой книге проводится та основная мысль, что чистая религия и чистый разум во всем согласны между собой. Оба признают существование единого Бога, как причины или начала всякого бытия, и оба стремятся довести человека до высшего совершенства. Если же истина веры и истина разума так согласны между собой относительно первопричины и конечной цели бытия, то они должны совпадать и в тех промежуточных пунктах, которые лежат между этими двумя крайними точками. Далее идет применение этих основных начал к догматам иудаизма. — «Путеводитель» Маймонида распадается на три части. Первая посвящена богопознанию, вторая — учению о сотворении мира и о пророчестве, третья — нравственному учению.

Маймонид блестяще завершил ту задачу, которую за два с половиной столетия до него поставил себе Саадия Гаон. Его труд является венцом и еврейского законоучения, и средневековой еврейской философии. «Путеводитель блуждающих» приобрел небывалую славу: эту книгу изучали и евреи, и арабы, и христиане (в латинском переводе). — Кроме указанных крупных сочинений, Маймонид написал еще целый ряд книг по богословию, логике, морали и медицине.

Глава III

Евреи в христианской Европе в эпоху крестовых походов (1096—1215 гг.)

14. Первый крестовый поход. К концу XI века еврейские общины во Франции, Германии и других странах христианской Европы настолько размножились и окрепли, что их дальнейшее существование могло казаться обеспеченным. Можно было ожидать в будущем более или менее свободного культурного развития этих общин, по образцу испанских. Но эти ожидания не сбылись. В Европе произошли события, которые до основания потрясли жизнь евреев в христианских странах и обрекли их на бедствия, унижения и бесправие в течение ряда веков.

В конце XI века христианские народы Европы соединились для общей войны за веру против магометан, владевших Палестиной или «Святой Землей». Магометане сильно притесняли подвластных им христиан; много терпели от них и христиане-богомольцы, приходившие из Европы в Иерусалим для поклонения гробу Христа. В 1095 году римский папа Урбан II созвал собор в Клермоне, во Франции, и здесь увещевал христиан идти на войну с «неверными» магометанами и отнять у них святой город Иерусалим. На этот призыв откликнулись многие феодальные князья, рыцари, епископы и простой народ во Франции и Германии. Десятки тысяч людей покидали свои дома, поля, усадьбы, нашивали себе красные кресты на верхнюю одежду (отсюда и название их — «крестоносцы») и готовились идти на бой с «неверными». В начале 1096 года составилось уже огромное крестовое ополчение. Между крестоносцами были люди, желавшие действительно сражаться за веру; но большинство их руководствовалось личными расчетами. Рыцари надеялись на богатую добычу в мусульманских землях, крестьяне шли в ряды крестоносцев, чтобы получить обещанную им за это свободу от крепостной зависимости, а набожных людей всех классов привлекало туда объявленное духовенством полное отпущение грехов всякому, идущему на войну за веру. К этому народному ополчению примешалась толпа простых бродяг, нищих и искателей приключений с самыми преступными наклонностями. Прежде чем князья успели приготовиться к походу, беспорядочные толпы крестоносцев рассыпались по Франции и Германии и стали грабить население лежавших по пути мест; евреев же крестоносцы не только грабили, но и убивали или принуждали к крещению. «*Восстал,* — рассказывает еврейский летописец, — *народ дикий, отчаянный, ожесточенный, сброд французов и германцев, сбежавшийся со всех сторон. Проходя через города, где жили евреи, они* (крестоносцы) *говорили себе: «вот мы идем отомстить измаильтянам* (магометанам), *а тут перед нами евреи, которые распяли нашего Спасителя; отомстим же прежде им! Пусть не упоминается больше имя Израиля, или же пусть евреи уподобятся нам и примут нашу веру!»*

Весна 1096 года принесла гибель и горе многим тысячам евреев в Европе. Крестоносцы свирепствовали с наибольшей силой в немецких городах, расположенных на берегу Рейна. Одной из первых пострадала старая еврейская община в Вормсе. Сотни евреев были тут перерезаны крестоносцами; истекая кровью, они кричали: *«Слушай Израиль, Бог наш Един»!* Лишь немногие принимали крещение, под страхом смерти. Иные сами лишали себя жизни, чтобы не попасть в руки врагов. Женщины убивали своих любимых детей, боясь, чтобы их не окрестили насильно. Крестоносцы разрушили дома евреев в Вормсе, разграбили их имущество, изорвали и растоптали ногами свитки священных книг, найденные в синагогах (18 мая). Часть еврейских жителей скрывалась в доме вормсского епископа Аллебранда. Епископ не мог или не хотел их защищать и предложил им для собственного спасения принять христианство. Евреи просили, чтобы им дали время на размышление. Перед епископским дворцом расположились крестоносцы, готовясь вести евреев либо в церковь, либо на казнь. Когда данный евреям срок прошел, епископ отворил двери помещения, где скрывались несчастные, и нашел их всех плавающими в луже крови: они сочли за лучшее убить себя, чем отречься от своей веры. Рассвирепевшие крестоносцы надругались над трупами еврейских мучеников и частью перебили, частью насильно окрестили оставшихся в живых вормсских евреев (25 мая). Один юноша, Симха Коген, который лишился в этой резне отца и братьев, решил умереть, отомстив за свою погибшую семью. Когда его поволокли в церковь, он близ алтаря выхватил из-под одежды заранее спрятанный кинжал и заколол им племянника епископа. Симха был тут же разорван на куски разъяренной толпой. Только по уходе крестоносцев из Вормса тела еврейских мучеников были преданы земле. Их было около 800 человек.

В эти же дни другая шайка крестоносцев подошла к Майнцу. Местные евреи укрепились в обширном замке епископа Рутгарда, который за деньги обещал им свою защиту и помощь своей стражи. Когда к замку подошли крестоносцы, евреи взялись за оружие, рассчитывая на помощь епископской стражи; но были горько обмануты. Стража в опасную минуту разбежалась, а сам Рутгард, вследствие трусости или вероломства, удалился, оставив несчастных на произвол их палачей. Видя бесполезность сопротивления, часть евреев сама лишила себя жизни, а прочие приняли смерть от рук крестоносцев. Более человечным оказался епископ города Кельна. Услышав о приближении крестоносцев, он вывел из города многих евреев и дал им приют в принадлежавших ему окрестных местечках и деревнях; оставшиеся в Кельне евреи скрывались в домах своих христианских соседей. Иные таким образом спаслись от смерти, но большинство приютившихся в окрестностях Кельна было истреблено крестоносцами. Везде евреи геройски умирали за свою веру и народность, а те, которые были насильно окрещены, возвращались в иудейство или сами убивали себя, чтобы искупить свое невольное отступничество.

С берегов Рейна шайки крестоносцев двинулись дальше, к берегам Дуная, истребляя по дороге евреев в городах Германии и Богемии. Губя и разрушая все на своем пути, эти шайки сами гибли тысячами от голода и лишений, или истреблялись народами тех стран, где они бесчинствовали. Для похода в Святую Землю составилось новое крестовое ополчение, под предводительством герцога Готфрида Бульонского. После трехлетних бедствий и многих потерь в пути (в Византии), это крестовое ополчение достигло Святой Земли. Иерусалим был взят приступом (15 июля 1099 г.). Перебив там магометан, ожесточенные крестоносцы загнали иерусалимских евреев, как талмудистов, так и караимов, в одну синагогу и подожгли ее. Все евреи погибли в пламени, а имущество их было расхищено. Крестоносцы завоевали часть Палестины и основали там свое Иерусалимское королевство.

Бедствия евреев в Германии вскоре прекратились благодаря заступничеству доброго императора Генриха IV. Не обращая внимания на протесты духовенства и римского папы, император разрешил всем насильно окрещенным евреям вернуться к своей вере. Он наказал также некоторых из духовных и светских сановников, допустивших избиение и ограбление еврейских жителей в своих владениях.

15. Второй крестовый поход. Основанное крестоносцами Иерусалимское королевство пришло, спустя несколько десятилетий, в упадок, и восточные магометане вновь начали теснить христиан. Тогда в Европе стали готовиться к новому крестовому походу. Во главе крестоносцев стояли: французский король Людовик VII и германский император Конрад III (1146 г.). Французский аббат (монах) Бернард Клервосский увещевал христиан идти прямо в Святую Землю; но другие монахи проповедовали, что крестоносцы, прежде чем идти против магометан, должны обратиться против евреев, с целью их окрестить или истребить. Такими речами воспламенял христиан свирепый немецкий монах Рудольф. В августе 1146 года, в прирейнских областях снова начались нападения на евреев. В окрестностях Трира и Шпейера пали первые еврейские мученики нового крестового похода. Во многих местах евреи, наученные горьким опытом 1096 года, предупредили несчастие: они платили огромные деньги феодальным князьям и епископам за дозволение укрыться временно в их укрепленных замках и дворцах. Сам император Конрад дал евреям убежище в своих наследственных землях, в городе Нюрнберге и других крепостях. Кельнский епископ Арнольд отдал в распоряжение евреев крепость Волькенбург и разрешил им защищаться против нападений с оружием в руках. Такие убежища не всегда, однако, были доступны евреям. Беззащитные евреи Вюрцбурга подверглись разгрому: было убито около двадцати человек, в том числе и кроткий раввин Исаак бен-Элиаким, сраженный мечом в тот момент, когда он сидел погруженный в чтение священной книги.

Весной 1147 года погромы повторились и в некоторых местностях Франции. В Карантоне евреи, скопившись в одном дворе, долго оборонялись против нападавших крестоносцев, ранили и убили некоторых, но наконец пали все под ударами врагов, проникших во двор сзади. В городе Рамерю чернь напала на евреев во второй день праздника Шовуот. Погромщики ворвались в дом знаменитого раввина Якова Тама, разграбили его имущество, разорвали священные книги, а хозяина поволокли в поле. Здесь они нанесли раввину пять ран в голову, говоря: *«Ведь ты великий во Израиле, поэтому мы должны отомстить тебе за муки нашего распятого Спасителя».* Тем временем проезжал полем какой-то рыцарь. Рабби Там обратился к нему с просьбой о помощи, обещая подарить ему за это дорогого коня. Рыцарь уговорил толпу отдать ему раввина, уверяя, что постарается склонить его к принятию крещения. Благодаря этой хитрости, был спасен от смерти один из главнейших представителей тогдашнего еврейского духовенства. Только с уходом французских и немецких крестоносцев на Восток евреи вздохнули свободнее; скрывавшиеся в замках и крепостях стали выходить из своих убежищ, а насильно окрещенные возвращались к прежней вере.

16. Третий крестовый поход. В 1187 г. египетский султан Саладин (12) отнял у христиан Иерусалим и положил конец существованию Иерусалимского королевства. Следствием этого был третий крестовый поход в Святую Землю, в котором участвовали германский император Фридрих Барбаросса, французский король Филипп-Август и английский — Ричард Львиное Сердце. На этот раз приготовления к крестовому походу сопровождались нападениями черни на евреев в одном из трех союзных государств — в Англии. Еврейские общины в Англии, усиленные притоком переселенцев из соседней Франции, занимали в XII веке видное место в промышленной жизни страны. Евреи жили в Лондоне и других городах, занимаясь торговлей и банковскими операциями. Короли давали им свободу передвижения, купли и продажи по всей стране, но взимали за это огромные налоги. Среди евреев Лондона и провинциальных городов встречались богатые люди, жившие в каменных домах, «подобных дворцам». Крупные купцы и банкиры обращали на себя внимание, возбуждая алчность королей и зависть христианского населения, которое считало всех евреев богачами. Эти чувства, в связи с религиозным фанатизмом, подготовили почву для взрыва народных страстей накануне третьего крестового похода.

Приготовления к этому походу совпали с восшествием на престол короля Ричарда I (Львиное Сердце). В день коронации явились в лондонский королевский дворец многочисленные депутации, чтобы поздравить нового короля. Среди них была и депутация от евреев, принесшая королю подарки. Присутствие евреев не понравилось английскому архиепископу Балдуину. Он заметил королю, что неверующие недостойны столь высокой чести и что принимать от них подарки грешно. По настоянию архиепископа, Ричард приказал вывести еврейскую депутацию из тронной залы. Дворцовые служители, получив такой приказ, грубо вытолкали депутатов. В городе пустили слух, что король позволил громить евреев. Буйная лондонская чернь, вместе с собравшимися в городе крестоносцами, набросилась на евреев, убивала их, разрушала их дома, грабила имущество. Богатые евреи заперлись в своих высоких и крепких домах, но погромщики подожгли эти дома, и несчастные погибли в пламени (1189 г.). Некоторые члены еврейской общины сами лишили себя жизни, боясь насильственного крещения.

Когда вслед за тем Ричард, во главе крестоносцев, отправился на Восток, погромы повторились в других городах Англии. Страшная трагедия произошла в городе Йорке. Здесь многие евреи заперлись в башне городской крепости. Шесть дней христиане осаждали башню; осажденные бросали в них камнями и убили одного монаха. Но скоро съестные припасы в башне истощились, и обороняться стало невозможно. Осажденные совещались, что им делать. Бывший среди них раввин Иомтов сказал: *«Бог очевидно хочет, чтобы мы умерли за наше святое учение. Смерть стоит за дверьми, и едва ли вы пожелаете изменить своей вере ради того, чтобы продлить немного свое земное существование. Творец дал нам жизнь, и мы возвратим ее Ему собственными руками. Такой пример показали нам многие благочестивые мужи и целые общины в древнее и новейшее время».* Эти слова подействовали — и осажденные, за исключением немногих малодушных, решили лишить себя жизни. Глава общины, богатый Иосце (один из членов еврейской депутации, явившейся к коронации Ричарда), убил сначала свою любимую жену, а сам принял смерть от рук раввина. Так покончили с собой многие; остальные были перебиты на другой день ворвавшимися в крепость врагами (1190 г., накануне «Великой субботы» перед Пасхой). Наместник короля велел строго наказать виновников погрома. Но виновных не оказалось налицо; крестоносцы разбежались в разные стороны, а предводители их из дворян бежали в Шотландию. При преемниках Ричарда I положение евреев в Англии постепенно ухудшалось.

17. Бесправие евреев во Франции и Германии. Крестовые походы ухудшили общественное и экономическое положение евреев в Западной Европе. Передвижения масс из Европы в Азию сблизили эти части света, и христианские купцы вытеснили из области международной торговли ее прежних посредников — евреев. В самой Европе, по мере развития городской жизни, число торговцев-христиан росло, и евреи все более оттеснялись в область мелкой торговли. Удаленные от земледелия и многих промыслов, состоятельные евреи вынуждены были заниматься ссудой денег под проценты, что нередко служило поводом к столкновениям между должниками и заимодавцами и впоследствии причинило евреям неисчислимые бедствия. Рядом с экономическим принижением евреев шло ухудшение их положения в христианском обществе. Возбуждение умов, вызванное проповедью крестовых походов, и страстный религиозный фанатизм, обуявший целые слои христианского населения, поставили евреев на опасную, вулканическую почву. Они должны были постоянно трепетать; каждый взрыв народных страстей мог принести им гибель и разорение. Народное суеверие питалось нелепыми слухами, выставлявшими евреев в самом чудовищном виде.

В это время впервые распространилось лживое и возмутительное обвинение, будто евреи убивают христианских младенцев перед праздником Пасхи и примешивают их кровь к своему пасхальному хлебу (маца) и вину. Люди, которые сами проливали еврейскую кровь, оправдывали свои зверства выдумкой, будто евреи тайно проливают христианскую кровь. В 1171 г. во французском городе Блуа слуга местного градоначальника пошел вечером к реке поить коня. Конь чего-то испугался и отскочил, а перепуганный всадник вернулся в город и рассказал, что видел, как еврей бросил в реку тело христианского мальчика. На основании этого обвинения были арестованы 30 человек из местной еврейской общины. Для проверки обвинения судьи прибегли к тогдашнему суеверному способу «испытания водой»: обвинителя-слугу бросили в реку в лодке, наполненной водой, и так как лодка не утонула, то решили, что слуга сказал правду. Тогда арестованных евреев заключили в деревянную башню, возле которой разложили громадный костер. На предложение креститься и тем получить помилование евреи ответили решительным отказом. Их бросили в костер и сожгли (26 мая — 20 сивана 1171 г.). Евреи умерли мужественно, распевая, как бы в насмешку над своими мучителями, синагогальный гимн «Олейну». В память мучеников в Блуа был установлен раввинами особый пост.

Участник третьего крестового похода, жадный до денег французский король Филипп-Август жестоко преследовал своих еврейских подданных. Нуждаясь постоянно в деньгах для ведения войн, он всякими насилиями вымогал деньги у евреев. В 1181 г. он велел арестовать всех евреев в Париже в субботний день, когда они молились в синагогах, и опечатать их имущество. Евреи собрали значительную сумму в 15000 марок серебром и поднесли ее королю; тогда их выпустили на свободу. Но через год Филипп-Август поживился более крупной добычей: он издал указ, чтобы все евреи, живущие на королевских землях, выселились в течение трех месяцев, от апреля до июля. Изгнанникам дозволялось брать с собой или продавать только свое движимое имущество; всю же недвижимость — дома, сады, винные погреба и амбары — король присвоил себе (1182 г.). Покинутые синагоги были обращены в церкви. Евреям, изгнанным из собственных владений короля (округ Парижа), пришлось искать убежища во владениях французских феодалов — баронов и графов, которые давали им приют у себя.

Через 16 лет король, нуждаясь в деньгах, снова допустил изгнанных евреев в свои владения, взимая с них огромные подати за право жительства и торговли (1198 г.).

От подобных преследований и унижений были свободны только евреи южнофранцузской области Прованс. Здесь феодальные графы хорошо относились к евреям; местное христианское население, имевшее сношения с жителями соседней арабской Испании, было менее суеверно, чем на севере. Евреи являлись в Провансе распространителями просвещения; они выдвинули из своей среды многих ученых, в особенности по части медицины.

Печальные последствия имела эпоха крестовых походов для гражданской жизни и внутреннего быта евреев в Германии. Главным последствием этой тревожной эпохи было чрезмерное обособление евреев от окружающего христианского населения. Как испуганное стадо овец, ожидая нападения хищника, сбивается в кучу, так и еврейство, видя себя среди врагов и ежедневно опасаясь взрыва народных страстей, все более отдалялось от враждебной среды и замыкалось в сфере своих народных интересов. Другим последствием пережитого смутного времени было закрепощение евреев, в смысле усиления зависимости от германских императоров, которые являлись их главными защитниками против разнузданной черни. С XII века евреи в Германии считались как бы рабами или крепостными императорского двора («камеркнехты»). Они состояли не под охраной общих гражданских законов, а под охраной императора, как личная его собственность. Из этой собственности старались извлечь побольше доходов. Евреи должны были платить в пользу двора как постоянные «покровительственные подати», так и чрезвычайные налоги, очень обременительные. Кроме податей в пользу императора, евреи платили значительные подати феодальным князьям и городским магистратам, на землях которых они жили; с недвижимой собственности они вносили также десятину в пользу церкви. Однако в случаях нападения черни на евреев власти оказывали им защиту только за особое вознаграждение. Так, Фридрих Барбаросса, отправляясь в третий крестовый поход, принял строгие меры для предупреждения нападений на евреев во время своего отсутствия, но за это охраняемым пришлось уплатить крупные суммы на издержки по крестовому походу.

18. Раши и тоссафисты.

Перенесенные бедствия и унижения не могли, однако, заглушить в евреях ту умственную деятельность, которая, по выражению рабби Акивы, так же необходима для Израиля, как вода для рыбы. Повсюду преследуемые евреи находили утешение только в духовной жизни, в своей религии, в наследии своего великого прошлого. Еще до крестовых походов, среди французских и германских евреев было распространено изучение Талмуда, которому дали сильный толчок рабби Гершом и «мудрецы Лотарингии». В год смерти р. Гершома (1040 г.), во французском городе Труа родился человек, который сделал изучение Талмуда доступным всему народу. То был Соломон Ицхаки, известный под сокращенным именем Раши.

В юности Раши изучал Талмуд в школах «мудрецов Лотарингии». Подобно древнему таннаю рабби Акиве, Раши уже после женитьбы оставил семью и скитался из города в город, чтобы слушать слово Божие из уст великих учителей. «Я работал, — рассказывает он, — под руководством своих учителей в такое время, когда я крайне нуждался в хлебе, одежде и имел на своих плечах иго семейной жизни». Только после долгих трудов, овладев всей письменностью Библии и Талмуда, возвратился Раши к своей семье в Труа. Вскоре слава молодого ученого распространилась во Франции и Германии; к нему стали обращаться за разрешением вопросов религии и права; масса учеников, искавших духовного образования, устремилась в школу Раши в Труа. Объясняя слушателям Библию и особенно Талмуд, Раши старался больше всего об упрощении изучаемого предмета, об изложении его в общедоступной форме, понятной даже юношам школьного возраста. Но Раши не ограничился этим; он хотел облегчить усвоение еврейской науки и будущим поколениям. В то время изучение Талмуда было сопряжено с большими трудностями. Без помощи опытных учителей и раввинов нельзя было понимать ни сложное содержание Талмуда, ни его трудный язык. Нужно было долго скитаться по разным школам, чтобы сделаться сведущим талмудистом. И вот Раши принялся за составление подробного письменного комментария к Талмуду. В своих толкованиях к большинству трактатов Вавилонского Талмуда он кратко, ясно и удобопонятно объясняет как трудные выражения текста, так и весь запутанный ход мыслей и рассуждений древних законоучителей. Одним коротким замечанием Раши часто устраняет величайшие трудности в понимании текста. Благодаря образцовому комментарию Раши, стало возможным изучать Талмуд без помощи учителей и сделать его предметом преподавания даже в начальных школах. Справедливо говорили современники, что без толкований Раши Талмуд остался бы, как замок без ключа. Этот комментарий доныне печатается во всех изданиях Вавилонского Талмуда, рядом с текстом. Раши составил также комментарий к Библии, в котором текст объяснен не столько по буквальному смыслу, сколько по толкованиям и легендам Талмуда. Оба комментария Раши позже употреблялись во всех хедерах.

Раши суждено было пережить ужасные годы первого крестового похода. Он умер в Вормсе, в 1105 году, оставив после себя трех дочерей, из которых одна была помощницей отца в его ученых трудах. Эти дочери вышли замуж за известных талмудистов и имели сыновей, которые прославились своей ученостью. И зятья, и внуки Раши продолжали его деятельность. Одним из его внуков был тот рабби Яков Там, который едва не погиб во время второго крестового похода (15). Яков Там, носивший титул «раббену» («наш учитель»), прославился как величайший законовед своего времени. Он жил в Рамерю, во Франции, и стоял во главе талмудической школы, из которой вышло много славных раввинов. Он сочинил несколько глубокомысленных талмудических исследований, из которых особенно известна книга «Сефер гаяшар». По временам раббену Там созывал соборы раввинов, где обсуждались различные вопросы еврейской жизни и принимались меры для ее улучшения. Между прочим, соборы постановили, чтобы евреи судились между собою не в христианском суде, а в своем раввинском «бетдине», разбиравшем дела по еврейским законам и народным обычаям.

Все зятья и внуки Раши и их многочисленные ученики были известны под именем тоссафистов, т. е. «прибавителей», так как они писали свои ученые разъяснения к Талмуду в виде прибавлений к комментарию Раши. В школах тоссафистов, как некогда в вавилонских академиях, стремились к изощрению умственных способностей посредством глубокомысленных прений по вопросам еврейского права и законодательства. Тоссафисты вникали во все тонкости талмудических рассуждений и законов, раскрывали их источники и улаживали противоречия между ними. Число этих ученых в XII и XIII веках доходило до 150. Толкования тоссафистов доныне печатаются во всех изданиях Вавилонского Талмуда, рядом с текстом и комментарием Раши.

Французские и германские евреи, в отличие от испанских, пренебрегали светскими науками и философией, уделяя все свое внимание Талмуду. Только в Провансе, находившемся под влиянием Испании, литературное творчество было разнообразнее. Ученые из семьи Тиббонидов переводили с арабского на еврейский язык философские сочинения Иегуды Галеви, Маймонида и других мыслителей. Кимхиды (особенно один из членов этой семьи — Давид Кимхи) разрабатывали еврейскую грамматику и писали комментарии к Библии. В Северной Франции и Германии не было почвы для свободного исследования. Здесь, среди народных бедствий, книжные люди всецело углублялись в изучение своей религиозной письменности, в ней искали утешения и душевной бодрости. Кроме талмудических исследований, они охотно занимались религиозно-нравственными поучениями. Тоссафист Иуда Хасид (около 1200 г.) написал «Книгу благочестивых» («Сефер хасидим»), в которой рядом с возвышенными нравственными правилами встречаются и суеверные рассказы, нагоняющие страх на читателя. Вот некоторые отрывки из этой книги: *«Нельзя говорить льстивые речи; нельзя говорить одно, а в уме думать другое, ибо ум и язык должны быть согласны. Этого правила нужно держаться и по отношению к иноверцам. Нельзя обманывать ни еврея, ни иноверца, ибо Бог хранит всех смиренных людей, как израильской, так и иной веры». «Если тебя ругают или говорят при тебе грубости, молчи. Правило умного — молчание: если я говорю, я могу после сожалеть об этом, но если промолчу, то никогда не пожалею». «Пусть юноши и девушки не сходятся и не играют друг с другом (во избежание соблазна). Однажды ехал человек ночью при свете луны и увидел множество больших возов, в которых сидели люди и в которые были запряжены также люди; и когда последних спросили, почему они тащат возы, они ответили: во время земной нашей жизни мы веселились с женщинами, а ныне мы искупляем свой грех таким способом».* — Книга изобилует рассказами о мертвецах, привидениях, нечистых силах. В ней впервые приводится народное поверие, будто в полночь мертвецы встают из могил и собираются в пустых синагогах, где отправляют богослужение; кто увидит молящихся покойников в этот час или услышит их голос, тот непременно умрет спустя несколько дней.

Пережитые евреями бедствия нашли свой отголосок в целом ряде «селихот» — покаянных молитв, читавшихся с плачем в синагогах в дни постов. Образцом такого рода произведений могут служить следующие строфы из «селихи», написанной одним очевидцем второго крестового похода:

> Услышь, о Боже, голос мой молящий,
> Ибо мне грозит жестокосердный враг!
> Я обречен быть жертвою закланья
> Для злых людей, восставших на меня.
> Страх смерти омрачает мою душу,
> И я боюсь, что сил моих не хватит.
> Уже летят дикие орды, полные ярости,
> Сверкает меч, чтоб без вины меня казнить.
> Мой дух наполнен скорбью бесконечной,
> Огонь страданья жжет меня насквозь.
> Но кровь моя, как жертва лютости врагов,
> Течет по капле в обитель Твоей любви,
> И ты, считая капли той пролитой крови,
> Воздашь врагу, терзавшему меня...

Глава IV

Века бесправия и мученичества до изгнания евреев из Франции (1215—1394 гг.)

19. Папа Иннокентий III. Крестовые походы необыкновенно усилили духовную и светскую власть римских пап. Вся Западная Европа сделалась как бы одним государством, где безгранично властвовал глава католической церкви, живший в Риме и рассылавший свои приказы королям и народам. Могущество пап достигло наивысшей степени при Иннокентии III, в начале XIII века. Этот суровый и самовластный первосвященник, жестоко подавлявший малейшее проявление свободы мысли, видел опасность для церкви в том, что евреи живут среди христиан и заражают их своим неверием. Так как истребить всех евреев было невозможно, то папа стремился к тому, чтобы, по крайней мере, превратить их в бесправную касту. Евреи — писал он в своих пастырских посланиях к королям и князьям — обречены на вечное рабство за то, что их предки распяли Христа; они должны, как братоубийца Каин, постоянно скитаться по земле и бедствовать; христианские правители отнюдь не должны покровительствовать им, а, напротив, обязаны порабощать их и держать особо от христиан, в качестве едва терпимого и бесправного низшего сословия, дабы выступала разница между верными сынами церкви и отверженными сынами синагоги.

Вражда Иннокентия III к евреям имела тесную связь с происходившим в то время в Южной Франции «альбигойским движением». Под влиянием распространившейся в Провансе еврейско-арабской образованности, местные христиане начали читать и свободно толковать Библию и убедились, что учение римско-католической церкви резко расходится с первоначальным учением Евангелия. Возникла секта альбигойцев, которая исповедовала веру чистого христианства и враждебно относилась к римской церкви. Узнав об этом, папа Иннокентий III воздвиг страшные гонения на альбигойцев и открыл крестовый поход против них. Крестоносцы ворвались в Прованс, перебили там десятки тысяч «еретиков» и опустошили страну. Пострадали и евреи, которых считали виновниками ереси. При взятии города Безьера фанатическими ордами монаха Арнольда в числе убитых оказалось около двухсот евреев (1209 г.). *Бейте всех,* — говорил Арнольд крестоносцам, — *а там уже на небе Бог отличит виновных от невинных!*

В Южной Франции была учреждена инквизиция, или тайное церковное судилище, для розыска и истребления свободомыслящих христиан и евреев. В это время образовался также монашеский орден доминиканцев, поставивший себе целью охранять церковь от всяких проявлений вольного духа. Доминиканцы сделались злейшими врагами евреев, постоянно преследовали и унижали их.

Римский папа и его армия монахов стремились к тому, чтобы уничтожить всякое общение между евреями и христианами. В 1215 г. Иннокентий III созвал церковный собор для принятия мер против еретиков и иноверцев во всех странах. Между прочим, собор выработал ряд унизительных законов для евреев. Христианским правителям предписывалось: не допускать евреев к общественным должностям; не дозволять им показываться на улицах в дни Страстной недели, накануне католической Пасхи; следить, чтобы крещеные евреи не соблюдали обрядов своей прежней веры; обязывать евреев, купивших дома у христиан, платить налог в пользу церкви. Но самой жестокой мерой в этом соборном уставе было установление «еврейского знака». Ссылаясь на то, что в некоторых странах евреи не отличаются от христиан покроем своей одежды и поэтому легко смешиваются с ними, собор постановил, чтобы евреи обоего пола носили особую одежду, или особый знак на ней из яркой цветной материи. Позже было разъяснено, что этот знак должен состоять из круглого куска желтой ткани, прикрепляемого к шляпе или верхнему платью. Этот знак должен был служить позорным клеймом для всякого еврея. Встречая такого еврея, всякий христианин мог безнаказанно оскорблять его, издеваться над ним; да и сам еврей, нося позорный знак, должен был чувствовать себя униженным и беззащитным. Однако не все светские правители настаивали на исполнении этого позорного церковного закона, и не все евреи подчинялись ему. Гордые испанские евреи, жившие в христианских землях, отказались от ношения установленного знака, а в других странах богатые люди откупались от этого деньгами.

20. Преследование Талмуда и диспуты. Самыми ярыми приверженцами римской церкви были в то время французские короли. Набожный король Людовик Святой был слепым орудием в руках духовенства и притеснял евреев, с целью обратить их в христианскую веру. Не довольствуясь гонениями на евреев, король и духовенство воздвигли гонения на иудейскую религию. Один крещеный еврей, Николай Донин, с презрением отвергнутый своими бывшими единоверцами, донес папе Григорию IX, что в Талмуде содержится много вредных мнений и обидных выражений против христианства. Папа поручил епископам познакомиться с содержанием книг Талмуда и, если донос Донина оправдается, публично сжечь эти книги. Розыск начался в столице Франции, Париже. Отобраны были у некоторых парижских евреев экземпляры Талмуда, а раввинов призвали для объяснений. Вскоре был назначен в Париже публичный диспут (спор) между доносчиком Николаем Донином и четырьмя раввинами, во главе которых стоял почтенный парижский раввин Иехиель. Диспут состоялся в июне 1240 г., в присутствии высших чинов двора, духовенства и дворянства. Рабби Иехиель горячо возражал на обвинения Донина, доказывая, что в Талмуде нет никаких богохульных мнений вообще и оскорбительных для христианства выражений в частности. Но напрасны были старания раввинов. Участь Талмуда была предрешена. Из всех областей Франции свозились в Париж отобранные у евреев экземпляры многотомного Талмуда. Двадцать четыре воза, нагруженных этими книгами, были публично сожжены на костре на одной из площадей Парижа (1242 г.). Весть о сожжении священных книг глубоко опечалила евреев всех стран. Была сочинена и читалась в синагогах «песнь плача» о сожжении Торы, начинающая словами («Schaali serufa»): «Спроси, спаленная огнем (Тора), что сталось с теми, кто рыдает о страшном жребии твоем».

Уничтожение талмудических книг нанесло удар еврейской науке во Франции. Число раввинских школ стало уменьшаться, а деятельность тоссафистов вскоре прекратилась.

Столкновения между еврейским духовенством и христианским происходили тогда и в королевстве Арагонии, в христианской части Испании. Арагонский король Яков I был ревностным католиком и мечтал о крещении евреев и арабов. Доминиканцы преподавали в своих школах языки еврейский и арабский, для того чтобы монахи могли успешно распространять христианство среди этих двух народов. В числе таких монахов-миссионеров был крещеный еврей, Павел Христиани. Павел путешествовал по Южной Франции и Испании и проповедовал своим бывшим единоверцам об истинности католической веры, причем подтверждал свои слова ссылками на разные места Библии и даже Талмуда. Им-то воспользовались для своих целей доминиканцы. Они решили устроить публичный диспут между Павлом Христиани и одним из крупнейших раввинов, рассчитывая, что если победа останется на стороне доминиканца, то евреи принуждены будут принять христианство. Король Яков одобрил это решение и пригласил к участию в диспуте со стороны евреев знаменитого раввина Рамбана из Героны.

Моисей бен-Нахман, называемый также Нахманидом и Рамбаном (1195—1270 гг.), был одним из выдающихся еврейских мыслителей XIII века. Глубокий знаток Талмуда и раввинской письменности, он вместе с тем обладал большим светским образованием, изучил медицину и знал хорошо арабский и испанский языки. Тем не менее он не был таким свободомыслящим философом, как его предшественник Маймонид, и придерживался того мнения, что разум должен подчиняться вере. В своем замечательном комментарии к Библии Рамбан показал себя сторонником зарождавшейся тогда «каббалы», или тайной науки о Боге и небесном царстве. Этого-то раввина, которого евреи считали святым, пригласил арагонский король для состязания с доминиканцами. Рамбан принял приглашение, хотя и неохотно, и к назначенному сроку явился в Барселону, где должен был состояться диспут (1263 г.).

Умный раввин прежде всего поставил условием, чтобы ему позволили на диспуте говорить откровенно; получив на это согласие короля, он смело и с достоинством приступил к прениям. Диспут проходил в королевском дворце, в присутствии короля, придворных особ, сановников церкви, рыцарей и лиц других сословий. Прения продолжались четыре дня. Они вращались вокруг следующих вопросов: 1) явился ли мессия или еще должен явиться? 2) есть ли мессия Бог или человек? 3) чья вера правая? Павел Христиани доказывал истинность христианских верований ссылками на разные места Библии и на какие-то намеки в Талмуде. Рамбан доказывал, что мессия еще не пришел, ибо по предсказанию пророков мессия явится вестником мира на земле и его пришествие должно положить конец всяким войнам, а между тем и теперь еще повсюду царит насилие и льется кровь в непрестанных войнах между народами. Рамбан так смело и решительно отражал доводы своего противника, что барселонские евреи стали опасаться, как бы он этим не раздражил доминиканцев и не навлек гонений на всю еврейскую общину. Однако диспут был благополучно доведен до конца — и Рамбан вышел из него победителем. Король заметил по этому поводу, что он «никогда еще не слышал такой умной защиты неправого дела». Раздраженные доминиканцы пожаловались римскому папе, что Рамбан осрамил своими словами католическую церковь, и принудили этого раввина покинуть Испанию. Семидесятилетний старец отправился в Палестину, куда его давно уже влекло. Он прибыл туда в 1267 г. и с горестью увидел развалины святого града Иерусалима, разоренного многолетней борьбой христиан с магометанами. Палестина тогда находилась под владычеством египетского султана, и в ней жили разбросанно маленькие еврейские общины. Рамбан старался объединить местных евреев, побуждал их строить молитвенные дома и открывать школы; ему удалось собрать вокруг себя небольшой кружок учеников. Но недолго прожил он в Святой Земле. Около 1270 г. он умер и был похоронен в городе Хейфе.

21. Испания и Франция. Борьба религии с наукой.
В XIII веке христианские короли Кастилии и Арагонии одержали ряд побед над испанскими арабами и вытеснили их из большей части страны. В руках арабов осталось только небольшое царство на южной окраине Испании, с столичным городом Гренадой. Таким образом, в Испании, как и в других странах Европы, упрочилась власть католического духовенства, ненавидевшего евреев. Духовенство стремилось установить здесь те же унизительные законы, какие были установлены для евреев во Франции. Церковные законы запрещали евреям занимать государственные должности, строить новые синагоги, держать у себя христианскую прислугу, разделять трапезу и купаться в бане с христианами. Вменялось в обязанности евреям и еврейкам под страхом большой пени носить особый знак на своем головном уборе. Но все эти церковные постановления редко соблюдались: испанские евреи были тогда слишком образованны и сильны, чтобы подчиняться таким позорным законам; правители же государства всегда нуждались в услугах образованных евреев и не обращали внимания на требования церковной власти. Испанские короли имели при себе министров и советников из евреев. Так, при дворе кастильского короля Альфонса Мудрого (1252—1282 гг.) занимал должность государственного казначея (министра финансов) еврей Меир де Малеа, а по смерти Меира эта должность перешла к его сыну. Лейб-медиком короля тоже был еврей. Будучи любителем астрономии и астрологии, король приглашал к своему двору математиков и звездочетов разных наций. Первенствующее положение между ними занимал толедский еврей, великий астроном Ибн-Сид, который составил по пору-

чению короля знаменитые астрономические таблицы, названные «Альфонсовыми». Эти таблицы служили пособием для ученых вплоть до астрономических открытий нового времени. Еврейская община в столице Кастилии, Толедо, была тогда самой богатой и образованной во всей Испании.

Духовная жизнь евреев в христианской Испании была так же разнообразна, как и при арабском господстве. Деятельность ученых и писателей выражалась в двух главных направлениях: одни разрабатывали Библию и Талмуд и углублялись в изучение сложного законодательства иудаизма; другие занимались светскими науками, религиозной философией и поэзией. Маймонид был тогда царем в области философии. Его сочинения ревностно изучались и вызывали много подражаний. Свободомыслие Маймонида пленяло еврейскую молодежь. Стремясь сочетать веру с наукой, последователи этого философа часто доходили до очень смелых выводов. Одни толковали Библию в научном духе и утверждали, что чудеса, о которых там рассказывается, происходили естественным путем. Другие учили, что все законы и обряды иудаизма имеют только целью пробуждать в душе религиозно-нравственные чувства и вести к добрым поступкам; следовательно, если человек уже обладает возвышенной религиозностью и доброй нравственностью, то для него эти законы и обряды не обязательны. Распространение свободомыслия в молодом поколении сильно встревожило правоверных раввинов, и они решили вступить в борьбу с наукой и философией.

Борьба эта началась в Южной Франции вскоре после смерти Маймонида. Здесь некоторые раввины, под предводительством Соломона из Монпелье, объявили отступниками от веры всех, изучающих философию и особенно сочинения Маймонида (1232 г.). Этот поступок возмутил сторонников свободной мысли. Возгорелся ожесточенный спор. Противники писали друг против друга едкие послания, которые распространялись во всех общинах. Тогда ревнители из Монпелье прибегли к еще более недостойному поступку. Они явились к монахам-доминиканцам, преследовавшим «альбигойцев» в Провансе, и сказали им: *«Знайте, что и в нашем народе есть много еретиков и безбожников, соблазняющихся учением Маймонида, автора нечестивых философских книг. Если вы искореняете ваших еретиков, то искореняйте и наших и сожгите вредные книги».* Доминиканцы обрадовались этому и тотчас постановили, с согласия высшего духовенства, сжечь книги Маймонида. В Монпелье был произведен обыск в домах евреев, и найденные там экземпляры «Путеводителя» и «Книги познания» были публично сожжены (1233 г.). Такой же суд над опальными книгами совершился и в Париже, где, как рассказывают, костер для истребления этих книг был зажжен свечой, принесенной с алтаря одной католической церкви. Этот неслыханный союз кучки раввинов с монахами-изуверами вызвал негодование во всех лучших представителях еврейского духовенства. Многие раввины сами ужаснулись, видя, до чего может довести внутренняя религиозная борьба. Гонения на философию прекратились, и борьба партий утихла до начала XIV века.

В начале XIV века в Испании прославились два раввина: Рашбо и Рош. Рашбо (его полное имя: Шеломо бен-Адерет), раввин в Барселоне и автор многих талмудических исследований, считался в Испании и Франции высшим авторитетом по вопросам еврейского законодательства. Его сподвижник Рош (полное имя: Ашер бен-Иехиель) жил сначала в Германии, где получил образование в школе тоссафистов. Переселившись в Испанию, он занял место раввина и начальника талмудической школы в городе Толедо. В эту школу стекались ученики из всех стран Европы. В раввинской письменности Рош увековечил свое имя курсом талмудического права («Писке га-Рош»), служащим пособием при изучении Талмуда. Как уроженец Германии и ученик тоссафистов, Рош пренебрегал светскими науками и даже считал их опасными для веры. Заметив, что в Испании светские науки и философия очень распространены среди евреев, он примкнул к партии противников просвещения, к которой принадлежал и Рашбо. В то время эта партия снова вступила в борьбу с партией свободомыслящих. Раввины Южной Франции и Испании писали в своих окружных посланиях, что еврейская молодежь, занимающаяся наукой и философией в ущерб Талмуду, отрекается от некоторых догматов веры. На основании таких донесений, Рашбо, с одобрения Роша и других раввинов, объявил в барселонской синагоге следующее решение: всем евреям до 25-летнего возраста запрещается читать книги по естественным наукам и философии; толкователи Библии в философском духе признаны еретиками, отлученными от синагоги в этом мире и обреченными на муки ада в жизни загробной, а сочинения их подлежат сожжению; дозволяется только изучение медицины как ремесла. Это решение оглашалось всенародно во многих городах (1305 г.). Хотя известные ученые из партии свободомыслящих громко протестовали против решения раввинов, однако победа осталась за последними. Число светских ученых, философов и поэтов в Испании все уменьшалось, между тем как число талмудистов возрастало.

Одним из последних крупных философов того времени был врач Леви бен-Гершон, известный под сокращенным именем Ралбаг (также Герсонид). Он жил в Авиньоне, в Южной Франции (ум. в 1345 г.). В своей книге «Войны Божии» («Милхамот Адонай») он ставит философию так же высоко, как откровение, и старается утвердить в религии естественное начало вместо сверхъестественного. Ревнители веры шутливо говорили, что автор «Войн Божиих» воюет не за Бога, а против Бога. Они не любили этого сочинения, но признали полезной другую книгу Ралбага — нравоучительный комментарий к Библии («Тоалиот»).

Главным представителем талмудической науки после Роша был его сын Яков бен-Ашер (ум. в 1340 г.). Он составил новый свод законов под заглавием «Турим», куда вошли все законы, обряды и обычаи иудейства. В отличие от Маймонида, автор «Турим» не касается основ еврейской веры и нравственности, а все внимание обращает на внешние обряды и практические законы. Этот свод законов, состоящий из 4-х томов, вытеснил постепенно кодекс Маймонида и до позднейшего времени служил руководством для раввинов и ученых всех стран.

22. Каббала и «Зогар». По мере того как ослабевал дух свободного научного исследования, среди евреев все более распространялось своеобразное тайное учение (хахма нистара), которое вело свое происхождение от темных преданий старины и называлось поэтому каббалой (предание). Последователи Маймонида объясняли религию в духе разума и науки; последователи же каббалы вносили в религию представления, выработанные чувством и воображением. Как известно, в Библии мало говорится о сущности Божества, о .жизни ангелов и духов, о загробном существовании людей: каббала же говорит об этом очень много и говорит так, как будто это ей все известно по достоверным преданиям или откровениям свыше. «Тайное учение» зародилось еще в эпоху Талмуда и появилось в Вавилонии во время гаонов; но широкое развитие оно получило в Испании и Франции после смерти Маймонида. Уже Рамбан в своем комментарии проявлял склонность к толкованию библейских стихов на основании «божественных тайн», дошедших путем устных преданий. Вскоре после его смерти в Палестине, среди испанских евреев стали распространяться списки с одной священной книги под именем «Зогар» («Сияние»). Молва рассказывала чудеса о происхождении этой книги. Говорили, будто Рамбан перед смертью нашел в Палестине древнюю рукопись, которую сочинял за тысячу лет перед тем законоучитель Мишны Симон бен-Иохаи во время своего пребывания в пещере (ч. II, 50). Найденная рукопись была переслана в Европу, и здесь с нее изготовлялись списки, распространявшиеся в народе. Первым изготовителем этих списков был испанский каббалист Моисей де Леон (умер в 1305 г.). Противники каббалы утверждали, что Моисей де Леон сам составил книгу «Зогар» и ложно выдавал ее за древнюю рукопись, для того чтобы обратить на нее внимание.

«Зогар» написан на старом арамейском языке, близком к талмудическому, и представляет собой ряд изречений Симона бен-Иохаи и других древних законоучителей. Эти изречения приноровлены к тексту Пятикнижия и расположены в порядке его отделов. Симон бен-Иохаи выступает в «Зогаре» в сверхъестественном образе святого мужа, получающего откровения от ангелов и вещающего в кругу избранных о великих тайнах неба, земли и человеческой души. Основная мысль «Зогара» заключается в том, что в библейских рассказах и заповедях скрыты глубокие тайны. В чем же была бы святость Торы — рассуждает Симон бен-Иохаи — если бы Бог хотел рассказать в ней такие простые вещи, как, например, история Агари и Исава, Якова и Лавана? Ведь такие рассказы может сочинить всякий смертный. Нет, библейские рассказы — это только внешний покров для божественных тайн, доступных разуму избранных. Симон снял этот покров. Незадолго до своей смерти собрал он своих учеников и открыл им тайну существа Божия. *«Святой Старец (Бог),* — вещал он, — *есть самое сокровенное существо, далекое от видимого мира и вместе с тем связанное с ним, ибо все на Нем держится и Он во всем содержится. Он имеет и не имеет образа; имеет настолько, насколько Он все поддерживает; не имеет настолько, насколько Он непостижим. Когда Он образовался, Он вынес девять светочей, сияющих Его блеском и расходящихся во все стороны. Он — един с ними; это — ступени, по коим показывается Святой Старец, это — Его образы. Его глава — высшая мудрость, Его власы — различные пути премудрости, Его чело — милосердие»* и т. д. Такие загадочные речи наполняют значительную часть «Зогара». Но рядом с ними встречаются яркие поэтические описания. Описываются тайны неба и ада, добрых и злых духов. Злые духи часто проникают в душу человека и будят в ней греховные помыслы. Каждое нарушение религиозного закона передает человека во власть демонов, нечистых сил; соблюдение же закона передает человека в связь с миром чистых ангелов. В «Зогаре» иногда говорится, в очень загадочных выражениях, и о «временах мессии», которые наступят тогда, когда шестидесятый или шестьдесят шестой год переступит порог шестого тысячелетия от сотворения мира (5060—5066, или 1300—1306 гг. хр. эры). Тогда произойдет страшная войны между Эдомом и Исмаилом (христианским и магометанским миром), а третья сила одолеет обоих. На основании этих и других предсказаний «Зогара» многие ожидали пришествия мессии в разные сроки, но обманывались в своих ожиданиях. Тем не менее «Зогар» сделался священной книгой каббалистов, как бы Библией «тайного учения», и в позднейшее время имел сильное влияние на развитие религиозных сект в еврействе.

23. Изгнание евреев из Англии. Во время крестовых походов евреев в Англии преследовала христианская чернь, возбужденная призывом к борьбе за веру. После крестовых походов евреи много терпели от королей, феодальных князей и католического духовенства. Короли и князья считали евреев своими крепостными, а все нажитое ими путем торговли — своей собственностью. Король Иоанн Безземельный (преемник Ричарда Львиное Сердце) постоянно нуждался в деньгах и вымогал их у евреев посредством угроз и насилий. В 1210 г. с них взыскивалась по раскладке огромная сумма; у одного богача в Бристоле потребовали десять тысяч серебряных марок, но так как тот не мог или не хотел дать столько денег, то король приказал выдергивать ему один зуб за другим, пока он не отсчитает требуемой суммы. После церковного собора 1215 г. за евреев принялось и английское духовенство, послушное папе Иннокентию III. Оно следило за тем, чтобы строго исполнялись все унизительные соборные постановления о «неверных», и даже прибавило к ним еще новые. Отличительный знак на верхней одежде еврея должен был состоять из шерстяной цветной ленты на груди, длиной в четыре пальца и шириной в два. Запрещалось строить новые синагоги; евреи должны были платить особый налог в пользу церквей. При таком бесправном положении внутренний строй еврейских общин в Англии не мог окрепнуть, и умственная жизнь остановилась. Множество ученых и раввинов, не находя почвы для своей деятельности в Англии, выселялось в другие страны Европы или в Палестину.

При следующих королях евреев угнетали так, что они не раз просили дозволения выселиться из Англии; но их не выпускали, ибо видели в них источник дохода. Один английский писатель заметил, что евреев в Англии подвергали тогда всем притеснениям, какие некогда претерпели предки их в Египте, с той разницей, что вместо кирпичей от них требовали слитков золота. При короле Эдуарде I духовенство употребляло все старания, чтобы обратить евреев в христианство. Король разрешил доминиканским монахам проповедовать евреям христианское учение и обязал последних слушать эти проповеди внимательно, не противоречить и не смеяться (1282 г.). Современный христианский богослов, знаменитый Дунс Скот, советовал королю отнимать у еврейских родителей малолетних детей и воспитывать их в католической вере. В то же время лондонский архиепископ приказал закрыть все синагоги в своей епархии.

то При таких обстоятельствах дальнейшее пребывание евреев в Англии стало невозможным — и королю осталось только выпустить их из страны, о чем многие давно просили. В июле 1290 г. Эдуард, не спросив парламента, издал указ о выселении всех евреев из Англии. Изгнанникам дан был срок до 1 ноября, чтобы продать свое имущество и окончить свои дела: смертная казнь грозила тому, кто останется на английской почве позже этого срока. Но евреи, измученные преследованиями, не заставили себя долго ждать. Еще до наступления срока (октябрь 1290 г.) 16500 английских евреев сели на корабли и навсегда покинули свою жестокую родину. Большинство изгнанников направилось во Францию, но они попали туда в такое время, когда и сами французские евреи подвергались ужасным гонениям. Они допили чашу горя до дна, претерпевая все бедствия, выпавшие на долю их французских соплеменников в течение следующего столетия.

24. Изгнание евреев из Франции.

В XIV веке евреев нигде так жестоко не мучили, как во Франции и Германии. Французские короли преследовали евреев, одни — из желания присвоить себе их деньги, подобно Филиппу-Августу, другие — из религиозной нетерпимости, подобно Людовику Святому. Король Филипп Красивый — человек низкий и алчный, разоривший свою страну, — довел до совершенства систему выжимания денег из своих подданных. Он не только облагал евреев огромными податями, но часто путем угроз и арестов прямо отнимал у зажиточных людей значительную часть их состояния. Но и эти непрестанные взыскания не удовлетворяли ненасытного короля. Подобно жадному хозяину в известной басне, он решил зарезать курицу, несущую золотые яйца: он решил изгнать евреев из Франции и сразу завладеть их имуществом. В 1306 г. Филипп приказал объявить всем евреям, чтобы они в месячный срок выселились из государства, оставив там свое имущество. Изгнанникам дозволялось брать с собой только самую необходимую одежду и съестные припасы на дорогу. По истечении объявленного срока около ста тысяч евреев выселились из различных городов Франции. Все движимое и недвижимое имущество их досталось королю и было распродано христианам. Велико было горе ограбленных и выселенных евреев. Большинство их переселилось в независимые провинции Южной Франции и в пограничные испанские владения; изгнанники держались ближе к французской границе, надеясь, что им, в конце концов, дозволят возвратиться на родину. Они не ошиблись в расчете. Спустя девять лет после изгнания евреев умер Филипп IV — и на престол вступил его сын Людовик X. Новый король дозволил евреям возвратиться во Францию, ибо — как сказано в его указе — «этого требовал общий голос народа». Изгнанники массами устремились на родину (1315 г.). Но не на радость вернулись они туда.

В 1320 г. во Франции стали собираться новые отряды крестоносцев, из крестьян и пастухов. Какой-то юный пастух рассказывал, будто к нему с неба слетел волшебный голубь и велел собрать рать крестоносцев и идти войной на нехристиан. Простой народ поверил этой басне. В новую армию крестоносцев пошли тысячи крестьян из Южной Франции. Эта армия шла из города в город, со знаменами в руках, увеличиваясь в пути разным сбродом, имевшим в виду один только грабеж. Как и при прежних крестовых походах, разнузданная толпа прежде всего набросилась на евреев.

В Вердене, Тулузе, Бордо и других городах евреи были перебиты этими кровожадными шайками. Верденскую крепость, где заперлось около 500 евреев, крестоносцы взяли приступом; евреи, видя невозможность спасения, добровольно перерезали друг друга. Начальники городов и королевских войск часто защищали евреев, но нелегко было усмирять крестоносцев, на которых народ смотрел как на святых подвижников. Только когда народные волнения стали угрожать властям и высшим сословиям, приняты были, по повелению короля, энергичные меры. Армия крестоносцев была рассеяна. Мелкие отряды ее еще бесчинствовали в городах соседней Испании. Всего во Франции и Северной Испании пострадали от «пастушьего похода» («гезерат гароим») около 120 еврейских общин.

Положение евреев во Франции становилось все более шатким. Нуждаясь в деньгах для ведения войн, короли разрешили евреям жить в стране только временно, на определенные сроки, под условием уплаты больших податей за право жительства. К почетным промыслам евреев не допускали; поэтому многим приходилось заниматься ссудой денег. Эти ростовщики, внося в казну непосильные налоги, в свою очередь притесняли своих христианских должников, взимая с ним большие проценты. Народ негодовал на ростовщиков и мстил за них всем евреям. Таким образом, французские правители одновременно грабили евреев и делали их ненавистными народу. Духовенство со своей стороны возбуждало народ против евреев, как «врагов церкви». Положение становилось невыносимым, и евреям оставалось только постепенно эмигрировать из несчастной страны. Уже начался этот исход из нового Египта, когда король Карл VI издал указ об изгнании евреев из Франции навсегда (1394 г.). «*Король,* — говорится в этом указе, — *внял жалобам на проступки евреев против святой веры и на злоупотребления данными им правами, и поэтому решил впредь безусловно запретить им жительство во всех областях Франции, как северных, так и южных».* До 3 ноября им дан был срок покончить свои дела, взыскать долги и распродать имущество. В конце 1394 г. многие тысячи еврейских семейств покинули страну, где алчность правителей, фанатизм духовенства и грубое суеверие массы довели их до позорного рабства. Некоторые владельцы городов и поместий хотели оставить у себя евреев, но были принуждены исполнять королевский указ. Евреи остались только в немногих областях Южной Франции. Изгнанники переселились в Германию, Италию и Испанию. После этого в Северной Франции уже не было еврейских общин в течение почти трех столетий, до конца XVII века.

25. Германия — гетто и ложные обвинения. В то время, как из Англии и Франции евреев изгоняли, в Германии их угнетали и унижали, но не выселяли из страны. Печально сложилась жизнь немецких евреев после крестовых походов. Сотни еврейских общин находились в городах Германии, Австрии, Богемии и Швейцарии, но жили они отдельно от христианского общества, как отверженные. В большинстве городов евреям для жительства отводились особые кварталы или улицы («гетто»); туда вели ворота, которые на ночь запирались. Эти закрытые кварталы служили часто убежищем для обитателей во время нападений христианской черни; но зато, когда враг врывался туда, он сразу уничтожал целые общины. Тесно и душно было в этих кварталах, где в каждом доме ютились десятки семейств. Ношение позорного «еврейского знака» — в виде желтого кружка на одежде или безобразной остроконечной шляпы с рогами — считалось обязательным; еврей, выходивший на улицу без этого знака, платил штраф. Большинство германских евреев было крайне бедно. Обыкновенным занятием бедняков была мелкая торговля, в особенности торговля старым платьем, а состоятельные занимались ссудой денег на проценты. К более почетным промыслам евреев не допускали, или допускали очень редко. Христианские ремесленные цехи не принимали их в свою среду, а купеческие союзы не давали им заниматься крупной промышленностью. Императоры и правители отдельных областей обращались с евреями, как с крепостными или рабами, разоряли их тяжелыми налогами и поборами. Эти налоги взимались за оказываемое евреям «покровительство», которое, однако, не всегда предохраняло обитателей гетто от погромов.

Особенно часто страдали евреи в Германии от ложных обвинений, порожденных средневековым суеверием. Из Франции проникло сюда нелепое поверье, будто евреи ежегодно, перед Пасхой, тайно похищают христианских младенцев и убивают их (17). Еще утверждала суеверная молва, будто евреи берут церковный хлеб (причастие, гостия), служащий символом тела Христова, режут и колют его, пока из него не выходит кровь. Если где-нибудь пропадал христианский младенец или случайно находили его труп, то разъяренная толпа бросалась на еврейский квартал, убивая и грабя там ни в чем не повинных людей. Не было почти города в Германии, где бы не повторялись подобные нападения. Однажды близ города Фульды найдены были убитыми пять христианских мальчиков, дети местного мельника (1235 г.). Суеверная масса тотчас решила, что убили их два еврея, которые будто бы выцедили кровь из убиенных и хранят ее для своих пасхальных обрядов. Толпа крестоносцев и мещан набросилась на еврейских жителей Фульды и убила тринадцать мужчин и женщин. Евреи пожаловались императору Фридриху II, и тот назначил следственную комиссию из ученых христиан, которые должны были разрешить вопрос: действительно ли евреи повинны, как гласит народное поверие, в употреблении христианской крови для своих пасхальных обрядов. В случае утвердительного ответа император грозил истребить всех евреев в своем государстве. Ответ комиссии гласил, что нельзя в точности установить верность взводимого на евреев обвинения. Император, однако, наложил большую денежную пеню на фульдских евреев, несмотря на то, что подозрение против них не подтвердилось. Возмущенные гнусным обвинением, евреи обратились с жалобами к тогдашнему римскому папе Иннокентию IV. Этот папа, который был справедливее своих предшественников, разослал епископам в 1247 году буллу (папский указ), где упомянутое обвинение было объявлено низкой и злобной клеветой. Вот содержание этой буллы:

«Мы слышали слезные жалобы евреев на то, что против них изобретают безбожные обвинения, изыскивая повод, чтобы грабить их и отнимать их имущество. В то время как Св. Писание велит, «не убий!», против евреев поднимают ложное обвинение, будто они едят в праздник Пасхи сердце убитого младенца. Полагают, что это им повелевает закон, который, напротив, строго запрещает подобные деяния. Как только находят где-либо труп неизвестно кем убитого человека, убийство по злобе приписывается евреям. Все это служит предлогом, чтобы яростно преследовать их. Без суда и следствия, не добившись ни улик против обвиняемых, ни собственного их сознания, у них безбожно и неправосудно отнимают имущество, морят их голодом, подвергают заточению и другим пыткам и осуждают на позорную смерть. Участь евреев под властью таких князей и правителей становится, таким образом, еще более ужасной, чем участь их предков в Египте под властью фараонов. Из-за этих преследований они вынуждены покидать те места, где предки их жили с древнейших времен. Не желая, чтобы евреев несправедливо мучили, мы приказываем вам, чтобы вы обращались с ними дружелюбно и доброжелательно. Если вы услышите о каких-нибудь несправедливых нападках на евреев, препятствуйте этому и не допускайте на будущее время, чтобы их подобным образом притесняли».

Но не помогла евреям и папская булла. Из года в год, в пасхальные дни повторялись нападения на евреев в городах Германии. Иногда такие погромы охватывали сразу целые области. В большинстве случаев ложные обвинения служили только внешним поводом для гонений на евреев. Внутренние же причины гонений заключались в зависти христианских торговцев и ремесленников к своим еврейским конкурентам, в желании выжить евреев из того или другого города и занять их место.

26. «Черная смерть». Оскудение. Гонения на евреев в Германии достигли крайних пределов в XIV веке. *«С тех пор, как евреи живут на свете,* — говорит один старинный немецкий писатель, — *они еще не переживали более жестокого столетия, чем четырнадцатое. Можно удивляться, как после такой бойни остался еще в Германии хоть один еврей».* В 1348 году в Европе свирепствовала страшная чума, известная под именем «черной смерти». Сотни тысяч людей умирали от этой загадочной болезни. Вымирали целые города и области. Люди обезумели от страха; дикое суеверие овладело темной массой и вело ее на преступления; всякая узда законности исчезла. В это время пущен был чудовищный слух, будто зараза вызвана евреями, которые нарочно отравили воду в колодцах и реках, чтобы погубить христиан. Обвинение поддерживалось, между прочим, тем обстоятельством, что евреи, вследствие свойственного им трезвого образа жизни и особенной заботливости в уходе за больными, умирали от чумы в меньшем количестве, чем христиане. И вот началась народная расправа с мнимыми отравителями. Избиение евреев началось в Южной Франции и Арагонии, но страшные размеры оно приняло в Германии. В прирейнских областях, в Эльзасе, Австрии, Швейцарии, Богемии, где «черная смерть» косила жителей, евреев убивали тысячами.

Их сжигали на кострах, пытали, вешали, местами изгоняли или заставляли принимать крещение. Напрасно папа Климент VI обратился к католикам с буллой, в которой доказывал нелепость взведенного на евреев обвинения, напоминая, что сами евреи умирают от заразы, и что «черная смерть» свирепствует и там, где их вовсе нет. На слова папы не обратили внимания: страсти разгорелись — и нельзя было унять их. В Страсбурге и Кельне бургомистры и члены городского совета заступились за неповинных евреев; они убеждали народ, что чума послана Богом, а не людьми; но горожане прогнали этих заступников. Страсбургских евреев поволокли на кладбище, заперли в большой деревянный сарай и сожгли. Спаслись лишь немногие, которые с отчаяния согласились принять крещение (1349 г.). Подобная же участь постигла и кельнских евреев, после неудавшейся попытки их защищаться с оружием в руках. Прирейнские города, свидетели ужасов крестовых походов, снова огласились воплями еврейских жертв. В Вормсе городской совет решил сжечь евреев, но последние, не дожидаясь смерти от рук палачей, сами подожгли свои дома и погибли в пламени. То же сделали и евреи Франкфурта и других городов. В Майнце часть евреев оказала вооруженное сопротивление своим мучителям и убила около двухсот человек; когда же дальнейшая борьба стала невозможна, майнцские евреи сами сожгли себя в своих домах. Из немецких земель евреи массами убегали в соседнюю Польшу, где их соплеменники жили спокойнее, под защитой королей и богатой шляхты.

Страдания, унижения и бедность омрачили жизнь немецких евреев и ослабили их умственную деятельность. Область умственной жизни была так же тесна, как улица еврейского квартала. Даже раввинская наука измельчала. Ученые талмудисты разрабатывали и объясняли прежнюю письменность, но не создавали ничего нового. О свободе мысли не могло быть и речи.

Религиозные обряды соблюдались с величайшей строгостью как в домашней жизни, так и в синагоге. Семья и синагога — вот два места, где гонимый, унижаемый еврей отдыхал душой, где он чувствовал себя человеком с возвышенными духовными стремлениями. Семейная жизнь немецкого еврея была образцом нравственной чистоты, самоотверженной любви, воздержания и трезвости. Община составляла как бы одну большую семью, объединенную одинаковыми стремлениями и привычками. Жизнь общины сосредоточивалась в синагоге, где во дворе, обыкновенно, находилась и обитель раввина. Здесь обдумывались и обсуждались общинные дела; здесь иногда, в моменты народных нападений, члены общины решались добровольно умирать, чтобы не сдаться врагу: синагога поджигалась — и целая толпа мучеников испускала дух, при восторженных криках: *Слушай, Израиль, Бог — един!*. Память о таких мучениках свято чтилась потомством; имена их, с титулом «святой» («гакадош») при каждом, заносились в памятные книги синагог и поминались в трогательных молитвах за тех, «которые отдали свою жизнь за святость имени Божия».

В XV веке гонения на евреев в Германии ослабели. Только время от времени католическое духовенство возбуждало против них толпу. Около 1450 года по стране разъезжал монах Капистран, прозванный «бичом иудеев», и возбуждал народ против евреев; под влиянием этих проповедей народ в нескольких местах разгромил еврейские кварталы. Из различных городов евреи изгонялись.

Литература германских евреев в XIII—XV вв. состоит почти исключительно из талмудических исследований. Из талмудистов этой эпохи особенно прославились: рабби Меир из Ротенбурга (XIII в.), р. Израиль Песерлейн в Австрии и р. Израиль Бруна в Регенсбурге (XV в.). Пражский раввин Липман Мильгаузен написал популярную книгу «Ницахон» («Победа» в

1410 г.), которая должна была служить руководством для еврейских ученых при религиозных спорах с христианскими духовными лицами.

27. Италия. В Западной Европе средних веков Италия была единственной страной, где евреи не подвергались массовым гонениям: посреди густого мрака средневекового варварства, в этой стране впервые блеснул луч «возрождения» (XIII—XIV вв.), обновления духовной и общественной жизни. Римские папы не были пророками в своем собственном отечестве. Иннокентий III и его преемники, успешно насаждавшие религиозную нетерпимость во всех странах Европы, не сумели привить этот тлетворный дух в самой Италии, распадавшейся на независимые области и вольные торговые города. Евреи жили в папской области, в вольных городах Ломбардии и на юге — в Неаполе и Сицилии. Церковные законы применялись к ним не строго даже в Риме. Евреи здесь издавна жили в особом квартале, но в своем быту не были резко обособлены от христиан. По закону, они признавались «римскими гражданами» особого разряда, подведомственными папской курии. Во главе общины стояли выборные уполномоченные («парносы»), ответственные перед папой в правильном взносе податей, имевшие право созывать собрания, творить суд и расправу, налагать за проступки штрафы или херем (отлучение от синагоги).

Экономическое положение евреев в Италии было несравненно лучше, чем в других странах. Здесь они не были прикреплены к мелкой торговле и ссуде денег, а могли заниматься промышленностью и ремесленным производством в больших размерах. В Южной Италии и Сицилии евреи занимались даже сельским хозяйством и шелководством. В таких всемирных торговых портах, как Венеция и Генуя, еврейские купцы не могли соперничать с крупным христианским купечеством, но все-таки и они принимали некоторое участие в международной морской торговле, шедшей через эти порты. Внутри страны, при отсутствии удобных и безопасных путей сообщения, евреи оказывали существенную услугу сельскому хозяйству и торговле, перевозя хлеб и другие продукты с места на место, исполняя роль посредников между производителем и потребителем. Богачи занимались и ссудой денег под проценты, но в этой области они были только слабыми учениками итальянских ростовщиков, знаменитых «ломбардцев». Современники свидетельствуют, что ростовщики-христиане гораздо хуже обращались со своими клиентами-единоверцами, чем евреи — с христианскими должниками. В 1430 г. банкиры-евреи были приглашены властями города Флоренции на жительство, с тем чтобы они понизили размер процентов по ссудам до 20%, вместо взимавшихся христианами 33%. Благодаря этому в Италии не было тех племенных столкновений на почве ростовщичества, которые в других странах приводили к печальным последствиям.

Среди евреев Италии было много знаменитых врачей, получавших свое образование в высших медицинских школах Падуи, Салерно и других мест, иногда под руководством еврейских же профессоров. Завидуя успеху своих еврейских товарищей, врачи-христиане старались опорочить их в глазах общества, обвиняя их в умышленной «порче» пациентов-христиан. Католическое духовенство требовало соблюдения церковного закона, запрещавшего христианам лечиться у евреев. И тем не менее, еврейские врачи были популярны в стране, и к ним обращались не только миряне, но и католические священники, а иногда и сами римские папы. Папа Бонифаций IX имел при себе лейб-медиками евреев Мануэлло и его сына Анжело. Эти два врача получили от папы и римского магистрата грамоту, освобождавшую их с потомством от податей за безвозмездное лечение бедных (1399 г.). Еврей-врач Фолиньо, профессор падуанского университета, пал жертвой «черной смерти», заразившись при ухаживании за опасными больными (1348 г.). При дворах королей и герцогов лейб-медики из евреев встречались довольно часто.

Сравнительно благоприятное общественное положение итальянских евреев, в связи с начавшимся тогда в Италии «возрождением наук и искусств», породило среди них разнообразие умственного творчества. Подобно своим испанским соплеменникам, итальянские евреи выдвинули из своей среды свободных мыслителей, разделявших философские взгляды Маймонида (переводчик арабских философов Яков Анатоли и врач Гилель Верона в XIII в.), и даровитых поэтов. Из поэтов особенно прославился Иммануил Римский (ум. в 1330 г.), современник и друг знаменитого Данте. В отличие от большинства еврейских поэтов, Иммануил писал не религиозные гимны, а светские песни, где воспевались любовь, веселье и счастье, или осмеивались глупость и невежество. Еврейские стихи Иммануила отличаются необыкновенной красотой и звучностью. Он написал также поэму «Ад и Рай» («Га-тофет ве га-эден»), где обличал недостатки своих современников. Среди обитателей ада поэт помещает талмудистов, презирающих светские науки, врачей-шарлатанов и бездарных писателей; в раю он отводит место даже добродетельным не-евреям, признающим единобожие. Позднейшие раввины объявили Иммануила вольнодумцем и запретили читать его книги.

Глава V

Последний век еврейства в Испании (1391—1492 гг.)

28. Евреи-царедворцы и севильская резня. Свет и тени чередуются в жизни испанских евреев XIV и XV веков. По своему образованию и промышленным способностям евреи занимали видное место в обоих королевствах Испании — Кастилии и Арагонии. Испанские короли ценили эти качества евреев и часто привлекали способнейших к участию в государственном управлении. Почти каждый король имел при своем дворе сборщика податей, министра финансов, советника, придворного врача или ученого из евреев. Еврейские роды Бенвенисте, Вакар, Абулафия, Пихон, Абарбанель появились в рядах испанских вельмож и царедворцев. Все эти сановные евреи оказывали государству важные услуги, но своему народу они приносили мало пользы. Еврейские сановники этого времени не имели тех добродетелей, какие украшали некогда людей вроде Хасдая Шапрута или Самуила Нагида. Подражая расточительным испанским грандам, они стремились только к богатству и показной роскоши, наряжали своих жен и детей в шелк и жемчуг, катались в роскошных экипажах. С них брали пример мужчины и женщины состоятельных классов еврейского населения. Этим они возбуждали зависть христиан, которые говорили: «Вот как евреи обогащаются; скоро они все превратятся в грандов». Быстрое обогащение отдельных лиц, достигавшееся иногда путем выгодных откупов или ростовщичества, ставилось в вину всей еврейской массе, которая вела скромную трудовую жизнь. Юдофобы пользовались этим для натравливания толпы на евреев.

Особенную ненависть к евреям чувствовали высшее дворянство и духовенство. Гордые испанские дворяне не терпели иноверцев и инородцев в своей среде и негодовали, когда такие люди достигали высоких государственных должностей. Духовенство же, состоявшее главным образом из монахов-доминиканцев, видело в возвышении евреев прямое оскорбление для церкви. По мнению католических монахов, евреи, как «враги церкви», должны были везде находиться в состоянии рабов. А между тем еврейские общины Испании процветали и пользовались внутренней свободой. В одной Кастилии находилось свыше 80 общин, насчитывавших до миллиона евреев. Главные общины находились в Толедо, Бургосе и Севилье. Во главе каждой общины стояли раввины и судьи, имевшие право разбирать гражданские и уголовные дела между евреями. Как некогда в Вавилонии и в Арабском халифате, евреи пользовались здесь широким самоуправлением в своих внутренних делах, между тем как влиятельнейшие из них участвовали также в общественной жизни христианского населения. Эта обособленность евреев, с одной стороны, и деятельное участие их в государственном управлении, с другой — раздражали католических дворян и священников.

Один священник-изувер из Севильи, Фернандо Мартинес, поставил себе целью возбудить христиан к нападению на евреев. В своих церковных проповедях он страстно обличал «лжеучение» иудеев, указывал на их возрастающее благосостояние и вредность их для государства. Заняв должность помощника архиепископа, Мартинес стал рассылать циркуляры к духовным чинам севильской епархии, где убеждал их склонить народ к тому, чтобы «разрушать до основания синагоги, в которых враги Бога и церкви, именующие себя иудеями, совершают свое идолослужение». Однажды, в день 15 марта 1391 г., Мартинес произнес зажигательную речь на площади при большом стечении народа. Возбужденная толпа бросилась на мирных еврейских жителей Севильи — и начался погром. Но на этот раз за евреев заступились городские власти, погром был прекращен, и некоторые зачинщики его понесли наказание. Однако к этим зачинщикам не догадались причислить настоящего виновника беспорядков, Мартинеса. Под покровом церковного рвения, он продолжал свою преступную агитацию — и, наконец, добился своей цели. Спустя три месяца погром в Севилье возобновился с такой силой, что приостановить его было уже невозможно. Католики, словно по уговору, сбежались в одно утро со всех концов города к еврейскому кварталу («юдерия»), подожгли его и принялись убивать и грабить его обитателей (6 июня). Около четырех тысяч евреев было убито, взято в плен и продано в рабство арабам; остальные же, чтобы избавиться от смерти, позволили совершить над собой обряд крещения. Цветущая и древняя община была уничтожена; некоторые синагоги были разрушены, а уцелевшие обращены в церкви.

Севильская резня подала сигнал к нападению на евреев в других городах. В Кордове и Толедо чернь убивала евреев. Многие пали мучениками за веру; но велико было и число малодушных, которые, ради сохранения жизни, притворно принимали крещение. Из Кастилии погромная волна перекинулась в Арагонское королевство. В Валенсии католики ворвались в еврейский квартал с криками: *«Вот идет сюда Мартинес; он всех вас перекрестит!».* Сопротивление, оказанное евреями, еще более ожесточило погромщиков. Пятитысячная еврейская община была разгромлена: одни погибли от меча, другие пошли к кресту, третьи бежали. В Барселоне евреи заперлись в крепости, заручившись покровительством местного губернатора и знати. Но разъяренная чернь осадила крепость и подожгла ее. Осажденные, потеряв надежду на спасение, сами закалывали себя кинжалами или бросались с крепостной башни вниз и разбивались; другие приняли мученическую смерть от рук неприятеля, остальные изменили своей вере; лишь немногим удалось бежать.

Беглецы из Испании направились в соседнюю Португалию. Евреи уже давно жили в Португалии спокойно, содействуя промышленному развитию этой приморской страны. Здесь были у них свободные общины, во главе которых стоял верховный раввин, облеченный обширной властью. И здесь при дворах королей часто выдвигались министры и советники из евреев. После севильской резни 1391 г. в Португалии нашли приют многие еврейские беглецы из Испании; насильно окрещенные стали здесь открыто исповедовать свою прежнюю веру. За такое отпадение от католичества им грозило тяжелое наказание. Но верховный раввин Португалии, Моисей Наварро, состоявший также лейб-медиком короля, предупредил несчастие. Он предъявил королю две папские буллы, по которым евреев запрещалось обращать в христианство насильно. Вследствие этого король португальский обнародовал указ (1392 г.), чтобы евреев, насильно окрещенных и возвратившихся к прежней вере, никто не трогал; содержание папских булл велено было огласить повсеместно. — Кроме Португалии, множество испанских евреев переселились г магометанские владения Северной Африки и вновь образовали там крупные общины (как некогда во времена Маймонида).

В числе выдающихся еврейских деятелей, пострадавших от погромов 1391 г., был и знаменитый философ Хасдай Крескас из Барселоны. Сын Крескаса умер мучеником за веру, и потрясенный отец по этому поводу смиренно писал: *«Моего сына я отдал Богу, как жертву всесожжения. Принимаю праведный суд Божий и утешаюсь тем, что на долю моего сына выпал такой славный жребий».* Личное и общее горе не мешало Крескасу углубляться в религиозно-философские исследования, но наложило на них свой отпечаток. В отличие от Маймонида, Крескас учил, что разум должен уступать вере, а не наоборот. Из двух заветов Моисея: «Познай Бога своего» и «Люби Бога всем сердцем» — он признает второй важнейшим. В своей книге «Свет Божий» («Ор Адонай») Крескас изменил символ веры иудейства, установленный Маймонидом, и дополнил его. — Такого же направления держался и младший современник Крескаса, Иосиф Альбо (ум. в 1444 г.), автор замечательной книги «Иккарим» («Догматы»). Альбо сводит все 13 догматов Маймонида к трем главным: бытие Бога, откровение или божественное происхождение Торы и воздаяние за гробом.

29. Марраны. События 1391 г. оставили по себе глубокие следы в жизни испанских евреев. Очень велико было число тех, которые в тот ужасный год под страхом смерти приняли крещение. Эти люди думали, что по миновании опасности им дозволено будет возвратиться к вере своих отцов. Но они ошиблись. Открыто исповедовать свою старую религию могли только те из окрещенных, которые бежали в другие страны; все еще оставшиеся в Испании «новохристиане» находились под строгим надзором католического духовенства. Они могли только тайно исполнять обряды еврейской религии, а публично посещали церкви и притворялись католиками. Эта двойственность отравляла им жизнь. Евреи называли таких людей анусим (невольники), а испанцы называли их «новохристианами» или марранами, т. е. отверженными.

Число марранов в Испании все увеличивалось. Поощренное прежним успехом, католическое духовенство изобретало все новые способы для обращения евреев в христианство. В этом помогали монахам те из крещеных евреев, которые ради личных выгод изменяли своему народу и становились в ряды его врагов. Бывший талмудист Соломон Галеви, принявший в крещении имя Павла, достиг впоследствии звания епископа в Бургосе и сделался воспитателем кастильского королевича. Будучи любимцем римского папы, Павел Бургосский всегда старался угождать своему духовному начальству и увеличить число крещеных евреев. Он проповедовал устно и письменно против «лжеучения раввинов» и доказывал превосходство новой религии. В то же время по стране разъезжали доминиканские монахи, врывались с крестом в руке в синагоги и грозно требовали от евреев, чтобы они приняли крещение; тут же стояла наготове толпа католиков, чтобы по первому знаку монахов броситься на евреев. Под влиянием этих угроз тысячи евреев принимали христианство, увеличивая тем число марранов.

В 1412 г. папа Бенедикт XIII разослал известнейшим испанским раввинам приглашения явиться в Тортозу для участия в религиозном диспуте с представителями церкви; за неявку к сроку полагались строгие взыскания. В Тортозу явилось 22 представителя от еврейских общин; в числе их были выдающиеся ученые, врачи и философы, между прочим, и Иосиф Альбо, автор книги о догматах иудаизма — «Иккарим». Представителями церкви были: сам папа Бенедикт, многие епископы и крещеный еврей Иошуа Лорки (в католи честве Геронимо де Санта-Фе). Диспут, начавшийся в феврале 1413 г., происходил в 69 заседаниях и длился год и десять месяцев. Каждая из сторон горячо доказывала истинность своей веры; но в то время, как евреи должны были говорить осторожно и сдержанно, католики позволяли себе оскорбительные нападки на иудейство и даже угрозы. Неизвестно, чем кончилась бы эта затея папы Бенедикта, если бы заседавший в то время в Констанце церковный собор не лишил Бенедикта папского сана, избрав вместо него другого папу.

Много лет трудилось испанское духовенство, чтобы обратить побольше евреев в католичество; но когда оно достигло своей цели, оно увидело, что еще труднее удержать обращенных в навязанной им религии. В Испании находились десятки тысяч марранов. Многие из них породнились с испанской знатью и стояли близко к королевскому двору; было немало министров, полководцев и епископов из среды марранов, отличавшихся знаниями и способностями. Часть их действительно слилась с коренными испанцами и отреклась от своей нации, но большинство марранов продолжало тайно исповедовать иудейство. Родители передавали своим детям истины родной веры и внушали им любовь к своему гонимому народу. Все это не было тайной для католического духовенства, которое возмущалось двуличием марранов. Священники в своих речах возбуждали народ против «отступников». Однажды в Кордове шел по улицам крестный ход. Марраны закрыли окна своих домов и оставили их неубранными, что крайне раздражило христиан. Вдруг разнесся слух, будто из окна марранского дома, мимо которого проходила процессия, девушка вылила какую-то грязную жидкость, которая попала в икону Божьей Матери. Толпа страшно заволновалась. Под предводительством одного кузнеца, она бросилась с зажженными факелами на дома марранов, поджигала, грабила и убивала, бесчестила женщин, не щадила и детей. Чернь бушевали три дня. Множество марранов погибло тогда в Кордове и окрестных городах (1473 г.).

30. Инквизиция. Торквемада. Решительная борьба против марранов и евреев началась с тех пор, как Арагония и Кастилия соединились в одно государство благодаря браку короля арагонского Фердинанда Католика с кастильской королевой Изабеллой (1474 г.). Этот союз должен был создать единое и сильное государство; но королевская чета, всецело находившаяся под влиянием духовенства, внесла в управление разрушительное начало нетерпимости к иноверцам, — что позже привело Испанию к упадку. Набожная Изабелла еще в юности обещала своему духовнику, что по вступлении на престол она посвятит свои силы делу искоренения «неверующих». Тотчас после своего брака королевская чета возбудила в Риме ходатайство об учреждении в Испании особого церковного судилища для розыска и наказания всех христиан, подозреваемых в вольнодумстве, — причем имелись в виду главным образом марраны. Папа Сикст IV дал свое согласие на учреждение такого судилища, названного Святой инквизицией. Первое судилище было открыто в Севилье (1480 г.); судьями были доминиканские монахи и один представитель от короля. Начались аресты марранов, подозреваемых в склонности к иудейству. Христианам было строго приказано, чтобы они доносили инквизиции на всякого маррана, замеченного не только в исполнении важных еврейских обрядов, но и в таких мелочах, как ношение праздничного платья или употребление лучшей пищи в субботу, обращение лица к востоку во время молитвы и т. п. Доносы принимались от всех лиц без проверки. Вскоре тюрьмы Севильи переполнились арестованными марранами. Несчастных подвергали страшным пыткам с целью вынудить признание в тайной принадлежности к иудейству как самих подсудимых, так и их родных и знакомых. За городом была отведена площадь для казни осужденных инквизицией. 6 января 1481 г. состоялось, при торжественных церковных церемониях, первое аутодафе (подвиг веры) в Севилье: шесть марранов были сожжены на костре. Спустя несколько дней казнена была вторая группа марранов, а затем казни участились. До ноября того же года, т. е. за десять месяцев, инквизиция сожгла в одной Севилье до 300 марранов. Многие из них умирали мужественно, не отрицая своей привязанности к иудейству. Имущество казненных отбиралось и поступало в королевскую казну; — и таким образом, жечь марранов было не только «богоугодным», но и выгодным делом. Чем больше богатых еретиков погибало на костре, тем полнее становилась касса корыстолюбивого Фердинанда.

Жестокости севильского судилища воспламенили дух марранов и заставили их еще сильнее привязаться к религии, за которую им приходилось терпеть мученичество. Многие бежали в Северную Африку и другие страны, где они могли открыто исповедовать иудейство; оставшиеся в Испании стали теснее сближаться с евреями, своими братьями по вере и страданиям. Невзирая на грозящую опасность, они устраивали тайные собрания, где молились вместе, совершали пасхальную трапезу и соблюдали другие обряды иудейства; в том же духе самоотверженной любви к вере предков воспитывали они своих детей. Все это не могло укрыться от зоркого ока инквизиции. Она теперь обратила особенное внимание на евреев, как на пособников в деле отпадения марранов от католичества. В это время «великим инквизитором» в Испании был назначен духовник королевы, доминиканский монах Томас Торквемада, хищный зверь в человеческом образе (1483 г.). Торквемада придал инквизиции те чудовищные формы, которые ужасали современников и потомков. Выработанный им «устав инквизиции» представлял собой хитросплетенную сеть, приспособленную к ловле еретиков. Кто попадался в эту сеть, не выходил уже оттуда живым. Там, где для обвинения пойманного маррана не хватало улик или свидетельских показаний, участь подсудимого решалась пыткой. Под пыткой несчастный показывал все, что угодно было инквизиторам, часто оговаривал и других единомышленников, так что каждый допрос порождал целый ряд новых розысков, арестов и процессов.

Кроме Севильи, учреждались инквизиционные судилища и в других местах. Главным инквизитором в Арагонии был назначен священник Арбуэс. Следуя примеру своего начальника Торквемады, Арбуэс до такой степени свирепствовал против марранов в Сарагоссе и ее округе, что сам навлек на себя гибель. Некоторые богатые и влиятельные марраны составили заговор с целью убить свирепого инквизитора. Когда однажды на рассвете Арбуэс пришел один в церковь для служения заутрени, трое из заговорщиков пробрались туда за ним и закололи его кинжалами в тот момент, когда он опустился на колени перед алтарем для молитвы (1485 г.). Этот заговор повел только к усилению инквизиции. Заговорщики были подвергнуты бесчеловечной казни. Аресты марранов участились. «Во всей Испании и на ее островах, — говорит современный проповедник Исаак Арама, — возносится до неба дым костров, на которых сжигают подозреваемых в иудействе (марранов). Треть их уже погибла в огне, треть разбежалась, бродит и скрывается в разных местах, а треть живет в великом страхе и трепете».

Торквемада, однако, не мог еще считать свою цель достигнутой: он сжигал марранов, но не мог внушить оставшимся любовь к христианству. Тогда он стал внушать Изабелле и Фердинанду, что корень зла кроется в евреях, которые всячески способствуют отпадению марранов от церкви. По распоряжению властей был учрежден строжайший надзор, с целью препятствовать общению марранов с евреями. Кроме того, против евреев готовились особые меры, которые вскоре привели к самым ужасным последствиям.

31. Изгнание евреев из Испании и Португалии. В то время испанцы вели упорную войну с маврами, царство которых находилось на юге Пиренейского полуострова. Фердинанд и Изабелла поставили перед собой цель — уничтожить последние остатки арабского владычества в Испании и превратить весь полуостров в христианское государство. Эта цель была достигнута в начале 1492 г., когда испанские войска взяли приступом столицу мавров, Гренаду. Испанцы торжествовали победу: они ликовали при мысли, что после восьмивековой борьбы магометанское владычество в Испании окончательно уступило христианскому. Этим воодушевлением народа воспользовался Торквемада, чтобы осуществить свои бесчеловечные замыслы против евреев. Он убеждал короля и королеву, что Испанию евреи губят не менее, чем мавры; что соседство евреев крайне опасно для христиан и особенно для марранов, которых они вводят в соблазн; что, наконец, изгнанием «неверных» из Испании король и королева наилучшим образом отблагодарили бы Бога, даровавшего стране победу над маврами. Доводы Торквемады подействовали на набожную королевскую чету. Находясь еще в Гренаде, Изабелла и Фердинанд издали указ, чтобы все евреи, не желающие принять крещение, выселились в течение четырех месяцев из всех испанских владений (31 марта 1492 г.). Выселенцам дозволялось брать с собой свое имущество, кроме золота, серебра и драгоценностей, которые по закону запрещалось вывозить из государства.

Евреи были поражены этим неожиданным указом. Наиболее влиятельные из них решились ходатайствовать об отмене указа. В то время в Испании жил еврейский ученый и сановник, дон Исаак Абарбанель (1437—1509 гг.), потомок знатного рода, происходившего от царя Давида. Исаак Абарбанель провел молодые годы в Лиссабоне, столице Португалии, где евреям жилось спокойнее, чем в Испании. Благодаря своему обширному духовному и светскому образованию, он занимал видное положение как в еврейском, так и в христианском обществе. Многосторонний ученый, философ и богослов и вместе с тем аристократ по манерам, Абарбанель производил на всех чарующее впечатление. Португальский король Альфонс V поручил ему заведование государственными доходами; но после смерти этого короля, Абарбанель вынужден был, вследствие происков своих врагов при дворе, покинуть Лиссабон и переселиться в Кастилию. Здесь на него обратили внимание Фердинанд и Изабелла. Вследствие продолжительной войны с маврами, королевская чета очень нуждалась в способном министре, который мог бы увеличить государственные доходы и предохранить страну от разорения. Эта горькая необходимость заставила короля и королеву (вопреки церковному закону, запрещавшему допускать еврея на государственную должность) призвать Абарбанеля к заведованию государственным казначейством. Восемь лет занимал Абарбанель эту должность и принес немало пользы государству. Однако и он, при всем своем влиянии на правительство, не мог отвратить страшный удар, который обрушился на голову евреев в 1492 году.

Как только появился указ об изгнании евреев из Испании, Абарбанель, в сопровождении почетнейших представителей еврейского общества, поспешил к королю и королеве и со слезами умолял их взять назад свое роковое решение. Зная, что королем при издании указа руководило не столько религиозное рвение, сколько желание обогатиться добром изгоняемых, еврейские депутаты предложили ему за отмену указа выкуп в тридцать тысяч дукатов. Фердинанд был уже склонен уступить просьбам евреев. Тогда во дворец вдруг ворвался великий инквизитор Торквемада с распятием в руках и, обратясь к королевской чете, воскликнул: *«Иуда продал Христа за тридцать серебренников, а вы желаете продать Его за тридцать тысяч! Вот же Он: возьмите и продайте Его».* И с этими словами Торквемада, положив распятие, стремительно вышел из дворца. Эта сцена произвела потрясающее впечатление, особенно на королеву Изабеллу. Еврейские депутаты получили решительный отказ. В конце апреля вестники-трубачи возвестили по всей стране, что евреям дается до июля срок покончить свои дела и выселиться из Испании; кто останется после этого срока на испанской почве — подлежит смертной казни, если он не согласится принять крещение.

Положение испанских евреев было ужасно. Сотням тысяч людей предстояло покинуть страну, которую они горячо любили, как свою родину, где предки их жили еще со времен римского владычества, до возникновения христианства. Это внезапное выселение было связано с полным разорением для изгнанников. Для продажи недвижимого имущества им дан был очень короткий срок. Приходилось продавать все задаром. Прекрасный дом променивался на осла, благоустроенный виноградник — на несколько аршин сукна; большая часть домов вовсе осталась непроданной. А между тем доминиканские монахи, видя отчаяние изгоняемых, усердно уговаривали их принять крещение и тем избавиться от разорения и скитаний. Лишь немногие соблазнились заманчивыми речами монахов; все остальные решили пожертвовать всем ради своей святой веры. В достопамятный день 9-го Ава — годовщину разрушения иерусалимского храма — покинули евреи Испанию (2 августа 1492 г.). Число изгнанников доходило до трехсот тысяч мужчин и женщин, стариков и детей. Перед отъездом они прощались с могилами своих предков. В течение трех суток лежали тысячи выселенцев на дорогих могилах, орошая их слезами. Даже христиане не могли без слез смотреть на эти раздирающие сердце сцены. Многие изгнанники взяли с собой в дорогу надгробные плиты или отдавали их втайне на хранение знакомым марранам, которых они с болью в сердце оставляли в стране инквизиции. Несчастные изгнанники пошли куда глаза глядят. Многие отправились морем в Италию, Турцию и Северную Африку; Абарбанель во главе группы переселенцев отплыл в Неаполь; значительная часть двинулась в Португалию. Неисчислимые бедствия выпали на долю тех, которые пустились в далекий путь: голод, болезни и смерть сопутствовали скитальцам. Изгнав бесчеловечно триста тысяч образованных и трудолюбивых граждан, Испания восстановила у себя единство вероисповедания, но вместе с тем положила начало своему общественному упадку. В лице евреев она лишилась деятельного промышленного класса, способствовавшего разработке естественных богатств страны. Испания превратилась в страну воинственных рыцарей и монахов-изуверов, которые впоследствии довели ее до полного разорения.

Бежавшие в Португалию евреи (свыше ста тысяч) сначала получили от тамошнего короля разрешение на временное проживание в этой стране. Но когда срок кончился, их оттуда стали немилосердно гнать; малолетних детей отнимали у родителей и насильно крестили; взрослых обращали в рабство. После пятилетних преследований, евреев окончательно изгнали и из Португалии (1498 г.). Изгнанники направились в Северную Африку, Италию и Турцию. В их числе был знаменитый астроном и летописец Авраам Закуто (автор летописи «Юхасин»). Не все эти скитальцы достигли мирной пристани. Многие погибли в дороге от голода, лишений и болезней; иные, во время плавания по морям, попали в руки морских разбойников и были проданы в рабство. Некогда цветущие еврейские общины Пиренейского полуострова исчезли в несколько лет. Остатки «сефардов» и «португезов» (так назывались испанские и португальские евреи) рассеялись по всем странам Европы, Азии и Африки.

Глава VI

Евреи в Польше и Руси (XII—XV вв.)

32. Размножение евреев в Польше. Главная масса евреев, уходивших из Западной Европы от средневековых преследований, находила приют в Польше и Литве, на берегах Вислы и Немана. Переселение евреев из немецких земель в Польшу приняло обширные размеры во время крестовых походов. Особенно много переселенцев прибыло из соседней Богемии, или Чехии, куда проникли первые шайки крестоносцев (1098 г.). Польские князья охотно допускали в свою страну евреев и немцев, благодаря которым развились торговля, промышленность и ремесла. Краковский князь Мечислав Старый (1173 г.) строго запрещал всякие насилия против евреев. Еврейские откупщики заведовали тогда чеканкой монеты в Великой и Малой Польше. На этих монетах имена князей обозначались еврейскими буквами. В то время польские евреи еще не имели в своей среде ученых и приглашали их из других стран (вероятно, из Германии). Эти иноземные ученые исполняли у них обязанности раввинов, канторов в синагогах и начальных учителей. С другой стороны, любознательные евреи из славянских стран ездили за границу для усовершенствования в науках.

Первый правитель, упрочивший положение евреев в Польше на основании особых законов, был князь Болеслав Калишский. В 1264 году он, с согласия высших чинов, издал грамоту, определявшую права евреев в Великой Польше и имевшую целью защитить их от произвола христиан. Грамота Болеслава состоит из 37 статей. В первой статье установлено, что в судебных делах свидетельство христианина против еврея принимается лишь тогда, когда оно подтверждается показанием свидетеля-еврея. Судебная власть над евреями принадлежит не общим городским судам, а лично князю, его чиновнику (воеводе) или назначенному им особому судье. За убийство или ранение еврея виновный в том христианин отвечает перед княжеским судом. Личность и имущество еврея объявлены неприкосновенными. Похищение еврейских детей (с целью крещения) строго наказуется. Запрещается взводить на евреев обвинение в употреблении крови христианской для религиозных целей, — обвинение, лживость которого уже доказана папской буллой; если же подобное обвинение возникнет, то оно должно быть подтверждено шестью свидетелями — тремя из христиан и тремя из евреев; если оно таким путем подтвердится, виновный еврей лишается жизни; в противном случае такая же кара постигает доносчика-христианина. Все эти права и преимущества должны, по словам грамоты Болеслава, сохранить силу «на вечные времена».

Покровительство, оказываемое польскими князьями евреям, не нравилось католическому духовенству, которое получало из Рима предписания — повсюду угнетать и унижать еврейское племя. Собор церковных чинов в Бреславле (1266 г.) объявил, что соседство евреев особенно опасно для христиан в Польше, где народ лишь недавно обратился в католическую веру. Вследствие этого собор постановил: чтобы евреи жили в городах отдельно от христиан, в особых кварталах, отгороженных стеной или рвом. Далее предписывалось: чтобы евреи во время следований церковных процессий по улицам запирались в своих домах, чтобы они в каждом городе не имели больше одной синагоги, чтобы они, «для отличия от христиан», носили особого покроя шапку с роговидным колпаком, а кто из них покажется на улице без этого убора подлежит наказанию по обычаям страны. Христианам запрещалось есть и пить с евреями, плясать и веселиться с ними на свадьбах или иных торжествах. Христиане не должны покупать у евреев мясо или иные съестные припасы, дабы продавцы коварным образом не отравили их. Затем повторяются старые соборные постановления, чтобы евреи не держали слуг, нянек или кормилиц из христиан, не допускались к сбору таможенных пошлин и ко всяким другим общественным должностям и т. п. Если бы все эти жестокие церковные законы исполнялись на деле, то жизнь польских евреев превратилась бы в такой же ад, как жизнь их соплеменников в Германии. Но, к счастью, тогдашние польские правители и большая часть народа не обращали внимания на внушения фанатического духовенства, и евреи в Польше продолжали жить спокойно и в мире с христианским населением.

33. Казимир Великий и Витовт Литовский. Бедствия германских евреев в XIV веке, особенно же во время «черной смерти», снова загнали огромную массу переселенцев в Польшу. Польша тогда достигла вершины своего могущества при мудром короле Казимире Великом (1333—1370 гг.). Этот король ревностно заботился о том, чтобы поднять в государстве уровень гражданской жизни и улучшить положение всех сословий, не исключая и крестьян. Его называли «королем крестьян» и говорили, что «он застал Польшу деревянной и оставил ее каменной» (т. е. наполнил ее богатыми каменными домами, вместо деревянных). Такой справедливый государь не мог не относиться хорошо к евреям, которые развили в стране торговлю и промышленность. Во второй год своего царствования Казимир подтвердил в Кракове льготную грамоту, данную евреям Болеславом Калишским, и распространил ее действие на все области польского государства. Впоследствии Казимир дополнил устав Болеслава новыми законоположениями, имевшими целью установить отношения евреев к прочим сословиям на началах справедливости и обоюдной пользы. Евреям предоставлялись: право жительства во всех городах и селах, право владеть землей и брать в аренду имения шляхтичей. Казимир заботился и о внутреннем благоустройстве еврейских общин. Местному судье предписывалось разбирать еврейские дела только при участии раввинов и старшин общины. Роль судебного пристава часто играл «школьный» или синагогальный надзиратель. То был зародыш будущего кагального самоуправления. К тому времени относится возникновение еврейской общины во Львове, столице Червонной Руси, или Галиции, присоединенной Казимиром к Польше. В 1356 г. Казимир предоставил живщим во Львове евреям право «судиться по собственным своим законам» наравне с русинами, армянами и татарами.

Предание, сохранившееся в польских летописях, рассказывает, будто причиной благоволения Казимира Великого к евреям была его любовь к одной красавице-еврейке, Эстерке. Эта красавица, дочь еврейского портного из Опочно, всецело овладела сердцем короля, который поселил ее в своем дворце, близ Кракова. От нее король имел двух дочерей, которых мать воспитывала в иудействе, и двух сыновей, Пелку и Немира, которые исповедовали христианскую веру и стали родоначальниками нескольких знатных польских фамилий. Эстерка была убита во время гонения, воздвигнутого на евреев преемником Казимира, Людовиком Венгерским (1370—1382 гг.). В царствование этого короля, питомца католического Запада, хотели отнять у польских евреев дарованные им права; Людовик даже грозил изгнанием тем из евреев, которые не примут христианства. Но он царствовал недолго. Дочь Людовика, наследница польского престола Ядвига, вступила в брак с литовским князем Ягелло, который сделался королем соединенных Польши и Литвы (1386 г.).

В XIV веке Литва переходила от язычества к христианству. Евреи издавна проникли туда. В конце XIV века в Литве существовали уже пять еврейских общин: в Бресте, Гродно, Троках, Луцке и Владимире. Им покровительствовал великий князь Витовт, управлявший Литвой то самостоятельно, то как наместник своего двоюродного брата, польского короля Ягелло. В 1388 г. Витовт издал для брестских и других литовских евреев грамоту, сходную с грамотами Болеслава Калишского и Казимира Великого. По законам, изданным Витовтом, евреи составляли в Литве класс свободных жителей, находящихся под непосредственным покровительством великого князя и местных высших властей. Жили они самостоятельными общинами, пользуясь самоуправлением в своих внутренних делах. Евреи в Литве, в отличие от своих западных братьев, занимались не только торговлей и ремеслами, но и земледелием. Зажиточные люди брали у великого князя на откуп таможенные и питейные пошлины и владели поместьями на правах собственности или аренды.

34. Евреи при Ягеллонах (XV век). Основатель Ягеллонской династии, король Владислав Ягелло всецело поддался влиянию католического духовенства, которое тогда усилилось в Польше и враждебно относилось к евреям. В царствование этого короля в Польше впервые распространились суеверные обвинения против евреев. В Познани евреев обвинили в том, будто они уговорили бедную христианку похитить из доминиканской церкви три причастия, прокололи их и бросили в яму; из причастий потекла кровь, и над ними стали совершаться разные чудеса. Познанский епископ, узнав о мнимом святотатстве, привлек евреев к ответственности. Были осуждены на смерть христианка, познанский раввин и 13 старшин еврейской общины: их всех привязали к столбам и сожгли на медленном огне (1399 г.).

Отношения к евреям улучшилось при короле Казимире IV Ягеллоне (1447—1492 гг.). Когда новый король гостил в Познани, после своей коронации, этот город был опустошен пожаром. В пожаре сгорел и старинный подлинник грамоты, данной евреям Казимиром Великим. Тогда еврейская депутация обратилась к Казимиру IV с просьбой восстановить и подтвердить права евреев на основании уцелевших копий сгоревшей грамоты. Король охотно исполнил просьбу депутатов. *«Мы желаем,* — объявил он в своей грамоте, — *чтобы евреи, которых мы особенно охраняем ради интересов наших и государственной казны, почувствовали себя утешенными в наше царствование».* Он подтвердил все прежние права и вольности евреев — свободу жительства и торговли, автономию общинную и судебную, неприкосновенность личности и имущества, защиту против ложных обвинений и нападений. Эта грамота Казимира сильно раздражила церковную партию. Краковский архиепископ Олесницкий решительно потребовал от короля отмены еврейских привилегий. После долгой борьбы Казимир принужден был уступить настоянию духовенства. В 1454 году были отменены многие права евреев, как «противные праву божескому (т. е. церковному) и земским уставам».

При преемнике Казимира IV, Яне-Альбрехте, в столице Польше был отведен евреям для жительства особый квартал (гетто). В 1494 г. пожар истребил большую часть города Кракова, и чернь, воспользовавшись суматохой, разграбила имущество евреев. Вследствие этого король велел евреям, жившим тогда разбросанно в различных частях города, переселиться в предместье Кракова, Казимеж, и жить там отдельно от христиан. С тех пор предместье Казимеж превратилось в замкнутый еврейский городок, который целые столетия подряд жил своей особой жизнью, связанный с «внешним миром» только торговыми сношениями.

В то время была сделана попытка гонений на евреев и в Литве, которой брат Яна-Альбрехта, Александр, управлял на правах великого князя. В 1495 г. великий князь Александр вдруг издал указ об изгнании всех евреев из Литвы. Неизвестно, была ли эта жестокая мера вызвана влиянием духовенства, до которого дошли слухи о тогдашнем изгнании евреев из Испании, или князь и сановники пожелали присвоить себе имения и дома выселяемых. Действительно, недвижимое имущество изгнанников (в Гродненском, Брестском, Луцком и Трокском округах) было объявлено собственностью князя и частью роздано им христианам. Литовские изгнанники поселились, с разрешения короля Яна-Альбрехта, в соседних польских городах. Но спустя несколько лет Александр, приняв по смерти брата и польскую корону (1501 г.), разрешил евреям возвратиться в Литву и водвориться на прежних местах, причем были возвращены дома, поместья, синагоги и кладбища, которыми они прежде владели. К началу XVI века еврейство в Польше сделалось уже крупной экономической и общественной силой, без которой страна не могла обойтись. Польское правительство убедилось, что насколько государство приносит пользу евреям, настолько же евреи полезны и необходимы государству, где они занимали, как торговое городское сословие, среднее место между крестьянином-земледельцем и шляхтичем-помещиком.

34а. Евреи в Московской Руси. Между тем как в Польше в средние века число евреев все увеличивалось притоком переселенцев с запада, соседняя Русь была почти закрыта для них. В XIII веке Русью овладели татары, и с тех пор о еврейских поселениях в этой стране долго ничего не было слышно. Только на южных окраинах, в Черноморской области и Крыму, продолжали жить евреи и караимы, потомки давнишних поселенцев (5). Под властью татарских ханов евреи в Крыму жили свободно, соперничая в торговле с генуэзцами и греками, устроившими здесь образцовые промышленные колонии.

Следы еврейства в Московской Руси становятся заметными лишь со второй половины XV в., когда это государство, объединенное великим князем Иваном Васильевичем III, начинает вступать в международную семью. В это время там появляются отдельные еврейские выходцы из Литвы и Крыма, а иногда из Западной Европы. С именем одного из таких выходцев связано крупное событие русской истории. В 1470 г. — как свидетельствуют русские летописцы — прибыл из Киева в Новгород ученый еврей Схария, а вслед за ним явились из Литвы еще несколько евреев. Схария сблизился с некоторыми представителями православного духовенства и обратил их в иудейскую веру. В числе обращенных были новгородские священники Денис и Алексий. Эти священники прибыли в 1480 г. в Москву и там обратили из православия в иудейство многих русских людей. Архиепископ новгородский Геннадий обратил внимание на опасное распространение «ереси жидовствующих» и стал энергично искоренять ее в своей епархии. В Москве борьба с ересью оказалась крайне трудной. Однако, благодаря энергии Геннадия и других ревнителей православия, ересь и здесь была разоблачена. По решению церковного собора 1504 г. и по приказу великого князя Ивана III, главные вероотступники были сожжены, а прочие заточены в тюрьмах и монастырях. После этого ересь иудействующих прекратилась.

С движением иудействующих в Московии совпало еще одно печальное происшествие. При дворе великого князя Ивана III состоял в качестве врача ученый еврей мистер Леон, привезенный в Москву из Венеции. В начале 1490 г. опасно заболел старший сын великого князя. Мистер Леон начал лечить больного прикладыванием горячих скляниц и разными травами. На вопрос великого князя, выздоровеет ли больной, врач дал неосторожный ответ: *«Я твоего сына непременно вылечу, иначе — вели меня казнить!»*. Вскоре больной умер. По окончании сорокадневного траура Иван Васильевич приказал отрубить еврейскому врачу голову за неудачное лечение. Казнь совершилась публично, на Болвановке, в Москве. Московские люди смотрели и на ученого богослова Схарию, и на врача Леона, как на «чернокнижников» или чародеев. Ересь иудействующих так напугала московских князей, что они потом долго не пускали в свое государство евреев из других стран.

Новое время

35. Вступление. Изгнание евреев из Испании вызвало большие перемены в жизни еврейского народа. Эти перемены находились в тесной связи с событиями, которые произошли в то время и в жизни европейских народов и которые положили в истории грань между «средними веками» и «новым временем». Византийская империя была разрушена турками, которые взяли Константинополь (1453 г.) и утвердили владычество магометан на Балканском полуострове и на азиатском побережье Средиземного моря. Гутенберг в Германии изобрел книгопечатание, давшее сильный толчок умственному развитию всех народов. Колумб открыл новую часть света — Америку в тот самый год, когда евреи были изгнаны из Испании (1492 г.). Лютер провозгласил в Германии Реформацию (1517 г.) — и миллионы христиан в Западной Европе стали отпадать от римско-католической церкви, принимая исповедания, более близкие к первоначальному христианству.

Все эти перемены повлияли и на судьбу евреев. Испано-португальские изгнанники, или сефарды, устремились, главным образом, в европейские и азиатские владения Турции. Как в средние века евреи пришли в Испанию с арабского Востока, так в XVI веке они обратно двинулись из Испании на турецкий Восток, где находилась и древняя родина еврейства — Палестина. Сефардов осталось в Европе немного, преимущественно в Италии и Голландии. Первое место в истории заняли теперь ашкеназы, т. е. германские и польские евреи. В Германии и Австрии евреев перестали истреблять массами, но их все еще угнетали и держали в положении бесправной касты. В Польше же, где в XVI веке скопилась огромная масса евреев, они жили более спокойно, пользуясь свободой и широким самоуправлением внутри своих общин. Польша сделалась для евреев тем, чем была в древности Вавилония, а в средние века — Испания, т. е. духовным центром, к которому тяготели все остальные части рассеянного народа (центр национальной гегемонии).

Глава VII

Евреи в Турции и Палестине до упадка саббатианства (1492—1750 гг.)

36. Гражданская жизнь. Иосиф Наси. Турецкая империя, занявшая место бывшей Византии, возникла за 40 лет до изгнания евреев из Испании. Еврейские летописцы говорят, что Провидение как будто заранее приготовило испанским изгнанникам спокойное убежище. И действительно, значительная часть изгнанных из Испании и Португалии евреев нашли приют во владениях Турции. Турецкие султаны ценили трудолюбие и промышленные способности евреев и охотно допускали их в свое государство. Султан Баязет II, узнав об изгнании евреев и арабов из Испании, воскликнул: *«Фердинанд Испанский — глупый король! Он разорил свою страну и обогатил нашу».* Образованные сефарды оказались очень полезными для Турции, где высшие классы отдавались военному искусству, а низшие — земледелию. Евреи деятельно занимались морской и сухопутной торговлей, ремеслами и техническими искусствами; они познакомили турок с новейшими изобретениями — использованием пороха и пушек, и тем оказали услугу господствующему военному сословию. В торговле с ними соперничали только армяне и греки.

В XVI веке в европейской и азиатской Турции образовалось много еврейских общин. В Константинополе, столице государства, было около 30000 евреев, имевших 44 синагоги. Эта большая община делилась на «землячества», т. е. союзы земляков, переселившихся в Турцию из одной какой-либо области. Были землячества кастильцев, арагонцев, португальцев и т. п.; испано-португальские евреи, или «сефарды», отличались по своему языку и образу жизни от «ашкеназов», переселенцев из Германии. Каждый кружок или земляческий союз имел свою синагогу. Кроме столицы евреи жили еще в других городах европейской Турции: в Салониках, Адрианополе, Никополе. Во главе всех турецких евреев находился верховный раввин («хахам»), который утверждался в своей должности султаном. Этот раввин, как представитель еврейства, имел право заседать в государственном совете Турции. Образованные евреи занимали иногда высокие должности при турецком дворе, в качестве советников или лейбмедиков.

Положение евреев в Турции особенно упрочилось в царствование султана Солимана Великолепного (1520 — 1566 гг.), при котором это государство достигло наибольшего могущества в ряду европейских держав. Большие услуги оказывали своему народу еврейские сановники, состоявшие в то время при константинопольском дворе. Среди них главное место занимал Иосиф Наси. Иосиф был родом из Португалии и принадлежал к богатой семье марранов, тайно исповедовавшей иудейство. Когда инквизиторы начали преследовать эту семью, она переселилась в Нидерланды, а оттуда — в Турцию, чтобы там открыто возвратиться к своей религии (1552 г.). Во время своих путешествий Иосиф познакомился со многими государственными деятелями Европы и приобрел дипломатические способности. Султан Солиман обратил внимание на эти способности Иосифа и приблизил его к себе. При Солимане, а также при его преемнике, Селиме II, Иосиф занимал высокий пост советника и посредника по иностранным делам. Он оказал в этой области большие услуги турецкому правительству, но не забывал и своих единоплеменников. Пользуясь своим влиянием на иностранные правительства, Иосиф нередко заступался за евреев, преследуемых в христианских странах. Солиман подарил Иосифу разрушенный город Тивериаду, в Палестине, с тем чтобы отстроить его и населить евреями. Селим II дал ему титул «герцога Наксоса» (Наксос — один из Цикладских островов в Архипелаге). Евреи называли своего влиятельного сановника Наси (вельможа, владетельная особа). Иосиф Наси был ревностным покровителем еврейских ученых и писателей, которых тогда было много в Константинополе; он поддерживал также раввинские школы. После смерти Селима II он удалился от государственных дел и остаток жизни провел в умственных занятиях, в кругу ученых, которым он открыл свое богатое хранилище книг и рукописей. Иосиф Наси умер в 1579 г. Его вдова, Рейна, учредила в Константинополе типографию для печатания еврейских книг.

37. Палестина. Шулхан-арух. Часть евреев, переселившихся в Турцию, утвердилась в Палестине. Со времен крестовых походов в Палестине шла борьба за господство между христианами и магометанами, так как и те и другие имели там свои святые места. Опустошенная и разоренная страна перешла под власть Турции. К этим дорогим развалинам своей древней родины пришли теперь тысячи сынов народа-странника, измученного гонениями в Европе. Бедные изгнанники не были в силах восстановить государственную жизнь своего древнего отечества; но им удалось создать здесь несколько общин, имевших свое самоуправление и ду-

ховные учреждения. В XVI веке образовались значительные еврейские общины в Иерусалиме, Цефате (Сафет в Галилее) и Тивериаде. Цефатская община особенно славилась своими учеными талмудистами. Раввин ее, Яков Берав (1540 г.), задумал даже учредить в Палестине высший духовный совет из раввинов, нечто в роде Синедриона, который бы разрешал религиозные вопросы, издавал законы и назначал духовных пастырей для евреев всех стран; но этот смелый замысел не осуществился вследствие малочисленности и бедности палестинских общин.

В это время в Палестине появился человек, который один совершил крупное дело, достойное целого Синедриона. То был Иосиф Каро (1488—1575 гг.), творец известнейшего раввинского свода законов «Шулхан-арух». Уроженец Испании, Иосиф Каро был увезен оттуда еще ребенком, во время изгнания. Молодость он провел в европейской Турции, в городах Никополе и Адрианополе. Здесь он отдался изучению раввинской письменности и обнаружил в этой области изумительные способности. Двадцать лет трудился Иосиф Каро над пересмотром сводов еврейских законов, с целью объяснить и дополнить их. Он закончил свою работу уже по прибытии в Цефат, где он сразу занял видное место среди палестинских талмудистов. Старейший из раввинов, Яков Берав, торжественно возвел его в сан законоучителя. В Цефате Каро написал новый свод всех еврейских законов для народного употребления под заглавием «Шулхан-арух» («Накрытый стол», печатался в Венеции с 1565 г.). «Шулхан-арух» состоит из четырех отделов: Орах хаим (законы о богослужении, субботе и праздниках), Иоре деа (о пище, убое скота, домашнем обиходе и пр.), Эвен га-эзер (семейное и бракоразводное право) и Хошен-мишпат (гражданское и уголовное право и судопроизводство). Все эти отделы прежних кодексов пополнены здесь новыми законами и предписаниями, выработанными на основании различных раввинских толкований или народных обычаев. «Шулхан-арух» сделался с тех пор самым полным сводом еврейских законов, так как в нем помещены и многие мелкие религиозные предписания, которые были установлены строгими ревнителями веры. Современники удивлялись силе ума и учености творца «Шулхан-аруха». Иные считали его боговдохновенным мужем. Молва гласила, будто к Иосифу Каро являлся незримый вестник (магид) свыше и вещал ему великие истины закона. Сам Иосиф Каро также смотрел на себя как на существо высшего разряда. Он увлекался тайным учением каббалы, которое тогда волновало умы в Палестине.

38. Каббала. Ари. В XVI веке каббала стала сильно распространяться среди евреев. Перенесенные народом несчастия толкали его ум в область таинственного, порождали мысли о загробной жизни или о будущем царстве мессии, избавителя еврейского народа. Впервые напечатанная в то время священная книга «Зогар» (раньше она читалась только в списках) способствовала распространению таких идей. Появились люди, которые вели жизнь отшельников, проповедовали о покаянии и о царстве небесном; они верили, что посредством каббалы можно достигнуть святости и сноситься с миром небесных духов. В Цефате жили в то время замечательные каббалисты: Моисей Кордоверо и Илия Видас. Кордоверо говорил, что есть три ступени знания: Библия, Талмуд и каббала; из них последняя — наивысшая, ибо она открывает тайны Бога. Книга Видаса «Решит хахма» («Начало премудрости») наполнена строгими нравоучениями и картинами загробных мук. В Цефате образовался кружок «богобоязненных людей», которые собирались еженедельно, по пятницам, в синагоге и исповедовались друг перед другом в своих грехах, совершенных за неделю. Во главе этого кружка стоял восторженный молодой каббалист, Исаак Лурия Ашкенази или Ари (сокращение слов «Ашкенази рабби Исаак»).

Ари родился в Иерусалиме в 1534 г., в семействе ашкеназского происхождения. Свою юность он провел в Египте, где изучал Талмуд под руководством главного каирского раввина. Но талмудическое законоведение не удовлетворяло пытливого духа юноши. Он углубился в изучение «Зогара», ища там разрешения высших вопросов веры и бытия. Он стал вести уединенную, отшельническую жизнь, предаваясь посту и молитве. Временами он впадал в восторженное состояние, и ему казалось, что он слышит голоса свыше, что его посещают чудные видения. В 1570 г. Ари прибыл в Цефат, вступил в общение с тамошним кружком каббалистов и сделался его руководителем. В сопровождении членов кружка Ари часто бродил по загородным пустынным полям и кладбищам и вещал им о таинствах веры. В известные дни они отправлялись в окрестности Цефата, где по преданию находилась гробница Симона бен-Иохаи, мнимого творца «Зогара». Здесь совершались таинственные обряды, пелись восторженные гимны и говорились речи о близости «времен чудес», о том, как подготовиться к встрече грядущего мессии. Вдруг не стало Ари; он умер от чумы в 1572 г., 38 лет от роду. Эта неожиданная смерть произвела потрясающее впечатление на его поклонников. О покойном стали говорить как о святом человеке. Утверждали, что в лице Ари в мир явился «мессия из рода Иосифа», который должен играть роль предтечи истинного мессии из рода Давида. Истолкователем тайного учения Ари сделался один из наиболее приближенных к нему учеников, Хаим Виталь, сын переписчика священных книг. Хаим Виталь излагал письменно то, что Ари сообщал устно, причем влагал в уста учителя многие из своих собственных мыслей.

Сущность учения Ари и Виталя, носящего имя «практической каббалы», состоит в следующем. Человек, вследствие греховности своей природы, удалился от своего божественного источника, от мира чистых духов, и погрузился в омут нечистых сил (келина). Задача верующего в том, чтобы освободить свою душу от власти злого начала и, путем поста и молитвы восстановить ее связь с Божеством. Очищение души после смерти совершается путем «блуждания» или переселения (гилгул): душа грешника переселяется в тело другого человека, и если она не исправится в этой новой своей оболочке, то переходит затем в тело третьего человека и так далее, пока она не очистится. Бывают случаи, что душа переходит в тело животного и терпит величайшие муки. Существует тесная связь между человеком и высшими духами. Каждое деяние, каждое слово человека производит то или другое впечатление в высших мирах. От способа совершения молитвы или какого-нибудь религиозного обряда зависят целые перевороты в небесах. Можно даже «вызывать мессию», т. е. ускорять его пришествие посредством поста, покаяния и искупления грехов. Во всяком случае, необходимо постоянно сокрушаться о разрушении еврейского царства, Иерусалима и храма; нужно страстно желать и ждать пришествие мессии-освободителя. Все эти заповеди и верования «практических» каббалистов находили отклик в умах и сердцах и, наконец, привели к мессианскому движению, взволновавшему в XVII столетии весь еврейский мир.

39. Саббатай Цеви. Жившие в Турции и особенно в Палестине евреи все более поддавались влиянию каббалистов, твердивших о близком пришествии мессии. Слухи о скором восстановлении еврейского царства в Святой Земле распространялись тогда и среди евреев других стран. В Азии и Европе многие думали и гадали о времени пришествия мессии. Говорили, что оно совершится в 1648 году, согласно темному намеку в «Зогаре». В этом году в Турции действительно появился человек, который объявил себя освободителем еврейского народа. То был Саббатай Цеви.

Саббатай Цеви (Шабси-Цви) родился в турецком городе Смирне, в день поста 9 Ава 1626 г., в семье купца сефардского происхождения. Он отличался красивой наружностью, приятным, звучным голосом и необыкновенными духовными задатками. Рано усвоил он себе те познания по Талмуду и каббале, которые входили в курс тогдашнего еврейского образования. Учителем его по Талмуду был известный смирненский раввин Иосиф Искафа, а в изучении каббалы юноша держался отшельнической системы Ари. Склонный к мечтательности, Саббатай избегал общества товарищей и предпочитал уединение. По восточному обычаю, его женили очень рано; но он отказался от брачной жизни и развелся с женой. Чем больше углублялся Саббатай в таинства «Зогара» и арианской каббалы, тем сильнее становилось в нем желание взять на себя тот подвиг искупления, которым, по учению каббалы, можно ускорить пришествие мессии. Он проводил дни в молитве и посте — и, таким образом, довел себя до состояния религиозного бреда. В таком состоянии, при котором исчезает граница между фантазией и действительностью, Саббатаю нетрудно было уверить себя в том, что он сам призван быть мессией. Сознание, что он призван к чему-то великому, проявлялось и в его обращении с товарищами. Последние невольно поддавались влиянию восторженного отшельника, посвящавшего их в тайны каббалы. Имея едва 20 лет от роду, Саббатай уже стоял во главе кружка юных мечтателей (мистиков), которых объединяла пламенная вера в близость царства мессианского. Когда наступил 1648 год, о котором предсказывал «Зогар», Саббатай решил открыться всем жителям Смирны. Однажды он в синагоге громко произнес полное, четырехбуквенное название Бога (Иегова, вместо обычного «Адонай»), что, по преданию, разрешалось только первосвященнику в древнем иерусалимском храме. Этот поступок означал, что близок момент восстановления храма.

Узнав о притязаниях Саббатая Цеви, смирненские раввины, и в том числе его учитель Иосиф Искафа, наложили «херем» (отлучение от синагоги) на самозванного мессию и его последователей. Саббатай принужден был покинуть родной город (1651 г.), но это только увеличило его славу. Приверженцы говорили о нем как о «страждущем мессии», а он сам ходил по разным городам Турции и проповедовал свое учение. В Константинополе, Салониках, Иерусалиме и Каире он приобрел множество новых приверженцев. В Каире, столице Египта, Саббатай обратил на себя внимание следующим поступком. В то время много рассказывали об одной странной девушке из Польши, Саре, которая в детстве была похищена из родительского дома и увезена в христианский монастырь, но затем бежала в Голландию и вновь перешла в иудейство. Девушка твердила, что ей суждено сделаться женой еврейского мессии. Когда эти рассказы дошли до Саббатая, он объявил, что и ему свыше велено жениться на Саре. Вскоре послы «мессии» отправились в Европу и привезли оттуда красивую Сару. В Каире, в торжественной обстановке, состоялось бракосочетание этой загадочной девушки с Саббатаем.

Все эти удивительные приключения кружили головы евреям и наполняли сердца смутными надеждами. Тяготевшее над Саббатаем проклятие раввинов было забыто, — и когда он, после долгих странствований, возвратился в Смирну, откуда в юности был изгнан, толпа встретила его восторженными кликами: *«Да здравствует наш царь, мессия!»* (1665 г.). Число приверженцев Саббатая росло с каждым днем. Появились и самозванные пророки, разглашавшие повсюду о божественном призвании спасителя из Смирны и о наступлении «времен чудес». Наиболее усердным из этих пророков-глашатаев был палестинец Натан из Газы. Натан рассылал еврейским общинам пророческие откровения, в которых возвещалось, что родившийся в Смирне мессия скоро сорвет корону с головы турецкого султана и, после многих подвигов и чудес, поведет всех евреев в Иерусалим. Вскоре о Саббатае заговорили во всех странах Европы, особенно в Италии, Голландии и Германии. Многие уверовали, что еврейство находится накануне великих событий. Какое-то душевное опьянение овладело народом. Одни, собираясь в кружки, предавались ликованию, пели и плясали, между тем как другие постились, молились и публично каялись в своих грехах, — но все одинаково готовились к встрече своего избавителя. В синагогах читались особые молитвы о мессии Саббатае Цеви. Даже христиане много говорили и писали о новоявленном еврейском мессии и связывали это событие с давними толками богословов, которые на основании Апокалипсиса предсказывали мировой переворот в 1666 г. Напрасно возвышали свой голос против легковерия народа лучшие раввины; их никто не слушал. Все взоры были обращены на Восток, откуда ожидали великих событий, знамений и чудес.

40. Мессианское движение и его конец. Наступил 1666 год, когда, по предсказаниям Саббатая и его пророков, должен был совершиться решительный переворот. Ожидали, что в этом именно году новый мессия вступит в столицу Турции и покажет султану свою мощь. Саббатай Цеви действительно отправился в Стамбул (Константинополь) в сопровождении почетной свиты. О волнениях среди евреев узнало высшее турецкое правительство — и приняло свои меры. Как только Саббатай со своей свитой прибыл в Стамбул, турецкие власти арестовали его и препроводили в тюрьму (февраль 1666 г.). Спустя два месяца пленник и его свита были водворены, по приказанию великого визиря, в замке Абидос, недалеко от Стамбула. Но это пленение мессии не только не ослабило, а еще усилило веру в него. В народе распространялись слухи, что спаситель Израиля переживает теперь тот момент страдания, который, по древнему поверию, должен предшествовать подвигу освобождения. Восторженные почитатели стекались из всех стран в столицу Турции, чтобы лицезреть нового мессию и услышать из его уст благую весть об избавлении. Многие привозили с собой богатые подарки, золото и драгоценности для нужд страждущего мессии. А «страждущий мессия» жил в Абидосе, как князь в своем замке. Подкупленная турецкая стража допускала к нему всех посетителей и послов. Замок Абидос получил у саббатианцев название Мигдал-оз (замок могущества). Отсюда Саббатай рассылал свои указы. Он предписал отменить пост 9-го Ава, установленный в память разрушения Иерусалима, и превратить его в веселый праздник, ибо в этот день родился мессия Саббатай, который скоро вновь восстановит Иерусалим и еврейское царство.

Между послами, которые из разных стран являлись к Саббатаю, было и посольство от польских евреев. Один из польских послов, каббалист Нехемия Коген, не доверял Саббатаю и хотел испытать его. Из личных бесед с Саббатаем Нехемия убедился, что последний только обманывает народ. Тогда Нехемия уехал из Абидоса и донес турецкому правительству обо всем, что там творится. Дело было доложено султану Магомету IV. Разгневанный султан хотел казнить Саббатая, как мятежника. Когда Саббатая привели ко двору, один из придворных посоветовал ему принять магометанскую веру и тем смягчить гнев повелителя. Боясь за свою жизнь, лжемессия решился на роковой шаг: когда его привели к султану во дворец, он, в знак принятия ислама, надел на голову турецкую чалму. Примеру Саббатая последовала его жена

Сара и некоторые из его учеников. Отрекшийся от иудейства мессия был назначен привратником султанского дворца в Андрианополе, и получил имя Магомет-Эфенди (август 1666 г.).

Но и после своего отступничества Саббатай не переставал вводить в заблуждение своих поклонников. Туркам он говорил, что употребляет все усилия для обращения своих единоплеменников в магометанство; евреев же уверял, что он только притворно принял чужую веру для того, чтобы привлечь магометан к иудейству и совершить подвиг искупления иноверцев. Восторженные поклонники лжемессии верили всем нелепостям, которые распространялись от его имени. Одни добровольно принимали ислам, чтобы приобщиться к делу искупления, совершаемому мессией. Другие утверждали, что не сам Саббатай, а только его призрак принял ислам и остался на земле в образе Магомета-Эфенди; сам же мессия вознесся на небо и явится, когда пробьет час освобождения. Натан Газатский и другие пророки распространяли подобные басни во всех странах, — и еврейская масса еще долго верила в божественное посланничество Саббатая. Между тем, Саббатай вел себя в Адрианополе очень странно: он то прикидывался ярым мусульманином, то совершал еврейское богослужение с песнями и пляской. Турецкому правительству опять стало подозрительно его поведение. Саббатай Цеви был сослан в Дульциньо, глухой городок в Албании, куда не допускали никого из его приверженцев. Там умер в 1676 г. мнимый мессия, одинокий и всеми покинутый.

Смерть Саббатая отрезвила большую часть его приверженцев в Азии и в Европе. Многие одумались и глубоко каялись в своих безрассудных увлечениях. Раввины усилили свое рвение и следили за тем, чтобы в их общинах не было последователей мнимого мессии, оказавшегося вероотступником. Однако остались еще легковерные люди, которые продолжали верить в божественное призвание Саббатая Цеви. Они верили, что вознесшийся на небо мессия скоро опять явится на землю и освободит еврейскую нацию. В Турции образовалась секта саббатианцев, во главе которой стоял юный шурин лжемессии, Яков Цеви. Главное гнездо секты находилось в Салониках, где жили родственники Саббатая. Среди сектантов господствовали самые странные представления о вере и нравственности. Главари их учили, что есть два Бога: Творец вселенной и Бог Израиля; последний и сошел на землю в образе Саббатая Цеви. Далее проповедовали, что нравственные правила не обязательны и что в «конце времен» можно грешить сколько угодно. Члены секты позволяли себе всяческое распутство. Турецкие власти обратили внимание на бесчинства салоникских саббатианцев и стали преследовать их. Чтобы избавиться от гонений, сектанты последовали примеру покойного лжемессии — и приняли магометанство, в числе 400 человек (1687 г.). Яков Цеви и другие вожди секты уверяли, что и это вероотступничество имеет тайный смысл. После смерти Якова Цеви главенство над салоникскими саббатианцами перешло к его сыну Берахию (1695—1740 гг.). При нем секта все более вырождалась. Члены ее наружно исполняли обряды магометанской религии, а тайно верили, что Саббатай Цеви есть воплощение Божества. Саббатианская секта в Салониках существовала еще очень долго. Остатки ее сохранились и до настоящего времени, под турецким именем донме (отступники).

Глава VIII

Евреи в Западной Европе от XVI до XVIII века

41. Италия. После изгнания евреев из Испании значительная часть их переселилась в Италию, где их соплеменники жили сравнительно спокойно. Во главе этих переселенцев стоял Исаак Абарбанель, последний великий вождь испанского еврейства. Абарбанель поселился сначала в Неаполе, а потом в Венеции. Некоторое время он занимал государственную должность при дворе неаполитанского короля, но затем оставил ее и всецело предался своим научным трудам (он написал обширный комментарий к Библии и ряд книг об основах еврейского вероучения). Потрясенный пережитыми народными бедствиями, Абарбанель в своих книгах особенно углублялся в догмат о пришествии мессии. Он пытался на основании предсказаний пророков и древних преданий определить время пришествия мессии, и ему казалось, что оно очень близко. Приближаясь к могиле, великий старец утешал себя мыслью, что близок час избавления многострадального народа. Абарбанель умер в Венеции, в 1509 году.

Вскоре после его смерти, среди итальянских евреев действительно оживились надежды на пришествие мессии. В 1524 г. в Венецию прибыл с Востока загадочный странник, относительно которого трудно сказать — был ли он обманщиком или мечтателем. Он называл себя Давидом из колена Рувимова (Реубени) и рассказывал, что идет он из далекой Аравии, где будто бы существует еврейское царство, населенное потомками древних пастушеских колен израилевых — Рувима и Гада, что его брат царствует в той стране, и что он, Давид, послан оттуда в Европу с важными поручениями к христианским государям. Давид Реубени въехал в Рим верхом на белом коне, затем отправился во дворец к папе Клименту VII и имел с ним продолжительную беседу. Из Италии Давид поехал в Португалию, и там тоже был принят с почетом, как посол еврейского царя, королем Иоанном III. Все эти таинственные переговоры породили среди евреев веру в близость каких-то важных событий. Говорили, будто аравийские израильтяне послали Давида в Европу за огнестрельным оружием, так как они собираются воевать с Турцией и отнять у нее Палестину.

Особенно волновались в Испании и Португалии тайные евреи-марраны, терпевшие бедствия от инквизиции. Один молодой марран из Лиссабона, Соломон Молхо, примкнул к мнимому еврейскому послу Давиду Реубени. Молхо углубился в изучение каббалы и, подобно многим своим современникам, мечтал о близком пришествии мессии. Увлеченный этими мечтаниями, юный Молхо отправился в Турцию и Палестину, сблизился с тамошними каббалистами и произносил пламенные речи о скором избавлении Израиля. Оттуда он возвратился в Европу и явился в Рим, где вступил в тайные переговоры с папой. Вскоре Молхо удивил всех смелым подвигом: вместе с Давидом Реубени он отправился в Регенсбург, к германскому императору Карлу V; они рассказали императору о своем намерении — призвать евреев к войне против турок, с целью отобрать Палестину. Конец этих переговоров был весьма печален. Император велел арестовать обоих странников и повез их с собой в Италию. Здесь Молхо, как отступник от христианства, был осужден инквизицией на смерть: его сожгли на костре в Мантуе, в 1532 г. Реубени же был отвезен в Испанию и там содержался в тюрьме, где он через несколько лет умер.

Евреи горько разочаровались в своих надеждах. А между тем положение их стало ухудшаться и в Италии. Римские папы начали преследовать евреев в своих владениях и возобновили унизительные для них законы Иннокентия III. В городах евреев удаляли в особые кварталы (гетто), заставляли носить особый знак на одежде, не позволяли иметь больше одной синагоги в каждом городе. Гонения на Талмуд также возобновились. В то время Талмуд стал сильно распространяться, благодаря книгопечатанию (он был впервые напечатан целиком в 1520-х годах в Венеции). Враги евреев выступили со старым обвинением, будто в Талмуде содержатся обидные для христиан мнения. Римское духовное судилище (инквизиция) приказало сжечь книги Талмуда. В домах римских евреев произвели обыск и отобрали все найденные книги. В день Рош-гашаны (1553 г.) тысячи томов Талмуда были сожжены на костре в Риме. То же делалось и в других городах Италии. Позже католическое духовенство разрешило евреям вновь печатать Талмуд, но не иначе, как с исключением всех мест, противных христианской религии. Для этого были назначены особые цензоры, преимущественно из крещеных евреев, которые усердно зачеркивали в Талмуде все указанные места и не давали перепечатывать их.

Особенно враждебно относился к евреям фанатический папа Павел IV. В изданных им двух «буллах» он установил для евреев Рима и других городов Церковной области ряд унизительных ограничений в средневековом духе. По этим законам, евреи должны были жить в каждом городе в особом квартале, носить особую одежду для отличия от христиан. Христианам запрещалось жить у евреев в качестве домашних слуг, нянек и кормилиц, пировать или веселиться с ними, лечиться у еврейских врачей, даже называть еврея «господином». Обитателям гетто дозволялось вести только мелкую торговлю, преимущественно старым платьем, или заниматься ссудой денег под малые проценты; им запрещалось приобретать недвижимое имущество (буллы 1555 г.). Эти жестокие и оскорбительные законы довели евреев до крайней степени унижения и материального разорения.

Со второй половины XVI в., евреи в Риме и других городах Италии уравнялись в бесправии с германскими своими соплеменниками. Еврейский квартал, или гетто, в Риме находился на берегу Тибра, в низменности, которая во время разливов реки часто затоплялась водой. От других частей города гетто отделялось стеной, с воротами для входа и выхода. На ночь ворота запирались и охранялись особой стражей. По свидетельству одного путешественника, посетившего Рим в 1724 г., в еврейском квартале, состоявшем из двух больших и шести малых улиц, жило в крайней тесноте около 3000 семейств, т. е. 20—25 тысяч человек. Большинство их занималось мелкой торговлей и ремеслами. Улицы гетто были усеяны лавками и лавочками, где торговали всем, начиная со съестных припасов и кончая старым платьем. Торговля старьем особенно поощрялась римскими властями, как «привилегированное» занятие старого народа; старьевщики имели право обходить христианский город для закупки подержанных вещей и даже иметь склады своих товаров вне гетто. Из ремесел самым распространенным было портняжество. *«Часто в летнее время, — рассказывает современник, — видишь сотни портных, сидящих за своей работой на улицах, возле дверей своих жилищ. Женщины изготовляют тут же пуговицы и петли для пуговиц. Эти мастерицы так усовершенствовались в своем ремесле, что портные других народностей из всего города заказывают им изготовление пуговиц и петель. В общем три четверти евреев (ремесленников) суть портные, а прочие занимаются другими ремеслами».*

Ношение отличительной одежды было обязательно для евреев, без различия пола и звания. Мужчины носили на голове желтую шапку (баррет), а женщины — головной убор из куска желтой материи шириной в полтора локтя. С течением времени евреи переменили желтый цвет головного убора на оранжевый, а потом перешли к красному, так что «барреты» мужчин были совершенно одинаковы с красными шапками кардиналов. Во избежание «соблазна», приказали евреям вновь вернуться к желтому цвету. — Все эти унижения были направлены к тому, чтобы заставить евреев отречься от своей веры и принять крещение. Для этой же цели была установлена «принудительная проповедь»: евреев насильно заставляли слушать в церквах проповеди католических священников. Каждую субботу после обеда в гетто являлись полицейские надзиратели и гнали в церковь для слушания проповеди группу мужчин, женщин и детей старше 12 лет. *«Ровно в два часа пополудни, — рассказывает очевидец (1724 г.), — слушатели должны явиться в церковь. Здесь висело большое деревянное изображение на кресте (Распятие), прикрытое мешком, дабы евреи над ним не смеялись. Тут расставлены и скамьи для сидения, причем мужчины и женщины сидят отдельно, отделенные друг от друга гардиной, как в синагогах. На возвышении устроена кафедра, на которой стоит поп. Он начи-*

*нает свою проповедь громким голосом и пересыпает
ее такой массой еврейских слов, что можно его принять за еврея. Проповедь состоит в том, что сначала оратор хвалит евреев, как избранный Богом народ, а потом говорит противное, отзывается о них
презрительно, называет упрямым племенем, так как
они не внемлют его поучениям. В это время (проповедь продолжается два часа) все должны сидеть совершенно тихо, не произносить ни слова и не спать,
ибо тут же находятся надзиратели, которые сле-
дят за этим и строго наказывают нарушителей».*
Иногда агенты папской полиции насильно уводили того
или другого еврея в «дом новообращенных», для приготовления к крещению. Там узников держали сорок
дней и уговаривали переменить веру. Иных удавалось
крестить: упорных же выгоняли обратно в гетто.

42. Литература и наука в Италии. Несмотря на
свое тяжелое гражданское положение, итальянские евреи достигли в XVI и XVII веках высокой степени
умственного развития. К ним на время как будто перешла былая образованность испанских евреев. У них
появились знаменитые талмудисты, проповедники, каббалисты, языковеды, историки и философы.

В XVII в. итальянское еврейство выдвинуло двух
оригинальных мыслителей: Иегуду де Модену и Иосифа Дельмедиго. Иегуда де Модена (1571—1648 гг.)
занимал пост раввина в Венеции, но в душе сомневал-
ся в истинности раввинизма и каббалы. Он написал
много сочинений, из которых замечательны два: одно
— против законодательства раввинов («Шаагат Ари»),
а другое — против каббалы, священные книги которой он считал подложными («Ари ногем»). Боясь об-
народовать эти сочинения при жизни, Модена оставил
их в рукописи, и они были напечатаны только в новейшее время. — Иосиф Дельмедиго (ум. в 1655 г.),

уроженец острова Кандии, был писатель иного склада. Он был образованнейшим человеком своего века, знал древние и новые языки, учился в университете в Падуе, где слушал лекции математики и астрономии у бессмертного Галилея, изучил физику и медицину, но вместе с тем увлекался каббалой. С жаждой знания у него соединялась страсть к путешествиям. Он объехал часть Европы и Азии, жил одно время в Польше и Литве; вторую половину жизни он провел в Амстердаме, Гамбурге, Франкфурте и Праге, где занимался врачебной практикой. Свои разносторонние познания по всем отраслям светских наук Дельмедиго изложил в большой книге «Элим»; «тайной науке», или каббале, посвящены меньшие его сочинения («Мацреф лехахма» и др.).

Даже женщины в Италии принимали участие в еврейской литературе. Две поэтессы, Дебора Аскарелли и Сара Суллам, писали свои произведения на итальянском языке. Дебора Аскарелли, жена почтенного еврея в Риме, переложила синагогальные гимны в красивые итальянские строфы и сочиняла также оригинальные стихи. Сара Суллам, дочь венецианского купца, была одной из образованнейших женщин своего времени. Один католический священник из Генуи долго старался обратить даровитую поэтессу в свою веру; но его усилия были напрасны. Тогда он попросил у Сары, чтобы она ему, по крайней мере, позволила молиться об ее обращении. Она исполнила эту просьбу, но с условием, чтобы священник и ей позволил молиться об его обращении в иудейскую веру. Сара Суллам умерла в 1641 г. Из ее произведений известны только немногие сонеты и одна книга о бессмертии души.

В начале XVIII века в Италии появился даровитый молодой писатель, вестник возрождения еврейской поэзии: Моисей-Хаим Луццато из Падуи (1707—1747 гг.). Луццато с юных лет обнаружил талант стихотворца и стилиста. На 20-м году жизни он написал на чистом библейском языке идиллическую драму «Мигдал оз» («Крепкая башня»), где изображается торжество чистой любви над порочной. Это было редким явлением в тогдашней еврейской литературе, где поэтическое творчество было ограничено стенами синагоги и выражалось только в скорбных молитвах или религиозных гимнах. Если бы Луццато шел дальше по этому пути, он стал бы, вероятно, преобразователем еврейской поэзии, но он увлекся господствовавшей тогда каббалой и мистикой — и его жизнь сложилась совершенно иначе. Изучив «Зогар» с комментариями Ари, он стал писать своеобразным, загадочным языком этой книги; он делал это так удачно, что осмелился назвать свои каббалистические писания «Вторым Зогаром». В своем увлечении тайной мудростью Луццато заходил слишком далеко: он верил, что мысли его сочинений диктуются ему свыше, через неведомого ангела-вещателя, «магида». В 1729 г. Луццато поделился волновавшими его думами с товарищами, с которыми изучал каббалу, — и те сделались восторженными его поклонниками. Товарищи разгласили в письмах, что в Падуе появился молодой каббалист, который скоро возвестит миру новые откровения. Это было в то время, когда раввины повсюду боролись против тайных саббатианцев и публично предавали их проклятию в синагогах. Раввины воздвигли гонения на Луццато, подозревая его в саббатианской ереси. Сначала они вынудили у него клятвенное обещание, что он больше не будет писать по каббале, а когда он не удержался и нарушил обещание, венецианские раввины произнесли «херем» (отлучение) над Луццато и его сочинениями. Отлученному нельзя было оставаться в Италии — и он стал скитаться по Германии и Голландии. В Амстердаме написал он свое лучшее произведение — философскую драму «Слава праведным» («Ла-иешарим тегила») и еще ряд книг по каббале и морали. Мистические и мессианские порывы влекли Луццато в Святую Землю: он отправился туда, но вскоре по приезде умер от чумы, имея только сорок лет от роду, и был похоронен в Тивериаде. В еврейской литературе М.-Х. Луццато стоял на распутьи: как каббалист, он принадлежал прошлому; как поэт, он был предвестником нового творчества, расцветшего в XIX веке.

43. Голландия. Акоста и Спиноза.

С открытием Америки расширился международный промышленный рынок. Главными посредниками в торговле между Старым и Новым светом были две приморские страны: Голландия и Англия. Энергичное население этих стран сбросило с себя в XVI веке иго римской церкви и приняло реформатское исповедание. В Голландии за церковным освобождением последовало политическое: страна, после долгой героической борьбы, освободилась от владычества Испании и свирепого короля Филиппа II (правнука Фердинанда Католика), этого инквизитора на престоле. Когда образовалась свободная Голландская республика (1579 г.), туда устремились гонимые за веру из Испании и Португалии. Между переселенцами были многие потомки марранов, которые тайно продолжали исповедовать иудейство и подвергались за это на родине жестоким преследованиям. Тысячи марранов переселялись в свободную Голландию и здесь открыто переходили в иудейскую веру. Это были по большей части богатые купцы, врачи, бывшие чиновники и офицеры. Из них образовалась большая община в Амстердаме, а затем возникли второстепенные общины в других городах Голландии. Основателем еврейской общины в Амстердаме считается португальский марран Яков Тирадо. В 1593 г. Тирадо прибыл с несколькими марранскими семействами в Амстердам; здесь они перешли в иудейство, взяли себе раввина и вскоре построили синагогу, названную «Бет Яков» («дом Якова»). Через двадцать лет в городе было уже несколько тысяч еврейских жителей а потом число их все росло. Голландское правительство предоставило им полную свободу самоуправления Делами амстердамской общины заведовал совет старшин («маамад»), состоящий из светских и духовных чинов; но религиозные вопросы решались только раввинами, или «хахамами». Совет старшин и хахамы имели право налагать наказания на непослушных членов общины или вольнодумцев, по своему усмотрению.

Как везде, где евреи пользовались свободой и спокойствием, они и в Голландии выдвинули из своей среды целый ряд даровитых деятелей в различных областях литературы и науки. Писали много в прозе и в стихах, на еврейском, латинском, испанском и португальском языках. В литературе голландских евреев видное место занимали поэзия и каббала, — две отрасли, питаемые преимущественно чувством и воображением. Но появлялись и философы, желавшие провести в религию начала свободной мысли. Некоторые из этих философов зашли в своем свободомыслии так далеко, что навлекли на себя гонения со стороны правоверных раввинов.

Одним из таких вольнодумцев был Уриель Акоста, бывший марран, родившийся в Португалии (1590 г.). В детстве он получил католическое воспитание, затем изучил правоведение и на 25-м году жизни занял должность казначея при одной из церквей. Но католицизм не удовлетворял его пытливый ум, и Акоста углубился в изучение библейских книг. В нем пробудилось горячее стремление вернуться к религии своих предков. Он тайно покинул Португалию, переселился в Амстердам и там перешел в иудейскую веру вместе с своими братьями и матерью. Но свободный ум Акосты не мирился со многим и в иудействе. Акосте не нравились многочисленные внешние обряды, установленные талмудистами и соблюдавшиеся очень строго. Он не желал подчиняться этим строгостям и открыто высказывался против учения «фарисеев», как он называл раввинов. Амстердамские раввины объявили вольнодумца отлученным от синагоги, пока он не исправится. Уриель Акоста не исправился, а еще более ожесточился. Он обнародовал на португальском языке «Исследование о фарисейских преданиях», где отвергал не только талмудические предания, но и некоторые из библейских (1624 г.). Тогда все евреи отшатнулись от Акосты, как от опасного еретика, и он много лет жил одиноко, в опале. Наконец, такая одинокая жизнь ему надоела, и он решил публично покаяться перед раввинами. Это покаяние совершилось при торжественной обстановке. В синагоге, в присутствии хахамов и многочисленных прихожан, Акоста громко прочел формулу покаяния и отрекся от своих, противных еврейской религии, убеждений; после этого он, по обряду покаяния, получил 39 ударов ремнем по спине, затем лег ничком на пороге синагоги, и все прихожане перешагнули через него. Все эти унижения окончательно потрясли душу несчастного вольнодумца. В припадке гнева и отчаяния, он вскоре лишил себя жизни двумя пистолетными выстрелами (1640 г.). Перед смертью он составил на латинском языке свое жизнеописание под заглавием: «Exemplar humanae vitae» («Пример человеческой жизни»).

Более стойким в своих убеждениях был другой свободный мыслитель — Барух (Бенедикт) Спиноза, величайший философ, вышедший из среды еврейства. Спиноза родился в Амстердаме, в 1632 году. В ранней юности он обучался в семиклассной «Талмуд-торе», где преподавали амстердамские раввины и ученые. От раввинской науки даровитый юноша перешел к изучению средневековой еврейской философии Ибн-Эзры, Маймонида и Крескаса, а затем обратился к общим наукам. Сильное впечатление произвела на него появившаяся тогда новая система философии Декарта. Свободный разум сделался для Спинозы единственным источником познания, стоящим выше религиозного предания. Спиноза стал жить не так, как учили его раввины, а так как ему казалось разумным. Он перестал посещать синагогу и не исполнял религиозных обрядов, которые считал излишними. Когда все усилия раввинов вернуть Спинозу на путь веры оказались напрасными, его торжественно объявили отлученным от синагоги (1656 г.). После этого Спиноза покинул Амстердам и редко туда возвращался. Последние годы своей жизни он провел в городе Гааге. Он жил уединенно, погруженный в свои философские занятия; только немногие часы ежедневно посвящал он ремеслу, которым снискивал себе скудное пропитание, а именно — шлифовке оптических стекол. В 1670 г. Спиноза обнародовал на латинском языке «Богословско-политический трактат», который вызвал тревогу среди духовенства всех вероисповеданий. Это была первая свободная критика библейских истин, как основы всякого богословия. В «Этике» и других сочинениях Спиноза изложил свое общее философское учение, по которому Божество и мир составляют одно нераздельное целое (пантеизм). Это учение прославило имя Спинозы во всем мире, оно имело позже горячих противников и столь же горячих приверженцев среди христиан и евреев. Но еврейские мыслители того времени не могли принять учение своего отлученного единоверца. Они слишком много страдали за свою религию, чтобы решиться изменить ее по требованиям философского разума. Спиноза оставался в опале у своих соплеменников до своей смерти (1677 г.).

44. Манасса бен-Израиль и возвращение евреев в Англию. Среди голландских раввинов и писателей XVII века самое видное место занимал Манасса (Менаша) бен-Израиль. Он родился в 1604 г. в Лиссабоне, в марранской семье. Отец его долго томился в тюрьмах португальской инквизиции за свою тайную привязанность к иудейству; наконец, он бежал с семьей в Амстердам, где стал открыто исповедовать свою веру. Манасса получил многостороннее образование. С глубоким знанием еврейской письменности он соединял чрезвычайную начитанность в европейских литературах. Он владел десятью европейскими языками и находился в дружеских отношениях с знаменитейшими христианскими учеными своего времени; некоторое время он состоял также в переписке с любительницей наук, шведской королевой Христиной. Эту известность Манасса приобрел благодаря своим сочинениям, написанным частью на испанском и латинском языках, частью на еврейском. Из еврейских его трудов особенно известно сочинение «Дыхание жизни» («Нишмат хаим», 1652 г.), составляющее смесь философии и каббалы. Но наибольшее внимание возбудила его, написанная по-английски, книга «Защита евреев», в которой автор опровергает суеверные средневековые обвинения против еврейского народа. Этим сочинением Манасса оказал важную услугу своим соплеменникам в стране, откуда их некогда изгнали вследствие средневековых предрассудков, а именно в Англии.

Около трех с половиной столетий прошло со времени изгнания евреев из Англии (1291 г.). За это время жизнь английского народа сильно изменилась; население, в большей своей части, перешло от католического к реформатскому исповеданию. Образовалась секта строгих «пуритан», которые усердно читали «ветхозаветные» книги Библии и в них искали основы истинной веры. Эта любовь к Библии приближала английских реформатов к еврейству. Многие англичане считали желательным и справедливым, чтобы евреям дозволено было вновь селиться в Англии. Правителем Англии был в то время бескоролевья (1649 — 1658 гг.) пуританин Кромвель, горячий почитатель и знаток Библии. Группа еврейских коммерсантов в Амстердаме решила воспользоваться благоприятными обстоятельствами, чтобы ходатайствовать о допущении евреев в Англию. Они избрали своим представителем Манассу бен-Израиля и поручили ему вести переговоры с английским правителем. После обмена письмами с Кромвелем, Манасса лично отправился в Лондон (осенью 1655 года). Здесь он подал Кромвелю записку («адрес») от имени «еврейской нации», прося допустить евреев на жительство в Англию и предоставить им свободу религии, промыслов и общинного самоуправления. Кромвель назначил комиссию из светских и духовных особ для рассмотрения возбужденного евреями ходатайства. В английском обществе это ходатайство вызывало много толков. Появились некоторые книжки, авторы которых старались воскресить средневековые предрассудки против евреев. В опровержение этих нелепых предрассудков, Манасса бен-Израиль обнародовал в Лондоне свою вышеупомянутую книгу «Защита евреев», которая произвела сильное впечатление на англичан. Английское правительство медлило с разрешением вопроса о допущении евреев, но не выселяло тех, которые раньше успели уже поселиться в Лондоне. Мало-помалу в столице Англии образовалась порядочная еврейская община, преимущественно из голландских сефардов, а позже евреи свободно селились во всех городах Великобритании. Манасса не дожил до этого успеха своих трудов: он умер на обратном пути из Лондона в Голландию, в 1657 г.

45. Германия. Евреи и Реформация. Великое религиозное движение, которое под именем «Реформация» обновило жизнь многих народов Европы, исходило из Германии. Здесь впервые раздался протест против гнета католической церкви и безграничной власти римского папы. Во главе «протестантов» стал знаменитый Мартин Лютер (1517 г.). Незадолго до его появления, в Германии возгорелась борьба между темными монахами-доминиканцами и просвещенными немцами из партии «гуманистов». Главный представитель гуманистической партии, Иоганн Рейхлин, основательно знал древнееврейский язык, который изучил под руководством ученых евреев. Знакомство с еврейской литературой сделало Рейхлина искренним другом и защитником евреев, которых католическое духовенство жестоко преследовало. Желая вредить одновременно и евреям, и изучавшим еврейские книги гуманистам, монахи привлекли на свою сторону бесчестного крещеного еврея Пфеферкорна, бывшего мясника, и объявили от его имени, будто в Талмуде и других религиозных книгах иудеев содержатся богохульные и безнравственные мнения. Монахам и Пфеферкорну удалось выхлопотать у германского императора Максимилиана I указ об уничтожении еврейских книг (1509 г.). Духовным властям было поручено отобрать у евреев их религиозные книги и предать сожжению те, в которых окажутся противные христианству выражения. Тогда в защиту опальных книг выступил благородный Рейхлин. В своем отзыве, поданном высшему духовенству, он доказывал лживость доносов Пфеферкорна и монахов. Рейхлин писал, что Талмуд есть древний свод толкований к заповедям Библии и содержит в себе еврейское богословие, правоведение и медицину; что сжечь Талмуд — бесполезно, ибо против мнений нужно бороться убеждением, а не грубой силой; что книги по каббале следует даже поощрять, так как в них высказываются часто мысли, весьма близкие к христианской догматике. Отзыв Рейхлина вызвал бурю среди «темных людей», как называли ревнителей католической церкви. Автора обвинили в распространении иудейской ереси и призвали к ответу перед судом инквизиторов в Кельне. Неизвестно, чем кончилась бы борьба между гуманистами и «темными людьми», если бы в это время не началась деятельность Лютера, приведшая большую часть немцев к совершенному отпадению от римской церкви.

Отношение основателя протестантской церкви, Лютера, к еврейству отличалось крайним непостоянством. В первые годы своей деятельности он проповедовал, что с евреями нужно обращаться кротко. В одном из своих сочинений, обнародованном в 1523 г., Лютер резко нападал на врагов еврейского народа. *«Наши дураки, —* писал он, — *паписты, епископы и монахи, поступали доселе с евреями так, что истинно-добрый христианин должен был бы сделаться евреем. Если бы я был евреем и видел, что такие тупоумцы управляют церковью, то я бы согласился скорее быть свиньей, чем католиком. Ибо они поступали с евреями так, как если бы последние были псами, а не людьми. А ведь евреи — наши кровные родственники и братья нашего Господа... К ним надо применять закон не папской, а христианской любви, принимать их дружелюбно, давать им возможность работать и промышлять рядом с нами».* Но позже, когда Лютер достиг власти и сам стал претендовать на роль непогрешимого папы для протестантов, его отношение к евреям резко изменилось. Он стал говорить, что евреев нужно везде преследовать, как врагов Христовых, что нужно разрушать до основания их синагоги, «во славу нашего Господа и христианства», отбирать у них книги Талмуда и молитвенники, запретить раввинам обучать закону веры, стеснять евреев еще больше в их промыслах, а здоровых отправлять на принудительные работы (1543 г.). Незадолго до смерти, Лютер говорил своим последователям, что евреев нужно или поголовно окрестить, или изгнать из государства. Таким образом, творец немецкой Реформации укоренил в своих последователях многие из грубых средневековых предрассудков, против которых он призван был бороться.

46. Бесправное положение евреев в Германии и Австрии. Реформация ослабила в протестантских государствах власть церкви, но не уничтожила вражды к иноверцам. Положение евреев изменилось только в том отношении, что теперь их больше притесняли светские власти, чем духовные. Германские императоры большей частью отдавали своих «коронных рабов», евреев, на произвол областных и городских правителей. А в городах евреи имели постоянных врагов в купеческом и ремесленном сословиях, которые не терпели экономического соперничества инородцев. Городские магистраты (управы) и ремесленные цехи притесняли и унижали бесправных обитателей гетто. Иногда дело доходило до погромов. Во Франкфурте-на-Майне ремесленники-христиане напали однажды на еврейский квартал под предводительством пекаря Фетмильха. Евреи отчаянно защищались за стенами своего гетто и убили первых смельчаков, ринувшихся на приступ. Но дальнейшее сопротивление огромной массе нападающих было невозможно, и после нового приступа еврейский квартал был взят. Шайка Фетмильха ворвалась туда, грабила, разрушала, совершала всякие насилия и, наконец, изгнала евреев из города (1614 г.). Такой же погром повторился и в Вормсе, другой многочисленной еврейской общине Германии. И здесь ремесленники, после долгой борьбы с евреями, принудили их покинуть город (1615 г.). На этот раз, однако, император Матфий заступился за евреев. Он велел наказать зачинщиков погрома: Фетмильх и его товарищи были обезглавлены, а евреи были вновь водворены в своих кварталах, во Франкфурте и Вормсе, под охраной императорских войск.

Не лучше было положение евреев в восточной части Германской империи, в Австрии, где католическое исповедание осталось господствующим. Во время Тридцатилетней войны католиков с протестантами (1618—1648 гг.) евреи терпели немало от грабежей и насилий наводнивших Австрию иноземных войск. Германские императоры, местопребыванием которых была столица Австрии, Вена, разрешали евреям жить в этом городе, в особом квартале. Более многочисленная еврейская община существовала в главном городе Богемии, Праге. Император Фердинанд II, живший во время тридцатилетней войны, предоставлял евреям этих городов очень скудные гражданские права; но зато он, как ревностный католик, сильно заботился о спасении их душ; в 1630 году он повелел: обязать евреев Вены и Праги собираться каждую субботу для слушания проповедей католических священников, причем невольным слушателям строго запрещалось разговаривать или спать во время этих проповедей. — Спустя сорок лет, при императоре Леопольде I, венских евреев постигло крупное несчастье. Жена Леопольда, набожная испанка Маргарита, питала к евреям ненависть, которую еще более разжигали в ней ее духовники. Однажды, когда она родила мертвого младенца, императрица упросила своего мужа смягчить гнев Божий «богоугодным делом» — изгнанием евреев из Вены и Нижней Австрии. Леопольд исполнил задушевное желание жены и духовенства, хотя в государственном совете раздавались голоса против столь бесчеловечной меры. В 1670 г. был обнародован указ, обязывающий евреев выселиться из Вены и герцогства Австрийского в течение нескольких месяцев. Напрасно венские евреи употребляли все старания, чтобы жестокое повеление было отменено, напрасно предлагали громадные денежные взносы в казну и прибегали к заступничеству сильных вельмож и иностранных послов. Указ остался в силе — и несколько тысяч евреев должны были оставить Вену и Нижнюю Австрию. Венский магистрат купил у Леопольда за сто тысяч гульденов опустевший еврейский квартал и назвал его в честь императора Леопольдштадтом. Еврейские синагоги были обращены в церкви.

Горсть венских изгнанников утвердилась в Пруссии, которая в то время начала оспаривать у Австрии первенство в Германской империи. Великий курфюрст Бранденбурга и Пруссии, Фридрих-Вильгельм, охотно допускал евреев в свои владения. В Берлине образовалась еврейская община, которая впоследствии сделалась одной из крупнейших в Германии. Сын великого курфюрста, прусский король Фридрих I уже ограничивал права евреев. Один протестантский богослов, Эйзенменгер, собрал из разных книг все нелепые средневековые выдумки про евреев и их религию и изложил это на немецком языке в большой книге, под именем «Разоблаченное иудейство» (Entdecktes Judenthum). Когда книга еще печаталась во Франкфурте, о ней уже носились тревожные слухи. Евреи ходатайствовали перед германским императором Леопольдом о запрещении лживой книги, могущей возбудить против них ярость легковерных христиан. Император удовлетворил это ходатайство, но прусский король Фридрих I впоследствии разрешил напечатать ее в своем городе Кенигсберге (1711 г.). С тех пор книга Эйзенменгера стала для врагов еврейства неиссякаемым источником ложных обвинений и чудовищных клевет. Оттуда заимствовались искаженные талмудические и раввинские изречения и всякие выдумки, выставляющие еврейство в смешном или отталкивающем виде.

47. Духовная жизнь германских евреев. Отчужденные от немцев в своем гражданском быту, евреи обособлялись и в своей духовной жизни. Несмотря на наступление нового времени, средневековые порядки еще твердо держались в еврейских кварталах. Юноши с ранних лет питали свой ум только талмудической наукой, ей же посвящали свои досуги люди средних классов, а простолюдины и женщины удовлетворяли свою духовную пытливость чтением нравоучительных книг, которые стали появляться и на разговорном немецко-еврейском наречии — «жаргоне». В XIV веке умственным центром германско-австрийских евреев сделалась столица Богемии — Прага. Здесь была основана еврейская типография; здесь существовали высшие талмудические школы, или «иешивы», во главе которых стояли известные раввины. Один из этих раввинов, Яков Поляк (ум. ок. 1530 г.), прославился изобретением пилпула, или способа искусственных словопрений при изучении Талмуда. Сущность пилпула состояла в том, что учащийся запутывал какой-либо талмудический вопрос и затем сам его распутывал; сначала приводились все относящиеся к данному вопросу противоречивые места Талмуда и его толкований, а потом эти противоречия искусственно улаживались. То была умственная гимнастика, которая изощряла способность рассуждения, но вредила правильному и ясному мышлению. Лучшие раввины осуждали пилпул.

Имя одного из пражских раввинов, Иомтов-Липмана Геллера, связано с историей австрийских евреев во время тридцатилетней войны. Геллер состоял председателем комиссии для раскладки между еврейскими общинами Богемии налога в 40000 гульденов, который отсылался ежегодно в Вену на нужды войны. Хотя раввин старался справедливо распределить этот тяжелый налог, тем не менее он не избег нареканий на себя. Враги его послали в Вену жалобу на неправильную раскладку и при этом донесли, будто раввин Липман Геллер употребил в одном из своих сочинений оскорбительные для христианства выражения. Вследствие этого пражский раввин по приказу императора был арестован и привезен в Вену (1529 г.). Здесь его сначала содержали в тюрьме вместе с уголовными преступниками. По обвинению в оскорблении церкви ему грозила смертная казнь. Опасность была устранена только благодаря чрезвычайным стараниям венской еврейской общины. Император велел освободить Геллера из заключения, но лишил его права занимать должность раввина и приговорил к штрафу в десять тысяч гульденов. Лишенный должности в Праге и всего своего состояния, Липман Геллер переселился в Польшу, где занял пост раввина в Кракове. Из его сочинений наибольшее значение имеет комментарий к Мишне («Тосфот Иомтов»), ставший школьным руководством, и интересная автобиография («Мегилат эйва»), с описанием всех приключений автора.

Одним из немногих представителей светского знания в этом царстве раввинизма был Давид Ганс (ум. в 1613 г.), проведший большую часть жизни в Праге. Наряду с Талмудом, Ганс разрабатывал математику, географию и историю. Он был дружен с знаменитыми астрономами Кеплером и Тихо де Браге. Давид Ганс составил историческую летопись, где в первой части вкратце изложена еврейская история, а во второй — всеобщая («Цемах Давид», Прага, 1592 г.). При составлении этой книги автор пользовался и многими нееврейскими летописями. Он написал еще две книги по астрономии и математической географии. Каббала также имела в Германии своего крупного представителя в лице Иешаи Горвица (1630 г.), раввина Франкфурта и Праги. Вследствие смут тридцатилетней войны, он переселился в Палестину и там провел остаток своей жизни в подвигах строгого благочестия и покаяния. Он жил в Иерусалиме и Цефате, гнезде каббалистов-отшельников. Здесь закончил он начатое еще в Европе обширное сочинение «Шне лухот габрит» (т. е. «Две скрижали завета»), известное под сокращенным именем «Шело». Это огромный сборник, где перемешаны каббала, законоведение, нравоучения, правила покаяния и отшельничества, в духе Ари и Виталя.

Мессианское движение, вызванное Саббатаем Цеви, увлекло в свое время и германских евреев. Угнетенный народ нетерпеливо ожидал чудесного избавителя, но горько разочаровался. Когда обман Саббатая открылся, раввины стали строго преследовать всех подозреваемых в принадлежности к саббатианской секте. Одним из главных ревнителей этого рода был известный талмудист Яков Эмден (Ябец), живший в Альтоне, близ Гамбурга (ум. в 1776 г.). Эмден повсюду искал следы саббатианской ереси и беспощадно преследовал всех подозреваемых в ней, хотя бы это были самые почтенные представители еврейства. В своих книгах («Торат га-кенаот» и др.) он резко обличал как умерших, так и живших еще тогда «еретиков». Особенно много шуму наделал Эмден своей борьбой с известным пражским раввином Ионатаном Эйбешицом (ум. в 1764 г.). Глубокий знаток Талмуда и красноречивый проповедник, Эйбешиц занимался также каббалой и, по слухам, имел тайные сношения с саббатианцами. Он писал на пергаменте каббалистические заклинания и давал их больным, как целительные талисманы («камеи»). Когда Эйбешиц занял должность раввина в Гамбурге и сделался близким соседом Эмдена, последний стал следить за ним. Получив некоторые талисманы Эйбешица, Эмден объявил, что в них имеются намеки на Саббатая Цеви, и стал громко обвинять их автора в склонности к саббатианской ереси (1751 г.). Это вызвало волнение среди раввинов. Образовались две партии: одна стояла за Эмдена, другая за Эйбешица. Борьба длилась долго, до смерти Эйбешица, и привела к полному расколу между талмудистами и каббалистами в Германии.

Глава IX

Евреи в Польше и России (XVI—XVIII вв.)

48. «Золотой век». XVI столетие считается «золотым веком», или временем процветания, евреев в Польше и Литве. После того, как Испания потеряла свое главенство в еврейском мире, Польша приобрела это главенство. Ужасы средних веков загнали сюда из Западной Европы множество евреев, которые заняли важное место в хозяйственной жизни страны. В Польше выше всех стоял класс землевладельцев (шляхта), а ниже всех — класс земледельцев-крестьян; между ними евреи занимали среднее место, как торгово-промышленный класс. С евреями соперничали в городах только польские ремесленные цехи и немецкие купцы.

Польские короли XVI в. покровительствовали евреям. Сигизмунд I (брат и преемник короля Александра, 34) подтвердил льготные для них грамоты прежних королей (1507 г.). Богатые евреи оказывали ему важные услуги в государственном хозяйстве: они брали в откуп сбор казенных налогов и пошлин, ссужали короля деньгами в случае войны, арендовали королевские имения или управляли ими, извлекая из них большие доходы, — словом, обогащали казну. Влиятельным лицом при дворе сделался богатый брестский еврей Михель Иезофович, главный откупщик и сборщик податей в Литве. Сигизмунд I назначил Михеля Иезофовича старшиной над всеми литовскими евреями (1514 г.). Новый старшина получил широкие полномочия: ему предоставлялось право непосредственно сноситься с королем по важнейшим еврейским делам, «судить и рядить своих соплеменников по их собственным законам», взимать с них установленные казенные подати; в качестве помощника при нем должен был состоять раввин, знаток еврейского религиозного права. Это обеспечение законных прав евреев значительно способствовало их благосостоянию. Существовали зажиточные еврейские общины в Бресте, Гродно, Троках, Пинске и других городах Литвы.

Благосостояние евреев возбуждало зависть их врагов, особенно католического духовенства. В то время в Польше стали распространяться учения западных реформатов, близкие к Библии; было также несколько примеров обращения католиков в иудейство. Краковская мещанка Екатерина Залешовская, уличенная в склонности к иудейству, была сожжена на костре среди краковского рынка, по распоряжению местного епископа (1539 г.). Духовенство возбудило против евреев обвинение в том, что они обращают в свою религию многих католиков, особенно в Литве. Предлагались уже суровые меры против евреев, но справедливый король Сигизмунд I оградил своих еврейских подданных от козней их врагов.

Преемник его, Сигизмунд II Август (1548—1572 гг.), объявил при вступлении на престол, что он будет охранять все гражданские права евреев. Этот король расширил самоуправление еврейских общин. Он предоставил раввинам и старостам право судить непослушных или преступных членов общин по моисеево-талмудическим законам и приговаривать виновных даже к строгим наказаниям. Так возникла организация еврейского общинного управления, которая объединяла членов каждой общины и тем усиливала единство всего народа. В царствование Сигизмунда II католическое духовенство вновь попыталось вызвать гонения на евреев. Пущена была молва, будто одна христианка из Сохачева продала церковное причастие евреям, которые кололи святой хлеб, пока из него не потекла кровь. Мнимые участники преступления были сожжены на костре; но король выразил свое негодование по поводу осуждения невинных людей по суеверному подозрению. Когда духовенство стало распускать слухи об убиении евреями христианских младенцев, в виде пасхальных жертв, король издал указ, коим запрещалось возбуждать подобные нелепые обвинения без предварительного подтверждения факта четырьмя свидетелями-христианами и тремя евреями (1566 г.). Преемник Сигизмунда II, Стефан Баторий, также объявил упомянутые обвинения «клеветой», придумываемою с целью преследовать и грабить евреев. Он ревностно охранял прежние гражданские права евреев и прибавил от себя несколько новых льгот (1580 г.).

В это время в Польше прочно утвердился и приобрел власть монашеский орден иезуитов, поставивший себе целью бороться всеми средствами против некатоликов, т. е. реформатов, православных и евреев. Иезуиты захватили в свои руки воспитание польского юношества; из их школ выходили люди, зараженные самыми дикими суевериями и ненавистью к иноверцам. Эти питомцы иезуитов впоследствии достигли власти и оказывали гибельное влияние на ход государственных дел. Короли Сигизмунд III и Владислав IV, царствовавшие в первой половине XVII века, уже не заступались за евреев так ревностно, как их предшественники. Городские управы (магистраты) и цехи стесняли евреев в правах торговли и ремесел, а католическое духовенство чаще возбуждало против них суеверные религиозные обвинения. Но тогда евреи были еще настолько сильны, что могли бороться со своими врагами. Эту силу давали им свободное самоуправление в общинах, внутреннее единство и богатая духовная жизнь.

49. Кагалы и Ваады. Школы. Евреи составляли в Польше особое сословие, управлявшееся во внутренней жизни своими выборными представителями, светскими и духовными. Делами еврейских общин заведовали кагалы, т. е. общинные советы. Такие советы находились во всех городах еврейской оседлости, за исключением маленьких местечек или деревень, еврейское население которых подчинялось ближайшему кагалу. Члены кагальных советов избирались ежегодно в дни Пасхи, посредством голосования и жребия. Они делились на группы, из которых каждая имела свои обязанности. Во главе кагала стояли 3 или 4 старшины (роши); за ними следовали почетные особы (тувы), судьи (даяны), попечители и старосты различных учреждений (габаи). Круг деятельности кагала был очень широк. Кагал взыскивал в своем округе и вносил в казну государственные подати, делал раскладки налогов, казенных и общественных, заведовал синагогами, кладбищами и всеми благотворительными учреждениями, выдавал купчие крепости на недвижимое имущество, заведовал делом обучения юношества, разбирал тяжбы между членами общины при помощи даянов и раввина.

Раввины судили по законам Библии и Талмуда, насколько эти законы были применимы к жизни. Но бывали случаи, когда местный раввинский суд колебался в применении тех или других законов, или когда тяжущиеся, недовольные решением этого суда, обращались к другому, высшему суду; бывали также случаи споров между одним кагалом и другим, или между отдельным лицом и кагалом. Для таких случаев устраивались ежегодно съезды раввинов и старшин, игравшие роль высших судебных учреждений. Сначала такие съезды происходили во время больших ярмарок, где скоплялось много народу из разных мест. Главным сборным пунктом была Люблинская ярмарка. Здесь, еще при Сигизмунде I, собирались раввины («докторы») и разрешали гражданские тяжбы «согласно своему закону». Позже ярмарочные съезды раввинов и кагальных старшин участились и привели к образованию ежегодно созываемого Сейма или Ваада, где участвовали представители от главных еврейских общин всей Польши. Он назывался «Сеймом четырех областей» («Ваад арба арацот»), ибо в нем участвовали уполномоченные четырех частей государства: Великой Польши (главный город — Познань), Малой Польши (Краков), Подолии (Львов) и Волыни (Острог или Владимир). «Ваад» не только разрешал важнейшие судебные споры и разъяснял законы, но издавал также новые постановления относительно устройства общественного и духовного быта евреев в разных местах. Деятельность «Ваада четырех областей» особенно усилилась в XVII веке. Литва, стоявшая отдельно от «коронных» польских областей, имела свой особый «Ваад», в котором участвовали раввины и кагальные депутаты от пяти главных литовских общин: Бреста, Гродно, Пинска, Вильны и Слуцка.

Вожди народа заботились об укреплении его единства и сохранении его национальных особенностей. Обучение детей составляло постоянную заботу кагалов и ваадов. Раввин в каждой общине считался ближайшим опекуном учащегося юношества. Он часто занимал должность рош-иешивы, т. е. ректора высшей талмудической школы, в своем городе и вместе с тем имел надзор за низшими школами или «хедерами»; но в больших общинах, где раввин имел свои многочисленные духовные и судебные обязанности, должность рош-иешивы занимало особое лицо из среды прославившихся талмудистов.

Современный летописец дает следующую яркую картину школьной жизни в еврейских общинах Польши и Литвы, в первой половине XVII века. *«Нет такой страны,* — говорит он, — *где святое учение было бы так распространено между нашими братьями, как в государстве польском».* В каждой общине существовала иешива, глава которой получал щедрое содержание из общественных сумм, дабы он мог жить спокойно и предаваться учению. Общины содержали также на свой счет юношей («бахурим»), обучавшихся в иешиве. К каждому юноше приставляли не меньше двух мальчиков («неарим»), которых он должен был обучать, дабы упражняться в преподавании Талмуда и в научных прениях. Каждый юноша со своими двумя учениками кормился в доме одного из состоятельных обывателей и почитался в этой семье как родной сын... И не было почти ни одного еврейского дома, в котором сам хозяин, либо сын его, либо зять, либо, наконец, столующийся у него иешиботник не был бы ученым; часто же все они встречались в одном доме.

«Порядок учения в Польше был следующий. Было два учебных полугодия в иешивах: летнее и зимнее. В начале каждого полугодия в иешивах изучали с большим прилежанием Гемару (Вавилонский Талмуд), с комментариями Раши и тоссафистов. И собирались ежедневно мудрецы общины, молодые люди и вообще все, сколько-нибудь прикосновенные к науке, в здании иешивы, где на первом месте восседал начальник заведения (рош-иешива), а вокруг него располагались, стоя, множество ученых и учащихся. Рош-иешива читал лекцию по галахе с толкованиями и дополнениями. После лекции он устраивал научные прения (хилук): сопоставлялись разные противоречивые места из текста Талмуда или из комментариев; эти противоречия улаживались разными другими ссылками, затем открывались противоречия в самих ссылках и разрешались новыми ссылками, и так далее, пока вопрос не был окончательно разъяснен».

«При начальнике иешивы состоял особый служитель, который ежедневно обходил первоначальные школы (хедеры) и наблюдал, чтоб дети в них усердно учились и не шатались без дела. Раз в неделю, по четвергам, ученики хедеров обязательно собирались в дом «школьного попечителя» («габай»), который экзаменовал их в том, что они прошли за неделю, и если кто-нибудь ошибался в ответах, то служитель бил того крепко плетьми, по приказанию попечителя, а также подвергал его великому осрамлению перед прочими мальчиками, дабы он помнил и в следующую неделю учился бы лучше. По пятницам же, еженедельно, мальчиков экзаменовал сам рош-иешива. Оттого-то и был страх в детях, и учились они усердно... Люди ученые были в большом почете, и народ слушался их во всем; это поощряло многих домогаться ученых степеней, и таким образом земля была наполнена знанием».

50. Процветание раввинизма. Благодаря самоуправлению общин и размножению школ, талмудическая наука в Польше достигла небывалого процветания. Прежде незаметная в еврейском духовном мире, Польша в XVI веке заняла здесь первое место. Первые крупные ученые прибыли в Польшу из соседней Богемии, где тогда процветал талмудический «пилпул», изобретенный Яковом Поляком (47). Ученик Поляка, Шалом Шахна (ум. в 1558 г.), учредил талмудическую иешиву в Люблине. Из этой иешивы вышли известнейшие польские раввины того времени. Один из них, краковский ученый Моисей Иссерлис (сокращенно Рамо, ум. в 1572 г.), жил в одно время с палестинским творцом «Шулхан-аруха», и много сделал для распространения этого свода законов в Польше. Иосиф Каро, как сефард, не поместил в своей книге особых обрядов и обычаев, употреблявшихся среди ашкеназов, т. е. немецких и польских евреев. Иссерлис же включил в текст «Шулхан-аруха» множество новых статей законов, выработанных на основании народных обычаев или религиозно-судебной практики ашкеназийских раввинов. Так как книга Каро носила название «Накрытый стол», то Иссерлис назвал свои дополнения к ней «Скатертью» («Маппа»). В этом именно дополненном виде «Шулхан-арух» был введен в качестве свода законов среди польских, литовских и русских евреев. Иссерлис стоял во главе еврейской общины в древней польской столице Кракове; он был окружен многочисленными учениками, которые впоследствии стали великими раввинами. Кроме своих прибавлений к «Шулхан-аруху», он писал еще отдельные книги по части раввинского законоведения и богословия.

Современником и другом Иссерлиса был замечательный талмудист Соломон Лурия (Рашал, ум. в 1573 г.), занимавший пост раввина сначала в Остроге, а потом в Люблине. В отличие от своего краковского друга, он не придавал значения «Шулхан-аруху», который казался ему простой и легкой книгой для народа, недостойной внимания серьезного ученого. Лурия углублялся в исследование первоисточника всех законов — Талмуда; он составил глубокомысленный комментарий ко многим его трактатам под именем «Соломоново море» («Ям шел Шеломо»). Он имел учеников и последователей и продолжал свое направление в раввинской литературе. К Лурии и Иссерлису обращались с вопросами по части раввинской науки и законоведения из всех областей Польши, а также из Италии, Германии и Турции. Собрания ответов и решений того и другого были опубликованы под названием «Шаалот у-тешувот» («Вопросы и ответы»).

По следам этих двух родоначальников польского раввинизма шли ученые следующих поколений. Одни писали комментарии к Талмуду (рабби Меир Люблинский, или Магарам, р. Самуил Эдельс из Острога или Магаршо); другие писали толкования и дополнения к прежним сводам законов (р. Мордохай Иофе из Познани, Иоиль Сиркис из Кракова, Давид Галеви из Львова и др.).

В XVII веке еврейская наука процветала в Польше, как некогда в Вавилонии во времена амораев. Множество ученых сочинений печаталось в еврейских типографиях Кракова и Люблина. Талмуд и раввинская наука безраздельно господствовали в Польше. Светские знания и философия были в загоне. Только каббала изучалась любителями мистики. Наиболее известен труд Натана Шапиро, краковского каббалиста, под заглавием «Разоблачение глубин» («Мегале амукот», 1637 г.).

Вызванное Реформацией религиозное брожение породило в польском обществе несколько сект с антицерковными воззрениями. Наиболее приближалась к догматике иудаизма секта «унитариев», отрицавшая догмат Троицы и божественную природу Христа, но признававшая религиозно-нравственное учение Евангелия. Католическое духовенство презрительно называло таких вольнодумцев «иудействующими» или «полуевреями». Христианские богословы разных направлений часто вели устные диспуты с раввинами. Результатом этих диспутов явилась одна замечательная книга: «Укрепление веры» Исаака из Трок («Хизук Эмуна», 1593 г.). В первой части этой книги еврейский ученый защищает иудаизм против нападок христианских богословов, а во второй — переходит в наступление и критикует учение церкви. Он открывает ряд противоречий в текстах Евангелий, указывает на резкие отступления Нового Завета от Ветхого и на отступления позднейшей церковной догматики от самого Нового Завета. Долгое время боялись печатать эту книгу, и она впервые появилась в свет только спустя сто лет в латинском переводе христианина, носящем устрашающее заглавие «Огненные стрелы сатаны» и напечатанном для обличения «еврейских заблуждений». Позже этим изданием воспользовались Вольтер и французские энциклопедисты XVIII века для нанесения ударов учению церкви.

51. Хмельницкий и казацкая резня. В середине XVII века произошла резкая перемена к худшему в жизни польских евреев. Эта перемена была вызвана обострившейся борьбой народностей, религий и сословий в тогдашней Польше. Боролись между собой польская и русская народности, католичество и православие, дворянство и крестьянство. Польская шляхта угнетала в своих поместьях русских крестьян, а католическое духовенство подстрекало правителей к притеснению иноверцев и особенно православных. Этот гнет наиболее чувствовался в восточных областях Польши, носивших имя Украина. Здесь русские люди составляли главную часть населения; большинство их, крестьянское сословие, работало на польских панов-помещиков, а меньшинство образовало особое военное сословие — казачество, служившее во время войн польскому правительству. Кроме казаков, находившихся на королевской службе, были еще вольные казаки, жившие в степях за порогами Днепра и называвшиеся запорожцами. Православные казаки и крестьяне ненавидели поляков, как угнетателей русского народа; ненавидели они и евреев, как промышленников, занимавших среднее место между панами и крестьянами. Евреи часто держали в аренде шляхетские поместья и, таким образом, приобретали ту власть над крестьянами, которую имели паны. Сталкиваясь чаще с арендатором-евреем, чем с польским паном, русский крестьянин считал первого главным виновником своих бедствий и стремился отомстить ему. К этому озлоблению примешивалась религиозная ненависть темного русского населения к евреям. Долго накоплявшееся недовольство привело, наконец, к страшному восстанию казаков и русских крестьян в последний год царствования Владислава IV.

Во главе восставших украинцев стоял казацкий сотник из Чигирина Богдан Хмельницкий. Он собрал огромную толпу казаков и крестьян на Украине, заключил союз с запорожскими вольными казаками и крымскими татарами, — и со всей этой ордой двинулся разорять Польшу (начало 1648 г.). Высланное против мятежников польское войско потерпело поражение. В то же время умер король Владислав — и в Польше водворилась смута междуцарствия. Тогда мятеж охватил всю Украину и соседние области. Отряды казаков и русских крестьян под предводительством Хмельницкого и его сподвижников — буйных запорожцев рассыпались по всем городам и с остервенением истребляли поляков и евреев. «Убийства сопровождались варварскими истязаниями, — говорит русский историк, — сдирали с живых кожу, распиливали пополам, забивали до смерти палками, жарили на угольях, обливали кипятком; не было пощады и грудным младенцам. Самое ужасное остервенение выказывал народ к евреям: они осуждены были на конечное истребление, и всякая жалость к ним считалась изменой. Свитки Закона были извлекаемы из синагог: казаки плясали на них и пили водку, потом клали на них евреев и резали без милосердия; тысячи еврейских младенцев были бросаемы в колодцы и засыпаемы землей».

Особенно трагична была участь евреев, которые сбежались из сел и местечек в укрепленные города, в надежде укрыться от неприятеля. Узнав, что в городе Немирове, в Подолии, укрепилось несколько тысяч евреев, Хмельницкий отправил туда казацкий отряд. Так как город трудно было взять приступом, то казаки прибегли к хитрости. Они подошли к Немирову с польскими знаменами и просили отворить им ворота. Евреи, думая, что это польское войско, идущее к ним на выручку, впустили их в город — и страшно поплатились (20 Сивана — июнь 1648 г.). Казаки, соединившись с местными русскими жителями, бросились на евреев и перерезали их. Немировский раввин и «рош-иешива», Иехиель-Михель, скрывался со своей матерью на кладбище; тут их настиг один из погромщиков, какой-то сапожник, и стал наносить удары дубиной раввину. Престарелая мать раввина умоляла убийцу умертвить ее вместо сына; но сапожник бесчеловечно убил раньше раввина, а потом старуху. Молодых евреек весьма часто оставляли в живых: казаки и мужики насильно крестили их и брали себе в жены. Одна красивая еврейская девушка, похищенная с этой целью казаком, уверила его, будто она умеет «заговаривать» пули, и просила выстрелить в нее, чтобы убедиться, что пуля от нее отскочит, не причинив ей вреда; глупый казак выстрелил — и девушка упала, сраженная насмерть, но довольная, что не досталась врагу. Другая еврейка, с которой казак готовился обвенчаться, бросилась с моста в воду в тот момент, когда ее вели через этот мост в церковь. Около 6000 евреев погибло в Немирове; спасшиеся от смерти бежали в укрепленный город Тульчин.

Здесь также разыгралась кровавая драма. К Тульчину подошел многочисленный отряд казаков и крестьян и осадил крепость, в которой находилось несколько сот поляков и около двух тысяч евреев. Поляки и евреи поклялись, что не изменят друг другу и будут вместе оборонять город до последнего издыхания. Евреи стреляли с крепостной стены в осаждавших и не допускали их близко к городу. После долгой и безуспешной осады, казаки задумали коварный план. Они послали сказать находившимся в крепости полякам:

выдайте нам евреев; мы только их накажем, а вас не тронем. Польские паны, забыв о своей клятве, решили пожертвовать евреями ради собственного спасения и впустили неприятеля в город. Евреев сначала обезоружили и ограбили, а затем казаки предложили им на выбор — креститься или умереть. Никто не хотел изменить своей вере — полторы тысячи евреев были перебиты самыми бесчеловечными способами. Не спаслись, однако, и вероломные поляки. Покончив с евреями, казаки перебили всех католиков, в числе которых было много знатных панов.

Из Подолии шайки мятежников проникли в Волынь. Здесь резня продолжалась в течение всего лета и осени 1648 г. Польские войска, особенно под предводительством храброго Иеремии Вишневецкого, кое-где усмиряли казаков; но совершенно подавить восстание они были не в силах. Только после того, как в Варшаве был избран в польские короли Ян-Казимир, брат Владислава IV, начались мирные переговоры между правительством и казаками. В 1649 г. казаки успокоились, выговорив себе разные права и вольности в Украине; между прочим, было выговорено, что в казацкой Украине евреям запрещено проживать. Ян-Казимир разрешил всем евреям, принявшим под угрозой смерти православие, перейти в свою прежнюю веру. Насильно окрещенные еврейки убегали от навязанных им мужей-казаков и возвращались в свои семейства. «Ваад четырех областей», заседавший в Люблине зимой 1650 г., выработал целый ряд мер для восстановления порядка в семейной и общественной жизни евреев. День немировской резни (20 Сивана) был назначен днем ежегодного поста и молитвы в память мучеников.

52. Евреи во время московско-шведского нашествия. Поляки скоро нарушили свой договор с казаками и решили снова подчинить их себе. Тогда верховный вождь казаков (гетман) Богдан Хмельницкий предложил московскому царю Алексею Михайловичу присоединить казацкую Украину к своему государству. В 1654 г. жители казацкой части Украины, или Малороссии, перешли в подданство московского царя. Тотчас московские войска двинулись в соседние Белоруссию и Литву для войны с Польшей. Много пришлось выстрадать белорусским и литовским евреям во время этой войны, длившейся два года (1654—1655 гг.). Взятие польских городов соединенным московско-казацким войском сопровождалось избиением или изгнанием евреев. Когда город Могилев на Днепре сдался Алексею Михайловичу, последний велел выселить оттуда евреев, а дома их разделить между магистратом и русскими властями. Евреи, однако, не тотчас выселились из Могилева, надеясь на скорое возвращение края полякам; но они жестоко поплатились за это. В конце лета 1655 г. начальник русского гарнизона в Могилеве, полковник Поклонский, узнал о приближении к городу польских войск. Опасаясь соединения евреев с приближающимся неприятелем, Поклонский приказал евреям выйти за черту города, а когда они выбрались туда с женами, детьми и имуществом, русские солдаты бросились на них, перебили всех и ограбили. Сильно пострадали евреи и при взятии московскими войсками литовской столицы Вильны. Большая часть виленских евреев спаслась бегством, а прочие были перебиты или изгнаны, по приказанию русского царя.

Вскоре очередь дошла и до коренных областей Польши. Нашествие шведов чуть не довело Польшу до гибели (1655—1658 гг.). Страна превратилась в военный лагерь. Еврейские общины страдали то от московских солдат и казаков, то от шведов, то, наконец, от одичавших польских войск. К ужасам войны прибавилась губительная сила чумы. Евреи Краковской, Познанской, Калишской и Люблинской областей гибли массами и от вражеского меча, и от чумы.

Только с 1658 г. военные смуты начали утихать, — и Польша на время восстановила свой нарушенный государственный порядок.

Страшны были потери, понесенные польским еврейством в это роковое десятилетие (1648—1658 гг.). По словам летописцев, число погибших за это время евреев превышало полмиллиона. Около семисот еврейских общин подверглось разгрому. В русской Украине[1] вовсе исчезли еврейские общины, а в польской уцелела одна десятая часть еврейского населения; остальные или погибли от казацкой руки, или попали в плен к татарам, или же бежали в Турцию и в государства Западной Европы. Во всех странах Европы и Азии можно было встретить тогда еврейских беглецов из Польши; везде рассказывали они о бедствиях своих земляков, о мученичестве сотен еврейских общин, приводя в содрогание своих слушателей. — Отголоски пережитых потрясений слышатся в современных летописях и скорбных синагогальных молитвах. Один из очевидцев украинской резни, Натан Гановер из Заслава, описал ее в прекрасной исторической хронике («Иевейн Мецула», 1653 г.). Раввины рассылали повсюду, для чтения в синагогах, молитвы в память новых мучеников веры. В надрывающих душу молитвах изливал свое горе измученный народ.

53. Время упадка Польши. После казацких войн польское государство стало постепенно клониться к упадку. Оно только на короткое время усилилось при короле-герое Яне Собесском (1674—1696 гг.), который благоволил к евреям. В XVIII веке, при королях-саксонцах — Августе II и III, Польша снова крайне

---

[1] К России отошла только часть Украины на левом берегу Днепра (Полтавщина, Черниговщина, часть Киевщины); правобережная же Украина (Волынь, другая часть Киевщины и Подолия) осталась за Польшей.

ослабела вследствие дурного управления и неудачных войн. Отношение к евреям все более ухудшалось. Правительство думало только о том, чтобы взимать с них побольше податей; шляхта на сеймах ограничивала гражданские права евреев; городские магистраты и цехи крайне стесняли их в торговле и ремеслах; иезуиты внушали в своих школах польскому юношеству презрение к инородцам и иноверцам. Очень часто буйные польские школьники целыми толпами нападали на улицах на беззащитных евреев и били их, а иногда врывались даже в еврейские кварталы и учиняли там погромы (в Познани, Львове, Вильне и др.). Чтобы предохранить себя от «школьных набегов», еврейские общины больших городов платили ежегодную дань начальникам местных католических школ, которые за это удерживали своих учеников от буйства.

Повсюду унижаемый еврей имел защиту только в своей общине, в кагале. Усилению кагала содействовало само польское правительство. Оно имело дело не с отдельным евреем, а только с кагалом, который собирал и отдавал в казну подати со всех членов общины. За проступок отдельного еврея отвечал перед правительством его кагал. Неся такую ответственность, кагалы присвоили себе и большую власть над членами своих общин. Кагальное управление приносило пользу тем, что объединяло евреев и отстаивало их интересы. Но вместе с тем кагалы нередко злоупотребляли своей властью: раскладывали подати несправедливо, обижали бедных в угоду богатым и подавляли свободу отдельной личности.

Перенесенные польскими евреями бедствия наложили свою печать и на их духовную жизнь. На Украине, в Подолии и Волыни, наиболее пострадавших от казацкого разгрома, умственный уровень еврейской массы все более понижается. Талмудическая наука, прежде распространенная во всех слоях народа, делается достоянием тесного круга книжников, а бедная масса коснеет в невежестве и суеверии. Более широкую власть над умами раввинская наука сохранила еще в Литве и коренных областях Польши; но и здесь заметно оскудение умственной деятельности. Из однообразной раввинской литературы того времени составляет отрадное исключение только историческая книга минского раввина Иехиеля Гальперина «Седер гадорот» («Порядок поколений», 1700 г.). В этом сочинении, состоящем из трех частей, изложены события еврейской истории от библейских времен до 1696 г. (1-я часть), перечислены в алфавитном порядке имена всех таннаев и амораев с указанием принадлежащих каждому из них мнений или изречений в Талмуде (2-я часть) и, наконец, помещен перечень писателей и книг послеталмудического периода.

По мере ослабления раввинской науки, усиливалась «тайная наука» — каббала. Учение палестинских каббалистов Ари и Виталя находило себе массу последователей в Польше. Умножалось число «нравоучительных книг», где говорилось о загробной жизни, об аде и рае, об ангелах и демонах. Появились «баалшемы», или чудотворцы-знахари, лечившие от телесных и душевных болезней заклинаниями и талисманами. Один писатель того времени говорит: *«Нет страны, где евреи занимались бы так много каббалистическими бреднями, чертовщиной, талисманами, заклинаниями духов, как в Польше».*

54. Саббатианцы и франкисты.

Вызванное Саббатаем Цеви мессианское движение последовало за ужасами казацкой резни в Польше. Измученные польские евреи с жадностью ловили шедшие из Турции слухи о подвигах мнимого мессии. Во многих местах они готовились даже к скорому исходу в Обетованную землю. После отречения лжемессии раввины и благочестивые люди с ужасом отшатнулись от него. Но в народе не улеглось еще мессианское движение. В Галиции и Подолии существовали кружки «тайных саббатианцев», которые назывались «шабси-цвинниками» или сокращенно — «шебсами». Эти сектанты пренебрегали многими обрядами религии и превратили в праздник пост 9-го Ава (день рождения лжемессии); одни предавались постоянно покаянию и посту, а другие — веселью и распутству. Встревоженные этой опасной ересью, раввины прибегли к решительным мерам. Летом 1722 года съезд раввинов во Львове наложил строгий «херем» на всех тайных саббатианцев, которые к известному сроку не отрекутся от своих заблуждений. Эта мера отчасти подействовала: часть сектантов сознались публично в своих грехах и приняла на себя покаяние. Но большинство «шебсов» продолжало упорствовать в своей ереси, и в 1725 г. раввинам вновь пришлось выступить против них с «херемом».

Среди этих тайных саббатианцев вырос и получил свое воспитание основатель новой секты, Яков Франк. Он родился в 1726 г., в Подолии. Отец его, Лейб, был исключен из еврейской общины за принадлежность к «шебсам» и переселился в соседнюю Валахию, которая тогда принадлежала Турции. Здесь Яков сначала служил приказчиком, а затем стал развозить товары по городам и деревням. Иногда ему приходилось ездить с товарами по турецким городам и жить в Салониках, центре саббатианцев. Он сблизился с вождями этой секты и усвоил все ее дурные стороны. Тогда Якову Франку пришла в голову мысль — возвратиться в Польшу и разыграть среди тамошних тайных саббатианцев роль пророка. Не столько религиозное увлечение, сколько честолюбие и жажда приключений толкали его на этот путь. В 1755 г. Франк появился в Подолии, соединился с главарями тамошних «шебсов» и стал вещать им те откровения, в которые его посвятили салоникские преемники лжемессии. Сектанты устраивали тайные сходки, где совершали какие-то странные обряды. Однажды, во время ярмарки в местечке Ланцкороне, Франк и толпа его приверженцев, мужчин и женщин, собрались в гостинице для совершения своих религиозных обрядов. Они распевали там свои гимны, возбуждали в себе религиозный дух посредством веселья и пляски, причем мужчины плясали с женщинами. Находившиеся на ярмарке правоверные евреи были возмущены неприличным поведением сектантов. Они донесли местным польским властям, что какой-то турецкий подданный волнует народ и распространяет новую веру. Веселая компания была арестована. Самого Франка, как иностранца, выслали в Турцию; приверженцы же его были отданы в распоряжение раввинов и кагальных властей. Собор раввинов в Бродах провозгласил строгий «херем» над всеми приверженцами Франка, запретил всякое общение с ними и вменил в обязанность всякому еврею разыскивать и преследовать этих «вредных сектантов».

Тогда гонимые подольские сектанты решились на отчаянный шаг. Представители их явились в Каменец-Подольск, к католическому епископу Дембовскому, и объявили ему, что их секта отвергает Талмуд, признает только «Зогар», как священную книгу каббалы, и верует, подобно христианам, что Бог един в трех лицах и что мессия-искупитель есть одно из этих лиц. Это заявление подало епископу Дембовскому надежду обратить сектантов в христианство. Он взял «контра-талмудистов» (как называли себя тогда франкисты) под свою защиту и вызвал раввинов на публичный диспут с ними. Некоторые подольские раввины явились в Каменец, и здесь состоялся религиозный диспут между ними и вождями секты, в присутствии Дембовского и других католических священников (1757 г.). Раввины опровергали доводы своих противников и уличали их во лжи; но епископ решил, что правы контра-талмудисты. Он приказал раввинам уплатить в пользу сектантов денежный штраф; кроме того, он велел отобрать у подольских евреев все книги Талмуда и сжечь их. Приказание было исполнено. Тысячи экземпляров Талмуда отбирались у владельцев, свозились в Каменец и там сжигались на площади. Сектанты отомстили своим гонителям и торжествовали. Неизвестно, чем кончилось бы дело, если бы епископ Дембовский вдруг не умер. Сектанты лишились своей опоры, а кагальные власти снова воздвигли на них гонения.

В это время возвратился из Турции Яков Франк. Видя тяжелое положение своих приверженцев, которые от еврейства отстали, а к христианству не пристали, он посоветовал им принять для виду крещение. Подобно тому, говорил он, как Саббатай Цеви и его близкие приняли наружно ислам, так и его польским последователям суждено принять христианство; но в душе они должны считать «спасителем», или «мессией» не Христа, а Саббатая или его наместника, Франка. В 1759 г. франкисты заявили католическому духовенству о своем желании присоединиться к церкви. Их приняли с распростертыми объятиями. Крещение сектантов совершалось торжественно в церквах Львова, причем восприемниками новообращенных были представители польской знати. Новые христиане принимали и звания своих крестных отцов — и таким образом вступали в среду польского дворянства. Сам Франк принял крещение в Варшаве, где его крестным отцом был король Август III; при этом присутствовали министры, придворные и аристократия столицы. В крещении Франку дано было имя Иосиф.

Но недолго могли франкисты притворяться истинными католиками. Польское духовенство заметило, что они тайно еще придерживаются своих верований и обычаев, а вскоре все обнаружилось путем доносов. Духовенство узнало, что франкисты притворно приняли христианство для улучшения своего положения, и что они на самом деле считают Франка своим «святым паном», преемником Саббатая Цеви. Тогда, по распоряжению высшей духовной власти, Франк был арестован и предан церковному суду. Суд постановил: заключить Франка в Ченстоховскую крепость и содержать при тамошнем монастыре, дабы лишить его возможности сообщаться со своими приверженцами. Двенадцать лет (1760—1772 гг.) пробыл Франк в крепости, но цель католического духовенства не была достигнута. Франкисты продолжали поддерживать сношения со своим «святым паном»; иные сами проникали в Ченстохов или жили в окрестностях города, образуя замкнутую тайную секту. Они видели в судьбе Франка повторение судьбы «страждущего мессии» Саббатая, который тоже некогда содержался в заключении в Абидосе. Франк воодушевлял своих последователей речами и посланиями; он говорил, что спастись можно только через «религию Эдома», под которою подразумевалась какая-то странная смесь христианских и саббатианских идей.

Только после Первого раздела Польши и взятия Ченстохова русскими войсками Франк был освобожден из заключения (1772 г.). В сопровождении многих своих приверженцев, он выехал из Польши и поселился в Моравии. Здесь, и затем в Австрии, он разыгрывал роль распространителя христианства среди евреев и даже приобрел расположение Венского двора; но вскоре узнали о его прошлом — и он был вынужден покинуть Австрию. Поселившись в Германии, в Оффенбахе, Франк присвоил себе титул «барона Оффенбахского». Здесь он, вместе со своей дочерью Евой, или «святой панной», стоял во главе тайного кружка сектантов и жил в роскоши, получая деньги от своих польских и моравских приверженцев. После смерти Франка (1791 г.) секта стала распадаться. Оставшиеся в Польше франкисты постепенно сливались с католическим населением и, наконец, совершенно затерялись в польском обществе.

Глава X

Переходное время (1750–1795 гг.)

55. Моисей Мендельсон. Вторая половина XVIII века была для евреев временем перехода от старой жизни к новой. В образованном обществе Западной Европы началось тогда просветительное движение, направленное к освобождению человеческого ума от привитых ему средневековых предрассудков. Во Франции появился ряд писателей, требовавших свободы мысли и совести для всех, т. е. свободы высказывать и исповедовать свои убеждения, хотя бы они противоречили общепринятым воззрениям (Вольтер, Дидро, Руссо, энциклопедисты). В Германии многие увлекались французским свободомыслием. В числе любителей просвещения был и прусский король Фридрих II, который говорил, что он позволяет всякому из своих подданных спасать свою душу по собственным религиозным убеждениям. На самом деле, однако, Фридрих не хотел облегчить тяжелое положение тысяч своих подданных, исповедовавших иудейскую религию. Он не давал им никаких гражданских прав, а только позволял состоятельным купцам-евреям жить в Пруссии, при условии уплаты больших налогов. В прусской столице Берлине находилась тогда·небольшая еврейская община. Бедные евреи из других мест не допускались в этот город, но они проникали туда тайно. Таким способом пробрался однажды в Берлин бедный еврейский юноша из городка Дессау, который вскоре сделался украшением своего народа и всей Германии. То был Мендельсон.

Моисей Мендельсон родился в 1729 г., в Дессау, в семье бедного переписчика синагогальных свитков Библии, Менделя. Под руководством отца изучил он древнееврейский язык и Библию, а наставником его в Талмуде был местный раввин Давид Френкель. Юноша отдавался учению с необыкновенным жаром, — и когда учитель его, Френкель, был приглашен на место раввина в Берлин, 14-летний Моисей последовал за ним. В Берлине юноша жил в чердачной комнатке и терпел сильную нужду, но продолжал заниматься наукой с прежним усердием. Чтение философских книг Маймонида пробудило в нем дух свободного исследования. Скудное питание и напряженные умственные занятия крайне ослабили организм Мендельсона; от сидячей жизни он искривил себе спину и сделался горбатым. Но нечувствительный к физическим лишениям, он обнаружил чрезвычайную чуткость ко всему, что происходило в области духа. Ему захотелось обогатить свой ум и теми научно-философскими знаниями, которые для еврейского юноши считались тогда лишними и даже опасными. Он изучил математику, латинский и новые языки и увлекся чтением произведений французской и немецкой литератур. Вскоре Мендельсон занял в доме одного еврейского фабриканта в Берлине место домашнего учителя, а потом — место управляющего в его конторе; отныне материально обеспеченный, он все свои досуги посвящал умственной работе.

Решительный переворот в жизни Мендельсона произвело его знакомство с великим немецким писателем

Лессингом (1754 г.). Лессинг, который еще в одной из своих юношеских драм («Евреи») заклеймил предрассудки своих соплеменников против евреев, нашел в Мендельсоне благороднейшего представителя еврейской нации. Между молодыми людьми завязалась тесная дружба, основанная на одинаковых умственных и нравственных стремлениях. Эта дружба благотворно влияла на развитие обоих мыслителей. Лессинг ввел Мендельсона в круг своих образованных христианских друзей и положил начало его литературной известности. Когда Мендельсон вручил ему однажды для просмотра свою рукопись, под заглавием «Философские беседы», Лессинг без ведома автора напечатал ее (1755 г.). Книга понравилась публике, ибо отличалась ясным изложением и изящным немецким слогом. Известность Мендельсона особенно возросла, когда появилась его книга «Федон», где в форме беседы между мудрецом Сократом и его учеником Федоном доказывалась истина бессмертия души. Эта книга с увлечением читалась во всех кругах образованного общества; автора превозносили и ставили рядом с лучшими писателями Германии. Выдающиеся писатели искали знакомства Мендельсона. Дом его сделался сборным пунктом для образованнейших людей Берлина; там велись оживленные беседы о высших философских и нравственных вопросах, волновавших тогдашнее поколение. Мендельсона называли «еврейским Сократом».

Занимая высокое положение в немецком обществе, Мендельсон, однако, не забывал об интересах своего народа. Если первые годы литературной деятельности Мендельсона были посвящены общефилософским трудам, то вся позднейшая его деятельность была посвящена укреплению и обновлению еврейства. Следующий случай заставил Мендельсона выступить борцом за иудаизм. В числе его знакомых был известный пастор Лафатер, которому очень хотелось обратить еврейского философа в христианство. Издав книгу «О доказательствах истинности христианства», Лафатер посвятил ее Мендельсону и в печатном посвящении предложил ему — либо опровергнуть доказательства книги, либо принять христианство. Этот вызов возмутил Мендельсона. Он напечатал «Послание к Лафатеру», в котором с гордостью заявил, что всегда был и будет верен иудейской религии, в разумности и божественности которой глубоко убежден, и что бесчестно поступает тот, кто изменяет своей вере или подстрекает к тому другого.

Главная задача Мендельсона заключалась не в защите евреев перед внешним миром, а в обновлении их внутреннего быта и в приобщении их к европейскому прогрессу. Подобно Маймониду, он хотел расширить умственный кругозор своих соплеменников и примирить еврейские религиозные воззрения с истинами философии. Он видел, что талмудическое воспитание отдалило евреев от главного корня их учения — от Библии, а превратные толкования раввинов затемнили смысл этой вечной книги. Поэтому он, подобно Лютеру, решил начать преобразование народа с перевода Библии. Он перевел на немецкий язык Пятикнижие, или Тору, строго сообразуясь с духом подлинника, а затем лично и при помощи сотрудников составил на еврейском языке образцовый комментарий к Пятикнижию (Биур), основанный на грамматическом и логическом смысле библейских выражений, без примеси искусственных толкований. Изданная в 1783 году Тора Мендельсона возбудила восторг среди любителей просвещения и негодование среди отсталых раввинов, которые увидели в ней опасную ересь. Немецкие раввины выступили с резкими посланиями против «берлинеров», т. е. Мендельсона и его друзей, объявили новое издание Библии безбожным предприятием и велели уничтожать эти книги. В некоторых городах фанатики действительно сжигали экземпляры берлинской Библии. Но эти преследования содействовали только успеху книги. Для многих еврейских юношей берлинская Библия стала источником просвещения; ее изучали тайно, по ней знакомились с правилами библейской речи, с библейской поэзией и историей; по мендельсоновскому переводу любознательные знакомились с немецким языком, который давал им ключ к немецкой литературе и вводил их в область свободной науки и философии. За изданием Пятикнижия последовало издание Псалмов и других библейских книг в том же духе; все предприятие было закончено уже учениками Мендельсона.

В одном из последних своих сочинений, написанном по-немецки («Иерусалим»), Мендельсон доказывал, что иудаизм требует от своих последователей не веры, а только разумного познания в связи с исполнением исторических и нравственных законов. Великий немецкий философ Кант приветствовал появление «Иерусалима», как начало общей реформы религии. Лессинг в герое своей знаменитой драмы «Натан Мудрый» изобразил благородную личность своего друга Мендельсона. После недолгой, но плодотворной жизни, Мендельсон умер, горячо оплакиваемый множеством друзей и почитателей (1786 г.).

56. Школа Мендельсона. Борьба за просвещение.

Мендельсон принадлежал к разряду писателей-мудрецов, которые влияют на свое поколение не столько своими книгами, сколько обаянием своей нравственной личности. Деятельность Мендельсона как главы кружка была еще важнее его литературной деятельности. Он умел вдохновлять своих друзей и учеников и побуждать их к общеполезной деятельности. «Мендельсоновский кружок» ставил себе две главные задачи: преобразование еврейского школьного воспитания и возрождение еврейской литературы. Осуществлению обеих этих задач было положено основание еще при жизни Мендельсона. По плану его друга и сотрудника Давида Фридлендера была основана в Берлине, в 1778 году, первая «еврейская свободная школа», в которой преподавались на немецком языке общеобразовательные предметы, грамматика древнееврейского языка и Библия. Новая школа призвана была исправить недостатки старого хедера с его исключительно талмудическим воспитанием.

Рядом с перевоспитанием юношества посредством школы, шло перевоспитание взрослого поколения через литературу. Нужно было вытеснить неправильный раввинский язык, употреблявшийся в научных книгах, и возродить чистую библейскую речь. Ученики Мендельсона образовали в 1783 г., в Берлине, «Союз любителей древнееврейского языка» и основали свой журнал под названием «Собиратель» («Меассеф»), который издавался периодическими выпусками. В нем помещались лирические и нравоучительные стихотворения на библейском языке, статьи научного содержания, исследования по еврейской грамматике и библейской письменности, переводы образцов французской и немецкой словесности. Вообще, сборник по содержанию напоминал отчасти нынешние журналы для юношества, но именно благодаря этому он имел успех в тогдашней публике. Сотрудниками журнала были друзья и ученики Мендельсона — Эйхель, Вайзель, Фридлендер и другие.

Одним из лучших сотрудников Мендельсона был плодовитый писатель Нафтали-Герц Вайзель (Вессели) из Гамбурга (1726—1805 гг.). Вайзель принимал самое деятельное участие в составлении мендельсоновского библейского комментария «Биура». Еще раньше он обратил на себя внимание своим замечательным исследованием о библейском языковедении («Галеванон»

или «Ган-паул»). За этим трудом последовали другие
и ряд статей и стихотворений в «Собирателе». Вайзель писал все свои сочинения на обновленном древнееврейском языке, в отличие от Мендельсона, писав-
шего большей частью по-немецки. Обширная поэма
Вайзеля «Моисеяда» («Шире тиферет») воспевает подвиги Моисея и исход израильтян из Египта в сильных
библейских стихах, каких давно уже не создавала еврейская поэзия. Но больше всего прославился Вайзель свой борьбой против отсталых раввинов, подняв-
ших гонение на новое просвещение в Австрии.

В Австрии царствовал тогда просвещенный император Иосиф II (1780—1790 гг.). Заботясь об улучшении быта евреев в своем государстве, Иосиф издал
указ об учреждении еврейских начальных школ для
изучения общих наук и немецкого языка. Этот указ
вызвал тревогу среди евреев Австрии, Богемии и польской Галиции, присоединенной тогда к австрийской
империи. Набожная еврейская масса и ее духовные
пастыри опасались, что новые школы будут отвлекать
народ от изучения закона веры и Талмуда. Иначе смотрели на дело «любители просвещения» из последователей Мендельсона. Указ Иосифа II они приветствовали как начало светлой поры в жизни евреев. Вайзель
написал хвалебную оду в честь «императора-освободи-
теля». Узнав, что раввины недовольны реформами
Иосифа II, Вайзель обратился к австрийским еврейским общинам с посланием, напечатанным в Берлине,
в 1782 г., под заглавием «Слова мира и правды» («Дибре шалом ве-эмет»). В этом послании он горячо увещевал своих соплеменников приветствовать благоде-
тельные указы Иосифа II и доказывал, что даже с
религиозной точки зрения общее образование и знание государственного языка обязательны для еврея,
ибо без познаний по естественным наукам, истории и
географии нельзя уразуметь ни содержания Талмуда,
ни вообще духа иудаизма. Послание Вайзеля встрети-

ло сочувствие только в Триестской общине, состоявшей преимущественно из итальянских евреев; в остальных же местах оно возбудило бурю негодования среди ревнителей старины. Главный пражский раввин Иехезкель Ландау произносил в синагогах громовые проповеди против вольнодумцев. Друзьям просвещения была объявлена война; их предавали проклятию в синагогах, а в Лиссе послание Вайзеля было публично предано сожжению. Тогда Вайзель обнародовал второе послание, в котором он, защищаясь от обвинения в ереси, снова доказывал совместимость общего образования с еврейским правоверием. После этого нападки на Вайзеля прекратились; но война между друзьями и врагами нового просвещения продолжалась еще много лет.

57. Гайдамачина и разделы Польши. В то время, как в Западной Европе занималась заря новой жизни, в Польше господствовала старая безурядица, приведшая эту страну к гибели. При последнем короле Станиславе-Августе (1764 г.) Польша впала в зависимость от сильных соседей, особенно от России. Внутри страны беспорядок усиливался, борьба различных сословий и вероисповеданий обострялась, права евреев и «диссидентов» (некатоликов-христиан) ограничивались. Положение евреев было особенно тяжело в Подолии, на Волыни и той части Украины, которая оставалась за Польшей. Здесь евреи снова очутились меж двух огней: между самовластными польскими панами и порабощенными православными крестьянами. В первой половине XVIII века, среди этих крестьян начались волнения, напоминавшие времена Хмельницкого. Беглые крестьяне соединялись с казаками из русской части Украины и с «запорожцами» и составляли вольные дружины гайдамаков (удалых, ловких в набегах). Гайдамаки совершали разбойничьи набеги то на панские усадьбы, то на еврейские местечки. Сначала эти набеги были случайны и редки, но потом они участились и приняли характер грозного народного движения. Буря народного восстания разыгралась в 1768 г.

В то время шел спор между Польшей и Россией из-за православного населения Польши, для которого Россия требовала равноправия. Католическое духовенство всеми силами боролось против равноправия некатоликов, а православное духовенство подстрекало русских украинцев к бунту. В народе ходил по рукам подложный указ русской императрицы Екатерины II, в котором повелевалось «истреблять ляхов и жидов» на Украине. Во главе нового гайдамацкого движения стал запорожский казак Железняк. Мятежные шайки Железняка свирепствовали в пределах нынешней Киевской губернии, убивая панов и евреев, разоряя местечки и помещичьи усадьбы. Гайдамаки часто вешали на одном дереве вместе поляка, еврея и убитую собаку, и делали на дереве надпись: «лях, жид да собака — все вера однака». Разгромив евреев в нескольких местечках, Железняк со своими шайками пошел к укрепленному городу Умани, куда при первых слухах о восстании сбежалось свыше десяти тысяч поляков и евреев. Узнав о приближении гайдамаков, польский губернатор Умани выслал против них свою казачью команду под начальством сотника Гонты. Но Гонта, который сам был православный и казак, изменил полякам и соединился с Железняком. 18 июня 1768 г. оба вождя гайдамаков подошли к Умани. Сначала город защищался. Поляки и евреи дружно работали на городской стене, стреляя в осаждавших из пушек и ружей; но отстоять город не удалось. Когда гайдамаки ворвались в город, они прежде всего бросились на евреев, метавшихся в ужасе по улицам: их зверски убивали, топтали копытами лошадей, сбрасывали с крыш высоких зданий; детей поднимали на концы пик, женщин мучили. Масса евреев, числом до трех тысяч человек, заперлась в большой синагоге. Гайдамаки приставили к дверям синагоги пушку, двери были взорваны, разбойники проникли в синагогу и превратили ее в бойню. Покончив с евреями, гайдамаки принялись за поляков; многих они перерезали в костеле; губернатор и все прочие паны были убиты. Улицы города были усеяны трупами или изувеченными, недобитыми людьми. Около двадцати тысяч поляков и евреев погибло во время этой «уманской резни». В то же время мелкие гайдамацкие дружины и взбунтовавшиеся крестьяне истребляли шляхту и евреев в других местах Киевщины и Подолии, как, например, в Фастове, Животове, Тульчине. Там, где некогда свирепствовала рать Хмельницкого, снова лилась еврейская кровь и слышались вопли мучеников... Но на этот раз резня продолжалась недолго. И польские, и русские войска энергично взялись за подавление гайдамацкого бунта. Уже вскоре после уманской резни Железняк и Гонта были схвачены русскими войсками. Гонта со своей дружиной был выдан польскому правительству и подвергся страшной казни: с него содрали полосами кожу, а затем четвертовали.

Вскоре Польша распалась и была постепенно разделена между соседними государствами. Начиная с 1772 г., Россия, Австрия и Пруссия делили между собой польские земли три раза. Последний раздел совершился в 1795 году. России достались Белоруссия, Литва, Волынь и Подолия, а позже и внутренние области Польши («Привислянский край»); Австрия получила Галицию, или Червонную Русь, а Пруссия — Померанию и Познанскую область. В течение двух десятилетий многочисленные польские евреи превратились в русских, австрийских и прусских подданных. Наибольшая часть этой еврейской массы перешла в подданство России.

58. Евреи в Петровской Руси. Цари старой Московской Руси упорно не пускали евреев в свои земли. Русские люди того времени не любили иноземцев или «басурманов», а евреев тем больше, как нехристиан, которые некогда принесли в их страну «ересь иудействующих». Еврейские купцы из Польши и Литвы приезжали в Россию только временно по торговым делам, но постоянного жительства там не имели. Когда русский царь Иван Грозный отнял у поляков город Полоцк, он повелел окрестить всех местных евреев, а нежелающих креститься — топить в Двине (1563 г.). Царь Алексей Михайлович изгонял евреев даже из временно занятых им литовских и белорусских городов (52). В присоединенных тогда к Руси областях Малороссии евреи тоже не имели постоянной оседлости. Только при Петре Великом и его преемниках евреи начали проникать массами в пограничные с Польшей русские владения, особенно в Малороссию. Пока жил Петр, их не трогали; но после смерти его, при Екатерине I, издан был указ о высылке за границу (то есть в Польшу) всех проживающих в Малороссии евреев (1727 г.). Несмотря на эти запрещения, еврейские купцы все-таки приезжали в Россию по своим торговым делам. В 1743 г. сенат в Петербурге просил императрицу Елизавету Петровну допустить евреев для торговли в Малороссию, доказывая, что еврейские купцы приносят большую пользу краю. Но императрица написала на прошении сената следующий ответ: *«От врагов Христовых не желаю интересной прибыли».* Только в царствование Екатерины II (1762—1796 гг.) огромная масса польских евреев сразу очутилась под властью России, вследствие раздела Польши и присоединения многих ее областей к Русской империи.

Отношения императрицы Екатерины II к вступившим в русское подданство евреям отличались непостоянством. Считая евреев полезными для промышленности, Екатерина разрешила им селиться в Новороссийском крае, который тогда только что был завоеван и нуждался в жителях. В коренных же великорусских областях они, как прежде, не имели права жить. Во время присоединения к России различных частей Польши русское правительство обещало евреям сохранить прежние их права и льготы в присоединенных областях. Однако на деле положение евреев ухудшалось. Их торговые права в городах и деревнях ограничивались, а подати с них увеличивались. В 1794 г. повелено было взимать с евреев, записавшихся в мещанство и купечество, вдвое больше податей, чем с мещан и купцов христианских исповеданий. Увольнение от двойных податей последовало только по отношению к евреям-караимам (1795 г.), которым русское законодательство стало покровительствовать, в отличие от евреев-раввинистов. Притеснения за принадлежность к еврейской нации и религии сохранили свою силу во всем строе законодательства. Евреи не считались настоящими гражданами страны и не пользовались всеми гражданскими правами. Такое положение продолжалось в России и в новейшее время.

59. Израиль Бешт и хасидизм. Во время перехода польских евреев в русское подданство происходило среди них великое религиозное движение, отличавшееся и от старого раввинизма, и от нового берлинского просвещения. Раввинизм, требовавший от еврея талмудической учености и строгого исполнения внешних обрядов, все менее удовлетворял народную массу. Книжная ученость была недоступна огромной части народа, изнемогавшей в поисках куска хлеба, а машинальное исполнение многочисленных обрядов не могло удовлетворять людей с глубоким религиозным чувством. Такое недовольство толкало многих в прежнее время в ряды саббатианцев и франкистов; но когда эти секты удалились от иудейства, появилось новое учение, более глубокое и приспособленное к назревшей религиозной потребности. То было «учение благочестия», или хасидизм, и творцом его был скромный подольский еврей Израиль Бешт.

Израиль Бешт родился в Подолии, около 1700 года, в бедной семье. Рано осиротев, он поступил на попечение благотворителей своего городка, которые отдали его в школу (хедер) для изучения Талмуда. Но сухая хедерная наука не привлекала мальчика, отличавшегося мечтательными наклонностями. Израиль часто убегал из школы, и не раз его находили в ближайшем лесу одиноким, погруженным в свои думы. На 13-м году жизни Израиль сделался «бегельфером», то есть хедерным надзирателем, а потом занял должность сторожа синагоги. Здесь он вел себя странно: днем спал или притворялся спящим, а по ночам, когда синагога пустела, он горячо молился и читал книги. Он углубился в таинства каббалы, читал «рукописи Ари» и знакомился с искусством «творить чудеса» через каббалистические заклинания. После женитьбы Израиль жил в деревне, среди Карпатских гор, а потом — в галицийском городке Тлусте. Здесь, по преданиям хасидов, готовился он к своей будущей деятельности. Только на 36-м году жизни он стал открыто действовать в качестве «чудотворца», или баалшема. В то время было много таких «баалшемов», или знахарей-каббалистов, которые лечили от разных болезней посредством заклинаний, нашептываний, амулетов (камеи) и целительных трав. Израиль Баалшем тоже употреблял эти средства, но вместе с тем он лечил и посредством молитвы, причем молился горячо, с выкрикиваниями и странными телодвижениями. Когда к нему обращались с просьбой предсказывать будущее, он раскрывал наугад книгу «Зогар» и по ней делал предсказания. Вскоре он прославился в народе как святой человек, и его называли «добрым баалшемом» (Баалшем-тов, откуда и произошло его сокращенное имя Бешт).

Прославившись как чудотворец, Бешт начал действовать в качестве вероучителя. Странствуя по Подолии и Волыни, он одновременно лечил и учил. Потом он поселился в подольском городке Меджибоже, и сюда приходил к нему народ, чтобы слушать его мудрые беседы. Бешт учил, что истинное спасение — не в талмудической учености, а в сердечной привязанности к Богу, в простой нерассуждающей вере и горячей молитве. «Общение с Богом» есть главная цель религии. Молитва есть важнейшее средство единения человека с Божеством. Для этого молитва должна быть восторженная, горячая, а душа молящегося должна как бы отделиться от своей телесной оболочки. Для достижения такого возбужденного состояния можно прибегать к искусственным приемам: к сильным телодвижениям, крикам, покачиваниям. В противовес главной заповеди арианской каббалы, Бешт учил, что усиленный пост, умерщвление плоти и вообще отшельничество — вредны и греховны, ибо Бог любит в человеке бодрое и радостное настроение. В религии важнее всего чувство, а не внешний обряд; излишняя мелочность обрядов вредна. Благочестивец, или хасид, должен служить Богу не только соблюдением установленных обрядов, но и во всех своих житейских делах и даже помыслах. Посредством постоянного духовного общения с Богом можно достигнуть способности ясновидения, пророчества и чудодейства. Праведник, или цадик, — это такой человек, который вследствие святости своей жизни имеет наибольшее общение с Богом и особенно близок к Нему. Роль цадика — посредничество между Богом и обыкновенными людьми. Через цадика достигаются полное очищение души, всякое земное и небесное благополучие. Нужно благоговеть перед цадиком, как посланником и любимцем Божиим.

Учение благочестия, или «хасидизма», было как нельзя лучше приспособлено к потребностям еврейского простонародья в Подолии, Волыни и Галиции. С одной стороны, в религии выдвинуто было доступное народу начало сердечной веры и молитвы, вместо недоступной книжной учености, а с другой — получилась возможность «спасать свою душу» через цадика-чудотворца, к которому простолюдин всегда чувствовал сильное влечение. Израиль Бешт, как верховный цадик, сделался любимцем простонародья. Слухи о чудесах и увлекательной проповеди вероучителя из Меджибожа привлекали к нему даже ученых людей — раввинов и проповедников. Молва утверждала, что Бешт получал чудные откровения от Илии-пророка. Сам Бешт верил в свое высокое призвание. Около 1750 г. он отправил в Палестину пророческое послание, где сообщал о явившемся ему чудном видении. Душа Бешта вознеслась на небо, видела там мессию и много душ людей умерших. Бешт спросил мессию: *«Скажи мне, господин мой, когда же явишься ты на землю?»* И отвечал мессия: *«Вот тебе знак: когда станет известным учение твое и когда прочие люди будут в состоянии совершать такие же таинства, как ты, — тогда настанет время великого благоволения и спасения».* Бешт умер в 1760 году, в Меджибоже, окруженный преданными учениками.

60. Борьба раввинов с хасидами. Деятельность Бешта продолжали его ученики, или апостолы, из которых главными были проповедник Бер из Межерича и Яков-Иосиф Коген. Бер считался преемником Бешта. При нем волынский городок Межерич сделался таким же святым местом для хасидов, каким раньше был Меджибож. К Беру приезжали ученики из многих мест Польши и даже Литвы и готовились у него к роли цадиков. После смерти Бера (1772 г.), выдвинулся другой апостол хасидизма, Яков-Иосиф Коген, бывший раввином и проповедником в Немирове и Полонном. Он впервые напечатал в своих книгах («Толдот Яков-Иосиф» и др.) многочисленные изречения, слышанные им от Бешта (1780 г.). Его книги положили начало обширной хасидской литературе, состоявшей из творений выдающихся цадиков.

В конце XVIII века хасидизм распространялся с неимоверной быстротой в Польше и Литве. В Подолии и на Волыни целые общины принимали это учение. Хасиды имели свои синагоги, где открыто молились по-своему, с криками и телодвижениями; они несколько изменили порядок богослужения и содержание молитв. В Литве же и Белоруссии, где были сильны талмудисты, хасиды сначала устраивали свои молитвенные собрания тайно, боясь преследований. Во главе хасидов стояли цадики, по большей части — ученики Бера Межеричского. (Главными цадиками были: Элимелех Лизенский в Галиции, Борух Тульчинский — внук Бешта — в Подолии, Леви-Ицхок Бердичевский на Волыни и Залман Шнеерсон в Литве и Белоруссии.) Подольские и галицийские цадики были не только вероучителями, но и «чудотворцами»; к ним стекалась толпа верующих с просьбами об исцелении от недугов, благословении, предсказании будущего и т. п. Многие цадики злоупотребляли легковерием простого народа и брали деньги за свои советы и предсказания, — чем унижали учение Бешта. Только глава литовских хасидов, Залман Шнеерсон, не унижался до роли мнимого чудотворца. Уроженец местечка Лиозна (Могилевской губернии), Залман в юности получил талмудическое образование. В 20 лет он отправился в Межерич и там усвоил хасидское учение под руководством рабби Бера. Возвратившись на родину, он стал распространять это учение в новой, более разумной форме, чем та, какую придали ему цадики на юге. Учение Залмана нашло себе множество приверженцев в Литве и Белоруссии (1780—1800 гг.).

Быстрое распространение хасидизма крайне встревожило раввинов, которые еще имели большую власть в Литве. Во главе литовских раввинов стоял тогда Илия Виленский, получивший славный титул Гаона (1720 — 1797 гг.). В этом человеке воплотилась вся сила ума, изощренного талмудической наукой. С малых лет Илия обнаружил необычайные способности. Шестилетним ребенком он уже изучал Талмуд, а на 11-м году участвовал в трудных талмудических прениях и своими познаниями приводил в изумление старых раввинов. Его ум быстро схватывал все, к чему ни прикасался. Илия знал каббалу, усвоил между делом обрывки из математики, астрономии и физики, насколько это ему нужно было для понимания известных рассуждений Талмуда. Жил он в Вильне затворником, всецело зарывшись в книги; питался скудно, спал всего два часа в сутки, мало говорил с посторонними о мирских делах и только в известные часы читал лекции Талмуда своим ученикам. Строгость в исполнении всех мельчайших обрядов религии и отшельническая жизнь, посвященная только науке, — таковы были отличительные черты Илии Гаона. Поэтому его глубоко возмущал хасидизм, который отвергал и мелочную строгость в обрядах, и мрачное отшельничество, и спасительность книжного знания. И вот Илия Гаон стал во главе раввинов, ополчившихся против учения Бешта. В Вильне и других городах были провозглашены в синагогах проклятия против всех, принадлежащих к хасидской секте (1771 и 1781 гг.). Хасидские молельни в Литве закрывались, хасидские книги сжигались. Хасиды были объявлены отступниками и исключены из многих общин. Ревнители раввинизма называли себя «миснагидами», т. е. противниками новых учений. Так как кагальные старшины в Литве и Белоруссии принадлежали большей частью к партии миснагидов, то они пользовались свой властью для притеснения хасидов в общественной жизни. Несмотря на эти преследования, хасидизм все более распространялся, — и в 1796 г. кагалы, с разрешения Гаона, открыли против хасидов новый поход.

Смерть Илии Гаона (1797 г.) вызвала нескрываемую радость среди преследуемых. Это еще более озлобило ревнителей раввинизма. Озлобление миснагидов дошло до того, что они решились донести на главарей секты русскому правительству, выставляя их опасными расколоучителями. Вследствие таких доносов Залмана Шнеерсона арестовали и отвезли в Петербург. Там его допрашивали в Тайной Канцелярии и содержали в крепости; но вскоре, благодаря ходатайствам хасидов, его освободили (1798 г.). Спустя два года Залмана вторично арестовали по доносу его противников; но со вступлением на престол Александра I вождь хасидов был окончательно выпущен на свободу. Он возвратился в свою резиденцию (сначала городок Лиозна, а потом Ляды, Могилевской губернии) и продолжал руководить своими многочисленными последователями — «хабадскими» хасидами[1]. Борьба раввинизма с хасидизмом в Литве и Белоруссии привела только к тому, что хасиды в этих краях выделились в особые религиозные общины, члены которых долгое время даже не роднились с миснагидами. В Подолии же и во всем юго-западном крае хасиды почти совершенно вытеснили миснагидов, а цадики присвоили себе ту духовную власть над народом, которая прежде принадлежала раввинам.

Борясь друг с другом, миснагиды и хасиды одинаково враждебно относились к новому просвещению, возникшему тогда среди немецких евреев. Если среди

---

[1] Учение Залмана, изложенное им в книге «Танио», основано на трех началах: хахма, бина, деа, т. е. мудрости, понимании и познании; от сокращения этих трех слов происходит название Хабад.

польско-русских евреев появлялись иногда люди с наклонностями к общему образованию, то они уходили за границу, преимущественно в Германию. К таким выходцам принадлежал литовец Соломон Маймон (1753—1800 гг.). Родившись в семье сельского арендатора (близ Несвижа, Минской губернии), Соломон Маймон воспитывался, подобно всем своим сверстникам, на Талмуде. По тогдашним обычаям, его женили на 12-м году жизни, но он продолжал учиться. От Талмуда он перешел к каббале, от нее — к религиозной философии Маймонида. Ум юноши жаждал новых знаний, которых не могла ему дать окружающая среда. В 1777 году Маймон покинул свою родину и семью и отправился в Германию, для приобретения научных знаний. Он попал сначала в Кенигсберг, а затем в Берлин, терпел нужду и изведал всю горечь скитальческой жизни на чужбине. В Берлине он познакомился с Мендельсоном и его кружком, быстро освоился с немецкой литературой и наукой, изучил философию и в особенности систему Канта. Резкий переход от замкнутой литовской жизни к вольной жизни образованного европейца сильно подействовал на душу Маймона. Он впал в сомнение и безверие. В своих глубокомысленных сочинениях, написанных по-немецки, он разбирал отвлеченные вопросы философии. В 1792 году он напечатал свою «Автобиографию», где ярко обрисовал внутренний быт и нравы польско-литовских евреев и рассказал печальную историю своей жизни. Умер он одиноко, в Силезии, в 1800 г. От еврейства Маймон был совсем далек в последние годы жизни. Он очень мало сделал для просвещения своего народа. На еврейском языке издан только его недоконченный комментарий к «Путеводителю» Маймонида.

Глава XI

Обзор главнейших событий XIX века

61. Французская революция. В конце XVIII века совершился переворот, изменивший политический строй жизни некоторых европейских народов. Великая французская революция 1789 года возвестила начало «равенства, братства и свободы» людей всех сословий и вероисповеданий. Последствием этого было признание равноправия евреев, которые в XVIII веке вновь появились во Франции[1].

Величайшие деятели революции (Мирабо и другие) требовали во французском Национальном собрании, чтобы евреям были предоставлены все гражданские права наравне с христианами (1789 г.). О том же ходатайствовали уполномоченные от еврейских общин Парижа и других городов. Против равноправия евреев

---

[1] После своего изгнания в 1394 г., евреи в течение трех столетий не показывались во Франции. Там селились марраны или тайные евреи из Испании, под видом «новохристиа ». Только в конце XVII века во французское подданство вступило много евреев, из присоединенных Людовиком XIV немецких провинций Эльзаса и Лотарингии. В XVIII веке число евреев во Франции увеличилось; многие из них жили даже в Париже; но гражданское положение их было так же унизительно, как в Германии.

высказывались в Национальном собрании только депутаты от католического духовенства и населения Эльзаса. После горячих прений во многих заседаниях, решено было предоставить евреям во Франции все гражданские права (28 сентября 1791 г.), — и король Людовик XVI утвердил это решение Национального собрания. Это был первый в Европе пример эмансипации евреев, т. е. освобождения их от векового бесправия.

Но не сразу примирились христиане с равноправием евреев. В Эльзасе, где еврейское население было многочисленно, вражда к нему еще не прекратилась. Французский император Наполеон I, захвативший власть после революции, колебался в своем отношении к евреям. В 1806 г. он созвал в Париже собрание еврейских депутатов из Франции, Италии и Голландии; в собрании председательствовал богатый сефард Авраам Фуртадо из Бордо. Депутатам было предложено 12 вопросов относительно совместимости еврейских религиозных законов с французскими гражданскими законами. Ответ собрания гласил, что евреи, живущие во Франции, считают ее своим отечеством и ее законы для них так же священны, как законы иудейства. Наполеон остался очень доволен этим ответом и вскоре учредил в Париже Синедрион из 71 члена, под главенством старейших раввинов, для выработки подробного плана устройства еврейских общин во Франции. По плану Синедриона, было признано необходимым учредить в Париже главную раввинскую консисторию, а в провинциях — второстепенные консистории; эти консистории должны заведовать делами еврейских общин и главным образом заботиться об исполнении евреями своих гражданских обязанностей. Это общинное устройство было введено и сохранилось во Франции до последнего времени.

Победоносные наполеоновские войны проложили еврейской эмансипации путь и в другие страны Европы.

В Италии, с утверждением там французского владычества, было провозглашено равноправие евреев. В Голландии были упразднены последние правовые ограничения, тяготевшие над еврейскими общинами.

62. Успехи просвещения на Западе. В Германии, где впервые зародилось новое еврейское просвещение, гражданское положение евреев улучшилось только на короткое время. Равноправность их была признана в некоторых германских землях, вошедших в состав созданного Наполеоном Рейнского союза. В Пруссии, униженной победами Наполеона, была также сделана попытка в этом роде. Указом 1812 года король Фридрих Вильгельм III признал необходимым предоставить гражданские права прусским евреям. Но эта милостиво дарованная эмансипация была отменена, как только Германия стряхнула с себя иго Наполеона I. Составился Священный союз главных государей Европы (1815 г.), с целью противодействовать влиянию освободительных (либеральных) идей и восстановить старый политический строй. Это противодействие (Реакция), длившееся более 30 лет, было особенно сильно в Германии и Австрии. Начавшееся здесь улучшение гражданского быта евреев остановилось. Немецкие правительства стали вновь ограничивать их права, а в некоторых местах немецкая чернь пыталась даже возобновить средневековые нападения на бесправную нацию. В Вюрцбурге, Бамберге и других городах произошли уличные погромы против евреев (1819—1820 гг.).

Германские евреи тогда особенно сильно почувствовали всю тяжесть своего гражданского бесправия. Они уже успели приобщиться к немецкому просвещению и еще недавно принимали участие в освободительных войнах Германии против Наполеона. Они считали себя хорошими гражданами своего германского отечества — и вдруг с ними снова начали обращаться как с чужими. Однако не все так сильно чувствовали горечь этой обиды. Многие образованные евреи зашли уже так далеко в деле слияния с немцами, что совершенно забыли о своей нации. В Берлине и других городах многие еврейские семейства принимали крещение. Даже дочери Моисея Мендельсона (Доротея и Генриетта) приняли христианство. В великосветских салонах Берлина сходились образованные христиане и евреи, и эти сходки приводили иногда к бракам между христианами и еврейками, для чего последние отрекались от своей веры. Величайшие писатели тогдашней Германии, Берне (ум. в 1837 г.) и Гейне (ум. в 1856 г.), отреклись в молодости от еврейской религии; но они потом искупили свое отступничество тем, что сделались горячими защитниками своего народа. Гениальный публицист и борец за свободу, Берне обличал все недостатки немцев и в том числе их дикие предубеждения против евреев. Гейне, лучший после Гете немецкий поэт, воспевал иногда и еврейское горе в своих дивных стихах, написал повесть из средневековой жизни евреев («Бахарахский раввин»), а в последние годы жизни писал свои вдохновенные строки о величии Библии.

Были и еврейские деятели, которые всецело посвящали свои силы своему народу. Габриель Риссер, издавший (в 1830-х годах) журнал «Еврей» на немецком языке, выступал горячим поборником эмансипации евреев, будил чувство самоуважения в своих соплеменниках и обличал перебежчиков из их среды. *«Бесчестен сын, — восклицал он, — стыдящийся своего отца; бесчестно поколение, стыдящееся своего прошлого!».* Другие писатели разрабатывали еврейскую науку и историю. Наиболее деятельным из них был Леопольд Цунц, которого называют отцом новой еврейской историографии (расцвет его деятельности: 1825—1855 гг.). Школьный товарищ Цунца, М. Иост, излагал историю евреев от древнейших времен до своей эпохи в целом ряде общественных трудов, написанных, как и сочинения Цунца, на немецком языке. Изучение истории раскрыло перед образованными людьми картину развития иудаизма. Свободомыслящие писатели стали развивать идею, что для современного еврея необязательны все многочисленные религиозные обряды и законы, установленные талмудистами и раввинами былых времен. Они утверждали, что это тяжелое бремя законов даже опасно, ибо современный образованный еврей, не будучи в силах исполнить их, отбрасывает вместе с ними основные библейские заповеди и потом доходит до полного отречения от веры. Проповедники этих идей требовали реформ в еврейской религии. Во главе реформистов стоял (с 1840-х годов) талантливый историк иудаизма, бреславский раввин Авраам Гейгер. Но среди реформистов не было единства. Одни обращали внимание только на внешние преобразования, на красивую обстановку синагоги и богослужения; другие начинали с отрицания важных основ веры, вместо того, чтобы изменять только второстепенные обряды. Против реформистов выступила партия правоверных, или ортодоксов. Во главе ее стоял университетский товарищ Гейгера, раввин Самсон-Рафаил Гирш, поставивший себе девизом: *«не религию приладить к жизни, а жизнь — к религии»*. Между двумя противными партиями возгорелась ожесточенная борьба.

Значительный подъем умственной жизни замечался также — хотя в меньшей степени, чем в Германии — среди евреев Франции, Италии и Австрии. Во Франции, в первой половине XIX века, главными двигателями еврейского знания были: Сальвадор, автор крупных сочинений о Моисеевом законодательстве, истории господства римлян в Иудее и возникновении христианства, и ориенталист Мунк, проливший свет на еврейско-арабскую философию средних веков. В Италии выдвинулся крупный мыслитель Самуил-Давид Луццато (1800—1865 гг.), преподаватель раввинской семинарии в Падуе. Луццато, автор многочисленных научно-исторических сочинений, развивал ту идею, что иудаизм заключает в себе самую возвышенную философию и самую совершенную систему нравственных идеалов. Впоследствии он дошел до убеждения в фальшивости новой европейской культуры и видел в чистом миросозерцании иудейства оплот против возрастающей порчи нравов. Соломон Иегуда Рапопорт в Праге исследовал, подобно Цунцу, многие моменты истории еврейской литературы. При всем своем благочестии, Рапопорт подвергался сильным гонениям со стороны хасидов и раввинов, которые считали преступным всякое употребление научных приемов при исследовании древней письменности. Против этих «темных людей» писали свои остроумные сатиры галициане: Иосиф Перль («Мегале темирин») и Исаак Эртер («Гацофе»).

63. Русские евреи при Александре I и Николае I. Господствовавшие на Западе в начале XIX века освободительные стремления проникли на короткое время и в Россию, где после присоединения Польши жила наибольшая масса евреев. Внук Екатерины Великой, император Александр I (1801—1825 гг.) учредил особый комитет для обсуждения вопроса об улучшении быта евреев в России, а в 1804 году утвердил выработанное этим комитетом «Положение об устройстве евреев». Меры просвещения стоят в этом «Положении» на первом плане: евреям открывается доступ в русские учебные заведения и поощряется распространение между ними русского языка. По занятиям евреи разделяются на четыре класса: на земледельцев, фабрикантов и ремесленников, купцов, мещан. Земледельцам предоставляются значительные податные льготы;

занятия же шинкарством и сельскими арендами преследуются, и для этой цели евреям даже запрещается проживать в деревнях. Для привлечения евреев к земледелию правительство отвело пустопорожние степи в Новороссийском крае и предложило желающим селиться там на льготных условиях. На призыв правительства откликнулись несколько сот еврейских семейств из Северо-Западного края и основали первые земледельческие колонии на юге (1808 г.). Но этот первый опыт был неудачен: непривычность евреев к земледелию, с одной стороны, и трудность заселения дикого степного края, с другой — привели вскоре к упадку южных колоний, которые лишь в позднейшее время возродились к новой жизни. Заботы правительства об улучшении быта евреев в духе права и справедливости тоже скоро ослабели. Война с Наполеоном (1812 г.) и вступление России в европейский Священный союз (1815 г.) отвлекли внимание Александра I в другую сторону. Во второй половине его царствования прежние преобразовательные начинания относительно евреев уступили место иным мерам. Делались бесплодные попытки распространить среди евреев христианство посредством учреждения в 1817 году «Общества израильских христиан»; выселение евреев из деревень в города производилось во многих местах с крайней строгостью, между тем как намеченные «Положением» 1804 года меры к поднятию уровня образования и хозяйственного быта евреев оставались без применения.

В царствование Николая I (1825—1855 гг.) положение евреев значительно ухудшилось. В то время утвердился в правящих кругах средневековый взгляд, что еврейский вопрос может быть решен только путем слияния евреев в религии и образе жизни с коренным русским населением. К достижению этой цели было направлено тогдашнее суровое законодательство. В 1827 г. был издан закон, обязавший евреев к личному отбыванию воинской повинности, по суровому рекрутскому уставу. Продолжительная военная служба (около 25 лет) на далеких окраинах государства отрывала еврея от его семьи и общины и приучала к иной, чуждой ему жизни. В солдаты часто вербовались малолетние еврейские дети, которых отправляли в дальние губернии и там обучали в особых батальонах для малолетних «кантонистов». Вследствие давления военного начальства, большинство кантонистов-евреев принимало православие и больше не возвращалось в родные семьи. Наряду с этим издавались строгие законы, ограничивавшие права евреев по избранию местожительства, рода торговли и промыслов. Вне бывших польских областей, составлявших «черту оседлости евреев», им не разрешалось постоянное жительство. Только в последнее десятилетие царствования Николая I правительство убедилось, что одними принудительными способами невозможно решить еврейский вопрос и что необходимо принять меры к поднятию уровня образования евреев. По мысли министра народного просвещения Уварова, были устроены в 1840-х годах начальные еврейские училища с общеобразовательным курсом, а также два раввинских училища (в Вильне и Житомире) для подготовки образованных раввинов и учителей. Но еврейская масса, напуганная прежними мерами правительства, отнеслась недоверчиво к этому новому мероприятию; она видела в «школьной повинности» опасность для своей религии и народности.

Исключительное гражданское положение русских евреев поддерживало их внутреннюю замкнутость. Раввинизм и хасидизм стремились закупорить еврейскую среду от всякого доступа новых идей. Эти два противника, спорившие за власть над массой, вступали в тесный союз всякий раз, когда им грозила опасность от общего врага — просвещения. А новые умственные веяния уже проникали из центров Запада в темное царство восточного еврейства. Исаак-Бер Левинзон из Кременца (1786—1860 гг.) явился глашатаем просвещения среди русских евреев. В своих книгах, писанных на еврейском языке, он проповедовал, что в хедерном воспитании необходимо отдавать предпочтение изучению Библии и древнееврейского языка перед изучением Талмуда, что религия отнюдь не возбраняет изучения иностранных языков и общеобразовательных наук (книга «Теуда беисраиль», 1828 г.). Левинзон писал еще научные исследования по истории развития библейского и талмудического иудаизма («Бет Иегуда», «Зерубавель»), опровергал в особой книге («Эфес дамим») нелепую басню об употреблении евреями христианской крови и вообще работал для улучшения быта своих несчастных соплеменников. Но лишь немногие из тогдашних русских евреев ценили деятельность Левинзона; вся же масса окружающих его хасидов считала его отступником от религии. Так же недружелюбно смотрели ревнители раввинизма на возникший тогда в Вильне кружок «просвещенных» («маскилим»). Главной целью этого кружка было восстановление чистой библейской речи в новой литературе. Один из членов виленского кружка, Мордохай-Арон Гинцбург (ум. в 1846 г.), много сделал для выработки еврейского прозаического стиля в своих книгах, содержащих рассказы, описания путешествий, исторические очерки и автобиографию («Дебир», «Абиэзер» и др.). Виленский поэт Авраам-Бер Лебенсон («Адам») возродил тогда еврейскую стихотворную речь в своих «Песнях священного языка» («Шире сефат кодеш», 1842 г.). Сын его, Михель Лебенсон, безвременно умерший на 24-м году жизни (1852 г.), превосходил еще отца по глубине поэтического чувства. Его «Песни Циона» и «Арфа Циона» («Шире бат-Цион», «Кинор бат-Цион») принадлежат к лучшим произведениям еврейской поэзии.

64. Западные евреи во второй половине XIX века.
В 1848 году в политической жизни западноевропейских народов совершился большой переворот. В Германии, Австрии и Италии произошли революции, приведшие к ограничению власти правителей и усилению участия народов в государственном управлении («конституционный порядок»). Следствием общего освободительного движения было и провозглашение гражданского равноправия евреев, представители которых принимали деятельное участие в этом движении. Во франкфуртском учредительном парламенте, выработавшем новый порядок управления для Германии, занимал место вице-президента Габриель Риссер, давнишний поборник еврейской эмансипации. В парламенте было принято решение, что гражданские права должны быть одинаковы для немецких подданных всех вероисповеданий. Подобное решение было провозглашено и в прусском Национальном собрании, заседавшем в Берлине. Равноправие евреев было узаконено во всей Германии. Противники нового порядка, взявшие верх в начале 1850-х годов, пытались сократить это равноправие, но встретили отпор со стороны либеральной части общества, в котором евреи играли уже влиятельную роль. Усиление Пруссии после войны с Австрией (1866 г.) и объединение Германии после франко-прусской войны (1870 г.) содействовали упрочению германской конституции и связанной с ней еврейской равноправности. Крупные еврейские таланты выдвинулись на всех поприщах политической, общественной и литературной деятельности.

Таким же путем шло освобождение евреев в Австрии. В этой разноплеменной стране, где постоянно кипела борьба национальностей, труднее было евреям упрочить свое гражданское положение. Объявленная в 1848 г. свободная конституция подверглась изменениям и сокращениям. Но, наконец, конституция 1867 года признала гражданское равноправие евреев в Австро-Венгрии.

Во Франции, родине равноправия, положение евреев еще более упрочилось после Февральской революции (1848 г.). Еврей Адольф Кремье занимал здесь пост министра юстиции дважды: в 1848 и 1870 гг. Это был горячий защитник своего народа. В 1860 г. он основал в Париже общество под названием «Всемирный еврейский союз» (Alliance israelite universelle), поставившее себе две цели: защищать интересы евреев во всех местах их рассеяния и распространять среди них европейское просвещение. В действительности обе эти цели осуществлялись «Союзом» только в странах магометанского Востока: в Турции, Алжире, Марокко и Тунисе. В Англии евреи получили в 1858 г. политические права, сверх тех гражданских прав, которыми они раньше пользовались. Они стали посылать в английский парламент своих депутатов. Не раз евреи избирались на почетнейший пост лорд-мэра Лондона. Герой новейшей английской истории, бывший долгое время первым министром, Биконсфилд-Дизраэли (ум. в 1881 г.), был еврейского происхождения и до самой смерти сохранил живейшую симпатию к своим единоплеменникам. Немало работал для блага своего народа великий англо-еврейский филантроп Моисей Монтефиоре, особенно заботившийся об улучшении быта евреев в Палестине.

В третьей четверти XIX века равноправие евреев было признано во всех странах Западной Европы, где установилось правление конституционное: в Италии (после 1848 г.), в Швеции и Дании, а позже в Сербии и Болгарии (1878 г.). Только Румыния упорно не допускает эмансипации, объявив почти всех своих евреев иностранцами, не могущими пользоваться всеми гражданскими правами.

Разработка еврейской истории и науки, начатая Цунцем и Иостом, продолжалась и во второй половине столетия, особенно в Германии. Лучшим историографом еврейства явился Грец, автор обширной «Истории евреев от древнейших времен до настоящего», в 11 томах (1854—1876 гг.). Отдельные части еврейской истории разрабатывались многими учеными.

Наряду со многими благодетельными последствиями, гражданская эмансипация породила в жизни западных евреев и ненормальные явления. Естественное и необходимое сближение между евреями и христианами, на почве общих гражданских интересов, переходило часто в полное слияние первых с последними. Это новое направление получило название ассимиляции (уподобление соседям). Называя себя в Германии «немцами Моисеева закона», во Франции — «французами Моисеева закона» и т. д., сторонники ассимиляции полагали, что с еврейством их связывает только одна нить — религия; а так как под влиянием новых идей религиозное чувство ослабевало в евреях, то часто порывалась и эта нить. Молодое поколение все более отдалялось от еврейства и его народных интересов, растворяясь среди окружающих народов. Это постепенное отпадение приняло бы еще большие размеры, если бы вдруг в отношении европейского общества к евреям не произошло резкое ухудшение, заставившее одуматься тех, которые стояли на пути к ассимиляции.

В последней четверти XIX века в Европе началось новое движение против евреев, названное антисемитизмом (против семитов), но представляющее в сущности только попытку воскресить старую средневековую юдофобию в новой форме. Быстрые успехи евреев на всех поприщах общественной и промышленной деятельности, явившиеся результатом их эмансипации, породили зависть и беспокойство в тех классах христианского общества, которые еще не освободились от идеи социального неравенства. Стали раздаваться голоса, что еврей, или семит, уже по племенным своим особенностям не может уживаться с арийцем-христианином; что он слишком даровит и стремится все захватить в свои руки, везде первенствовать; что он уже достиг преобладания в промышленности и финансах, в политике, суде, печати и науке, вытесняя будто бы христианина из всех этих областей. Антисемиты требовали, чтобы у евреев отняли дарованное им законом гражданское равноправие; иные требовали даже для евреев таких ограничений и стеснений, которые бы разорили их и заставили бы выселиться в другие страны. Антисемитизм впервые появился в Германии, при императоре Вильгельме I и его знаменитом канцлере Бисмарке. Одним из творцов антисемитической партии был придворный проповедник в Берлине, священник Штеккер (1880 г.). В 1880-х годах эта партия достигла значительного влияния: она имела своих представителей в германском парламенте, издавала свои газеты, рассылала всюду агентов для возбуждения населения против евреев. С 1890-х годов рост антисемитизма в Германии остановился, но зато это опасное движение усилилось в Австрии и даже во Франции, первой стране, провозгласившей равноправие евреев. В Австрии, раздираемой борьбой национальностей — немцев, чехов, поляков и др., — евреи имели врагов среди всех борющихся наций. Во Франции антисемиты начали с травли евреев в печати (Дрюмон), но потом перешли к борьбе с ними в парламенте и в общественной жизни. В 1894 г. они выступили против одного богатого еврея, капитана Дрейфуса, служившего в военном министерстве, с ложным обвинением в том, будто он совершил государственную измену, передав тайные военные планы французского правительства враждебному государству. Несмотря на очевидную ложность обвинения, Дрейфуса осудили и сослали на дикий островок («Чертов остров»), близ Южной Америки. Только спустя пять лет, после долгой борьбы партий за и против осужденного, обнаружилась роковая судебная ошибка, и несчастного Дрейфуса вернули из ссылки. Лучшие представители христианского общества во всех странах осуждают позорную деятельность антисемитов и борются против нее; но они не в силах совершенно остановить это движение, коренящееся в сословно-классовых стремлениях и предрассудках народных масс.

Антисемитизм заставил евреев на Западе призадуматься. Еврейское общество, значительная часть которого прежде увлекалась идеями ассимиляции и слияния, начало сознавать необходимость единения своих членов для защиты своих народных интересов от напора враждебных сил.

65. Евреи в России во второй половине XIX века. Со вступлением на престол императора Александра II (1855 г.), для евреев в России открылась светлая пора надежд и упований. Этот царь-освободитель, положивший конец крепостному праву и стремившийся к реформам во всех отраслях государственного управления, облегчил немного и тяжелую участь евреев. Не вступая на путь коренных преобразований, правительство нашло необходимым постепенно отменять наиболее тяжелые правовые ограничения, установленные для евреев в предыдущее царствование. Была прекращена вербовка еврейских военных кантонистов (1856 г.); евреям-купцам первой гильдии, лицам с высшим образованием и ремесленникам, предоставлено было право повсеместного жительства в России (1859—1865 гг.). Общее образование евреев поощрялось; но на специально-еврейское первоначальное обучение обращалось мало внимания. В 1873 году были упразднены оба раввинские училища и все «казенные» еврейские школы, учрежденные при Уварове; их заменили учительские институты и начальные школы нового образца; но последние открывались лишь в немногих городах «черты оседлости». Старое хедерное и иешиботское воспитание все еще господствовало в массе народа, между тем как во многих кругах усиливалось стремление молодежи в общерусские учебные заведения. Резкие переходы от хедера к гимназии и от раввинской науки к университетской стали обычными явлениями. Усилилась борьба «отцов» и «детей», т. е. старого и молодого поколений, из которых первое совершенно отгораживалось от русской среды, а второе устремилось к слиянию с ней. Подобно своим западным братьям, многие образованные русские евреи ассимилировались с окружающим населением и отрекались от интересов своего народа.

Между двумя крайними слоями — отсталой правоверной массой и оторвавшейся от своего народа частью общества — стояли истинно просвещенные люди, считавшие своим долгом работать для подъема общественного и духовного уровня еврейской жизни. Эту работу исполняли просветители, или «маскилим», оживившие литературу на древнееврейском языке. Авраам Мапу из Ковны (ум. в 1866 г.) восхищал публику своими историческими романами из библейской эпохи («Агават Цион», «Ашмат Шомрон») и из современного русско-еврейского быта («Аит цавуа»), написанными блестящим языком пророков. Поэт Лев Гордон (ум. в 1893 г.) довел еврейский стих до совершенства в своих поэмах, лирических и обличительных стихотворениях; в стихах и прозе Гордон резко обличал нетерпимость и косность раввинов и цадиков. Перец Смоленский (ум. в 1885 г.), издававший в Вене журнал «Гашахар» («Заря») для русских евреев, ратовал в своих романах и статьях за просвещение евреев в национальном духе. «Гамагид», «Гамелиц» и «Гаркамель» положили начало газетной литературе на древнееврейском языке (1855—1860 гг.). — В начале 60-х годов возникла еврейская литература на русском языке. Периодические издания («Рассвет», «Сион» и «День» в Одессе, новый «Рассвет», «Восход» и др. в Петербурге) поставили себе задачу — бороться за гражданскую свободу евреев. Осип Рабинович, Леванда и Богров изображали в своих рассказах на русском языке современную жизнь евреев, с ее темными и светлыми сторонами. Тот же Рабинович и безвременно умерший (1875 г.) публицист Оршанский горячо защищали в своих статьях идею равноправия евреев в России и отражали направленные против них обвинения. Можно было ожидать, что дело, за которое боролись все эти представители русского еврейства, близко к осуществлению; но печальные события, совпавшие с моментом возникновения антисемитизма в Западной Европе, показали, что такие ожидания были преждевременны.

В 1881 и 1882 годах во многих городах южной России происходили нападения христианского населения на евреев. Нападения эти, или «погромы», выражались в разрушении еврейских домов, расхищении имущества, а местами — в избиении людей. Особенно ужасны были погромы в тех областях, где в XVIII веке свирепствовали гайдамаки (Елизаветград, Киев, Балта и другие местности бывшей Украины). Благодаря мерам правительства, погромы с половины 1882 года утихли, повторяясь потом только случайно в разных местах «черты оседлости евреев». Но с этого времени резко ухудшилось правовое положение русских евреев. В царствование Александра III (1881—1894 гг.) были изданы распоряжения: о запрещении евреям вновь селиться в селах и деревнях («временные правила» 3 мая 1882 г.), о допущении еврейских детей в гимназии и университеты в самом ограниченном количестве (1887 г.), о выселении евреев-ремесленников и мелких купцов из Москвы (1891 г.), о недопущении евреев в состав гласных городских дум по выборам (1892 г.) и т. п. Ухудшение экономического положения евреев вызвало среди них усиленную эмиграцию из России. Главная масса переселенцев направлялась в Америку, а меньшая часть — в Палестину. В Северную Америку переселилось за два последних десятилетия XIX века около миллиона евреев, устроившихся в Соединенных Штатах и Канаде. В Южной Америке образовались еврейские земледельческие колонии (в Аргентине), поддерживаемые на средства известного миллионера-филантропа барона Гирша. В Палестине возникли еврейские земледельческие колонии (в Иудее и Галилее), благодаря щедрым пожертвованиям парижского барона Эдмонда Ротшильда и поддержке еврейского «Палестинского общества» в Одессе.

В связи с событиями последних десятилетий XIX в. произошел подъем национального чувства среди русских евреев. Это выразилось прежде всего в том, что значительная часть новой еврейской интеллигенции отвергла вредную идею ассимиляции и сблизилась со своим народом. Многие уверовали даже в возможность постепенного образования еврейского государства в Палестине. Эту идею проповедовала в 1880-х годах партия «палестинцев» («ховеве-цион»), а в 90-х годах она приняла более определенную форму в России и Западной Европе под названием «сионизма». С 1897 г. многочисленная партия сионистов, вождем которой был д-р Герцль из Вены, устраивала периодические «конгрессы» (съезды) в Базеле и других местах. Партия рассчитывала, посредством своего «Колониального фонда» и «Национального фонда», развить земледелие и промышленность в Палестине, усилить приток еврейских переселенцев в эту страну и, наконец, создать там большой центр еврейства на основах широкого самоуправления.

Оглавление

С. М. Дубнов

КРАТКАЯ ИСТОРИЯ
ЕВРЕЕВ

Обложка С. Царев
Корректоры: О. Милованова, Г. Бибикова

Лицензия ЛР № 065194 от 02.06.97

Формат 84x108/32. Бумага газетная. Гарнитура Peterburg.
Печать высокая. Усл. печ. л. 30,24. Тираж 10000 экз.
Заказ № 22.

Издательство «Феникс»
344007, г. Ростов-на-Дону, пер. Соборный, 17.

Отпечатано с готовых диапозитивов в ЗАО «Книга»
344019, г. Ростов-на-Дону, ул. Советская, 57.